Bill Bryson

Breve storia del corpo umano

Una guida per gli occupanti

Titolo originale:
The Body. A Guide for Occupants

Traduzione di Stefania De Franco

© 2019 Ugo Guanda Editore S.r.l., Milano
Gruppo editoriale Mauri Spagnol

Edizione Mondadori Retail S.p.A.
per Mondolibri, Milano
su licenza Ugo Guanda Editore S.r.l., Milano
Gruppo editoriale Mauri Spagnol

www.mondolibri.it

A Lottie.
Benvenuta anche tu.

1

Come costruire un essere umano

« Un dio nell'intendere! »
WILLIAM SHAKESPEARE, *Amleto*

Tanto tempo fa, quando andavo a scuola in America, l'insegnante di biologia ci disse che l'insieme di tutte le sostanze chimiche presenti nel corpo umano si poteva comprare da un ferramenta per cinque dollari o giù di lì. Non ricordo la cifra esatta, potevano essere 2,97 o 13,50 dollari, ma era senza dubbio molto poco persino per gli anni Sessanta, e rimasi sbalordito al pensiero che un coso goffo e brufoloso come me si potesse creare praticamente con niente.

La rivelazione fu così mortificante che in tutti questi anni non mi ha mai abbandonato. La domanda è: era vero? Valiamo sul serio così poco?

Più volte gli esperti (si legga « studenti universitari di Scienze senza nessuno con cui uscire il venerdì sera ») hanno provato, soprattutto per passare il tempo, a calcolare il costo dei materiali che servirebbero per costruire un essere umano. Il tentativo più

7

rispettabile e completo degli ultimi anni è forse quello della britannica Royal Society of Chemistry (RSC) che nel 2013, durante il Cambridge Science Festival, ha prodotto una stima dell'assemblaggio di tutti gli elementi necessari a costruire l'attore Benedict Cumberbatch (che quell'anno era direttore ospite del festival e, per fortuna, è un uomo di proporzioni normali).

Secondo i calcoli della RSC,[1] per creare un essere umano servono in tutto 59 elementi. Sei di questi – carbonio, ossigeno, idrogeno, azoto, calcio e fosforo – rappresentano il 99,1 per cento di ciò che ci compone, mentre il resto è piuttosto inaspettato. Chi avrebbe mai pensato che senza un po' di molibdeno, vanadio, manganese, stagno e rame saremmo incompleti? Va detto che di alcuni ne occorrono quantità assai modeste, misurate in parti per milione o addirittura per miliardo. Bastano, ad esempio, appena venti atomi[2] di cobalto e trenta di cromo per i 999.999.999 atomi e mezzo di tutto il resto.

L'elemento principale di ogni essere umano, che occupa il 61 per cento dello spazio disponibile, è l'ossigeno. Potrà sembrare un tantino strano che per quasi due terzi siamo composti da un gas inodore. Il motivo per cui non siamo leggeri ed elastici come un palloncino è che perlopiù l'ossigeno è legato all'idrogeno (che rappresenta un altro 10 per cento) a formare l'acqua, sostanza incredibilmente pesante, come saprete se vi è capitato di spostare una piscina per bambini o di andarvene in giro con i vestiti zuppi. Se vi sembra ironico che due degli elementi più leggeri esistenti, ossigeno e idrogeno, messi insieme formino uno di quelli più pesanti, sappiate che la natura è così. Ossigeno e idrogeno sono anche due fra gli elementi più economici che possediamo. L'ossigeno ci costerebbe appena 8,90 sterline e l'idrogeno poco più di 16 (ammesso che la nostra stazza si avvicini a quella di Benedict Cumberbatch). L'azoto (che rappresenta il 2,6 per cento) costa ancora meno, solo 27 pence. Dopo di che il prezzo lievita.

Secondo la Royal Society of Chemistry (che ha usato solo la forma più pura di ogni sostanza: non produrrebbe mai un essere umano con roba scadente) occorrono circa 13 chili di carbonio, per la bellezza di 44.300 sterline. Benché necessari in quantità di gran lunga inferiore, calcio, fosforo e potassio costerebbero nel complesso altre 47.000 sterline. Il resto è addirittura più costoso per unità di volume, ma per fortuna ne basta poco. Il torio costa quasi 2000 sterline al grammo, però rappresenta solo lo 0,0000001 per cento, quindi per un corpo sono sufficienti 21 pence. Lo stagno non supera i 4 pence, mentre zirconio e niobio ne costano appena 2 ciascuno. A quanto pare lo 0,000000007 per cento di samario non incide affatto, perché secondo la RSC è a costo zero.

Dei 59 elementi che abbiamo, 24 sono tradizionalmente noti come «essenziali», perché non possiamo proprio farne a meno. Il resto è una sorta di mix assortito. Alcuni comportano vantaggi evidenti, altri potrebbero comportare dei vantaggi ma non si sa di che tipo, altri ancora non sono né dannosi né benefici, ci sono e basta, e certi sono giusto una rogna. Il cadmio, ventitreesimo elemento del corpo pari allo 0,1 per cento della massa, è ad esempio molto tossico. È presente non tanto perché il corpo ne abbia un disperato bisogno, ma perché i vegetali lo assorbono dal terreno e quindi finisce dentro di noi quando li mangiamo. Chi vive in America del Nord può ingerirne circa 80 microgrammi al giorno senza godere di alcun beneficio, anzi.

La maggior parte di ciò che succede a questo livello elementare dev'essere ancora compresa. Sebbene in quasi ogni cellula del corpo ci siano più di un milione di atomi di selenio, fino a non molto tempo fa nessuno sapeva a cosa servissero. Oggi si sa che il selenio produce due enzimi vitali,[3] la cui carenza è stata associata a ipertensione, artrite, anemia, ad alcuni tumori e persino, forse, alla riduzione della conta spermatica. Se quindi fa bene assumerne un po' (il selenio si trova soprattutto nella frutta secca, nel pane integrale e nel pesce), una quantità eccessiva può intossicare in modo irrimediabile il fegato.[4] Come per quasi tutto nella vita, trovare il giusto equilibrio è una faccenda delicata.

Secondo la RSC, quindi, costruire un nuovo essere umano usando come modello il cortese Benedict Cumberbatch costerebbe 96.546,79 sterline esatte. Ovviamente manodopera e Iva farebbero salire ulteriormente il prezzo. Portarsi a casa un Benedict Cumberbatch per meno di 200.000 sterline sarebbe un colpaccio: tutto considerato non è un patrimonio, ma neppure i pochi dollari prospettati dal mio insegnante. Detto questo, nel 2012 *Nova*, il programma scientifico americano della PBS,[5] ha fatto un'identica analisi per la puntata intitolata *Hunting the Elements* ottenendo un totale di 168 dollari per l'acquisto degli elementi essenziali, a riprova di un concetto che diventerà ineluttabile nel corso di questo libro, e cioè che nel caso del corpo umano i dettagli sono spesso sorprendentemente incerti.

Poco importa, però. A prescindere dal costo e dall'accuratezza con cui si assemblano gli elementi, nessuno è in grado di creare un individuo. Neppure se riunissimo tutti i cervelloni del presente e del passato con tutto lo scibile umano a disposizione, si potrebbe creare una sola cellula vivente, figurarsi un replicante di Benedict Cumberbatch.

Ed è questo il nostro aspetto più strabiliante: siamo solo un insieme di componenti inerti, gli stessi che si possono trovare in un mucchio di terra. L'ho già detto in un altro libro, ma credo valga la pena ripeterlo: l'unica cosa speciale degli elementi che ci compongono è che ci compongono. È il miracolo della vita.

Trascorriamo la nostra esistenza in questa carne calda e tremula dandola praticamente per scontata. Quanti di noi hanno una vaga idea di dove si trova la milza e a cosa serve? O la differenza fra tendini e legamenti? O cosa fanno i linfonodi? E quante volte al giorno sbattiamo le palpebre? Cinquecento? Mille? Ovviamente non lo sapete. Ebbene, lo facciamo 14.000 volte,[6] così tante che in totale gli occhi si chiudono per 23 minuti. Eppure non dobbiamo pensarci, perché ogni secondo di ogni giorno il corpo compie un numero infinito di compiti – un quadrilione, un *nonilione* (10^{54}), un *quindicilione* (10^{90}), un *vigintilione* (10^{120}), misure realmente esistenti, ma che vanno al di là di ogni immaginazione – senza richiedere un istante della nostra attenzione.

Nel secondo o giù di lì che è trascorso da quando avete cominciato a leggere questa frase il vostro corpo ha prodotto un milione di globuli rossi. Vi stanno già sfrecciando dentro, corrono nelle vostre vene, vi tengono in vita. Ognuno di loro farà il giro completo circa 150.000 volte portando più e più volte ossigeno alle cellule, per poi presentarsi ormai malconcio e inutile davanti ad altre cellule e immolarsi in silenzio in nome del vostro bene.

In totale il corpo ha sette miliardi di miliardi di miliardi di atomi (7.000.000.000.000.000.000.000.000.000 o sette *ottilioni*) che, chissà perché, hanno l'impellente desiderio di essere noi. In fondo sono solo stupide particelle, senza neppure un pensiero o un'idea. Eppure per l'intera durata della nostra esistenza costruiscono e preservano gli innumerevoli apparati e strutture necessari a farci essere attivi, a renderci chi siamo, a darci una forma e a farci godere della condizione rara, e quanto mai gradevole, nota come vita.

È un compito più grande di quanto si possa credere. Non assemblati siamo enormi. Se si potessero distendere, i polmoni occuperebbero lo spazio di un campo da tennis, e le vie aeree che si trovano al loro interno potrebbero coprire la distanza fra Londra e Mosca. La lunghezza totale dei vasi sanguigni[7] farebbe invece due volte e mezzo il giro della Terra. Ma l'elemento più incredibile di tutti è il DNA. Ce n'è un metro in ogni singola cellula, e abbiamo così tante cellule nel corpo che, mettendo in fila tutto il loro DNA,[8] si arriverebbe a 16.093.440.000 chilometri, ben oltre Plutone. Pensateci: siamo così immensi da uscire dal sistema solare, cosmici nel senso più letterale del termine.

Gli atomi, però, non sono altro che mattoncini e da soli non sono vivi. È difficile dire con esattezza dove cominci la vita, ma la sua unità elementare è la cellula, su questo tutti concordano. La cellula è piena di cosine industriose – ribosomi e proteine, DNA, RNA, mitocondri e tanti altri misteri microscopici –, ma nessuna di queste è viva di per sé. La stessa cellula non è altro che un contenitore – una sorta di stanzetta, una cella – che le ospita e, come qualunque altra stanza, non è viva. Quando tutte le cosine si uniscono, però, ecco che si ha la vita. È l'aspetto che sfugge alla scienza e, in cuor mio, spero che sarà sempre così.

Forse il particolare più straordinario è che nessuno comanda. Ogni componente della cellula reagisce ai segnali degli altri, e benché tutti si scontrino come piccole vetture di un'autopista, il moto casuale produce un'azione fluida e coordinata. Lo stesso avviene in tutto il corpo, poiché le cellule delle diverse zone del nostro personale cosmo sono in comunicazione fra loro.

Il cuore della cellula è il nucleo. Qui si trova il DNA – che come abbiamo visto misura un metro –, compresso in uno spazio che potremmo a ben ragione definire infinitesimale. Tutto questo DNA riesce a entrare nel nucleo perché è estremamente sottile. Per ottenere il diametro del capello umano più fine occorrerebbero venti miliardi di filamenti di DNA.[9] Ogni cellula del corpo (anzi, ogni cellula con un nucleo) ospita due copie di DNA. Ecco perché potremmo arrivare fino a Plutone e oltre.

Il DNA esiste per un unico scopo: creare altro DNA. È un semplice manuale di istruzioni per la creazione del corpo. Una sua molecola, come di certo ricorderete dagli innumerevoli programmi televisivi se non proprio dalle ore di biologia, è formata da due filamenti collegati da pioli che creano la famosa spirale nota come doppia elica. Un filamento è diviso in segmenti chiamati cromosomi e in unità singole più piccole chiamate geni. La somma di tutti i geni costituisce il genoma.

Il DNA è assai stabile. Può durare decine di migliaia di anni. È quello che permette agli scienziati di oggi di comprendere l'antropologia del passato più remoto. Con ogni probabilità, fra mille anni niente di quanto possedete – una lettera, un gioiello, un cimelio prezioso – esisterà ancora, mentre il DNA sarà quasi certamente recuperabile, se solo qualcuno si prenderà la briga di cercarlo. Il DNA trasmette le informazioni con estrema fedeltà. Commette un solo errore per ogni miliardo di lettere copiate, che significa circa tre errori, o mutazioni, per ogni divisione cellulare. Solitamente il corpo può ignorarle quasi tutte, ma capita che alcune mutazioni abbiano un'importanza duratura. Si chiama evoluzione.

I componenti del genoma hanno un unico scopo, tramandare la nostra esistenza. È un po' avvilente pensare che i geni con cui andiamo in giro sono antichissimi, e forse – almeno finora – eterni. Noi moriremo e scompariremo, mentre loro continueranno a vivere fin quando i nostri discendenti genereranno figli. Ed è senza dubbio strabiliante che, nei tre miliardi di anni dall'inizio della vita, la discendenza di ciascuno di noi non si sia interrotta neppure una volta. Affinché fossimo qui adesso, ognuno dei nostri antenati ha dovuto trasmettere con successo il suo materiale genetico a una nuova generazione prima di essere eliminato o altrimenti distratto dal processo procreativo. Un trionfo dietro l'altro, non c'è che dire.

Nello specifico, i geni forniscono istruzioni per le proteine, che compongono buona parte di ciò che è utile nel nostro corpo. Quelle che accelerano i cambiamenti chimici sono note come enzimi, quelle che trasmettono i messaggi chimici come ormoni, quelle che attaccano gli agenti patogeni anticorpi. La più grande di tutte è la titina, che aiuta a controllare l'elasticità muscolare. In base alla nomenclatura chimica, il nome è formato da 189.819

lettere,[10] il che ne farebbe la parola più lunga della lingua inglese, se solo i dizionari riconoscessero anche questi termini. Non si sa quanti tipi di proteine[11] ci siano nel corpo, le stime variano da qualche centinaio di migliaia a un milione o più.

Il paradosso è che siamo tutti diversi, anche se da un punto di vista genetico praticamente identici. Pur avendo in comune il 99,9 per cento del DNA,[12] non esistono due esseri umani uguali. Il mio e il vostro DNA[13] differiscono in tre o quattro milioni di punti, un nonnulla rispetto al totale, ma abbastanza da renderci diversissimi. Abbiamo anche un centinaio di mutazioni personali,[14] sequenze di informazioni che non corrispondono a nessuno dei geni trasmessi dai nostri genitori, quindi soltanto nostri.

Come funzioni esattamente tutto questo è ancora un mistero. Appena il 2 per cento del genoma umano codifica le proteine, vale a dire che solo il 2 per cento compie un'azione concreta in maniera dimostrabile e inequivocabile. Ciò che fa il resto non è dato saperlo. Sembra che una buona parte se ne stia lì e basta, tipo le lentiggini. Alcune non hanno senso. Una sequenza molto corta, chiamata Alu,[15] si ripete oltre un milione di volte nel nostro genoma, in certi casi intervallando addirittura importanti geni codificanti proteine. A quanto si sa è del tutto inutile, eppure costituisce il 10 per cento del materiale genetico. Per un po' l'elemento misterioso è stato chiamato DNA spazzatura, ma adesso gli è stato dato il nome più cortese di DNA oscuro, a significare che non sappiamo cosa faccia né perché ci sia. In parte è coinvolto nella regolazione dei geni, ma il grosso deve ancora essere compreso.

Il corpo è spesso paragonato a una macchina, eppure è molto di più. Funziona ventiquattr'ore su ventiquattro per decenni senza richiedere (in genere) manutenzione regolare né pezzi di ricambio, va ad acqua e a qualche altro composto organico, è morbido e alquanto gradevole, premurosamente mobile e duttile, si riproduce con entusiasmo, fa battute di spirito, prova affetto, apprezza un bel tramonto e una fresca brezza. Conoscete altre macchine in grado di fare tutto questo? Non c'è dubbio, siamo dei veri prodigi. Eppure, va detto, lo è anche un lombrico.

E come celebriamo la meraviglia della nostra esistenza? Be', la maggior parte di noi facendo pochissima attività fisica e mangiando moltissimo. Pensiamo alla quantità di cibo spazzatura che trangugiamo e al tempo che passiamo stravaccati davanti a uno schermo luminoso in stato quasi vegetativo. Tuttavia, il nostro corpo si prende cura di noi in modo gentile e miracoloso, ricavando sostanze nutritive dall'assortimento di roba di cui ci ingozziamo e facendoci funzionare per decenni, di solito in modo egregio. Il suicidio come stile di vita richiede secoli.

Il corpo ci sostiene e ci preserva persino quando sbagliamo quasi tutto. In un modo o nell'altro, tanti di noi ne sono la prova. A cinque fumatori su sei[16] non viene il cancro ai polmoni. Molti candidati all'infarto non ne avranno mai uno. Si stima che ogni giorno da una a cinque cellule diventino cancerose[17] e il sistema immunitario le catturi e le uccida. Pensateci. Una ventina di volte alla settimana, ben oltre mille all'anno, siamo colpiti dal male più temuto della nostra epoca, e ogni volta il corpo ci salva. Di tanto in tanto il cancro evolve in qualcosa di più grave e magari ci uccide, ovvio, ma nel complesso i tumori sono rari: il grosso delle cellule si riproduce miliardi e miliardi di volte senza problemi. Il cancro sarà anche una causa frequente di morte, ma non è certo un evento frequente nella vita.

Il nostro corpo è un universo di 37,2 trilioni di cellule[18] che funzionano in armonia più o meno perfetta più o meno di continuo.* Un dolorino, la fitta per un'indigestione, l'occasionale

* Ovviamente il dato è un'approssimazione. Le cellule umane sono di tipi, dimensioni e densità diversi e, letteralmente, infinite. Questo numero è

livido o foruncolo sono quasi tutto ciò che normalmente manifesta la nostra imperfettibilità. Esistono migliaia di cose in grado di ucciderci[19] – poco più di ottomila, in base all'*International Statistical Classification of Diseases and Related Health Problems* compilata dall'OMS – e le evitiamo tutte tranne una. Per la gran parte di noi, non è niente male.

Non siamo affatto perfetti, anzi. Ci ritroviamo i molari inclusi perché la mandibola non si è sviluppata a sufficienza per ospitare tutti i denti di cui siamo dotati, e abbiamo il bacino troppo piccolo per partorire senza provare un dolore lancinante. Siamo irrimediabilmente soggetti a mal di schiena. Abbiamo organi che perlopiù non sono in grado di ripararsi da soli. Se un pesce farfalla subisce un danno al cuore, produce nuovi tessuti. Se succede a noi, amen. Quasi tutti gli animali producono la vitamina C, noi no. Chissà perché, sappiamo fare tutto[20] tranne produrre un singolo enzima.

Il miracolo della vita umana non sta tanto nel fatto che presentiamo imperfezioni, quanto nella capacità di non esserne sopraffatti. Non dimenticate che i geni provengono da antenati non sempre umani. Alcuni erano pesci. Molti altri erano minuscoli e pelosi, e vivevano nelle tane. Sono questi gli esseri da cui abbiamo ereditato la struttura genetica. Siamo il prodotto di tre miliardi di anni di progressi evolutivi. Staremmo molto meglio se potessimo ricominciare e dotarci di corpi costruiti per le specifiche esigenze dell'*Homo sapiens*: camminare eretti senza sfasciarci ginocchia e schiena, deglutire senza l'altissimo rischio di strozzarci, dispensare figli come un distributore automatico. Eppure non siamo stati costruiti per questo. Il nostro viaggio nella storia è cominciato sotto forma di masse unicellulari che

stato indicato nel 2013 da un team di scienziati europei coordinati da Eva Bianconi dell'Università di Bologna e pubblicato negli *Annals of Human Biology*.

galleggiavano in acque miti e poco profonde. Da allora è stato tutto un caso, un percorso lungo e interessante ma anche piuttosto straordinario, come spero riusciranno a chiarire le pagine seguenti.

2

L'esterno: la pelle, i capelli e i peli

La bellezza si ferma in superficie, il brutto arriva fino all'osso.

DOROTHY PARKER

I

Anche se potrebbe sorprendere, la pelle è l'organo più esteso che abbiamo, e forse il più versatile. Tiene i visceri dentro e le minacce fuori. Attutisce i colpi. Ci dona il senso del tatto, ci fa sentire il piacere, il calore, il dolore e quasi ogni altra sensazione che ci rende vivi. Produce la melanina per proteggerci dai raggi solari. Si ripara da sola quando la maltrattiamo. Rappresenta tutta la bellezza a cui possiamo fare appello. Si prende cura di noi.

Il nome scientifico della pelle è apparato cutaneo. Misura circa 2 metri quadrati e nel complesso pesa tra i 4,5 e i 7 chili, anche se ovviamente molto dipende dall'altezza e dalla larghezza di fianchi e pancia. La parte più sottile si trova sulle palpebre (appena 0,02 millimetri), la più spessa sui palmi delle mani e sui talloni. A differenza del cuore o di un rene, la pelle non si guasta mai. «Non ci scuciamo e non abbiamo perdite»[1] spiega Nina Jablonski, docente di Antropologia alla Penn State University e decana di tutto ciò che riguarda la cute.

La pelle è formata da uno strato interno detto derma e da uno esterno detto epidermide. La superficie dell'epidermide, cioè lo strato corneo, è composta solo da cellule morte. Trovo sensazionale che ciò che ci fa apparire così adorabili sia di fatto deceduto. Laddove il corpo incontra l'aria, siamo tutti dei cadaveri. Le cellule esterne vengono sostituite ogni mese. Perdiamo moltissima pelle e quasi non ce ne accorgiamo:[2] circa venticinquemila scaglie al minuto, oltre un milione all'ora. Se passate un dito su una mensola impolverata starete in buona parte tracciando un solco tra i residui di ciò che eravate. In silenzio e in modo inesorabile diventiamo polvere.

Le scaglie di pelle si chiamano squame. Ciascuno di noi ne semina[3] circa mezzo chilo l'anno. Se bruciate il contenuto di un sacchetto dell'aspirapolvere predominerà l'inconfondibile odore che associamo ai capelli bruciati, perché pelle e peli sono fatti principalmente della stessa sostanza, la cheratina.

Sotto l'epidermide c'è il più florido derma, dove risiedono tutti i sistemi attivi della pelle: i vasi sanguigni e linfatici, le fibre nervose, le radici dei follicoli piliferi, i serbatoi delle ghiandole sudoripare e sebacee. Poi c'è lo strato sottocutaneo – che in realtà non fa parte della pelle – in cui si conserva il grasso. Pur non rientrando nel sistema cutaneo, è un elemento importante perché immagazzina l'energia, isola il corpo e collega la pelle al resto dell'organismo.

Nessuno conosce con esattezza il numero di forellini che abbiamo sulla pelle, ma siamo decisamente bucherellati. Le stime suggeriscono che i follicoli piliferi si aggirano tra i due e i cinque milioni, e le ghiandole sudoripare sono forse il doppio. I follicoli hanno due mansioni: fanno spuntare peli e capelli e secernono il sebo (dalle ghiandole sebacee), che si mescola al sudore per formare uno strato oleoso sulla superficie e contribuisce a mantenere la pelle duttile e inospitale per molti organismi estranei. A volte un poro viene ostruito da un piccolo tappo di pelle morta e sebo secco dando origine al cosiddetto punto nero. Se il follicolo s'infetta e s'infiamma, il risultato è l'incubo degli adolescenti: il brufolo. I brufoli tormentano i ragazzi perché le loro ghiandole sebacee – come tutte le altre ghiandole – sono estremamente attive. Quando il problema si cronicizza si ha l'acne, parola di origine assai incerta.[4] Potrebbe derivare dal termine greco *acme*, che denota un risultato importante e ammirevole, come di certo però non è un viso coperto di brufoli. Non è chiaro come i due termini siano stati accostati, ma si sa che la parola acne comparve per la prima volta nella lingua inglese nel 1743 in un dizionario medico.

Nel derma ci sono anche diversi recettori che ci tengono in contatto con il mondo. Quando un venticello ci soffia sulla guancia sono i corpuscoli di Meissner a farcelo sapere.* Quando appoggiamo la mano su una piastra rovente sono i corpuscoli di Ruffini a gridare. Le cellule di Merkel reagiscono alla pressione costante e i corpuscoli di Pacini alla vibrazione.

I corpuscoli di Meissner sono quelli preferiti da tutti. Ci permettono di percepire un tocco leggero[5] e infatti abbondano soprattutto nelle zone erogene e in altre altamente sensibili: polpastrelli, labbra, lingua, clitoride, pene e così via. Prendono il nome dall'anatomista tedesco Georg Meissner, a cui va il merito di averli scoperti nel 1852, anche se il collega Rudolf Wagner sosteneva che il merito fosse suo. Il dissapore mise fine

---

* Dal punto di vista anatomico il termine corpuscolo, di derivazione latina, è per certi versi vago. Indica sia una singola cellula libera, come nel caso dei globuli rossi, sia gruppi di cellule che funzionano in maniera indipendente, come nel caso dei corpuscoli di Meissner.

al loro rapporto, a riprova di come in ambito scientifico anche i dettagli più piccoli possano essere causa di grande ostilità.

Questi recettori sono tutti regolati a puntino per farci percepire il mondo. Un corpuscolo di Pacini può individuare un movimento di 0,00001 millimetri, che in pratica non è neppure un movimento. Inoltre non richiedono il contatto diretto con l'oggetto fisico che stanno interpretando. Come fa notare David J. Linden in *Touch*, se affondiamo una vanga nella ghiaia o nella sabbia[6] sentiamo la differenza anche se tocchiamo solo la vanga. Stranamente non abbiamo recettori per individuare il bagnato.[7] Abbiamo solo sensori termici a guidarci, ecco perché quando ci sediamo sul bagnato non sappiamo subito se è acqua o solo freddo.

Nelle dita le donne hanno una sensibilità tattile[8] più spiccata degli uomini, ma forse dipende dal fatto che hanno mani più piccole e quindi una rete di sensori più fitta. Una cosa interessante del tatto è che il cervello non ci dice solo qual è la sensazione, ma anche come dovrebbe essere. Ecco perché la carezza di una persona amata è piacevole, mentre quella di un estraneo può risultare raccapricciante. Ed ecco perché è difficilissimo farsi il solletico da soli.

Una delle cose più memorabili e inattese che mi sono capitate durante la stesura di questo libro è stata in una sala anatomica della Nottingham University, in Inghilterra, quando il professor Ben Ollivere (un chirurgo del quale vi parlerò a tempo debito) ha inciso e sollevato con delicatezza un lembo di pelle di circa un millimetro dal braccio di un cadavere. Era così sottile da essere quasi trasparente. « È qui » ha detto « che c'è tutto il colore della pelle. Ecco cos'è la razza: un sottile strato di epidermide. »

Poco dopo ne ho parlato con Nina Jablonski nel suo ufficio di State College, in Pennsylvania. Lei ha annuito con vigore. « È incredibile quanta importanza attribuiamo a un aspetto così insignificante» ha detto. «Ci comportiamo come se il colore della pelle determinasse il carattere, quando non è altro che una reazione alla luce del sole. Dal punto di vista biologico il concetto di razza non esiste, come non esiste nulla in termini di colore della pelle, tratti del viso, tipo di capelli, strutture ossee o altro che caratterizzi un popolo. Eppure pensa a quante persone nel corso della storia sono state ridotte in schiavitù, odiate, linciate o private dei diritti fondamentali per il colore della pelle.»

Alta ed elegante, con i capelli argentati tagliati corti, Jablonski lavora in un ufficio molto ordinato al quarto piano del Dipartimento di Antropologia del campus della Penn State University, ma l'interesse che nutre per la pelle risale a quasi trent'anni fa, quando era una giovane primatologa e paleobiologa alla University of Western Australia di Perth. Nel preparare una lezione sulle differenze tra il colore della pelle di primati e umani si rese conto che sul tema c'erano pochissime informazioni e inaugurò quello che sarebbe diventato lo studio di una vita. «È cominciato come un semplice progetto senza troppe pretese e ha finito con l'occupare buona parte della mia carriera» racconta. Nel 2006 ha scritto l'autorevole saggio *Skin: A Natural History*, seguito sei anni dopo da *Living Color: The Biological and Social Meaning of Skin Color*.

Dal punto di vista scientifico il tema del colore della pelle si è rivelato più complesso di quanto si potesse immaginare. «Nella pigmentazione dei mammiferi sono coinvolti oltre 120 geni» spiega Jablonski, «per cui è molto difficile analizzarla.» Per farla breve, la pelle ottiene il suo colore da una varietà di pigmenti,[9] il più importante dei quali è l'eumelanina, meglio nota come melanina, una delle molecole più antiche della biologia che si trova nell'intero mondo vivente. Questa molecola non si limita a colorare la pelle. Colora le piume degli uccelli, dà consi-

22

stenza e luminescenza alle squame dei pesci, conferisce il nero violaceo all'inchiostro delle seppie. È persino responsabile del marrone della frutta matura. Nell'essere umano determina anche il colore di peli e capelli, e siccome la produzione rallenta drasticamente con l'età[10] gli anziani tendono a ingrigire.

«La melanina è un ottimo schermo solare naturale»[11] dice Jablonski. «È prodotta dalle cellule dette melanociti. Tutti noi, a prescindere dalla razza, abbiamo lo stesso numero di melanociti. La differenza sta nella quantità di melanina prodotta.» Spesso la reazione della melanina al sole[12] non è uniforme, da qui la comparsa delle lentiggini, il cui nome scientifico è efelidi.

Il colore della pelle è un classico esempio della cosiddetta convergenza evolutiva, cioè risultati evolutivi simili raggiunti in due o più luoghi diversi. Gli abitanti di Sri Lanka e Polinesia, per esempio, hanno la pelle marrone chiaro non perché abbiano un legame genetico diretto, ma perché entrambi si sono adattati alle condizioni del clima. Un tempo si pensava che per la depigmentazione occorressero fra i diecimila e i ventimila anni mentre adesso, grazie alla genomica, si sa che può verificarsi molto più in fretta, forse in appena duemila o tremila anni. Si sa inoltre che è avvenuta più volte. Almeno tre, nel caso della pelle chiara o depigmentata, come la chiama Jablonski. La gradevole varietà di sfumature che può vantare l'essere umano è un processo in costante cambiamento. «È in corso un nuovo esperimento evolutivo» spiega Jablonski.

Si è ipotizzato che la pelle chiara possa essere l'effetto delle migrazioni umane e dell'avvento dell'agricoltura. In base a questa tesi, i cacciatori-raccoglitori ricavavano buona parte della vitamina D da pesce e cacciagione, che diminuì drasticamente quando cominciarono a coltivare e si trasferirono in latitudini più settentrionali. Avere la pelle chiara, quindi, divenne utile per sintetizzare più vitamina D.

Questa vitamina è fondamentale per la nostra salute. Rinforza ossa e denti, potenzia il sistema immunitario, combatte i tumori e rafforza il cuore. È davvero eccezionale. Possiamo ricavarla da due fonti: gli alimenti e il sole. Il problema è che un'eccessiva esposizione ai raggi ultravioletti danneggia il DNA delle cellule e può causare il cancro della pelle. Poiché ottenerne la giusta quantità è complicato, abbiamo affrontato la sfida sviluppando varie tonalità di carnagione per adattarci all'intensità del sole alle diverse latitudini. Il processo mediante il quale il corpo umano si adatta al mutare delle condizioni esterne si chiama plasticità fenotipica. Il colore della pelle si altera di continuo: quando ci si abbronza o ci si scotta sotto un sole violento, o quando si arrossisce per l'imbarazzo. Il rosso delle scottature[13] è causato dalla congestione dei vasi sanguigni delle zone colpite, per cui il sangue scorre più liberamente rendendo la pelle calda al tatto. Scientificamente, le scottature rientrano nella categoria degli eritemi.[14] Alle donne incinte spesso si scuriscono i capezzoli e le areole, a volte altre parti del corpo come l'addome e il viso, per l'aumento della produzione di melanina. Il fenomeno si chiama melanodermia,[15] ma la sua utilità non è ancora chiara. Le vampate di rabbia sono un po' inaspettate. Siccome quando si prepara al combattimento il corpo dirotta il flusso sanguigno laddove è più necessario, cioè nei muscoli, il motivo per cui lo mandi anche al viso, al quale non conferisce alcun beneficio fisiologico evidente, resta un mistero. Secondo Jablonski potrebbe agire sulla pressione. Oppure potrebbe essere un modo per intimare all'avversario di ritirarsi, perché siamo davvero inferociti.

In ogni caso la lenta evoluzione delle tonalità della pelle funzionava quando i popoli erano stanziali o migravano gradualmente, mentre con la frequente mobilità odierna tanti si ritrovano in luoghi in cui sole e pelle non vanno affatto d'accordo. A prescindere da quant'è chiara la pelle, è impossibile ricavare sufficiente vitamina D dalla debole luce solare degli inverni nordeuropei e canadesi, quindi va assunta tramite il cibo e, com'è prevedibile, di rado se ne assume abbastanza. Per soddisfarne il fabbisogno occorrerebbe consumare quindici uova o tre chili di gruviera al giorno, oppure, più verosimile ma molto meno gustoso, un cucchiaino di olio di fegato di merluzzo. In America la vitamina D viene aggiunta al latte, ma fornisce solo un terzo del fabbisogno giornaliero di un adulto. Di conseguenza si è calcolato che circa il 50 per cento degli abitanti del mondo[16] ha una carenza di vitamina D almeno per alcuni mesi dell'anno, mentre nei climi nordici si arriva al 90 per cento.

Oltre alla pelle[17] si sono schiariti anche occhi e capelli, ma piuttosto di recente, circa seimila anni fa nella zona intorno al mar Baltico. Il motivo è ignoto. Il colore di occhi e capelli, infatti, non incide sul metabolismo della vitamina D né su nient'altro di fisiologico, perciò non sembrano esserci vantaggi pratici. L'ipotesi è che si siano evoluti quali indicatori tribali, o perché ritenuti più attraenti. Gli occhi azzurri o verdi non dipendono da una presenza maggiore di questi due colori nelle iridi, bensì da una presenza minore degli altri. È la penuria di pigmenti a far sì che siano azzurri o verdi.

Il colore della pelle ha cominciato a cambiare[18] invece da molto prima, almeno da sessantamila anni. Il processo, però, non è stato lineare. «Se alcune popolazioni sono state depigmentate, altre sono state ripigmentate» spiega Jablonski. «In certi casi il colore della pelle si è alterato molto dopo la migrazione verso nuove latitudini, in altri quasi per niente.»

Le popolazioni indigene dell'America del Sud,[19] per esempio, hanno la pelle più chiara di quanto ci si aspetterebbe a quelle latitudini, perché in termini evolutivi sono arrivate di recente. «Sono riuscite a raggiungere i tropici piuttosto in fretta e ben equipaggiate, anche di indumenti» dice Jablonski. «Di fatto, quindi, hanno ostacolato l'evoluzione.» Il caso dei khoisan[20] dell'Africa del Sud è persino più inspiegabile. Hanno sempre vissuto sotto il sole del deserto senza mai spostarsi granché, eppure la loro pelle è più chiara del 50 per cento rispetto a quanto ci si aspetti in quella zona. Sembra che a un certo punto, negli ultimi duemila anni, la mutazione genetica che ha favorito la carnagione chiara sia stata introdotta da misteriosi forestieri.

I recenti progressi delle tecniche per l'analisi del DNA antico ci hanno permesso di apprendere sempre più informazioni, molte davvero sorprendenti, altre spiazzanti e altre ancora controverse. All'inizio del 2018, gli scienziati dello University College di Londra e del Natural History Museum britannico hanno analizzato il DNA di uno scheletro di diecimila anni noto come Cheddar Man (venne ritrovato nella gola di Cheddar nel Somerset), un esponente della prima ondata che fece ritorno in Gran Bretagna dopo l'ultima Era glaciale, e hanno scoperto, con stupore di tutti, che la sua pelle era «fra il marrone e il nero»[21] (in realtà hanno detto che aveva il 76 per cento di probabilità di avere la pelle scura). E forse aveva gli occhi azzurri. La sorpresa è stata grande. Gli antenati di Cheddar Man vivevano in Europa da trentamila anni, quindi avevano avuto tantissimo tempo per modificare il colore della pelle: se davvero lui aveva la pelle scura, era un fatto del tutto inaspettato. Secondo altri esperti il DNA era troppo degradato,[22] e le nostre conoscenze della genetica della pigmentazione troppo vaghe, per giungere a una qualsiasi conclusione sul colore della pelle e degli occhi di Cheddar Man. Se non altro la vicenda ci ricorda quanto abbiamo da imparare.

«Quando si parla di pelle, per molti versi siamo ancora all'inizio» mi ha detto Jablonski.

La pelle è di due varietà: con e senza peli. La seconda si chiama glabra, e non ne abbiamo molta. Solo labbra, capezzoli e genitali, il palmo delle mani e la pianta dei piedi. Il resto del corpo è ricoperto in abbondanza di peli detti terminali, come i capelli, o da peluria, la lanugine che si trova sulle guance dei bambini. A dirla tutta siamo pelosi quanto i cugini primati,[23] solo che i nostri peli sono più radi e sottili. Nel complesso si calcola che ne abbiamo circa cinque milioni,[24] ma il numero varia a seconda dell'età e della situazione, e comunque è solo una stima.

I peli sono caratteristici dei mammiferi. Come la pelle sottostante, anche loro hanno svariati scopi: offrono calore e protezione, aiutano a camuffarsi,[25] schermano il corpo dalla luce ultravioletta e consentono ai membri di un gruppo di comunicare a vicenda rabbia o eccitazione. Quando si è quasi glabri come noi umani, però, non sempre funziona tutto a dovere. Se i mammiferi hanno freddo i muscoli intorno ai follicoli piliferi si contraggono per il processo di orripilazione, meglio noto come pelle d'oca. Negli animali con pelliccia questo fenomeno aggiunge un utile strato d'aria isolante[26] fra il pelo e la pelle e fa sembrare gli animali più grandi e feroci, mentre a noi non offre alcun vantaggio fisiologico e ci ricorda solo quanto siamo spelacchiati. Poiché l'orripilazione fa rizzare il pelo,[27] ecco spiegato il motivo della nostra pelle d'oca dovuta a paura o ansia, anche se nel nostro caso non ha lo stesso esito.

Da sempre ci si chiede quando siamo diventati quasi glabri e perché manteniamo molti peli nei pochi punti in cui ci sono ancora. Quanto alla prima domanda, è impossibile stabilire con certezza quando li abbiamo persi, perché peli e pelle non sono conservati nel registro fossile, ma secondo studi genetici la pigmentazione scura[28] risale a un'epoca compresa fra 1,2 e 1,7 milioni di anni fa. Siccome quando eravamo coperti di peli la pelle scura non serviva, è un arco temporale di riferimento plausibile per la loro perdita. Il motivo per cui li abbiamo mantenuti sulla testa è piuttosto semplice, ma non è altrettanto chiaro per le altre parti del corpo. I capelli sono un ottimo isolante contro il freddo e un ottimo riflettore di calore contro il caldo. Secondo Nina Jablonski, quelli ricci sono i più efficaci «perché aumentano lo spazio[29] tra la superficie dei capelli e lo scalpo, permettendo la circolazione dell'aria». Un motivo diverso, ma non meno importante, è che sono uno strumento di seduzione da tempo immemorabile.

I peli pubici e ascellari sono più problematici. Difficile pensare a come quelli delle ascelle arricchiscano l'esistenza umana. In base a un'ipotesi, i peli secondari servono a intrappolare o disperdere (a seconda dei punti di vista) i segnali sessuali, o feromoni. La pecca di tale teoria è che, a quanto sembrerebbe, noi non li abbiamo.[30] Lo studio di un team di ricercatori australiani, pubblicato nel 2017 sulla rivista *Royal Society Open Science*, ha concluso che probabilmente i feromoni umani non esistono e di certo non svolgono nessun ruolo percepibile nell'attrazione. In base a un'altra ipotesi, i peli secondari proteggono la pelle sottostante dall'attrito, anche se in tanti si depilano ovunque senza nessun aumento considerevole delle irritazioni cutanee. L'ipotesi forse più plausibile è che siano solo dimostrativi,[31] annunciano cioè la maturità sessuale.

Ogni pelo del corpo ha un ciclo vitale formato da una fase di crescita e una di riposo. Per quelli del viso di solito si compie in un mesetto, mentre un capello può accompagnarci anche per sei o sette anni. Un pelo delle ascelle ha un ciclo di circa sei mesi, uno delle gambe di due. La rimozione di peli e capelli, che avvenga tramite taglio, rasatura o ceretta, non ha effetto sulla radice. Nell'arco della vita ognuno di noi produce circa otto[32] metri di capelli, ma siccome a un certo punto tutti cadono, difficilmente un singolo capello riesce a superare il metro. In genere crescono di un terzo di millimetro al giorno, ma la velocità dipende dall'età, dallo stato di salute e persino dalla stagione dell'anno. Poiché i loro cicli vitali sono scaglionati, di solito nemmeno ci accorgiamo di perderli.

II

Nell'ottobre del 1902 la polizia di Parigi fu inviata in un appartamento al 157 rue du Faubourg-Saint-Honoré, in un quartiere ricco a poche centinaia di metri dall'Arco di Trionfo nell'VIII arrondissement. Un uomo era stato ucciso e alcune opere d'arte trafugate. L'assassino non aveva lasciato indizi evidenti, ma per fortuna gli investigatori poterono fare appello al mago dell'identificazione, Alphonse Bertillon.

Bertillon aveva inventato un sistema che chiamò antropometria, divenuto noto con il nome di Bertillonage. Il sistema introduceva il concetto della foto segnaletica[33] e la pratica, ancor oggi universalmente adottata, di immortalare viso e profilo di ogni arrestato. A contraddistinguerlo, però, era la meticolosità delle misurazioni. Ai soggetti venivano infatti misurati undici attributi precisi piuttosto bizzarri – fra cui altezza da seduti, lunghezza del mignolo sinistro, ampiezza della guancia –, scelti da Bertillon perché restano inalterati con l'invecchiamento. Il sistema non fu creato per arrestare i criminali, bensì per catturare i recidivi. Poiché la Francia comminava pene più severe ai rei incalliti (spesso esiliandoli in avamposti remoti come l'Isola del Diavolo), molti criminali facevano di tutto per passare per novellini. Il sistema di Bertillon era pensato per identificarli, e funzionava a meraviglia. Solo nel primo anno smascherò 241 truffatori.

Anche se il rilevamento delle impronte digitali è un aspetto secondario del sistema di Bertillon, quando ne trovò una sul telaio di una finestra del 157 rue du Faubourg Saint-Honoré e la usò per identificare l'assassino, un certo Henri-Léon Scheffer, la cosa fece molto scalpore non solo in Francia, ma in tutto il mondo. Ben presto le impronte digitali divennero ovunque uno strumento fondamentale della polizia.

In Occidente l'unicità delle impronte digitali fu dimostrata[34] dall'anatomista ceco del XIX secolo Jan Purkinje, anche se i cinesi avevano fatto la stessa scoperta oltre mille anni prima e da secoli i vasai giapponesi firmavano i loro lavori premendo un dito nell'argilla prima di cuocerla. Il cugino di Charles Darwin, Francis Galton, aveva suggerito di usare le impronte digitali per catturare i criminali anni prima di Bertillon, come fece anche il missionario scozzese Henry Faulds che viveva in Giappone. Bertillon non fu neppure il primo a usarle per catturare un assassino, perché ciò avvenne in Argentina dieci anni prima. È a lui però che viene dato il merito.

Quale imperativo evolutivo ci ha conferito le volute che abbiamo sui polpastrelli? Nessuno lo sa. Il corpo è un universo misterioso. Gran parte di quanto accade sopra e dentro avviene per motivi a noi sconosciuti; molto spesso, di certo, senza alcun motivo. In fondo l'evoluzione è un processo casuale. L'idea che le impronte digitali siano uniche è una pura congettura. Non si può affermare con assoluta certezza che non ne esistano altre uguali alle nostre, solo che nessuno ne ha ancora trovate due identiche.

Il nome scientifico delle impronte digitali è dermatoglifi. Le linee in rilievo di cui sono fatte sono le creste papillari. Secondo alcuni contribuiscono alla presa,[35] proprio come i battistrada degli pneumatici ne migliorano l'aderenza, ma non ci sono prove a riguardo. Secondo altri le volute delle impronte digitali potrebbero drenare meglio l'acqua, rendere la pelle più elastica e duttile o magari acuire la sensibilità, però sono solo ipotesi. In modo analogo, nessuno ha mai saputo spiegare perché durante un lungo bagno le dita si raggrinziscono.[36] La motivazione più diffusa è che serva a drenare meglio l'acqua e migliorare la presa, ma non è molto convincente. Ad avere urgente bisogno di una buona presa è chi è appena caduto nell'acqua, non chi ci sguazza da un po'.

Molto ma molto di rado qualcuno nasce con i polpastrelli lisci, disturbo detto adermatoglifia.[37] In genere ha anche meno ghiandole sudoripare, forse a indicare un legame genetico tra ghiandole sudoripare e impronte digitali che, però, resta ancora da stabilire.

Come tratti cutanei, le impronte digitali sono alquanto futili. Le ghiandole sudoripare, invece, sono di gran lunga più importanti. Magari non ce ne rendiamo conto, ma il sudore è per noi un elemento cruciale. Come dice Nina Jablonski: «È il semplice e tutt'altro che incantevole sudore ad averci reso quello che siamo oggi».

Gli scimpanzé hanno solo la metà delle nostre ghiandole sudoripare, quindi non possono disperdere il calore con altrettanta rapidità. La maggior parte dei quadrupedi si rinfresca ansimando,[38] operazione incompatibile con una corsa sostenuta specie nel caso delle creature pelose che vivono in climi caldi. Molto meglio fare come noi e trasudare acqua dalla pelle, che raffredda il corpo mentre evapora rendendoci condizionatori viventi. Secondo Jablonski, «La perdita del grosso dei peli[39] e l'acquisto della capacità di disperdere il calore in eccesso tramite la sudorazione eccrina ha reso possibile il notevole sviluppo del nostro organo più sensibile alla temperatura, il cervello». Ecco come il sudore ci ha aiutato a diventare intelligenti.

Pur sudando persino a riposo, anche se molto meno, durante un'attività intensa o in condizioni difficili esauriamo le nostre scorte d'acqua piuttosto in fretta. Come scrive Peter Stark nel suo libro *All'ultimo respiro. Storie ai limiti della sopravvivenza*, un uomo di settanta chili[40] contiene poco più di quaranta litri d'acqua. Se resta seduto senza far nulla ne perde circa uno e mezzo al giorno tramite sudore, respirazione e minzione. Se invece fa uno sforzo può consumarne un litro e mezzo all'ora, situazione che può diventare pericolosa. In condizioni estreme – camminando sotto un sole violento, per esempio – si possono facilmente perdere dai dieci ai dodici litri d'acqua in un giorno. Ecco perché se fa caldo dobbiamo mantenerci idratati.

A meno che la perdita non venga arrestata o reintegrata insorgono mal di testa e letargia dopo appena tre-cinque litri di liquidi consumati. Dopo sei o sette aumenta la probabilità che si manifesti un problema cerebrale (come avviene agli escursionisti disidratati, che abbandonano il sentiero e vagano nel bosco). Se un uomo di settanta chili perde oltre dieci litri d'acqua rischia collasso cardiocircolatorio e morte. Durante la Seconda guerra mondiale gli scienziati studiarono la resistenza dei soldati durante la marcia in un deserto senz'acqua (ipotizzando che prima fossero stati adeguatamente idratati) e conclusero che avrebbero potuto percorrere 70 chilometri con 26 gradi, 24 con 37 e appena 11 con 48.

Il sudore è composto per il 99,5 per cento di acqua. Il resto è per metà sale e per metà altre sostanze chimiche. Sebbene il sale sia quindi una minuscola componente,[41] quando fa caldo se ne possono perdere fino a dodici grammi – tre cucchiaini – al giorno, una quantità pericolosamente alta che va reintegrata al pari dell'acqua.

Il sudore è attivato dal rilascio di adrenalina,[42] ecco spiegato perché si suda quando si è stressati. A differenza del resto del corpo, i palmi delle mani non sudano per reazione allo sforzo o al caldo, ma solo allo stress. Il sudore emotivo è ciò che viene misurato[43] nei test della macchina della verità.

Le ghiandole sudoripare sono di due tipi: eccrine e apocrine. Le eccrine sono le più numerose e producono il sudore acquoso che ci inzuppa la maglietta nei giorni torridi. Le apocrine sono confinate soprattutto a inguine e ascelle, e producono un sudore più denso e appiccicoso.

È il sudore eccrino dei piedi – o più correttamente la scissione chimica causata dai batteri del sudore dei piedi – a produrne l'odore intenso. Il sudore di per sé non ne ha. Per crearlo occorrono i batteri. Le due sostanze chimiche che ne sono responsabili[44] – acido isovalerico e metandiolo – sono prodotte anche dall'azione dei batteri su alcuni formaggi, motivo per cui spesso piedi e formaggio hanno lo stesso odore.

I microbi della pelle sono assolutamente personali e dipendono per buona parte dal tipo di sapone o detersivo da bucato che si usa, dalla predilezione per cotone o lana, dall'abitudine di lavarci prima o dopo il lavoro. Certi microbi sono residenti in pianta stabile, altri si accampano su di noi per una settimana o un mese, per poi sparire di soppiatto come una tribù nomade.

Per ogni centimetro quadrato di pelle abbiamo circa centomila microbi, difficili da estirpare. Secondo uno studio, dopo il bagno o la doccia i batteri aumentano[45] perché l'acqua li stana da tutti i nascondigli. Non è facile estirparli neppure quando proviamo a pulirci con attenzione. Per disinfettare davvero le mani[46] dopo un esame medico occorre lavarle con acqua e sapone per almeno un minuto, un'operazione che nella pratica è irrealizzabile per chi ha molti pazienti. Ecco perché ogni anno circa due milioni di americani contraggono una grave infezione in ospedale (e novantamila muoiono). «La principale difficoltà» ha scritto Atul Gawande «consiste nel convincere i medici come me a fare l'unica cosa in grado di impedire la diffusione delle infezioni: lavarsi le mani.»

Da uno studio del 2007 della New York University è emerso che la maggior parte delle persone coinvolte aveva sulla pelle circa duecento specie diverse di microbi, ma la tipologia differiva sensibilmente da individuo a individuo. Solo quattro tipi erano comuni a tutti. In un altro autorevole studio, il Belly Button Biodiversity Project, condotto dai ricercatori della North Carolina State University, è stato prelevato un campione dall'ombelico di sessanta americani scelti a caso per scoprire quali microbi vi si annidassero. Ne sono state individuate 2368 specie, 1458 delle quali sconosciute alla scienza (una media di 24,3 microbi per ombelico). Il numero totale di specie per persona variava da 29 a 107. Un volontario ne aveva uno[47] mai osservato fuori dal Giappone, dove peraltro non era stato.

Il problema dei saponi antibatterici[48] è che oltre a estirpare i microbi cattivi della pelle uccidono anche quelli buoni. Lo stesso vale per i disinfettanti delle mani. Nel 2016 la Food and Drug Administration americana (l'Agenzia per i farmaci e i medicinali o FDA) ha vietato diciannove ingredienti molto usati nei saponi antibatterici perché i produttori non ne avevano dimostrato la sicurezza nel lungo termine.

I microbi non vivono solo sulla pelle. In questo preciso istante sulla nostra testa (e su altre superfici oleose, ma soprattutto in testa) pascolano minuscoli acari noti come *Demodex folliculorum*. Per fortuna in genere sono innocui e invisibili. Vivono su di noi da così tanto tempo[49] che, secondo uno studio, dal loro DNA si potrebbe risalire alle migrazioni dei nostri progenitori di centinaia di migliaia di anni fa. Per loro la nostra pelle è una gigantesca ciotola di corn flakes. Se chiudiamo gli occhi e usiamo la fantasia, possiamo quasi sentirli sgranocchiare.

Un'altra caratteristica della pelle, per motivi non sempre chiari, è il prurito. Se in vari casi si spiega facilmente (punture di zanzara, eruzioni, incontri con le ortiche), in altri non è così. Mentre leggete questo paragrafo potrebbe venirvi l'impulso di grattarvi in vari punti che un istante fa non prudevano affatto solo perché ho sollevato l'argomento. Non si sa perché siamo così suscettibili al prurito né perché ci venga persino in assenza di sostanze irritanti. Nessuna regione del cervello è deputata al prurito, perciò è impossibile studiarlo dal punto di vista neurologico.

Il prurito si limita allo strato esterno della pelle e a qualche altro avamposto umido, specie occhi, gola, naso e ano. Qualunque disturbo abbiate, non vi verrà mai il prurito alla milza. Gli studi hanno dimostrato[50] che il sollievo più prolungato è dato dal grattarsi la schiena, mentre il più piacevole dal grattarsi le caviglie. Il prurito cronico si verifica in ogni sorta di patologia: tumore al cervello, ictus, malattie autoimmuni, ma anche come effetto collaterale dei farmaci e in tanti altri casi. Una delle forme più esasperanti è il prurito fantasma, che spesso accompagna un'amputazione e procura ai poveri pazienti un costante prurito impossibile da alleviare. Forse, però, il caso più eclatante di sofferenza implacabile[51] riguarda la paziente « M », una signora del Massachusetts poco meno che quarantenne con un prurito irrefrenabile sulla parte alta della fronte dovuto a un herpes. Il prurito è diventato così intenso che a furia di sfregarsi la pelle ne ha staccato un pezzo del diametro di quasi quattro centimetri. I farmaci non hanno funzionato. Nel sonno si è grattata con una tale forza da svegliarsi un mattino con il liquido cerebrospinale sul viso. Aveva consumato l'osso del cranio fino a esporre il cervello. Oggi, a oltre dieci anni di distanza, riesce a grattarsi senza arrecarsi grossi danni, ma il prurito non è mai passato. L'aspetto più sconcertante è che, pur avendo distrutto tutte le fibre nervose di quel tratto di pelle, continua ad avere un prurito insopportabile.

Forse però, quando si parla dell'esterno del nostro corpo, nessun mistero causa maggiore sconforto della strana tendenza a perdere i capelli con l'invecchiamento. In testa abbiamo dai 100.000[52] ai 150.000 follicoli piliferi, anche se non sono tutti uguali da una persona all'altra. In media perdiamo fra i cinquanta e i cento capelli al giorno, e a volte non ricrescono. A cinquant'anni circa il 60 per cento degli uomini è praticamente calvo. Uno su cinque lo diventa a trenta. Anche se il fenomeno è poco conosciuto, si sa che con l'età l'ormone diidrotestosterone[53] tende ad andare in corto circuito, comunicando ai follicoli piliferi dei capelli di chiudere bottega e a quelli più schivi di narici e orecchie di sbocciare. L'unica cura nota per la calvizie è la castrazione.

Visto e considerato con quanta facilità alcuni di noi li perdono,[54] è ironico che i capelli siano così restii a decomporsi, e che anzi durino migliaia di anni nelle tombe.

Per vedere il bicchiere mezzo pieno, se una parte di noi deve proprio arrendersi alla mezza età, forse i follicoli piliferi sono i più sacrificabili. In fondo, nessuno è mai morto di calvizie.

3

Il nostro lato microbico

«Non è la fine della storia della penicillina, anzi, forse è solo l'inizio.»
ALEXANDER FLEMING,
discorso in occasione della consegna del premio Nobel, dicembre 1945

I

Fate un bel respiro. Se pensate di riempirvi i polmoni di ossigeno abbondante e salutare, be', non è così. L'80 per cento dell'aria che respiriamo è azoto, l'elemento più presente nell'atmosfera nonché vitale per la nostra esistenza, che però non interagisce con gli altri. Quando respiriamo, l'azoto presente nell'aria entra nei polmoni per poi uscirne come una persona distratta finita nel negozio sbagliato. Affinché ci sia utile, l'azoto[1] dev'essere convertito in forme più socievoli come l'ammoniaca, e sono i batteri a farlo per noi. Senza il loro aiuto, infatti, moriremmo. Anzi, potremmo non essere mai esistiti. È giunto il momento di ringraziare i microbi.

Ospitiamo trilioni e trilioni di minuscoli esseri viventi che ci

37

fanno un gran bene. Ci forniscono il 10 per cento circa delle calorie scomponendo alimenti che altrimenti non potremmo assorbire, e nel farlo estraggono sostanze nutritive benefiche come le vitamine B2 e B12 e l'acido folico. Se gli esseri umani producono venti enzimi digestivi,[2] numero assolutamente rispettabile nel mondo animale, i batteri secondo Christopher Gardner della Stanford University arrivano a diecimila. Cinquecento volte tanto. «Senza di loro non ci alimenteremmo altrettanto bene» spiega.

Se un batterio è infinitesimamente piccolo e ha un'esistenza fugace – in media pesa un trilionesimo[3] di una banconota da un dollaro e non vive più di venti minuti – presi nel loro insieme sono davvero formidabili. I geni con cui nasciamo sono quelli, punto e basta: non possiamo comprarne o barattarne di migliori. I batteri, invece, possono scambiarsi i geni tra loro[4] neanche fossero figurine dei Pokemon, prendendo il DNA dei vicini morti. Simili trasferimenti genici orizzontali, come sono noti, ne accelerano moltissimo la capacità di adattarsi a qualsiasi cosa la natura e la scienza li sottopongano. Fra l'altro il DNA batterico è meno preciso nel «proofreading», il processo grazie al quale gli errori di trascrizione del DNA vengono individuati ed eliminati, quindi i microbi mutano più spesso acquisendo anche una maggiore agilità genetica.

Non possiamo neppure provare a competere con la loro rapidità di cambiamento. L'*Escherichia coli* è in grado di riprodursi 72 volte al giorno, quindi in tre giorni può sfornare un numero di nuove generazioni equivalente a quello che noi abbiamo prodotto nell'arco di tutta la nostra storia. In teoria in meno di due giorni un batterio single[5] è capace di generare una quantità di piccoli che, insieme, superano il peso della Terra. In tre giorni la sua progenie[6] supererebbe la massa dell'universo osservabile. Anche se è impossibile che accada, è una mole inimmaginabile. Se riunissimo da un lato tutti i microbi del pianeta[7] e dall'altro il resto della vita animale, il numero dei microbi sarebbe 25 volte più grande.

State pur certi che questo è un pianeta di microbi. Noi esistiamo grazie a loro. Se i microbi non hanno bisogno dell'essere umano, senza di loro noi moriremmo nel giro di un giorno.

Dei microbi che abbiamo dentro e intorno sappiamo ben poco, perché non potendo essere coltivati in laboratorio sono difficilissimi da studiare. Posso però dirvi che, in questo preciso momento, è probabile che abbiate qualcosa come 40.000 specie di microbi[8] che vi chiamano casa: 900 nelle narici, 800 all'interno delle guance, 1300 sulle gengive e 36.000 nel tratto gastrointestinale, anche se questi dati vengono aggiornati di continuo via via che si fanno nuove scoperte. All'inizio del 2019 uno studio condotto dal Wellcome Sanger Institute su appena venti persone ha scoperto 105 specie nuove di microbi intestinali di cui non ci si aspettava l'esistenza. I numeri esatti variano da persona a persona, e per ciascuna cambiano a seconda dell'età, di dove e con chi si dorme, dell'assunzione o meno di antibiotici o del peso (chi è magro ha più microbi intestinali di chi è grasso: avere microbi affamati può in parte spiegarne la magrezza). Questi numeri si riferiscono solo alle specie. Se parliamo di singoli microbi la quantità supera ogni immaginazione, sono nell'ordine dei trilioni, quindi non ha senso contarli. Nel complesso il bagaglio personale di microbi[9] pesa circa un chilo e mezzo, più o meno quanto il cervello. Il microbiota comincia addirittura a essere considerato al pari di un organo.

Per anni si è sostenuto che ognuno di noi possiede il decuplo di cellule batteriche rispetto a quelle umane. A quanto pare, questo numero che è sempre stato dato per certo proviene da un articolo del 1972 che faceva poco più di un'ipotesi. Nel 2016 alcuni ricercatori israeliani e canadesi[10] hanno effettuato una stima più accurata, concludendo che ciascuno di noi possiede circa trenta trilioni di cellule umane e fra i trenta e i cinquanta trilioni di cellule batteriche (a seconda di diversi fattori quali salute e alimentazione). Secondo questa stima le due quantità sarebbero molto più simili del previsto, sebbene l'85 per cento delle nostre cellule sia composto da globuli rossi, che non sono cellule vere e proprie perché non hanno nessuno degli elementi che dovrebbe caratterizzarle (come i nuclei e i mitocondri), riducendosi a meri contenitori di emoglobina. Fra l'altro le cellule batteriche sono minuscole, mentre in confronto quelle umane sono enormi, quindi in termini di voluminosità, per non parlare della complessità di ciò che fanno, le cellule umane sono indiscutibilmente più importanti. Dal punto di vista genetico, invece, abbiamo circa ventimila geni tutti nostri, ma qualcosa come venti milioni di geni batterici, per cui in tal senso siamo fatti per il 99 per cento di batteri e per un 1 per cento scarso di noi stessi.

Le comunità di microbi possono essere personalissime.[11] Pur possedendo diverse migliaia di specie di batteri ciascuno, potremmo averne in comune solo una minima parte. I microbi sembrano domestiche incallite. Facendo sesso ce ne scambiamo molti, oltre a vario materiale organico. Secondo uno studio, un solo bacio appassionato può causare il trasferimento di un miliardo di batteri da una bocca all'altra insieme a circa 0,7 milligrammi di proteine, 0,45 milligrammi di sale, 0,7 microgrammi di grassi e 0,2 microgrammi di «composti organici assortiti» (tipo frammenti di cibo).* Appena la festa è finita, però, i microrganismi ospiti di entrambi intraprendono una gigantesca

---

* Secondo la dottoressa Anna Machin di Oxford, quando si bacia qualcuno se ne campionano i geni dell'istocompatibilità, che sono coinvolti nella risposta immunitaria. Benché in quel momento non sia il principale pensiero, di fatto si sta testando se l'altra persona è compatibile con noi dal punto vista immunologico.

opera di pulizia e nel giro di un giorno il profilo microbico di ciascuno viene più o meno ripristinato a com'era prima del contatto. Di tanto in tanto alcuni agenti patogeni sfuggono al controllo, ed è così che insorgono herpes o raffreddore, ma questa è un'eccezione.

Per fortuna il grosso dei microbi non ha niente da spartire con noi. Con alcuni, i cosiddetti commensali, conviviamo pacificamente. Solo una minima parte ci fa ammalare. Del milione circa individuato, appena 1415 causano malattie;[12] tutto sommato molto pochi. Eppure dispongono comunque di tanti modi per danneggiarci: nel loro insieme, quelle 1415 piccole, insulse entità causano un terzo delle morti del pianeta.

Nel nostro repertorio, oltre ai batteri, sono presenti anche funghi, virus, protisti (amebe, alghe, protozoi e così via) e archei, che per lungo tempo sono stati considerati batteri, ma che in realtà sono una diversa branca di vita. Pur essendo molto simili ai microbi – organismi semplici e privi di nucleo –, gli archei non provocano alcuna malattia nota. Giusto un po' di gas, sotto forma di metano.

Vale la pena ricordare che tutti questi batteri non hanno quasi nulla in comune,[13] in termini di storia e genetica, se non le minuscole dimensioni. Per loro noi non siamo persone ma mondi, immensi, ricchi e meravigliosi ecosistemi con l'optional della mobilità e l'utilissima abitudine di starnutire, la tendenza a coccolare gli animali e non sempre a lavarci con la dovuta pignoleria.

II

Un virus, per usare le parole immortali del premio Nobel britannico Peter Medawar, è «una brutta notizia avvolta in una proteina». In realtà molti virus non sono affatto brutte notizie, almeno non per noi umani. Sono creature strane. Non esattamente vive, ma neppure morte. Fuori dalle cellule viventi sono inerti. Non mangiano, non respirano e non fanno granché. Non possono neppure spostarsi. Dobbiamo andare a recuperarli noi da maniglie, strette di mano o dall'aria che respiriamo. Loro non si muovono, fanno l'autostop. In genere sono inanimati come un granello di polvere, ma messi in una cellula vivente si animano e si riproducono con l'impeto di ogni altra creatura.

Come i batteri, sono incredibilmente fortunati. Il virus dell'herpes dura[14] da centinaia di milioni di anni e infetta ogni sorta di animale, persino le ostriche. Sono inoltre incredibilmente piccoli, molto più dei batteri, e invisibili ai microscopi convenzionali. Se ne gonfiassimo uno fino a farlo diventare grande quanto una pallina da tennis,[15] in proporzione un essere umano sarebbe alto ottocento chilometri, mentre un batterio sarebbe un pallone da spiaggia.

Nell'accezione moderna di microorganismo molto piccolo, il termine virus risale appena al 1900, quando il botanico olandese Martinus Beijerinck scoprì che le piante di tabacco che studiava erano vittime di un misterioso agente infettivo addirittura più piccolo dei batteri. Dapprima lo chiamò *contagium vivum fluidum*,[16] poi però lo mutò in *virus*, dal temine latino che significa «tossina». Benché Beijerinck sia il padre della virologia, l'importanza della sua scoperta non fu apprezzata mentre era in vita e nessuno gli conferì mai il Nobel che si sarebbe meritato.

Se un tempo si pensava che tutti i virus causassero malattie – ecco spiegata la citazione di Peter Medawar –, adesso si sa che la maggior parte infetta solo le cellule batteriche e non ha alcun effetto su di noi. Delle centinaia di migliaia di virus[17] che si crede esistano, appena 586 infettano i mammiferi, e di questi solo 263 infettano noi.

Del grosso degli altri virus non patogeni si sa molto poco, perché vengono studiati solo quelli dannosi. Nel 1986 la studentessa Lita Proctor della State University of New York, Stony Brook, decise di prendere in esame i virus dell'acqua marina, ricerca ritenuta assai eccentrica poiché era universalmente accettato che negli oceani non ci fossero virus, se non giusto alcuni di passaggio introdotti tramite i canali di scolo delle fogne e simili. Fu quindi una sorpresa quando Proctor scoprì che in media un litro di acqua marina[18] ne contiene fino a cento *miliardi*. Più di recente Dana Willner, biologa della San Diego State University, ha studiato il numero di virus presenti nei polmoni umani sani, un altro posto in cui si pensava non si annidassero in grandi numeri, scoprendo che in media un individuo ne ospita 174 specie, il 90 per cento delle quali mai viste prima. La Terra, ora si sa, brulica di virus a livelli che appena poco tempo fa si sospettavano a malapena. Per la virologa Dorothy H. Crawford, solo quelli marini messi in fila[19] coprirebbero dieci milioni di anni luce, una distanza inimmaginabile.

Un'altra cosa che fanno i virus è aspettare il momento opportuno. Un esempio straordinario risale al 2014, quando un team francese ne ha scoperto uno sconosciuto, il *Pithovirus sibericum*, in Siberia. Pur essendo rimasto bloccato nel permafrost per trentamila anni, non appena è stato iniettato in un'ameba è partito all'azione con il vigore di un giovanotto. Per fortuna non infetta gli umani, ma chissà cos'altro potrebbe essere scoperto! Una manifestazione più comune della pazienza virale si osserva nel virus varicella-zoster, che da piccoli causa la varicella e poi può restare inerte nei neuroni per più di mezzo secolo, prima di esplodere di nuovo nell'orrida e dolorosa umiliazione dell'età avanzata che è il fuoco di Sant'Antonio. In genere è definito uno sgradevole sfogo cutaneo, ma in realtà può presentarsi quasi ovunque. Un mio amico che l'ha avuto nell'occhio sinistro lo ricorda come l'esperienza peggiore della sua vita (*shingles*, il termine inglese per fuoco di Sant'Antonio, al singolare significa scandola e deriva dal latino *scindula*, cioè un tipo di tegola, mentre al plurale deriva dal latino *cingulus*, cioè cintura, ed è appunto una patologia medica; è solo un caso se in inglese hanno lo stesso spelling).

L'incontro più frequente e sgradito con i virus è il raffreddore. Tutti sanno che quando si prende freddo è probabile che ci venga (in fin dei conti la parola raffreddore deriva da «freddo»), eppure la scienza non è mai riuscita a dimostrare perché o, addirittura, *se* sia davvero così. Senza dubbio è più frequente d'inverno[20] che d'estate, ma forse solo perché si passa più tempo al chiuso e si è più esposti alle fuoriuscite e alle esalazioni altrui. Il raffreddore non è una malattia ben precisa,[21] quanto piuttosto una famiglia di sintomi generati da una molteplicità di virus, il più pericoloso dei quali è il rhinovirus, di cui esistono centinaia di varietà. Ci sono tanti modi per contrarre un raffreddore, ecco perché non sviluppiamo mai l'immunità sufficiente per smettere di beccarcelo.

Per anni la Gran Bretagna ha avuto una struttura di ricerca nel Wiltshire chiamata Common Cold Unit, che però ha chiuso i battenti nel 1989 senza aver mai trovato una cura, malgrado alcuni esperimenti interessanti. In uno di questi, un volontario dotato di uno strumento[22] che produceva un liquido acquoso all'altezza delle narici, come quando si è raffreddati, è stato mandato a socializzare con altre persone, neanche fossero a una festa. Nessuno sapeva che il liquido conteneva un colorante visibile solo con la luce ultravioletta. Quando dopo un po' la luce è stata accesa, sono rimasti tutti sbalorditi nel notare che il liquido era ovunque: su mani, testa e torace di ognuno, su vetri, maniglie, cuscini del divano, ciotole delle noccioline e così via. In media un adulto si tocca il viso sedici volte l'ora e, con ogni tocco, il volontario trasferiva il finto agente patogeno dal naso alla ciotola, a terzi ignari, a maniglie, ad altri innocenti eccetera, eccetera, finché tutto e tutti hanno iniziato a risplendere del festoso muco immaginario. In uno studio simile effettuato alla

University of Arizona[23] i ricercatori hanno infettato la maniglia di metallo del portone di un palazzo di uffici scoprendo che in appena quattro ore il «virus» si era diffuso in tutto lo stabile, contagiando oltre la metà dei dipendenti e spuntando su quasi ogni apparecchio condiviso, tipo fotocopiatrici e macchine del caffè. Nel mondo reale simili infestazioni[24] possono rimanere attive fino a tre giorni. Stranamente il mezzo meno efficace per diffondere i germi (secondo un altro studio) è il bacio. Si è rivelato quasi del tutto inefficace tra i volontari della University of Wisconsin infettati dal virus del raffreddore. Starnuti e colpi di tosse non hanno fatto di meglio: l'unico modo affidabile per trasferire i germi è il contatto.

Da un'indagine condotta nella metropolitana di Boston è emerso che i pali di metallo sono un ambiente piuttosto ostile per i microbi, che prosperano invece nei tessuti[25] dei sedili e sulle maniglie di plastica. Uno studio svizzero del 2008 ha inoltre scoperto che il virus dell'influenza può sopravvivere sulle banconote due settimane e mezzo se accompagnato da una minuscola goccia di muco. Senza, il grosso dei virus del raffreddore sulle banconote ha giusto qualche ora di vita. A quanto pare, quindi, il metodo più efficace per trasferire i germi è un misto di soldi e muco.

Le altre due forme di microbi che di solito si annidano dentro di noi sono funghi e protisti. I primi hanno confuso a lungo la scienza, che li aveva classificati come piante strane. A livello cellulare non somigliano affatto alle piante. Non hanno fotosintesi, quindi nemmeno clorofilla, e infatti non sono verdi. Sono anzi più affini agli animali che alle piante. Solo nel 1959 vennero riconosciuti come elementi distinti e ottennero il proprio regno. In sostanza si dividono in due gruppi: le muffe e i lieviti. Tendenzialmente i funghi ci lasciano in pace. Ci colpiscono solo trecento specie su diversi milioni e il grosso delle micosi – come sono note – non causa vere e proprie malattie, ma si limita a procurare un lieve disagio o un'irritazione, come nel caso del piede d'atleta. Alcuni, però, sono ben più sgradevoli e in costante aumento.

Fino agli anni Cinquanta la *Candida albicans*, il fungo responsabile della candidosi, si trovava solo in bocca e nei genitali, mentre adesso può invadere i recessi del corpo attaccandosi al cuore e ad altri organi, come muffa sulla frutta. In modo analogo, si è creduto per decenni che il *Cryptococcus gattii*[26] esistesse solo nella Columbia Britannica del Canada, soprattutto sugli alberi e nel suolo circostante, ma non aveva mai colpito un essere umano. Nel 1999 sviluppò un'improvvisa virulenza causando gravi infezioni polmonari e cerebrali a un gruppo di abitanti di Canada occidentale e Stati Uniti. Non abbiamo i numeri esatti, perché spesso la malattia non viene diagnosticata e, stranamente, non risulta in California, uno dei principali siti in cui è comparsa, ma dal 1999 sono stati confermati oltre trecento casi nella zona occidentale dell'America del Nord, con circa un terzo di decessi.

Un po' più precisi sono invece i dati della *Coccidioides*, più nota come febbre della Valle. Esiste quasi esclusivamente in California, Arizona e Nevada, e infetta dalle diecimila alle quindicimila persone all'anno uccidendone circa duecento, anche se il dato reale potrebbe essere più alto perché il disturbo si può confondere con la polmonite. Il fungo si trova nel suolo, e i casi aumentano ogni volta che viene turbato da terremoti o tempeste di sabbia. Si ritiene che i funghi siano responsabili di circa un milione di decessi l'anno, dato tutt'altro che irrilevante.

E infine ci sono i protisti, cioè qualunque cosa non sia in modo evidente una pianta, un animale o un fungo: questa è infatti una categoria riservata alle forme di vita che non rientrano in nessun'altra categoria. In origine, nel XIX secolo, tutti gli organismi monocellulari erano chiamati protozoi. Si ipotizzava che fossero tutti affini, ma in seguito si è capito che batteri e archei appartenevano a regni separati. La categoria dei protisti è enorme e comprende amebe, parameci, diatomee, funghi mucillaginosi e tanti altri organismi perlopiù sconosciuti ai non addetti ai lavori. Per noi i protisti più importanti sono quelli del genere Plasmodium, le creaturine maligne trasmesse dalle zanzare che causano la malaria. I protisti sono inoltre responsabili di toxoplasmosi, giardiasi e criptosporidiosi.

Intorno a noi vive dunque un'incredibile varietà di microbi di cui si sono appena cominciati a capire gli effetti, nel bene e nel male. Un esempio sensazionale[27] risale al 1992 nel nord dell'Inghilterra, nell'antica cittadina operaia di Bradford, Yorkshire occidentale, dove il microbiologo del governo Timothy Rowbotham fu mandato per rintracciare l'origine di un'epidemia di polmonite. In un campione d'acqua prelevato da una cisterna trovò un microbo diverso da qualsiasi cosa si fosse mai vista. In via provvisoria lo identificò come un nuovo batterio, non tanto per la sua natura quanto perché non poteva essere nient'altro, e in mancanza di un nome migliore lo chiamò « Bradfordcocco ». Senza saperlo, aveva appena rivoluzionato il mondo della microbiologia.

Dopo aver conservato i campioni in freezer per sei anni, arrivato alla pensione Rowbotham li mandò a dei colleghi. In seguito finirono nelle mani di Richard Birtles, un biochimico inglese che lavorava in Francia e che capì come il Bradfordcocco non fosse un batterio ma un virus, che però non rientrava in nessuna definizione classica. Tanto per cominciare era molto più grande – di oltre cento volte – di qualunque altro virus noto. La maggior parte ha giusto una decina di geni, mentre quello ne aveva più di mille. Se i virus non sono considerati esseri viventi, il codice genetico del Bradfordcocco conteneva la sequenza di 62 lettere trovata in tutte le creature dall'alba della creazione, che lo rendeva non solo vivo, ma antico come ogni altra cosa presente sulla Terra.*

Birtles lo chiamò Mimivirus, cioè «che imita i microbi». Dopo aver messo per iscritto i risultati, lui e i colleghi non riuscirono a trovare una rivista disposta a pubblicarli perché troppo bizzarri. La cisterna di Bradford fu abbattuta alla fine degli anni Novanta e l'unica colonia di questo strano virus antico andò persa con lei.

Da allora, però, sono state trovate colonie di virus persino più grandi. Nel 2013 un team di ricercatori francesi coordinati da Jean-Michel Claverie dell'Aix-Marseille Université (dove Birtles lavorava quando identificò il Mimivirus) ha scoperto un virus enorme ribattezzato Pandoravirus, che contiene non meno di 2500 geni, il 90 per cento dei quali non si trova da nessun'altra parte in natura. E poi ha individuato un terzo gruppo, il Pithovirus, ancora più grande e altrettanto strano. Al momento sono stati scoperti cinque gruppi di virus giganti, tutti diversi da qualunque altra cosa presente sulla Terra e persino fra loro. Queste bioparticelle bizzarre e sconosciute si pensa siano la prova dell'esistenza di un quarto dominio oltre a batteri, archei ed eucarioti (questi ultimi comprendono esseri complessi come noi). Per quanto riguarda i microbi, quindi, siamo davvero soltanto all'inizio.

III

Nell'età moderna l'idea che una creatura piccola quanto un microorganismo potesse arrecarci gravi danni era ritenuta di

* Per la cronaca: GTGCCAGCAGCCGCGGTAATTCAGCTCCAATAGCGT ATATTAAAGTTGCTGCAGTTAAAAAG.

per sé assurda. Quando nel 1884 il microbiologo tedesco Robert Koch riferì che il colera era causato da un bacillo (un batterio a forma di bastoncino), l'eminente ma scettico collega Max von Pettenkofer ne fu talmente offeso[28] da ingoiare in pubblico una fiala di bacilli per smentirlo. L'aneddoto sarebbe decisamente migliore se Pettenkofer si fosse ammalato su due piedi ritrattando le obiezioni infondate, ma la realtà è che rimase illeso. A volte capita. Oggi si crede che avesse avuto il colera in giovane età e godesse di una qualche forma di immunità residua. Molto meno pubblicizzato è il fatto che anche due suoi studenti bevvero l'estratto di colera e si ammalarono gravemente. In ogni caso l'episodio servì a rinviare ancora l'accettazione della teoria dei germi, come fu chiamata. Per certi versi non importava poi tanto cosa causasse il colera o altre malattie diffuse, perché non esisteva cura.*

Prima della penicillina il farmaco più prodigioso era il salvarsan, creato dall'immunologo tedesco Paul Ehrlich nel 1910, efficace però solo contro alcuni disturbi,[29] specie la sifilide, e con diverse controindicazioni. In primo luogo era ricavato dal-

---

* Le scoperte di Koch, per le quali è diventato famoso a ragione, sono ovviamente molto conosciute. A essere invece sottovalutato è l'apporto fondamentale di contributi modesti e fortuiti per il progresso scientifico, che è stato evidenziato al meglio proprio nel suo efficiente laboratorio. Coltivare campioni e campioni di batteri diversi richiedeva spazio e presentava il costante rischio di contaminazione. Per sua fortuna, Koch aveva per assistente Julius Richard Petri, inventore della piastra con il coperchio protettivo che porta il suo nome. Le piastre di Petri occupavano pochissimo spazio, fornivano un ambiente sterile e uniforme ed eliminavano il rischio di contaminazione. Mancava ancora il mezzo di coltura. Furono provate varie gelatine, rivelatesi tutte insoddisfacenti. Poi Fanny Hesse, la moglie americana di un altro giovane ricercatore, suggerì di provare l'agar. Dalla nonna, infatti, aveva imparato a usarlo per fare la gelatina, perché non si scioglieva al calore delle estati americane. L'agar funzionò alla perfezione anche in laboratorio. Senza questi due contributi, i successi di Koch avrebbero potuto richiedere molti più anni o magari non si sarebbero mai realizzati.

l'arsenico, quindi tossico, e poi la cura consisteva nell'iniezione di mezzo litro di soluzione nel braccio del paziente una volta alla settimana per un anno, se non di più. Se somministrato in maniera scorretta, il liquido poteva penetrare nel muscolo causando effetti collaterali dolorosi e a volte gravi, fino ad arrivare all'amputazione. I medici più capaci diventarono famosi. Ironia vuole che uno dei più rispettati fosse Alexander Fleming.

La storia di come Fleming scoprì accidentalmente la penicillina è stata raccontata molte volte, ma non esistono due versioni uguali. Il primo resoconto accurato fu pubblicato solo nel 1944, quindici anni dopo gli eventi che descrive, quando ormai i dettagli cominciavano a confondersi. Nella sua versione migliore, la storia pare sia questa: nel 1928, mentre Fleming si godeva una pausa dal lavoro di ricercatore al St. Mary's Hospital di Londra, alcune spore di muffa del genere *Penicillium* finirono su una piastra di Petri incustodita del suo laboratorio. Al suo ritorno, grazie a una serie di eventi casuali – le piastre non erano state pulite, l'estate fu insolitamente fresca (quindi ideale per le spore), il viaggio durò a sufficienza da permettere alla muffa di agire – Fleming notò che la coltura batterica di una piastra era stata drasticamente inibita.

Spesso si legge che il tipo di fungo finito lì era raro, rendendo la scoperta quasi miracolosa, ma pare sia un'invenzione giornalistica. Poiché la muffa era la *Penicillium notatum* (ora chiamata *Penicillium chrysogenum*), assai diffusa a Londra, il fatto che alcune spore finirono nel laboratorio e si posarono sul suo agar è tutt'altro che straordinario. È inoltre diventato luogo comune che Fleming non riuscì a sfruttare la scoperta e ci vollero anni prima che altri convertissero i suoi risultati in un farmaco utile. Come minimo si tratta di un'interpretazione ingenerosa. Fleming merita che gli venga riconosciuto di aver intuito l'importanza della muffa: uno scienziato meno attento avrebbe potuto benissimo gettare via tutto. Inoltre pubblicò su una rivista autorevole una diligente relazione, sottolineando persino gli effetti antibiotici della scoperta. Provò anche a trasformarla in un farmaco, ma il progetto era tecnicamente complesso – come altri avrebbero scoperto in seguito – e avendo già delle urgenti ricerche da portare a termine non perseverò. Spesso si ignora che Fleming era uno scienziato affermato e impegnato. Nel 1923 aveva scoperto il lisozima, un enzima antimicrobico presente in saliva, muco e lacrime che rientra nella prima linea difensiva del corpo umano contro agenti patogeni invasori, ed era ancora impegnato a indagarne le proprietà. Era dunque tutt'altro che distratto o superficiale, come a volte si lascia intendere.

Nei primi anni Trenta alcuni ricercatori tedeschi produssero un gruppo di farmaci antibatterici noti come sulfamidici, che non sempre funzionavano bene e spesso avevano gravi effetti collaterali. Un team di biochimici di Oxford, coordinato dall'australiano Howard Florey, avviò la ricerca di un'alternativa più efficace e, nel farlo, ritrovò l'articolo di Fleming sulla penicillina. Il coordinatore scientifico di Oxford[30] era l'eccentrico esule tedesco Ernst Chain, che somigliava in modo inquietante a Albert Einstein (inclusi i folti baffi), ma con un'indole ben più difficile. Cresciuto in una ricca famiglia ebrea di Berlino, era fuggito in Inghilterra durante l'ascesa di Adolf Hitler. Chain era un uomo di talento, e prima di approdare alla scienza aveva preso in seria considerazione la carriera di pianista. Tuttavia era un uomo scontroso. Aveva un temperamento volubile e un po' paranoide, anche se mi sembra corretto dire che se mai ci fu un periodo in cui a un ebreo si poteva concedere la paranoia, erano proprio gli anni Trenta. Era un candidato improbabile[31] per qualsiasi scoperta, perché aveva il terrore patologico di essere avvelenato in laboratorio. Eppure perseverò, e con sua grande sorpresa scoprì che la penicillina non solo uccideva gli agenti patogeni nei topi, ma non aveva evidenti effetti collaterali. Ecco trovato il farmaco perfetto, in grado di annientare il bersaglio senza causare danni. Il problema, come aveva notato Fleming, era la difficoltà di produrne quantità clinicamente utili.

Per ordine di Florey, Oxford destinò ingenti risorse e spazi alla coltivazione della muffa da cui estrarre con pazienza piccole quantità di penicillina. All'inizio del 1941 il team ne aveva a sufficienza da testare il farmaco[32] sull'agente di polizia Albert Alexander, tragica e perfetta testimonianza della vulnerabilità umana dinanzi alle infezioni prima dell'avvento degli antibiotici. Mentre potava le rose del suo giardino, Alexander si graffiò il viso con una spina. Il graffio si infettò, e l'infezione si estese. Dopo aver perso un occhio, l'agente era in preda al delirio e rischiava di morire. L'effetto della penicillina fu miracoloso. Nel giro di due giorni riuscì a mettersi a sedere e sembrò quasi tornato alla normalità. Le scorte, però, si esaurirono in fretta. Disperati, gli scienziati filtrarono la sua urina e gli iniettarono ciò che poterono, ma dopo quattro giorni terminò anche quella. Il povero Alexander ebbe una ricaduta e morì.

Poiché la Gran Bretagna era impegnata nella Seconda guerra mondiale, mentre gli Stati Uniti ancora no, la sfida di produrre in massa la penicillina si spostò in una struttura di ricerca di Peoria, Illinois. Agli scienziati e ad altre parti interessate dell'intero mondo alleato fu chiesto di mandare di nascosto campioni di terreno e di muffa. Benché all'appello risposero in centinaia, niente di quanto fu spedito si rivelò promettente. Due anni dopo l'inizio dei test, l'assistente di laboratorio di Peoria Mary Hunt[33] portò un melone giallo acquistato in un negozio della zona. Era ricoperto da una «bella muffa dorata», ricordò in seguito, che si rivelò duecento volte più potente di qualunque altra già testata. Il nome e l'indirizzo del negozio in cui Mary Hunt fece la spesa sono stati dimenticati, e lo stesso storico melone non venne conservato: dopo l'asportazione della muffa, fu tagliato e mangiato dal personale. La muffa, invece, sopravvisse. Ogni grammo di penicillina prodotto da allora[34] discende da quell'unico melone.

Nel giro di un anno le case farmaceutiche americane ne sfornavano cento miliardi di unità al mese. Con grande delusione, gli scopritori britannici appresero[35] che i metodi di produzione erano stati brevettati e che, per usare la loro scoperta, avrebbero dovuto pagare i diritti agli americani.

Alexander Fleming fu riconosciuto il padre della penicillina solo sul finire della guerra, una ventina d'anni dopo la casuale scoperta, però diventò famosissimo. Ricevette 189 onorificenze di ogni tipo da tutto il mondo e gli fu addirittura intitolato un cratere della luna. Nel 1945 vinse il premio Nobel per la Fisiologia o la Medicina insieme a Ernst Chain e a Howard Florey. I due non godettero mai del plauso meritato, sia perché erano molto meno socievoli di Fleming, sia perché il racconto della scoperta fortuita fece più scalpore di quello della tenace costanza. Malgrado il Nobel, Chain[36] si convinse che Florey non gli avesse attribuito il giusto merito e, per quel che valeva, la loro amicizia finì.

Già nel 1945, nel discorso pronunciato in occasione della consegna del Nobel, Fleming avvertì che, se usati con poca attenzione, i microbi possono facilmente sviluppare resistenza agli antibiotici. Di rado un discorso per il Nobel è stato più profetico.

IV

La grande virtù della penicillina – la capacità di farsi largo fra ogni tipo di batterio – è anche la sua principale debolezza. Quanto più esponiamo i microbi agli antibiotici, tante più occasioni loro hanno di sviluppare resistenza. Dopo un ciclo di antibiotici ci restano i microbi più resistenti. Attaccando un ampio spettro di batteri[37] si stimola una grande azione difensiva. Al tempo stesso, però, si infliggono danni collaterali superflui. Gli antibiotici hanno le sfumature di una bomba a mano. Cancellano microbi buoni e cattivi. Sono sempre più numerose le prove del fatto che alcuni di quelli buoni potrebbero non riprendersi mai, e a pagarne le spese siamo noi.

Nel mondo occidentale quasi tutti, raggiunta l'età adulta, si sono già sottoposti a un numero di cicli di antibiotici compreso fra cinque e venti. Si teme che gli effetti siano cumulabili e che ogni generazione trasmetta meno microorganismi della precedente. Pochi ne sono più consapevoli dello scienziato americano Michael Kinch. Nel 2012, quando lui era direttore dello Yale University Center for Molecular Discovery del Connecticut, il figlio dodicenne Grant soffrì di acuti dolori addominali.

«Siccome era il primo giorno del campo estivo e aveva mangiato dei cupcake» ricorda Kinch, «pensammo fosse un insieme di eccitazione e peccato di gola, ma i sintomi peggiorarono.» Allo Yale New Haven Hospital, dove fu portato il ragazzino,[38] successero in fretta diverse cose allarmanti. L'appendice era perforata e i microbi intestinali erano finiti nell'addome causando una peritonite. L'infezione si mutò in setticemia, quindi raggiunse il sangue, rischiando di diffondersi a tutto il corpo. Stranamente, poi, quattro degli antibiotici somministrati non ebbero alcun effetto sui rapaci batteri.

«Restammo sbalorditi» racconta Kinch. «Gli avevano prescritto gli antibiotici una sola volta in vita sua, per un'infezione all'orecchio, eppure i batteri intestinali erano resistenti. Non dovevano esserlo.» Per fortuna altri due antibiotici funzionarono e Grant si salvò.

«È stato fortunato» spiega Kinch. «Il giorno in cui i nostri batteri potrebbero resistere non solo a due terzi degli antibiotici con cui li attacchiamo, ma a tutti, si avvicina in fretta. A quel punto saranno guai.»

Oggi Kinch dirige il Center for Research Innovation in Business della Washington University di St. Louis. Lavora in un'ex fabbrica di telefoni ristrutturata con gusto grazie al progetto di risanamento edilizio dell'università. «Un tempo era il posto migliore di St. Louis in cui comprare crack» racconta con una punta d'orgoglio e ironia. Anche se questo allegro cinquantenne è arrivato alla Washington University per promuovere l'imprenditorialità, le sue principali passioni restano il futuro del settore farmaceutico e la ricerca di nuovi antibiotici. Nel 2016 ha scritto su questo tema un libro allarmante dal titolo *A Prescription for Change: The Looming Crisis in Drug Development*.

«Dagli anni Cinquanta fino agli anni Novanta» spiega «negli Stati Uniti sono stati introdotti circa tre antibiotici l'anno. Oggi ne esce più o meno uno nuovo un anno sì e uno no. La velocità con cui vengono ritirati dal commercio – perché non funzionano più o sono obsoleti – è doppia rispetto a quella con cui vengono introdotti i nuovi. L'ovvia conseguenza è che l'arsenale di farmaci per trattare le infezioni batteriche si è ridotto e il fenomeno non accenna a fermarsi.»

Il nostro uso scriteriato peggiora le cose. Quasi tre quarti dei quaranta milioni di antibiotici prescritti ogni anno negli Stati Uniti servono a trattare patologie che non si possono curare con questi farmaci. Secondo Jeffrey Linder, professore di medicina a Harvard, gli antibiotici vengono prescritti per il 70 per cento dei casi di bronchite acuta[39] sebbene le linee guida stabiliscano chiaramente che sono inefficaci.

Ed è ancora più spaventoso che negli Stati Uniti l'80 per cento degli antibiotici venga somministrato agli animali da fattoria soprattutto per ingrassarli, e che i coltivatori di frutta possano usarli per combattere le infezioni batteriche delle piante. Senza saperlo, il grosso degli americani consuma antibiotici di seconda mano[40] attraverso gli alimenti (alcuni persino etichettati come biologici). La Svezia ne ha bandito l'uso agricolo[41] nel

1986 e l'Unione europea nel 1999. Nel 1977 la FDA[42] ha ordinato lo stop all'uso degli antibiotici per ingrassare gli animali, ma ha fatto marcia indietro in seguito alle proteste delle lobby agricole e dei parlamentari che le sostenevano.

Nel 1945, l'anno in cui Alexander Fleming vinse il Nobel, un classico caso di polmonite pneumococcica si poteva curare con quarantamila unità di penicillina. A causa dell'aumento della resistenza, per ottenere lo stesso risultato oggi ne servono oltre venti milioni al giorno per diversi giorni. Su alcuni disturbi la penicillina non ha più alcun effetto, quindi il tasso di mortalità[43] per malattie infettive è in aumento ed è tornato ai livelli di circa quarant'anni fa.

Con i batteri c'è poco da scherzare. Non solo sono diventati sempre più resistenti,[44] ma si sono anche evoluti in una nuova e temibile classe di agenti patogeni noti come superbatteri, e non è un'iperbole. Lo *Staphylococcus aureus* è un microbo che si trova sulla pelle e nelle narici umane. In genere non fa danni, ma essendo opportunista approfitta dell'eventuale indebolimento del sistema immunitario per intrufolarcisi e seminare il caos. Negli anni Cinquanta aveva sviluppato resistenza alla penicillina, ma per fortuna esisteva un altro antibiotico chiamato meticillina che ne fermava le infezioni sul nascere. Appena due anni dopo l'introduzione della meticillina, però, due pazienti del Royal Surrey County Hospital di Guildford, vicino Londra, svilupparono infezioni che non rispondevano all'antibiotico. All'improvviso lo *Staphylococcus aureus* si era evoluto in una forma resistente. Il nuovo ceppo fu chiamato «*Staphylococcus aureus* resistente alla meticillina».[45] Nel giro di due anni sbarcò in Europa e, poco dopo, negli Stati Uniti.

Oggi, insieme ai cugini, uccide[46] circa settecentomila persone l'anno in tutto il mondo. Se fino a non molto tempo fa bastava un farmaco chiamato vancomicina, adesso comincia a essere inefficace anche questo. Nel frattempo ci ritroviamo ad affrontare le infezioni dei temutissimi enterobatteri resistenti ai carbapenemi, di fatto immuni a tutti i nostri mezzi di difesa. Hanno una mortalità del 50 per cento,[47] più o meno, e per fortuna non infettano le persone sane, almeno finora. Se iniziano a farlo, state in guardia.

Malgrado l'esacerbarsi del problema, però, il settore farmaceutico ha smesso di creare nuovi antibiotici. «Costa troppo»[48] spiega Kinch. «Negli anni Cinquanta per una cifra pari a un miliardo di dollari odierni si potevano sviluppare circa novanta farmaci. Oggi circa un terzo. I brevetti farmaceutici durano vent'anni, compreso il periodo dei trial clinici. I produttori hanno di solito cinque anni di esclusiva.» Di conseguenza, delle diciotto case farmaceutiche più grandi al mondo solo due[49] non hanno abbandonato la ricerca di antibiotici nuovi. Questi farmaci si assumono per una o due settimane. Molto meglio concentrarsi sulle statine o sugli antidepressivi, che si possono prendere più o meno a tempo indefinito. «Nessuna azienda sana di mente produrrà il prossimo antibiotico» dice Kinch.

Non è una situazione irrimediabile, però va affrontata. Al tasso di diffusione attuale,[50] la resistenza antimicrobica causerà dieci milioni di morti evitabili l'anno – più delle vittime del cancro –, a un costo di forse cento trilioni di dollari in trent'anni.

Quello su cui quasi tutti sono d'accordo è che occorre un approccio più mirato. Un'alternativa interessante potrebbe consistere nell'interruzione delle linee di comunicazione dei batteri. Affinché l'attacco sia fruttuoso, infatti, i batteri non vanno mai alla carica se non hanno riunito un numero sufficiente, diciamo il quorum. L'idea è quella di produrre farmaci in grado di controllare questo quorum:[51] pur non uccidendo tutti i batteri, ne mantengono il numero costantemente al di sotto della soglia che scatena l'attacco.

Un'altra alternativa è arruolare i batteriofagi, una specie di virus che stana e uccide i batteri pericolosi. Anche se poco conosciuti, i batteriofagi – spesso chiamati fagi – sono le bioparticelle più abbondanti sulla Terra.[52] Ne è coperta ogni superficie del pianeta, compresa la nostra. Il compito che svolgono al meglio è prendere di mira un preciso batterio. Per gli specialisti significa quindi individuare l'agente patogeno incriminato e scegliere il giusto fago per ucciderlo, un'operazione costosa e lunga che però renderebbe ben più difficile ai batteri sviluppare una resistenza.

Certo è che occorre agire. «La crisi degli antibiotici non è imminente» dice Kinch, «niente affatto. È *presente*. Come dimostra il caso di mio figlio, questi problemi esistono già e le cose peggioreranno.»

O come mi ha detto un medico: «Si profila una situazione in cui l'intervento di protesi dell'anca o altre operazioni di routine diventeranno impossibili perché il rischio d'infezione sarà troppo alto».

Il giorno in cui si morirà di nuovo per un graffio di spina di rosa potrebbe non essere lontano.

4

Il cervello

Il cervello è più grande del cielo
perché, se messi vicino,
il primo l'altro contiene
con agio, e te persino.

EMILY DICKINSON

La creazione più straordinaria dell'universo si trova nella nostra testa. È assai probabile che nell'intero spazio cosmico non esista nulla di meraviglioso, complesso e ad alta prestazione come il chilo e mezzo di massa spugnosa che ci ritroviamo fra le orecchie.

Pur essendo prodigioso, il cervello umano è piuttosto sgradevole da vedere. Tanto per cominciare è composto per il 75-80 per cento di acqua, mentre il resto sono soprattutto grassi e proteine. In sintesi, tre sostanze così banali messe insieme ci permettono di pensare, ricordare, vedere, apprezzare la bellezza e tanto altro. Se estraessimo il cervello dal cranio resteremmo quasi di certo stupiti da quant'è morbido. La sua consistenza[1] è stata paragonata al tofu, al burro o al biancomangiare stracotto.

L'enorme paradosso è che a donarci tutto ciò che sappiamo del mondo è un organo che il mondo non l'ha mai visto. Vive in silenzio e nell'ombra come il prigioniero di una segreta. Non ha recettori del dolore, quindi nessuna sensazione. Non ha mai sentito il calore del sole o la carezza del vento. Per il cervello il mondo è giusto un flusso di impulsi elettrici, come i segnali dell'alfabeto Morse. Da queste informazioni semplici e neutre crea – letteralmente – un universo vibrante, tridimensionale, sensoriale e affascinante. Il cervello *è* l'individuo. Il resto è un insieme di tubi e impalcature.

Anche mentre ce ne stiamo seduti con le mani in mano, in trenta secondi elabora più informazioni di quante ne ha processate il telescopio spaziale Hubble in trent'anni. Un frammento di corteccia di un millimetro cubo – un granello di sabbia, per rendere l'idea – può contenere duemila terabyte di informazioni, sufficienti a conservare tutti i film mai realizzati, trailer compresi, o circa 1,2 miliardi di copie di questo libro.* Nel complesso si stima che il cervello umano racchiuda[2] qualcosa come duecento exabyte di informazioni, più o meno pari all'«intero contenuto digitale mondiale», secondo *Nature Neuroscience*. Se non è la creazione più straordinaria dell'universo, allora ci sono senza dubbio altri prodigi da svelare.

Il cervello è spesso ritratto come un organo affamato. Pur rappresentando appena il 2 per cento del peso corporeo,[3] usa il 20 per cento della nostra energia. Nei neonati si arriva al 65 per cento, ed ecco spiegato perché dormono di continuo – la crescita del cervello li sfianca – e hanno tanti grassi, che possono usare come riserva energetica quando occorre. I muscoli ne usano molta di più, circa un quarto, però loro sono tanti: per unità il cervello è di gran lunga l'organo più dispendioso.[4] Ma è

* Per alcuni di questi calcoli ringrazio il dottor Magnus Bordewich, direttore di ricerca della facoltà di Informatica della Durham University.

anche straordinariamente efficiente. Necessita di appena quattrocento calorie al giorno, pari a quelle contenute in un muffin ai mirtilli. Provate a far lavorare un computer per ventiquattr'ore con un muffin e vedete quanto dura.

A differenza di altre parti del corpo, il cervello brucia le sue quattrocento calorie con un ritmo costante a prescindere da cosa facciamo. Pensare troppo non aiuta a dimagrire, anzi, non sembra produrre alcun vantaggio. Con la tomografia a emissione di positroni, Richard Haier della University of Southern California ha scoperto che i cervelli più attivi[5] sono in genere i meno produttivi. I più efficienti, invece, sono quelli che riescono a risolvere in fretta un compito per poi andare in modalità di attesa.

Malgrado i suoi poteri, nulla di quanto si trova nel cervello umano è prettamente umano. I componenti sono gli stessi – neuroni, assoni, gangli e così via – di quello di un cane o di un criceto. Balene ed elefanti hanno un cervello molto più grande del nostro, anche se ovviamente hanno pure corpi molto più grandi. Persino un topo portato a dimensioni umane avrebbe un cervello come il nostro e tanti uccelli ci supererebbero. Fra l'altro il cervello umano è risultato essere un po' meno solenne di quanto si pensasse. Per anni si è ritenuto che avesse cento miliardi di neuroni, ma nel 2015 l'attenta stima della neuroscienziata brasiliana Suzana Herculano-Houzel ha concluso che sono 86 miliardi,[6] una retrocessione non da poco.

A differenza delle altre cellule, in genere compatte e sferiche, i neuroni sono lunghi e sottili per trasmettersi meglio i segnali elettrici. L'elemento principale di un neurone si chiama assone. Alle estremità si ramifica in prolungamenti noti come dendriti, e ce ne sono fino a 400.000. Il minuscolo spazio fra le parti terminali del neurone si chiama sinapsi. Ogni neurone è collegato a migliaia di altri neuroni, dando vita a trilioni e trilioni di connessioni, così tante « in un solo centimetro cubico[7] di tessuto cerebrale quante sono le stelle della Via Lattea», per citare il neuroscienziato David Eagleman. È in quel complesso intreccio sinaptico che risiede l'intelligenza e non nel numero di neuroni, come si credeva un tempo.

L'aspetto senza dubbio più bizzarro e straordinario del cervello è il suo essere superfluo. Siccome per sopravvivere sulla Terra non occorre comporre musica o dedicarsi alla filosofia – basta essere più furbi di un quadrupede –, perché investire tutta quell'energia e rischiare così tanto per sviluppare doti mentali di cui non abbiamo bisogno? È solo una delle tante domande sul cervello a cui il cervello non risponderà mai.

Essendo il più complesso dei nostri organi, non sorprende che l'encefalo – questo il nome scientifico di quanto contenuto all'interno della scatola cranica – abbia più componenti con un nome proprio di ogni altra area del corpo, ma in sostanza si divide in tre parti. In cima, in senso letterale e figurato, c'è il cervello che riempie il grosso della volta cranica ed è la parte a cui di solito pensiamo quando ne parliamo. È la sede di tutte le funzioni più alte, ed è diviso in due emisferi,[8] ciascuno dei quali si occupa di un lato del corpo. Tuttavia, poiché per ragioni ignote la stragrande maggioranza delle connessioni è incrociata, il lato destro del cervello controlla il lato sinistro del corpo e viceversa. I due emisferi sono collegati da una fascia di fibre chiamata corpo calloso. Il cervello è corrugato da profonde fessure note come solchi e da creste note come giri, che gli forniscono una superficie maggiore. Lo schema che formano è diverso per ognuno – proprio come le impronte digitali –, ma non si è ancora capito se sia collegato all'intelligenza, al temperamento o a tutto ciò che ci rende chi siamo.

Ogni emisfero è ulteriormente suddiviso in quattro lobi: frontale, parietale, temporale e occipitale, ciascuno specializzato in precise funzioni. Il lobo parietale controlla gli input sensoriali come tatto e temperatura, il lobo occipitale elabora le informazioni visive e il lobo temporale gestisce principalmente le informazioni uditive, ma contribuisce anche all'elaborazione di quelle visive. Da qualche anno si sa che quando guardiamo un viso attiviamo le sei aree del lobo temporale[9] deputate al riconoscimento facciale, anche se non si sa ancora quali parti del volto attivino quali aree del lobo. Il lobo frontale è la sede delle funzioni più elevate del cervello: ragionamento, pianificazione, risoluzione dei problemi, controllo delle emozioni e così via. È responsabile della personalità, di chi siamo. Come ha notato Oliver Sacks, è ironico che i lobi frontali siano stati gli ultimi a essere decifrati. «Quando studiavo medicina venivano ancora chiamati 'i lobi silenti'» scrisse nel 2001, e non perché si pensasse fossero privi di funzioni, ma perché quelle funzioni non si manifestano.

Subito sotto il cervello, nella parte posteriore della testa, dove si trova la nuca, c'è il cervelletto. Pur occupando appena il 10 per cento della cavità cranica,[10] possiede oltre la metà dei neuroni dell'encefalo. E ne ha così tanti non perché ci aiuti a pensare molto, ma perché controlla l'equilibrio e i movimenti complessi, per i quali serve abbondanza di connessioni.

Alla base del cervello, da cui scende simile a un vano ascensore che lo collega alla spina dorsale e al corpo, c'è la parte più antica, il tronco encefalico. È la sede delle operazioni elementari: dormire, respirare, far battere il cuore. Anche se solitamente non è molto noto, è così vitale per la nostra esistenza che in Gran Bretagna «la morte del tronco encefalico» è il parametro per stabilire un decesso.

Concentriamoci sul cervello. Disseminate al suo interno come frutta secca in una torta, ci sono tantissime strutture più piccole – ipotalamo, amigdala, ippocampo, telencefalo, setto pellucido, commessura abenulare, corteccia entorinale e un'altra decina circa – che formano il sistema limbico (dal latino *limbus*, che significa periferico).* Si può tranquillamente vivere tutta la vita senza mai sentir parlare di questi componenti, a meno che non si guastino. I gangli della base, per esempio, sono importanti per movimento, linguaggio e pensiero, eppure in genere attirano l'attenzione solo quando degenerano e causano il Parkinson.

Malgrado l'anonimato e le modeste dimensioni, le strutture del sistema limbico hanno un ruolo fondamentale nella nostra felicità grazie al controllo e alla regolazione di processi elementari quali memoria, appetito, emozioni, sonnolenza e vigilanza, nonché all'elaborazione delle informazioni sensoriali. Il concetto di «sistema limbico» fu inventato nel 1952 dal neuroscienziato americano Paul D. MacLean, ma oggi non tutti i neuroscienziati concordano sul fatto che le varie strutture formino un sistema coerente. Tanti, infatti, le considerano componenti diverse il cui unico comune denominatore è che si occupano della prestazione del corpo piuttosto che del pensiero.

L'elemento più importante del sistema limbico è una piccola centrale elettrica detta ipotalamo, che non è affatto una struttura bensì un nucleo di cellule nervose. Il nome non descrive la funzione ma l'ubicazione, cioè sotto il talamo (il talamo, che significa «camera interna», è una sorta di ripetitore delle informazioni sensoriali ed è una parte importante del cervello – ovviamente non esistono parti che non lo sono – però non rientra nel sistema limbico). Anche se può risultare strano, l'ipotalamo è di dimensioni assai modeste, eppure, malgrado non sia più grande di un'arachide e pesi tre grammi scarsi, controlla il grosso delle principali reazioni chimiche del corpo. Regola la funzione sessuale, controlla fame e sete, monitora zuccheri e sale nel sangue,

---

* Di ognuno di questi ne abbiamo due, uno per emisfero, per cui dovremmo parlarne al plurale (talami, ippocampi, amigdale e così via), ma si fa di rado.

decide quando abbiamo bisogno di dormire. Potrebbe addirittura influire sulla lentezza o la velocità dell'invecchiamento.[11] Buona parte del successo o del fallimento di un essere umano dipendono da questa cosina che si trova al centro della testa.

L'ippocampo è vitale per conservare i ricordi (il nome deriva dal greco e significa «cavalluccio marino» per la presunta somiglianza). L'amigdala (che in greco significa mandorla) è specializzata nella gestione di emozioni intense e stressanti quali paura, rabbia, ansia e fobie di ogni sorta. Chi ha subito danni all'amigdala[12] non prova paura e spesso non riesce a riconoscerla negli altri. L'amigdala si attiva soprattutto mentre dormiamo, il che forse spiega perché spesso i sogni siano inquietanti. Gli incubi potrebbero essere[13] solo gli sfoghi di questa struttura cerebrale.

Se si pensa al numero di studi sul cervello, e al fatto che lo si esamina da tempo, è incredibile quanti aspetti siano ancora sconosciuti o, quantomeno, non universalmente accettati. Che cos'è, per esempio, la coscienza? O un pensiero? Non si può rinchiudere in provetta o spalmare sul vetrino del microscopio, eppure è un fatto reale e ben preciso. Pensare è il nostro talento più vitale e miracoloso, ma dal punto di vista fisiologico non abbiamo idea di cosa sia.

Lo stesso vale per la memoria. Pur conoscendo tanti dettagli sul modo in cui i ricordi sono assemblati e su come e dove vengono immagazzinati, non sappiamo perché ne conserviamo alcuni e non altri. Ovviamente il valore e l'utilità c'entrano poco. Ricordo la formazione con cui scendeva in campo la squadra di baseball dei St. Louis Cardinals nel 1964 – cosa che in seguito non ha avuto nessuna importanza, e non era granché utile neppure all'epoca –, ma non ricordo il mio numero di telefono, dove ho parcheggiato, qual è il terzo dei tre prodotti che mia moglie mi ha chiesto di comprare al supermercato, né nessuna delle tante altre cose senza dubbio più urgenti e necessarie dei giocatori dei Cardinals del 1964 (che, per inciso, erano Tim McCarver, Bill White, Julian Javier, Dick Groat, Ken Boyer, Lou Brock, Curt Flood e Mike Shannon).

C'è quindi ancora tanto da imparare e altrettanto che forse non scopriremo mai. Alcune delle cose che sappiamo, però, sono straordinarie quanto quelle ancora sconosciute. Si pensi a come vediamo il mondo o, per essere più precisi, a come il cervello ci dice cosa vediamo.

Guardatevi intorno. Gli occhi inviano al cervello cento miliardi di segnali[14] al secondo. E non finisce qui. Quando «vediamo» una cosa, solo il 10 per cento circa dell'informazione[15] proviene dal nervo ottico. Altre parti del cervello devono scomporre i segnali, cioè riconoscere volti, interpretare movimenti, individuare il pericolo. In altri termini l'aspetto più importante dell'atto di vedere non è ricevere le immagini, ma dar loro un senso.

Per ogni input visivo occorre un tempo irrisorio ma percepibile – circa duecento millisecondi, o un quinto di secondo – affinché l'informazione viaggi lungo i nervi ottici e raggiunga il cervello per essere elaborata e interpretata. Un quinto di secondo non è un lasso di tempo insignificante quando serve una reazione rapida, per esempio per schivare un'auto o evitare una botta in testa. Per aiutarci a far fronte a questo minuscolo intervallo, il cervello compie un'operazione straordinaria: prevede di continuo come sarà il mondo fra un quinto di secondo spacciandocelo come presente. Significa che non lo vediamo mai così com'è, ma come sarà nell'immediato futuro. In altre parole, passiamo la vita in un mondo che ancora non esiste.

Il cervello ci inganna in svariati modi per il nostro bene. Suoni e luci ci raggiungono a velocità assai diverse, fenomeno che sperimentiamo ogni volta che sentiamo passare un aereo, guardiamo in alto e ci accorgiamo che il suono proviene da una direzione mentre l'aereo vola in silenzio da tutt'altra parte. A distanze più ravvicinate, invece, elimina tali differenze facendoci percepire tutti gli stimoli come fossero simultanei.

In modo analogo il cervello fabbrica i componenti che formano i nostri sensi. Come dice James Le Fanu, dottore e scrittore inglese: «Anche se abbiamo la travolgente sensazione[16] che il verde degli alberi e l'azzurro del cielo ci penetrino negli occhi neanche fossero una finestra aperta, le particelle di luce che incontrano la retina sono incolori proprio come le onde sonore che incontrano il timpano sono mute e le molecole olfattive sono inodori. Sono tutte particelle subatomiche di materia, invisibili e senza peso, che viaggiano nello spazio». La ricchezza della vita viene creata nella nostra testa. Invece di vedere quanto c'è, vediamo quello che il cervello ci dice esserci, e non è affatto la stessa cosa. Pensate a una saponetta. Avete mai fatto caso che la schiuma è sempre bianca a prescindere dal colore della saponetta? Non succede perché il sapone cambia colore quando viene inumidito e sfregato. Dal punto di vista molecolare resta identico. Solo che la schiuma riflette la luce in maniera diversa. Lo stesso si verifica con le onde che si infrangono sulla spiaggia – acqua verdazzurra, schiuma bianca – e con tanti altri fenomeni, perché il colore non è una realtà costante bensì una percezione.

Forse vi sarà capitato di fissare per quindici o venti secondi un quadrato rosso per poi spostare lo sguardo su un foglio bianco e, per qualche istante, vedere la parvenza di un riquadro azzurro-verdastro sulla carta, la classica illusione ottica. Tale «immagine residua» è la conseguenza dell'affaticamento da superlavoro di alcuni fotorecettori degli occhi, ma l'aspetto importante è che l'azzurro-verdastro non c'è né c'è mai stato, se non nella vostra immaginazione. E questo vale per tutti i colori.

Il cervello è anche abilissimo a individuare disegni e a trovare l'ordine nel caos, come dimostrano queste due note illusioni ottiche:

Nella prima molti vedono solo delle macchie, finché non viene detto loro che nell'illustrazione c'è un dalmata. All'improvviso il cervello di quasi tutti riempie i contorni mancanti e l'insieme torna. Questa illusione ottica risale agli anni Sessanta, ma non si sa chi l'abbia ideata. La seconda ha una storia nota. È il triangolo di Kanizsa, dal nome dello psicologo italiano Gaetano Kanizsa che lo inventò nel 1955. Ovviamente nell'immagine non c'è nessun triangolo, se non quello ricreato dal cervello.

Il cervello compie tutte queste operazioni perché è progettato per aiutarci in ogni modo possibile. Paradossalmente, però, è anche molto inaffidabile. Alcuni anni fa la psicologa della University of California di Irvine, Elizabeth Loftus, ha scoperto che tramite la suggestione è possibile impiantare ricordi fasulli nella testa delle persone[17] – convincerle di essersi perse in un grande magazzino o in un centro commerciale da piccole, o di essere state abbracciate da Bugs Bunny a Disneyland – anche se niente di tutto ciò era davvero successo (fra l'altro Bugs Bunny non è un personaggio della Disney e non è mai stato presente a Disneyland). Ha mostrato ai volontari foto manipolate di quand'erano piccoli, a bordo di una mongolfiera, e all'improvviso alcuni hanno ricordato e descritto con entusiasmo l'esperienza sebbene si sapesse che non era mai avvenuta.

Se pensate di non essere suggestionabili fino a questo punto, e magari avete pure ragione – è così credulone solo un terzo circa delle persone –, altre prove dimostrano che tutti noi a volte ricordiamo male persino eventi famosi. Nel 2001, subito dopo la tragedia dell'11 settembre al World Trade Center di New York, gli psicologi della University of Illinois chiesero a settecento persone dove si trovassero e cosa stessero facendo quando avevano appreso la notizia. Un anno dopo rivolsero[18] la stessa domanda alle stesse persone, scoprendo che quasi la metà si contraddiceva in modo significativo – si collocava in un posto diverso, credeva di averlo visto in tivù mentre invece l'aveva sentito alla radio e così via – senza però essere consapevole che i ricordi erano cambiati (quanto a me, ricordo chiaramente di averlo visto in diretta alla televisione nel New Hampshire, dove vivevo all'epoca, con due dei miei figli, salvo scoprire in seguito che uno di loro si trovava in Inghilterra).

L'immagazzinaggio dei ricordi è peculiare e, chissà perché, frammentario. La mente, infatti, li scompone[19] nei vari componenti – nomi, volti, luoghi, contesti, sensazioni al tatto, persino se una cosa è viva o morta – che invia in aree diverse per richiamarli e riassemblarli quando è necessario. Un pensiero o un ricordo fugace[20] possono attivare più di un milione di neuroni sparpagliati in tutto il cervello. Fra l'altro con il passare del tempo questi frammenti[21] si spostano, migrando da una parte all'altra della corteccia per ragioni ancora sconosciute. Non sorprende, quindi, che i dettagli siano confusi.

L'esito è che la memoria non è un registro fisso e permanente, come un documento archiviato in uno schedario. È molto più vaga e mutevole. Come ha dichiarato Elizabeth Loftus nel 2013:

«Somiglia più a una pagina di Wikipedia.[22] È modificabile sia da noi che da altri».*

I ricordi sono classificati in tanti modi diversi, e non esistono due esperti che usino la stessa terminologia. Le suddivisioni più ricorrenti sono memoria a lungo termine, a breve termine e di lavoro (per quanto concerne la durata), e procedurale, concettuale, semantica, dichiarativa, implicita, autobiografica e sensoriale (per quanto concerne il tipo). In sostanza, però, le due tipologie principali sono dichiarativa e procedurale. La prima è quella che si può esprimere a parole: nomi delle capitali, date di nascita, come si scrive «oftalmologo» e tutto ciò che sappiamo. La seconda descrive cose che conosciamo e capiamo ma che sono più difficili da esprimere a parole: come si nuota, si guida, si sbuccia un'arancia, si identificano i colori.

La memoria di lavoro è il punto d'incontro fra quella a breve e a lungo termine. Mettiamo di dover risolvere un problema matematico. Mentre il problema risiede nella memoria a breve termine – in fondo non occorre ricordarlo dopo qualche mese –, le doti necessarie a effettuare il calcolo sono conservate nella memoria a lungo termine.

A volte i ricercatori trovano utile distinguere anche fra memoria di rievocazione, relativa a ciò che si ricorda spontaneamente – come nel caso dei quiz di cultura generale – e memoria di riconoscimento, relativa a ciò che nel dettaglio si ricorda in modo vago, ma di cui si conosce il contesto. Quest'ultima spiega perché tanti di noi faticano a ricordare il contenuto di un libro,

---

* Un altro straordinario esempio di ricordi immaginari risale a un esperimento condotto in un'ignota università del Canada in cui sessanta volontari sono stati accusati di aver commesso, da adolescenti, un reato di furto e aggressione per il quale erano stati arrestati. Anche se non era successo, dopo tre incontri con un intervistatore cordiale ma manipolatore il 70 per cento degli studenti ha confessato gli episodi immaginari, spesso aggiungendo nitidi dettagli incriminanti del tutto fantasiosi, ma da loro ritenuti veri.

ma spesso sanno dove l'hanno letto, rammentano i colori e l'immagine della copertina e altri dettagli irrilevanti. La memoria di riconoscimento è invece utile perché non ingombra il cervello con dati superflui e ci aiuta a ricordare dove andare a cercarli se dovessero servirci di nuovo.

La memoria a breve termine è davvero breve: per informazioni come indirizzi e numeri di telefono non dura più di trenta secondi (se riuscite a ricordare una cosa dopo trenta secondi non si parla più di memoria a breve bensì a lungo termine). Di solito è davvero pessima. Sei parole o cifre a caso sono il massimo che la maggior parte di noi è capace di tenere a mente in modo affidabile per alcuni momenti.

Con un po' di impegno, però, è possibile allenare la memoria a compiere imprese straordinarie. Ogni anno negli Stati Uniti si svolge un campionato nazionale di memoria[23] dove avvengono veri e propri prodigi. Uno dei campioni è riuscito a ricordare 4140 numeri casuali dopo averli guardati per appena mezz'ora. Un altro ha ricordato 27 mazzi di carte mischiati a caso nello stesso arco di tempo. Un altro ancora ricordava un mazzo di carte dopo trentadue secondi di studio. Non sarà l'impiego più utile della mente umana, però è senz'altro la dimostrazione dei suoi poteri e della sua incredibile versatilità. Per inciso quasi tutti i campioni non hanno un'intelligenza fuori dal comune: sono solo così motivati da allenare la memoria a compiere numeri straordinari.

Un tempo si credeva che tutte le esperienze venissero conservate nel cervello in via permanente, sotto forma di ricordi, ma che il grosso non fosse immediatamente accessibile a nostro piacimento. L'idea emerse da una serie[24] di esperimenti condotti in Canada fra gli anni Trenta e Cinquanta dal neurochirurgo Wilder Penfield. Nell'eseguire degli interventi chirurgici al Montreal Neurological Institute, Penfield scoprì che toccando con una sonda il cervello dei pazienti spesso evocava sensazioni forti quali odori intensi dell'infanzia, stati di euforia, a volte il ricordo di una scena dimenticata dei primi anni di vita. Si concluse quindi che il cervello registra e conserva ogni evento conscio della nostra vita, per quanto banale. Oggi, invece, si pensa che la stimolazione suscitasse perlopiù la sensazione della memoria e che i pazienti sperimentassero qualcosa di più simile all'allucinazione che al ricordo di un evento.

Una cosa è certa: conserviamo molti più dati di quanti riusciamo a ricordarne. È probabile che non ricordiamo granché del quartiere in cui abbiamo abitato da piccoli, ma tornandoci e facendo due passi ci affiorerebbero alla mente quasi di sicuro alcuni dettagli a cui non pensavamo da anni. Con un po' di tempo e sollecitazione resteremmo sbalorditi dalla quantità di informazioni che conserviamo.

Ironia vuole che la persona da cui abbiamo imparato[25] gran parte di quanto oggi si sa sulla memoria ne avesse pochissima. Henry Molaison era un bel giovanotto affabile di ventisette anni del Connecticut che soffriva di episodi invalidanti di epilessia. Nel 1953 il chirurgo William Scoville, ispirato dal lavoro di Wilder Penfield in Canada, gli trapanò il cranio e rimosse mezzo ippocampo da ciascun lato del cervello e il grosso dell'amigdala. L'intervento, che pure ridusse in modo significativo le convulsioni (anche se non le eliminò del tutto), privò Molaison della capacità di formare nuovi ricordi, disturbo noto come amnesia anterograda. Poteva ricordare solo gli eventi del passato. Chi usciva dalla stanza veniva subito dimenticato. Persino la psichiatra che per anni lo vide quasi tutti i giorni per lui era un'estranea ogni volta che varcava la soglia. Allo specchio Molaison si riconosceva, però restava spesso sorpreso dall'aspetto invecchiato. Di tanto in tanto, chissà perché, riusciva a fermare qualche raro ricordo. Ad esempio che John Glenn era un astronauta e Lee Harvey Oswald un assassino (ma non ricordava chi avesse ucciso), e dopo il trasloco imparò l'indirizzo e la disposizione delle stanze della nuova casa. Per il resto, invece, era come bloccato in un eterno presente che non riusciva mai a comprendere. La condizione del povero Henry Molaison fu il primo indizio scientifico che l'ippocampo ha un ruolo centrale nella formazione dei ricordi. Da lui gli scienziati appresero non tanto come funziona la memoria, quanto piuttosto la difficoltà di comprenderne il funzionamento.

L'aspetto senza dubbio più straordinario del cervello è che tutte le sue azioni superiori – pensare, vedere, sentire e così via – si verificano in superficie, nella guaina della corteccia spessa appena quattro millimetri. Il principale contributo alla mappatura di questa regione cerebrale è del neurologo tedesco Korbinian Brodmann (1868-1918), uno dei neuroscienziati moderni più brillanti e meno fortunati. Nel 1909, mentre lavorava in un istituto di ricerca di Berlino, individuò quarantasette regioni diverse della corteccia cerebrale che da allora sono conosciute come aree di Brodmann. «Di rado nella storia delle neuroscienze[26] un'illustrazione ha avuto altrettanta influenza» avrebbero scritto un secolo dopo Karl Zilles e Katrin Amunts su *Nature Neuroscience*.

Il timidissimo Brodmann, al quale fu più volte negata la promozione[27] malgrado l'importanza del suo lavoro, faticò a lungo per conquistarsi una posizione consona come ricercatore. La sua carriera fu ulteriormente compromessa dallo scoppio della Prima guerra mondiale, quando venne mandato a lavorare in un manicomio di Tubinga. Nel 1917, a quarantotto anni, la fortuna gli sorrise e ottenne il prestigioso incarico di responsabile del Dipartimento di anatomia topografica di un istituto di Monaco. Raggiunse finalmente la sicurezza economica per sposarsi e avere un figlio, e fece entrambe le cose a poca distanza l'una dall'altra. La nuova serenità, però, non durò neppure un anno.

Nell'estate del 1918, a undici mesi e mezzo dal matrimonio e a due mesi e mezzo dalla nascita del figlio, al culmine della felicità, Brodmann contrasse un'improvvisa infezione e morì nel giro di cinque giorni. Aveva quarantanove anni.

La zona da lui mappata, la corteccia cerebrale, è la materia grigia del cervello. Sotto c'è la più ampia materia bianca, così chiamata perché i neuroni sono rivestiti da un isolante grasso di colore chiaro detto mielina, che accelera la velocità di trasmissione dei segnali. Materia bianca e materia grigia[28] sono due connotazioni fuorvianti. La materia grigia non è poi così grigia in natura, ma è anzi rosata. Diventa vistosamente grigia solo in assenza di flusso sanguigno e con l'aggiunta di conservanti. Anche la materia bianca è tale solo postuma, perché la conservazione rende di un bianco acceso il colore delle guaine mieliniche delle sue fibre nervose.

Per inciso, l'idea che usiamo solo il 10 per cento[29] del cervello è una leggenda. Nessuno sa chi l'abbia inventata, ma non è mai stata vera né vicina alla realtà. Magari non lo usiamo tutto con saggezza, però in un modo o nell'altro lo usiamo per intero.

Per formarsi il cervello richiede tempo. Le connessioni di quello di un adolescente sono[30] infatti complete per l'80 per cento circa (chi ha figli adolescenti non resterà sorpreso). Anche se il grosso dello sviluppo cerebrale avviene nei primi due anni di vita ed è concluso al 95 per cento intorno ai dieci anni, le sinapsi raggiungono la piena formazione solo fra i quindici e i venti, per cui di fatto l'adolescenza si estende nell'età adulta. Nel frattempo si avranno comportamenti più impulsivi e meno riflessivi, e si sarà anche più sensibili agli effetti dell'alcol. «Il cervello dell'adolescente non è solo un cervello adulto con meno chilometri» ha detto all'*Harvard Magazine* la docente di neurologia Frances E. Jensen nel 2008. È proprio un altro tipo di cervello.

In quegli anni il nucleus accumbens, l'area del prosencefalo associata al piacere, raggiunge le dimensioni massime, e il corpo produce più dopamina – il neurotrasmettitore deputato al piacere – di quanto farà nel resto della vita. Ecco perché le sensazioni provate in quel periodo sono le più intense in assoluto. Significa anche, però, che la ricerca del piacere è una sorta di rischio professionale. La principale causa di morte fra adolescenti[31] è l'incidente d'auto, e la principale causa degli incidenti è la frequentazione dei coetanei. Quando in un'auto c'è più di un adolescente, per esempio, il rischio di incidenti sale al 400 per cento.

Abbiamo tutti sentito parlare dei neuroni, ma non molti conoscono le altre cellule principali del cervello, quelle della glia, che stranamente superano in numero i neuroni con un rapporto di dieci a uno. Le cellule della glia (che significa «colla» o «mastice») hanno una funzione di supporto ai neuroni cerebrali e al sistema nervoso centrale. Se a lungo non sono state ritenute importanti – si pensava che si limitassero a fornire ai neuroni una specie di supporto fisico o matrice extracellulare, come dicono gli anatomisti –, oggi sappiamo che partecipano a processi chimici vitali quali la produzione della mielina e lo smaltimento delle sostanze di rifiuto delle cellule.

C'è molto disaccordo sulla capacità del cervello di creare nuovi neuroni. All'inizio del 2018 un team della Columbia University coordinato da Maura Boldrini ha annunciato che gli ippocampi ne producono almeno alcuni, mentre un team della University of California di San Francisco è giunto alla conclusione opposta. La difficoltà sta nel fatto che non c'è modo di affermare con certezza[32] se i neuroni del cervello siano nuovi o meno. Se pure ne producessimo di nuovi, però, non sarebbero comunque sufficienti a compensare la perdita causata dall'invecchiamento, men che meno da un ictus o dall'Alzheimer.

Dopo l'infanzia, quindi, il cervello dispone di tutte le cellule che avrà mai a disposizione.

L'aspetto positivo è che invece può compensare una perdita di massa anche grave. In un caso citato dal medico britannico James Le Fanu nel suo libro *Why Us?*, la TAC del cervello di un signore di mezza età di intelligenza normale ha mostrato, con grande sorpresa dei dottori, che due terzi dello spazio interno al cranio erano occupati da un'enorme cisti benigna forse presente fin dall'infanzia. Mancavano tutti i lobi frontali e alcune parti di quelli parietali e temporali. Il terzo del cervello[33] presente si era accollato le mansioni e le funzioni dei due terzi mancanti e le aveva svolte talmente bene che nessuno aveva mai sospettato che lavorasse a capacità ridotta.

Malgrado i prodigi che compie, il cervello è un organo stranamente discreto. Mentre il cuore pompa, i polmoni si gonfiano e si sgonfiano e l'intestino gorgoglia, lui se ne sta buono buono senza pavoneggiarsi. Niente della sua struttura indica che si tratta di uno strumento deputato al pensiero. Come ha detto una volta il professor John R. Searle di Berkeley: « Se si volesse progettare una macchina organica[34] per pompare sangue forse ci si avvicinerebbe a qualcosa di simile al cuore, ma se si volesse progettare una macchina per produrre consapevolezza, chi mai penserebbe a cento miliardi di neuroni? »

Non sorprende quindi che la nostra comprensione del funzionamento del cervello sia stata lenta e per buona parte involontaria. Uno dei grandi eventi degli albori delle neuroscienze (nonché uno di quelli di cui si è scritto di più) avvenne nel 1848 nelle campagne del Vermont. La dinamite che il giovane manovale ferroviario Phineas Gage stava sistemando fra alcune rocce esplose in anticipo, sparandogli nella guancia sinistra una sbarra di metallo di oltre mezzo metro che uscì dalla sommità della testa e cadde a terra a una cinquantina di metri. La sbarra gli rimosse un frammento di cervello del diametro di un paio di centimetri e mezzo. Gage sopravvisse per miracolo, e sembra che non abbia neppure perso i sensi, ma in compenso perse l'occhio sinistro e la sua personalità fu trasformata per sempre. Se prima era spensierato e benvoluto da tutti, diventò volubile, polemico e incline a offensivi accessi di collera. A detta di un caro amico avvilito, non era più « il vecchio Gage ». Come spesso accade a chi subisce danni al lobo frontale, lui non aveva percezione del proprio cambiamento e nemmeno lo capiva. Incapace di fermarsi in qualsiasi luogo, vagò dal New England all'America del Sud per poi approdare a San Francisco, dove morì a trentasei anni in preda a convulsioni.

Se la disavventura di Gage fu la prima prova che i danni fisici al cervello possono alterare la personalità, nei decenni seguenti altri notarono che quando un tumore distruggeva o comprometteva parte dei lobi frontali l'umore poteva migliorare, diventando mite e pacifico. Negli anni Ottanta dell'Ottocento,[35] nel corso di diversi interventi chirurgici, il medico svizzero Gottlieb Burckhardt rimosse diciotto grammi di cervello a una signora disturbata trasformandola (come disse lei stessa) da « una matta pericolosa ed esagitata a una matta tranquilla ». Il chirurgo tentò l'operazione su altri cinque pazienti, ma si arrese dopo che tre morirono e due svilupparono l'epilessia. Cinquant'anni dopo, in Portogallo, il docente di neurologia dell'università di Lisbona Egas Moniz decise di riprovarci e, in via sperimentale, cominciò a tagliare i lobi frontali degli schizofrenici per cercare di placarne le menti turbate. Era la nascita della lobotomia frontale (all'epoca, specie in Gran Bretagna, spesso chiamata leucotomia).

Moniz fornì la dimostrazione quasi perfetta[36] di un approccio tutt'altro che scientifico. Eseguiva gli interventi senza avere la minima idea dei potenziali danni o risultati. Non condusse alcun esperimento preliminare sugli animali. Non selezionò i pazienti con cura né monitorò l'esito delle operazioni. In realtà non era neppure lui a operare, limitandosi a sorvegliare i suoi giovani allievi e a prendersi il merito degli interventi riusciti. La pratica funzionava fino a un certo punto. Se in genere chi si sottoponeva alla lobotomia diventava meno violento e più arrendevole, il prezzo da pagare era la massiccia e irreversibile perdita di personalità. Malgrado i tanti limiti della procedura e i deplorevoli standard clinici, Moniz fu celebrato in tutto il mondo e nel 1949 ricevette la somma onorificenza del Nobel.

Negli Stati Uniti il dottor Walter Jackson Freeman venne a sapere della procedura di Moniz e diventò il suo seguace più entusiasta. In quasi quarant'anni girò il paese eseguendo lobotomie praticamente su chiunque venisse portato al suo cospetto. Durante un tour di dodici giorni lobotomizzò 225 persone. Alcuni pazienti avevano appena quattro anni. Operò gente affetta da fobie, ubriachi prelevati per strada, detenuti accusati di sodomia. Chiunque, in breve, avesse una qualche aberrazione mentale o sociale percepita. Il suo metodo era così rapido e brutale da turbare persino alcuni colleghi. Entrando dall'orbita dell'occhio inseriva nel cervello un normalissimo punteruolo da ghiaccio per uso domestico, bucava l'osso del cranio con un martello e muoveva il punteruolo con vigore per recidere le connessioni neurali. Ecco la disinvolta descrizione dell'intervento in una lettera al figlio:

Li [...] stordisco con l'elettroshock e, mentre sono sotto «anestesia», dalla volta dell'orbita infilo un punteruolo per il ghiaccio fra il bulbo oculare e la palpebra fino al lobo frontale del cervello e pratico il taglio laterale muovendolo da una parte all'altra. Ho operato due pazienti su entrambi i lati e un altro su uno solo senza alcuna complicanza, se non un occhio nero in un caso. Magari in seguito insorgeranno problemi, ma l'intervento è piuttosto semplice, anche se decisamente sgradevole da vedere.

Direi. Era anzi talmente brutale[37] che un neurologo della New York University svenne mentre vi assisteva. Però era veloce: in genere i pazienti tornavano a casa nel giro di un'ora. E furono proprio la rapidità e la semplicità ad affascinare molti esponenti della comunità medica. Freeman aveva un approccio estremamente sportivo. Operava senza guanti né mascherina, di solito in abiti normali. L'intervento non provocava cicatrici, però non vi era alcuna certezza sulle capacità mentali che sarebbero state danneggiate. Siccome i punteruoli da ghiaccio non erano pensati per la chirurgia cerebrale, a volte si spezzavano nella testa dei pazienti e andavano rimossi con un altro intervento, sempre che non li avessero uccisi. Infine Freeman ideò un apposito strumento, che in sostanza era solo un punteruolo da ghiaccio più robusto.

L'aspetto forse più assurdo è che Freeman era uno psichiatra senza alcuna abilitazione[38] all'esercizio della professione chirurgica, cosa che suscitò lo sdegno di tanti medici. Circa due terzi dei suoi pazienti[39] non ebbero alcun beneficio dall'intervento o peggiorarono. Il 2 per cento morì. Il suo fiasco più celebre è il caso di Rosemary Kennedy,[40] la sorella del futuro presidente americano. Nel 1941, a ventitré anni, era una ragazza vivace e attraente, ma testarda e di umore assai volubile. Aveva inoltre alcune difficoltà di apprendimento, sebbene non così gravi e invalidanti come a volte viene raccontato. Esasperato dalla cocciutaggine della figlia, il padre la fece lobotomizzare da Freeman senza consultare la moglie. Di fatto l'intervento distrusse Rosemary, che trascorse i successivi sessantaquattro anni in una casa di cura del Midwest senza parlare, incontinente e priva di personalità. La devota madre non andò a trovarla per vent'anni.

Via via che la scia di relitti umani seminata da Freeman e altri si ingrossava, la procedura passò di moda, soprattutto grazie all'avvento di efficaci farmaci psicoattivi. Freeman continuò a eseguire lobotomie fin dopo i settant'anni e andò in pensione nel 1967. Gli effetti causati da lui e dai colleghi, però, durarono a lungo. E parlo per esperienza. All'inizio degli anni Settanta ho lavorato un paio d'anni in un ospedale psichiatrico fuori Londra dove c'era un reparto occupato prevalentemente da pazienti lobotomizzati negli anni Quaranta e Cinquanta. Erano quasi tutti gusci vuoti, docili e privi di vita.*

Il cervello è uno degli organi più vulnerabili del corpo. Il fatto che sia avvolto[41] e protetto dal cranio lo rende paradossalmente soggetto a danni, quando si gonfia a causa di infezioni o in presenza di liquidi, come nel caso di emorragia, perché non c'è spazio per il volume in eccesso. Il risultato è la compressione dell'organo, che può essere fatale. Il cervello si danneggia facilmente anche se urta con improvvisa violenza contro il cranio, come negli incidenti d'auto o in seguito a cadute. Il sottile strato di liquido cerebrospinale delle meningi, la membrana esterna, funge da ammortizzatore, ma giusto un po'. Le lesioni da contraccolpo[42] si formano sul lato opposto al punto d'impatto, perché il cervello viene sbattuto contro il suo involucro protettivo (in questo caso non proprio protettivo). Sono traumi frequenti negli sport da contatto. Se gravi o reiterate, possono causare una patologia degenerativa nota come encefalopatia traumatica cronica. Secondo una stima, tra il 20 e il 45 per cento degli ex giocatori della National Football League americana ne

* Alla sua voce senza dubbio più discutibile, l'*Oxford Companion to the Body* del 2001 dice: « A molti la parola 'lobotomia' evoca immagini di esseri disturbati con il cervello danneggiato o assai mutilato, nel migliore dei casi in stato vegetativo senza personalità né sentimenti. Non era così...» Purtroppo, invece, sì.

soffre in qualche misura, ma si pensa che sia comune anche tra ex giocatori di rugby, di football australiano e persino tra i calciatori che erano soliti colpire il pallone di testa.

Oltre alle lesioni da contatto, il cervello è soggetto anche alle sue tempeste interne. Ictus e convulsioni sono imperfezioni tipicamente umane. Quasi tutti gli altri mammiferi non hanno mai ictus, e se capita è un evento raro. Secondo l'OMS, invece, per noi è la seconda causa di morte a livello globale. Il motivo è ancora un mistero. Come osserva Daniel Lieberman nel libro *La storia del corpo umano*, malgrado l'ottimo afflusso di sangue al cervello siamo comunque colpiti da ictus.

L'epilessia è altrettanto misteriosa, ma con in più il fardello che chi ne soffre è stato evitato e demonizzato per l'intera storia dell'umanità. Fino al XX secolo gli esperti erano convinti che le convulsioni fossero contagiose e che il solo assistere a un episodio potesse provocarlo in altri. Gli epilettici erano spesso trattati da dementi e confinati negli istituti. Nel 1956 non potevano sposarsi in diciassette stati americani, e in diciotto stati potevano essere sterilizzati contro la loro volontà. Le ultime di queste leggi sono state abrogate solo nel 1980. In Gran Bretagna l'epilessia[43] è stata considerata causa di annullamento del matrimonio fino al 1970. Come ha scritto Rajendra Kale sul *British Medical Journal* alcuni anni fa: «La storia dell'epilessia si può sintetizzare[44] in quattromila anni di ignoranza, superstizione e stigma, seguiti da cento anni di conoscenza, superstizione e stigma».

In realtà l'epilessia non è un unico disturbo, bensì un insieme di sintomi che spaziano dalla breve perdita di coscienza a convulsioni prolungate causate dalla mancata attivazione dei neuroni cerebrali. Può essere provocata da una malattia o da un trauma alla testa, ma molto spesso non c'è un chiaro evento scatenante, giusto un'improvvisa e spaventosa convulsione. I farmaci moderni hanno ridotto o eliminato questi attacchi in milioni di persone, eppure il 20 per cento circa degli epilettici non risponde alle cure. Ogni anno uno su mille muore durante o subito dopo una convulsione per un disturbo detto SUDEP (Sudden Unexpected Death in Epilepsy, o morte improvvisa in corso di epilessia). Come ha osservato Colin Grant nel suo *A Smell of Burning: The Story of Epilepsy*: «Nessuno conosce la causa. Il cuore si ferma e basta». (Fra l'altro uno su mille muore tragicamente ogni anno dopo aver perso conoscenza in situazioni sfortunate: annega nella vasca o sbatte la testa in una caduta.)

Non si spiega come il cervello possa essere al tempo stesso spaventoso e magnifico. Ai disturbi neurologici sembra essere associato un numero quasi illimitato di sindromi e patologie bizzarre. Chi è colpito dalla sindrome di Anton-Babinski, per esempio, è cieco ma si rifiuta di crederci. Chi soffre della sindrome di Riddoch, o agnosia, non riesce a vedere gli oggetti a meno che non si muovano. Chi ha la sindrome di Capgras[45] è convinto che quelli che lo circondano siano impostori. Chi ha la sindrome di Klüver-Bucy[46] prova l'impulso di mangiare e fornicare (per il comprensibile sgomento dei suoi cari). Forse la più bizzarra di tutte[47] è la sindrome di Cotard: chi ne è affetto è convinto di essere morto e si rifiuta di credere il contrario.

Il cervello non ha nulla di semplice. Persino lo stato di incoscienza è complicato. Oltre a essere addormentati, anestetizzati o traumatizzati, si può essere in coma (con gli occhi chiusi e del tutto assenti), in stato vegetativo (con gli occhi aperti ma assenti) o in stato di minima coscienza (di tanto in tanto lucidi, ma perlopiù confusi o assenti). La sindrome locked-in è ancora diversa:[48] si è vigili ma paralizzati e spesso capaci di comunicare solo attraverso il movimento delle palpebre.

Nessuno sa quante persone[49] siano in stato di minima coscienza o peggio, ma nel 2014 *Nature Neuroscience* indicava un numero che si aggira intorno alle centinaia di migliaia in tutto il mondo. Nel 1997 Adrian Owen, all'epoca giovane neuroscienziato che lavorava a Cambridge, scoprì che alcuni pazienti che si pensava fossero in stato vegetativo erano invece pienamente coscienti ma incapaci di comunicarlo.

Nel suo libro *Nella zona grigia* Owen racconta il caso della paziente Amy, che aveva subito una grave ferita alla testa in seguito a una caduta e per anni era rimasta ricoverata in ospedale. Con la risonanza magnetica funzionale, e osservando attentamente le risposte neuronali nel corso di una serie di domande, sono riusciti a stabilire che era cosciente. «Aveva sentito ogni conversazione, riconosciuto ogni visitatore e ascoltato ogni decisione presa al posto suo.» Eppure non riusciva a muovere nemmeno un muscolo, aprire gli occhi, grattarsi, esprimere un qualunque desiderio. Owen è convinto che il 15-20 per cento delle persone credute in stato vegetativo permanente sia invece pienamente cosciente. L'unico modo sicuro per capire se un cervello funziona è la testimonianza del proprietario.

Immagino che nessuno si aspetti che oggi il nostro cervello sia più piccolo rispetto a diecimila o dodicimila anni fa, e non di poco. In media, infatti, è passato dai 1500 centimetri cubici di allora ai 1350 odierni, che sarebbe come dire che ne è stata rimossa una porzione pari a una pallina da tennis. Non è facile spiegare perché sia successo in tutto il mondo nello stesso periodo, neanche avessimo firmato un accordo per ridurlo. L'ipotesi più diffusa è che sia diventato più efficiente e sia riuscito a stipare un maggior numero di prestazioni in uno spazio minore, un po' come è successo ai cellulari, sempre più sofisticati via via che le dimensioni diminuivano. Nessuno, però, sarebbe in grado di dimostrare che magari siamo solo diventati più stupidi.

All'incirca nello stesso periodo il cranio si è assottigliato, e neanche in questo caso si sa il perché. Forse uno stile di vita meno faticoso[50] e attivo non esigeva di investire nell'osso del cranio quanto prima, ma è anche possibile che non siamo più quelli di una volta.

E con questo pensiero solenne su cui riflettere, passiamo al resto della testa.

5
La testa

Questo non fu solo un'ondata, ma un lampo rivelatore.
Alla vista di quella fossetta mi apparve ad un tratto,
come una larga pianura sotto un infinito orizzonte,
illuminato il problema della natura del delinquente.

CESARE LOMBROSO

Tutti noi sappiamo che senza testa non si può sopravvivere, ma quanto tempo ci vuole esattamente a morire è una domanda che alla fine del XVIII secolo sembrava alquanto impellente. Ed era il periodo ideale per porsela, visto che la Rivoluzione francese concedeva alle menti avide di sapere un costante rifornimento di teste appena mozzate da esaminare.

Una testa decapitata contiene ancora sangue ossigenato, per cui la perdita di coscienza potrebbe non essere immediata. In base alle stime, il cervello continua a funzionare per un lasso di tempo compreso fra i due e i sette secondi in caso di rimozione netta, sebbene non andasse sempre così. Una testa non si stacca facilmente neppure sotto i colpi decisi di un'ascia affilatissima brandita da un boia esperto. Come scrive Frances Larson nella sua affascinante storia della decapitazione, *Teste mozze*, Maria Stuarda, regina di Scozia, ebbe bisogno di tre violenti fendenti[1] prima che la testa finisse nella cesta, e aveva un collo relativamente delicato.

Molti di coloro che assistettero alle esecuzioni sostennero di aver visto prove di coscienza nelle teste appena recise. Charlotte Corday, ghigliottinata nel 1793[2] per l'omicidio del leader rivoluzionario Jean-Paul Marat, aveva un'espressione infuriata e risentita quando il boia ne sollevò il capo per mostrarlo alla folla acclamante. Altre teste, come osserva Larson, sbattevano le palpebre o muovevano le labbra quasi a voler parlare. Pare che quella di un certo Terier abbia spostato lo sguardo su un oratore una quindicina di minuti dopo il distacco dal corpo. Ma nessuno sapeva se si trattasse di un riflesso o di un eccesso di fantasia. Nel 1803, decisi a conferire un qualche rigore scientifico al tema, due ricercatori tedeschi afferrarono le teste appena recise e le esaminarono in cerca di segni d'attenzione, gridando: «Mi senti?» Poiché nessuna rispose, conclusero che la perdita di coscienza era immediata o almeno troppo rapida per essere misurata.

Nessun'altra parte del corpo ha mai ricevuto più attenzioni sbagliate o mostrato più resistenza alla comprensione scientifica della testa. A tal riguardo, il XIX secolo fu una sorta di età dell'oro durante la quale nacquero due discipline distinte ma spesso confuse, la frenologia e la craniometria. La prima associava le protuberanze del cranio a facoltà mentali e attributi del carattere, e rimase sempre un'attività marginale. Gli esperti di craniometria, quasi senza eccezioni, definivano la frenologia una scienza strampalata e, al tempo stesso, diffondevano le proprie sciocchezze. La loro disciplina, infatti, si concentrava su misurazioni più precise e complete del volume, della forma e della struttura di testa e cervello giungendo, va detto, a conclusioni altrettanto assurde.*

Il più grande appassionato di crani, oggi dimenticato ma un tempo famosissimo, fu Barnard Davis (1801-1881), un medico delle Midlands che rimase affascinato dalla craniometria negli anni Quaranta dell'Ottocento e ne diventò ben presto la massima autorità mondiale. Scrisse una sfilza di libri dai titoli impegnativi quali *The Peculiar Crania of the Inhabitants of Certain Groups of Islands in the Western Pacific* e *On the Weight of the Brain in Different Races of Man*, che ottennero un'enorme popolarità. *On Synostotic Crania Among Aboriginal Races of Man* arrivò alla quindicesima edizione, l'epico *Crania Britannica*, pubblicato in due volumi, alla trentunesima. Davis era così famoso[3] che persone di ogni dove gli lasciarono il proprio cranio da studiare, compreso il presidente del Venezuela. Pian piano accumulò la collezione di teschi più vasta al mondo, ben 1540, più di quelli di tutti gli istituti del pianeta messi insieme.

Per ampliare la sua raccolta Davis non si fermava quasi davanti a niente. Quando decise di studiare i crani degli indigeni della Tasmania scrisse a George Robinson, protettore ufficiale degli aborigeni, chiedendone alcuni. Poiché all'epoca il saccheggio delle tombe aborigene era reato, Davis fornì a Robinson istruzioni dettagliate su come rimuovere il cranio da un indigeno e sostituirlo con quello di un qualunque surrogato a portata di mano, senza destare sospetti. A quanto pare ebbe successo,

* A volte la craniometria viene chiamata anche craniologia, nel qual caso va distinta dalla moderna e rispettabile disciplina che ha lo stesso nome. La craniologia moderna è usata da antropologi e paleontologi per studiare le differenze anatomiche dei popoli antichi, e dalla scientifica forense per stabilire età, sesso e razza dei crani rinvenuti.

perché poco dopo la sua collezione vantò sedici crani e uno scheletro provenienti dalla Tasmania.

La sua principale ambizione era dimostrare che chi aveva la pelle scura era stato creato in modo diverso da chi aveva la pelle chiara. Davis era convinto che intelletto[4] e moralità fossero indelebilmente scritti nelle curve e nelle fessure del cranio, frutto a loro volta di razza e ceto. Le persone con «peculiarità cefaliche» andavano trattate «non da delinquenti, ma da pericolosi idioti» suggerì. Nel 1878, a settantasette anni, sposò una donna che aveva cinquant'anni meno di lui. Chissà com'era il suo cranio.

Il desiderio degli esperti europei di dimostrare l'inferiorità delle altre razze era assai diffuso, se non addirittura universale. Nel 1866 l'eminente dottore inglese John Langdon Haydon Down (1828-1896) descrisse per la prima volta il disturbo oggi conosciuto come sindrome di Down in un articolo intitolato *Observations on an Ethnic Classification of Idiots*: lo definì «mongolismo»[5] e quelli che ne erano affetti «idioti mongoloidi», convinto com'era che soffrissero di un'innata regressione a un carattere inferiore di tipo asiatico. Down credeva, e nessuno mise mai in dubbio la sua teoria, che idiozia ed etnia fossero tratti congiunti. Classificò come caratteri regressivi anche «malesi» e «negroidi».

Nel frattempo Cesare Lombroso (1835-1909), il principale fisiologo italiano, inaugurò una teoria parallela chiamata antropologia criminale. I delinquenti, così credeva, erano individui che presentavano una regressione evolutiva, e tradivano gli istinti criminali con una serie di tratti somatici: inclinazione della fronte, lobi arrotondati, orecchie ad ansa, persino distanza fra le dita dei piedi (chi le aveva molto distanziate era più simile alle scimmie, spiegò). Sebbene le sue affermazioni non avessero la benché minima validità scientifica, Lombroso era molto stimato e persino oggi a volte è ritenuto il padre della moderna criminologia. Veniva spesso interpellato per delle consulenze. Nel caso citato da Stephen Jay Gould[6] in *Intelligenza e pregiudizio*, gli fu chiesto di stabilire chi tra due uomini avesse ucciso una donna. Per Lombroso uno era vistosamente colpevole perché aveva «mascelle, seni frontali e zigomi enormi, labbro superiore sottile, grandi incisivi, testa insolitamente grossa [e] ottusità tattile con mancinismo sensorio». Pazienza se nessuno ne capiva il significato e se mancavano prove concrete: il poveraccio fu dichiarato colpevole.

Il più autorevole e insospettabile professionista della craniometria fu però il grande anatomista francese Pierre Paul Broca (1824-1880) che, senza dubbio, era un brillante scienziato. Nel 1861, durante l'autopsia di una vittima di ictus[7] che per anni non aveva fatto che ripetere all'infinito la sillaba «tan», scoprì che il centro del linguaggio si trovava nel lobo frontale. Era la prima volta che una regione cerebrale veniva collegata a un'azione specifica. Il centro del linguaggio si chiama ancora oggi area di Broca, e il disturbo da lui scoperto afasia di Broca (chi ne soffre capisce quello che gli viene detto, ma non è in grado di replicare se non con parole senza senso o a volte con banalità tipo «eccome» o «oddio»).

Per quanto riguarda i tratti caratteriali, però, Broca fu meno sagace. Persino in presenza di prove contrarie, restò convinto che donne, delinquenti e stranieri dalla pelle scura avessero un cervello più piccolo e meno agile di quello dei maschi bianchi, e liquidò le evidenze che lo contraddicevano definendole fallate. Fu altrettanto restio a credere a uno studio effettuato in Germania che dimostrava come i cervelli tedeschi pesassero in media cento grammi più di quelli francesi. La sua spiegazione per quell'imbarazzante discrepanza consisteva nel fatto che i francesi coinvolti erano molto vecchi, per cui i cervelli si erano ristretti. «Il grado di decadimento inflitto al cervello dalla vec-chiaia è molto variabile» sosteneva con forza. Ebbe anche qual-che problema a giustificare il fatto che a volte i criminali giusti-ziati avevano cervelli grandi, e decise che si erano ingrossati per lo stress dovuto all'impiccagione. La maggiore umiliazione di tutte coincise con la misurazione del suo cervello dopo la morte, quando si scoprì che era più piccolo della media.

A riportare lo studio della testa umana su solide basi scientifiche fu nientemeno che il grande Charles Darwin. Nel 1872, tredici anni dopo l'uscita del celebre *L'origine delle specie*, pubblicò infatti un'altra opera fondamentale, *L'espressione delle emozioni nell'uomo e negli animali*, che esaminava le espressioni in ma-niera ragionevole e senza pregiudizi. Il libro era rivoluzionario non solo perché equilibrato, ma anche perché concludeva che alcune espressioni sono proprie di tutti i popoli. Una simile affermazione era molto più audace di quanto si possa immagi-nare oggi, poiché sottolineava la convinzione dell'autore che tutti gli esseri umani, a prescindere dalla razza, avessero un retaggio comune. Un pensiero che nel 1872 era davvero rivolu-zionario.

Darwin comprese quello che tutti i neonati sanno d'istinto, e cioè che il volto umano è altamente espressivo e accattivante. Non c'è nessun accordo[8] sulla quantità di espressioni che siamo in grado di fare – le stime vanno da 4100 a 10.000 – ma sono comunque tantissime.* Nelle espressioni facciali sono coinvolti

* Ovviamente i dati sono indicativi. Come diamine si fa a distinguere, per esempio, l'espressione 1013 dalla 1012 o dalla 1014? Le differenze saranno microscopiche. È quasi impossibile individuare persino alcune delle più semplici: in genere, senza conoscere il contesto che le ha suscitate, non si possono distinguere nemmeno paura e sorpresa.

oltre quaranta muscoli, una parte significativa del totale. I neonati[9] preferiscono le facce, o persino la struttura generale di una faccia, a qualsiasi altra forma. Intere regioni del cervello sono dedicate unicamente al riconoscimento dei volti. Siamo sensibilissimi alle minime alterazioni di umore o espressione, pur non essendone sempre consapevoli. In un esperimento riferito da Daniel McNeill nel libro *La faccia*, ad alcuni volontari uomini sono state mostrate due foto di donne identiche tranne che per le pupille, appena ingrandite in una foto. Sebbene il cambiamento fosse talmente minimo[10] da non essere percepito a livello conscio, i volontari hanno immancabilmente trovato più attraenti le donne con le pupille più grandi, pur non sapendo spiegare il perché.

Negli anni Sessanta, quasi un secolo dopo che Darwin scrisse *L'espressione delle emozioni nell'uomo e negli animali*, il docente di psicologia della University of California di Berkeley Paul Ekman decise di testare l'eventuale universalità delle espressioni facciali studiando gli abitanti della Nuova Guinea, i quali non conoscevano le abitudini occidentali, e concluse che ci sono sei espressioni universali: paura, rabbia, sorpresa, piacere, ribrezzo e tristezza. La più universale di tutte è il sorriso, una scoperta davvero gradevole. Quello vero è breve, dura fra i due terzi di secondo e i quattro secondi, ecco perché un sorriso prolungato sembra minaccioso. Non è mai stata trovata una società che non reagisca al sorriso nello stesso modo. Ed è l'unica espressione che non possiamo fingere. Come fece notare l'anatomista francese G.B. Duchenne de Boulogne[11] nel lontano 1862, in un sorriso genuino e spontaneo è coinvolta la contrazione del muscolo orbicolare di entrambi gli occhi, su cui non abbiamo controllo. Si può sorridere con la bocca, ma non si possono far brillare gli occhi di finta gioia.

Secondo Paul Ekman, tutti noi ci concediamo «microespressioni»,[12] cioè lampi di emozione non più lunghi di un quarto di secondo che tradiscono i veri sentimenti a prescindere da quanto comunichi l'espressione generale e più controllata. Per lui quasi nessuno riesce a coglierle, ma possiamo sempre imparare a individuarle, purché ci vada di sapere cosa pensano di noi i colleghi e le persone che amiamo.

Per gli standard dei primati noi abbiamo una testa molto strana. La faccia è piatta, la fronte alta e il naso sporgente. Quasi certamente sono diversi i fattori responsabili della nostra peculiare struttura facciale: postura eretta, cervello piuttosto grande, alimentazione e stile di vita, l'essere strutturati per una corsa prolungata (che incide sulla respirazione) e tutto ciò che di adorabile troviamo nei partner (per esempio le fossette, che i gorilla non si aspettano di vedere quando sono eccitati).

Dal momento che le facce sono centrali nella nostra esistenza, è sorprendente quanto di loro resti ancora un mistero. Si pensi alle sopracciglia. Le varie specie di ominidi che ci hanno preceduto avevano tutte arcate sopracciliari sporgenti, mentre l'*Homo sapiens* vi ha rinunciato in favore di sopracciglia piccole e mobili.[13] Chissà perché. Secondo una teoria le sopracciglia proteggono gli occhi dal sudore, ma quello in cui eccellono è esprimere sentimenti. Pensate a quanti messaggi si possono inviare inarcando un sopracciglio, da «ci credo poco» a «attenzione», fino a «ti va di fare sesso?». Uno dei motivi per cui Monna Lisa[14] appare così enigmatica è l'assenza di sopracciglia. In un interessante esperimento sono state mostrate ai volontari le foto di celebrità, in un caso senza sopracciglia, nell'altro senza occhi. Il risultato sorprendente, ma comune a tutti, è stata la maggiore difficoltà a riconoscere quelle senza sopracciglia piuttosto che quelle senza occhi.

Anche sulle ciglia non si sa molto. Ci sono alcune prove del fatto che dirottano il flusso dell'aria intorno all'occhio, impedendo a bruscolini di polvere e particolato di finirci dentro, ma il principale beneficio potrebbe limitarsi a conferire interesse e fascino al volto. Di solito chi ha ciglia lunghe è ritenuto più attraente di chi non le ha.

Il naso è persino più anomalo. Convenzione vuole che i mammiferi abbiano il muso, non un naso arrotondato e sporgente. Secondo Daniel Lieberman, docente di biologia evolutiva umana di Harvard, il nostro naso e i suoi intricati seni[15] si sono evoluti per favorire l'efficienza respiratoria e per impedire il surriscaldamento durante corse sostenute. Il risultato si è dimostrato soddisfacente, visto che gli esseri umani e i loro antenati hanno nasi sporgenti da circa due milioni di anni.

Il più misterioso di tutti, però, è il mento. Lo hanno solo gli umani e non si sa perché. Siccome non sembra apportare alcun vantaggio strutturale alla testa, è possibile che lo abbiamo solo perché un bel mento è avvenente. In un raro momento di frivolezza, Lieberman ha commentato: «Testare quest'ultima ipotesi è davvero difficile, ma i lettori sono incoraggiati a ideare appositi esperimenti». Certo è che quelli sfuggenti sono associati a lacune caratteriali e intellettuali.

Per quanto noi tutti apprezziamo nasi sbarazzini e begli occhi, il vero scopo di buona parte dei tratti del viso è aiutarci a interpretare il mondo tramite i sensi. È strano come si citino sempre i soliti cinque, visto che ne abbiamo molti di più. Si pensi al senso dell'equilibrio, dell'accelerazione e della decelerazione, di dove ci troviamo nello spazio (noto come propriocezione), del passare del tempo, dell'appetito. In tutto (e in base a come li si conta) ne abbiamo almeno trentatré,[16] che ci informano su dove siamo e come stiamo.

Parleremo del gusto nel capitolo seguente, quando ci addentremo nella bocca, quindi ora concentriamoci sugli altri tre sensi più noti della testa: vista, udito e olfatto.

VISTA

Inutile dire che l'occhio è un vero prodigio. Circa un terzo della corteccia cerebrale è coinvolto nella vista. I vittoriani provavano una tale meraviglia per la complessità dell'occhio da citarlo spesso come la prova dell'esistenza di un disegno intelligente. Scelta piuttosto bizzarra dato che l'occhio è l'esatto opposto, e in senso letterale, essendo costruito al contrario. I bastoncelli e i coni che individuano la luce sono dietro, mentre i vasi sanguigni che lo mantengono ossigenato sono davanti. Ci sono vasi, fibre nervose e detriti supplementari ovunque, e l'occhio deve vedere attraverso tutto questo. Di solito il cervello elimina le interferenze, ma non sempre ci riesce. Nel guardare un cielo limpido e azzurro in un giorno assolato vi sarà capitato di vedere piccole scintille bianche intermittenti, simili a velocissime stelle cadenti. Forse vi sorprenderà saperlo, ma sono i globuli bianchi[17] che sfrecciano in un capillare davanti alla retina. Li vediamo perché sono grandi (rispetto ai globuli rossi), e a volte restano bloccati nei capillari stretti. Il nome scientifico di tali interferenze è «fenomeni entoptici da campo azzurro» o «fenomeni entoptici di Scheerer» (dall'oftalmologo tedesco dell'inizio del XX secolo Richard Scheerer), anche note con il nome più comune e poetico di stelline. Si vedono soprattutto quando il cielo è azzurro solo perché l'occhio assorbe in modo diverso le lunghezze d'onda della luce. Le mosche volanti sono un fenomeno simile. Sono gruppetti di fibre microscopiche presenti nella massa gelatinosa del corpo vitreo dell'occhio, che proiettano un'ombra sulla retina. Le mosche volanti diventano frequenti con l'invecchiamento e in genere

94

sono innocue, anche se possono essere sintomo del distacco della retina. Il nome scientifico, se volete far colpo su qualcuno, è miodesopsie.[18]

Se mai dovesse capitarvi di tenere in mano un bulbo oculare[19] resterete stupiti dalle dimensioni, perché quando è nell'orbita se ne vede circa un sesto. L'occhio ha la consistenza di un sacchetto pieno di gel, il che risulta tutt'altro che sorprendente visto che contiene una sostanza gelatinosa, il già citato corpo o umore vitreo (in anatomia si definisce umore un qualsiasi liquido o semiliquido del corpo, e ovviamente non uno stato d'animo).

Come ci si aspetta da uno strumento così complesso, l'occhio ha degli elementi noti (iride, cornea, retina) e altri meno conosciuti (fovea, coroide, sclera), ma in sostanza è una macchina fotografica. La parte anteriore – cristallino e cornea – cattura le immagini e le proietta sulla parte posteriore – la retina – dove i fotorecettori le convertono in segnali elettrici per poi trasmetterli al cervello attraverso il nervo ottico.

Se c'è una parte dell'occhio che merita un ringraziamento è la cornea. Questa modesta protuberanza a forma di cupola non solo lo protegge dagli assalti materiali, ma è responsabile di due terzi della messa a fuoco del bulbo. Il cristallino, che in genere si prende tutto il merito,[20] lo è solo del restante terzo. La cornea non potrebbe essere meno imponente. Se la staccassimo e la posassimo sul polpastrello (dove calzerebbe a pennello) non si vedrebbe granché. A un attento esame, e come succede con quasi ogni parte del corpo, è però un prodigio di complessità. È formata da cinque strati – epitelio, lamina di Bowman, stroma, membrana di Descemet ed endotelio – sovrapposti in uno spazio di poco più di mezzo millimetro. Per poter essere trasparente ha un afflusso sanguigno molto ridotto; anzi, di fatto pari a zero. La parte dell'occhio che ha più fotorecettori – cioè che vede – è la fovea (dal termine latino che significa «fossa poco profonda»: la fovea si trova in una lieve depressione).* Curioso come un elemento così essenziale sia sconosciuto ai più.

Affinché tutto scorra (nel senso più letterale del termine) produciamo di continuo lacrime, che non si limitano a far scivolare con facilità le palpebre,[21] ma uniformano le piccole imperfezioni presenti sulla superficie del bulbo oculare rendendo possibile la messa a fuoco. Contengono inoltre sostanze chimiche antimicrobiche, che tengono alla larga il grosso degli agenti patogeni. Le lacrime sono di tre tipi: basali, di riflesso ed emotive. Le lacrime basali sono quelle funzionali, che forniscono lubrificazione. Le lacrime di riflesso sono quelle che spuntano quando l'occhio è irritato da fumo, cipolle affettate e così via. Le lacrime emotive sono ovvie, ma va detto che sono anche uniche. Fino a prova contraria, siamo le sole creature che piangono per le emozioni. Il perché rimane l'ennesimo mistero della vita. Piangere non apporta alcun beneficio fisiologico, ed è un po' strano che un gesto normalmente associato alla tristezza profonda sia scatenato anche da gioia estrema, intimo coinvolgimento, orgoglio intenso e quasi ogni altro potente stato emotivo.

La produzione delle lacrime coinvolge un'incredibile quantità di minuscole ghiandole che circondano gli occhi, e cioè quelle di Krause, Wolfring, Moll e Zeis, come anche le oltre quaranta ghiandole di Meibomio che si trovano nelle palpebre. Nel complesso produciamo dai quindici ai trenta centilitri di lacrime[22] al giorno, drenate da forellini detti punti lacrimali che si trovano sul piccolo rilievo carnoso (la papilla lacrimale) all'estremità

* Per inciso, avere una vista di dieci decimi significa solo che da una distanza di dieci metri vediamo quello che vede chiunque abbia una vista nella media. Non equivale a una vista perfetta (che può arrivare anche a dodici o quindici decimi).

interna di ciascun occhio. Questi punti, però, non riescono a drenare abbastanza in fretta le lacrime emotive, che fuoriescono e scivolano sulle guance.

L'iride conferisce all'occhio il colore. Sebbene in superficie sembri un anello perfetto che circonda la pupilla, a un esame più attento è invece «un turbine di macchie, spicchi e raggi» per dirlo con le parole di Daniel McNeill, disposti in maniera unica in ognuno di noi, motivo per cui gli scanner per il riconoscimento dell'iride sono usati sempre più spesso per le identificazioni durante i controlli di sicurezza. L'iride è composta da due muscoli che regolano l'apertura della pupilla in modo simile a quella di una macchina fotografica, facendo entrare la luce o schermandola a seconda delle esigenze.

Il bianco dell'occhio si chiama sclera (dal termine greco che significa «duro»), ed è una cosa unica[23] fra i primati. Ci consente di monitorare gli sguardi altrui con notevole precisione nonché di comunicare senza ricorrere alle parole. Al ristorante, per esempio, basta muovere appena il bulbo oculare per indicare a qualcuno di guardare una persona al tavolo accanto.

Gli occhi hanno due tipi di fotorecettori per la vista: i bastoncelli, che ci aiutano a vedere nella penombra ma non identificano i colori, e i coni, che intervengono quando la luce è intensa e dividono il mondo in blu, verde e rosso. Ai daltonici di solito manca uno dei tre tipi di coni, per cui vedono solo alcuni colori. Chi non ne ha nessuno invece è affetto da acromatopsia, che consiste non tanto nel vedere il mondo senza colori,[24] quanto nel mal tollerare la luce intensa, la quale può risultare letteralmente accecante. Poiché una volta eravamo animali notturni, i nostri antenati rinunciarono a un po' di colori – sacrificando i coni in favore dei bastoncelli – per vedere meglio di notte. Molto tempo dopo i primati recuperarono la capacità[25] di vedere rossi e arancioni, utili per individuare la frutta matura, però ancor oggi abbiamo solo tre tipi di recettori dei colori rispetto ai quattro di uccelli, pesci e rettili. È un po' avvilente che tutte le creature non mammifere vivano in un mondo visivamente più ricco del nostro.

D'altro canto facciamo un buon uso di ciò che abbiamo. In base a varie stime, siamo in grado di distinguere fra i due e i sette milioni e mezzo di colori, tantissimi persino se consideriamo solo l'estremo più basso.

Il campo visivo è sorprendentemente compatto. Provate a stendere un braccio e a fissarvi l'unghia del pollice: quella è più o meno la superficie che riusciamo a mettere a fuoco in un qualsiasi momento. Poiché però l'occhio si muove di continuo – scatta quattro istantanee al secondo – si ha l'impressione di vedere un'area ben più ampia. I suoi movimenti sono detti saccadici[26] (da un termine francese che significa «strattonare»), e ne facciamo circa un quarto di milione al giorno senza neppure saperlo (o notarlo negli altri).

Inoltre tutte le fibre nervose escono dall'occhio tramite un unico canale sul retro, creando un punto cieco a circa quindici gradi dal centro del campo visivo. Siccome il nervo ottico è piuttosto grosso – più o meno quanto una matita – lo spazio visivo perso è parecchio. Il punto cieco si può stanare con un semplice trucchetto: chiudete l'occhio sinistro e fissate davanti a voi con l'altro; adesso alzate un dito della mano destra tenendo il braccio teso e spostatelo lentamente da una parte all'altra del campo visivo, sempre guardando in avanti. A un tratto, come per miracolo, il dito sparirà. Complimenti, avete trovato il vostro punto cieco.

In genere non lo notiamo perché il cervello riempie di continuo il vuoto. Il fenomeno si chiama interpolazione percettiva. È incredibile come una parte significativa di tutto ciò che «vediamo» sia in realtà immaginata. A volte i naturalisti vittoriani adducevano il fenomeno[27] come ulteriore prova della carità di Dio, senza chiedersi perché ci avesse dato una vista imperfetta.

UDITO

Anche l'udito è un miracolo spesso sottovalutato. Immaginate di ricevere tre ossicini minuscoli, dei ciuffetti di muscoli e legamenti, una membrana delicata e qualche neurone da cui tentare di creare uno strumento in grado di catturare, con fedeltà più o meno perfetta, l'intera gamma di esperienze auditive: i sussurri intimi, le sinfonie sontuose, il picchiettio rilassante della pioggia sulle foglie, lo sgocciolio del rubinetto in un'altra stanza. Quando vi piazzate sulle orecchie un paio di cuffie da ottocento dollari e vi stupite della pienezza e della perfezione del suono, ricordatevi che quella costosa tecnologia non fa altro che trasmettervi una ragionevole approssimazione di ciò che le orecchie vi concedono gratis.

L'orecchio è formato da tre parti. La più esterna, la conchiglia morbida sul lato della testa che chiamiamo « orecchio », è la pinna (dal termine latino che significa sia « pinna » sia « piuma »). A prima vista potrebbe sembrare mal progettata per il compito che deve svolgere. Qualunque ingegnere che partisse da zero la farebbe più grande e più rigida – tipo antenna parabolica – e senza dubbio non permetterebbe ai capelli di coprirla. E invece le volute carnose dell'esterno delle orecchie catturano a meraviglia i suoni di passaggio e, per giunta, ne individuano in modo stereoscopico la provenienza e l'attenzione che esigono. Ecco perché, a una festa, non solo siamo in grado di sentire il nostro nome dall'altro capo della sala, ma anche di girare la testa e individuare con straordinaria precisione chi l'ha pronunciato. Per donarci questo vantaggio i nostri avi hanno passato milioni di anni a fare le prede.

Anche se le orecchie esterne funzionano tutte nello stesso modo, sembra che ciascun paio sia unico e caratteristico come le impronte digitali. Secondo Desmond Morris, due terzi degli europei hanno i lobi liberi e un terzo li ha attaccati. In entrambi i casi non incidono sull'udito né su altro.

Il canale oltre la pinna, o condotto uditivo, termina in un pezzo di tessuto teso e robusto il cui nome scientifico è membrana timpanica, o più semplicemente timpano, che segna il confine tra l'orecchio esterno e quello medio. Le minuscole vibrazioni del timpano sono trasmesse ai tre ossicini più piccoli del corpo: il martello, l'incudine e la staffa (i cui nomi derivano da una vaga somiglianza a quegli oggetti). Gli ossicini sono la perfetta dimostrazione di come l'evoluzione sia spesso un espediente. Nei nostri antenati facevano parte delle ossa della mascella,[28] poi sono pian piano migrate nelle loro nuove posizioni nell'orecchio interno. Per buona parte della loro storia, non hanno avuto nulla a che fare con l'udito.

Gli ossicini amplificano i suoni e li trasmettono all'orecchio interno tramite la coclea, una struttura a forma di chiocciola (coclea significa appunto «chiocciola») riempita con 2700 filamenti delicati e simili a peli chiamati stereociglia, che quando sono attraversati dalle onde sonore ondeggiano come alghe marine. A quel punto il cervello raduna i vari segnali e decifra quanto ha appena sentito. Il tutto avviene su scala estremamente modesta – la coclea non è più grande di un seme di girasole e i tre ossicini coprono un bottone di camicia – eppure funziona a meraviglia. Un'onda di pressione sposta appena il timpano[29] – il movimento non supera la larghezza di un atomo – e attiva gli ossicini per raggiungere il cervello sotto forma di suono. Meglio di così non si può. Come ha detto lo scienziato esperto di acustica Mike Goldsmith: «Se il nostro udito fosse ancora più fine vivremmo in un mondo di rumore costante, perché sentiremmo il moto casuale e onnipresente delle molecole d'aria. Il nostro udito non potrebbe essere migliore». Dal più basso al più forte,[30] c'è una gamma di un milione di milioni di suoni.

Per proteggerci dai danni dei rumori molto forti abbiamo il riflesso acustico, cioè la contrazione di un muscolo che allontana le staffe dalla coclea, di fatto interrompendo il circuito ogni volta che viene percepito un rumore troppo intenso, e mantiene la contrazione per alcuni secondi, il che spiega perché dopo un'esplosione spesso siamo assordati. Purtroppo l'operazione non è perfetta. Come ogni riflesso, è rapido ma non istantaneo. Il muscolo impiega circa un terzo di secondo per contrarsi, e a quel punto il danno potrebbe essere già stato arrecato.

Le nostre orecchie sono pensate per un mondo silenzioso. L'evoluzione non aveva previsto che un giorno gli esseri umani si sarebbero infilati auricolari di plastica nelle orecchie sottoponendo i timpani a cento decibel di frastuono melodico in uno spazio millimetrico. Le stereociglia tendono a logorarsi comunque con l'età e purtroppo non si rigenerano. Una volta fuori uso sono perse per sempre. Il motivo è ignoto. Negli uccelli ricrescono, negli esseri umani no. Poiché quelle sensibili alle alte frequenze si trovano davanti, e quelle sensibili alle basse frequenze all'interno, tutte le onde sonore,[31] sia alte sia basse, passano sulle ciglia esterne e il traffico pesante le consuma più in fretta.

Per misurare l'intensità, la frequenza e l'ampiezza dei vari suoni gli scienziati degli anni Venti idearono il decibel, parola coniata dal colonnello Sir Thomas Fortune Purves,[32] ingegnere capo delle Poste britanniche (che all'epoca controllavano il servizio telefonico, da cui l'interesse per l'amplificazione sonora). Il decibel è logaritmico, cioè le sue unità di incremento non sono matematiche nel senso comune del termine ma aumentano per ordini di grandezza. La somma di due suoni di 10dB, quindi, non è 20 bensì 13. Siccome il volume raddoppia ogni 6dB circa, un rumore di 96dB non è di poco più forte di uno di 90, ma

101

doppio. La soglia di dolore per il rumore è di circa 120dB, e quelli superiori ai 150dB possono far scoppiare il timpano. Per capirci, luoghi silenziosi come le biblioteche o la campagna arrivano a circa 30dB, russare va dai 60 agli 80dB, un tuono molto forte nei paraggi 120dB e la scia di un reattore al decollo fino a 150dB.

L'orecchio è inoltre responsabile dell'equilibrio, grazie a un insieme minuscolo ma ingegnoso di canali semicircolari e a due sacche associate detti organi otolitici, che insieme formano l'apparato vestibolare. Questo apparato ha la stessa funzione del giroscopio di un aereo, ma è in miniatura. Nei canali vestibolari c'è un gel che si comporta un po' come la bolla della livella. Tutti i suoi movimenti – laterali, verso l'alto o verso il basso – comunicano al cervello la direzione in cui ci spostiamo (ecco perché in ascensore riusciamo a percepire se andiamo su o giù persino in assenza di indizi visivi). Il capogiro[33] quando scendiamo da una giostra è dovuto al fatto che il gel continua a muoversi anche se la testa è ferma, per cui il corpo è temporaneamente disorientato. Uno dei motivi per cui gli anziani non sempre sono stabili sulle gambe (e non dovrebbero scendere al volo da mezzi in movimento) è che con l'invecchiamento il gel si addensa e non si muove più tanto bene. Quando la perdita dell'equilibrio è prolungata[34] o grave, il cervello interpreta la confusione come un avvelenamento e infatti spesso sopraggiunge la nausea.

Un'altra parte dell'orecchio che di tanto in tanto interferisce con la coscienza è la tromba di Eustachio, una sorta di via di fuga per l'aria fra l'orecchio medio e la cavità nasale. Tutti conoscono la sgradevole sensazione che si prova quando si cambia altitudine rapidamente, come durante un atterraggio. Si tratta dell'effetto Valsalva e si verifica perché la pressione dell'aria nella testa non sta al passo con il cambiamento di quella esterna. La pratica di soffiare con bocca e naso chiusi si chiama manovra di Valsalva. Entrambi prendono il nome dall'anatomista italiano del XVII secolo Antonio Maria Valsalva, che non a caso dedicò la tromba di Eustachio al collega Bartolomeo Eustachi. Come vi avrà senz'altro detto vostra madre, non bisogna soffiare con troppa forza, altrimenti si rischia di lacerare i timpani.

OLFATTO

L'olfatto è il senso di cui quasi tutti farebbero a meno se fossero costretti a rinunciare a uno. Secondo un sondaggio, la metà degli intervistati sotto i trent'anni[35] sarebbe disposto a sacrificarlo pur di non separarsi dal proprio congegno elettronico preferito. Spero non occorra dirvi che sarebbe una vera follia. Per la felicità e l'appagamento, infatti, l'olfatto è molto più importante di quanto ci si renda conto.

Per fortuna, e non sono in tanti a farlo, il Monell Chemical Senses Center di Philadelphia si dedica allo studio dell'olfatto. Ospitato in un'anonima palazzina di mattoni accanto al campus della University of Pennsylvania, è la più grande struttura di ricerca al mondo dedita ai complessi e trascurati sensi di gusto e olfatto.

«L'olfatto è una scienza orfana»[36] mi ha detto Gary Beauchamp quando sono andato a trovarlo nell'autunno del 2016. Beauchamp, presidente emerito del centro, è un signore cordiale con una voce pacata e la barbetta bianca. «Ogni anno escono decine di migliaia di articoli su vista e udito» ha precisato. «Sull'olfatto al massimo qualche centinaio. Lo stesso vale per i fondi destinati alla ricerca, il cui rapporto è di almeno dieci a uno a beneficio di udito e vista.»

Di conseguenza abbiamo ancora tantissimo da imparare sull'olfatto, compreso il suo esatto funzionamento. Quando annusiamo o inaliamo, le molecole odorose dell'aria passano nelle cavità nasali ed entrano in contatto con l'epitelio olfattivo, un insieme di neuroni che contiene dai 350 ai 400 tipi di recettori degli odori. Se la molecola giusta attiva il recettore giusto, questo invia un segnale al cervello che lo interpreta come odore. Il punto controverso è proprio il modo in cui l'operazione funziona. Secondo molti esperti, le molecole odorose si adattano ai recettori come chiavi nelle serrature. Il difetto di questa teoria è che a volte le molecole hanno forme chimiche diverse ma odore uguale, e altre volte forme quasi identiche ma odori diversi, il che indica come la semplice spiegazione della forma non basti. La teoria alternativa, e alquanto più complicata, sostiene invece che i recettori sono attivati[37] dalla risonanza, cioè non vengono stimolati dalla forma delle molecole bensì da come vibrano.

A chi non è uno scienziato poco importa, tanto l'esito è lo stesso. L'aspetto importante è che gli odori sono complessi e difficili da scomporre. Di solito le molecole degli aromi non attivano un solo tipo di recettore ma diversi, un po' come un pianista che suona un accordo, solo su una tastiera enorme. Una banana, per esempio, contiene trecento sostanze volatili,[38] cioè le molecole attive degli aromi. I pomodori ne hanno invece quattrocento,[39] e il caffè non meno di seicento. Non è semplice capire come e fino a che punto contribuiscano all'aroma. Persino al livello più semplice i risultati sono spesso imprevisti. Unendo l'odore fruttato dell'etil isobutirrato al fascino caramellato dell'etilmaltolo e al profumo di violetta dell'allile alfa-ionone si ha l'ananas, il cui odore è del tutto diverso da quello delle tre sostanze principali. Anche altre sostanze chimiche hanno strutture molto diverse ma producono lo stesso odore, e nessuno sa perché. Quello delle mandorle bruciate[40] può essere prodotto da 75 combinazioni chimiche diverse che in comune non hanno nulla se non il modo in cui il naso umano le percepisce. A causa di tali complessità siamo ancora nella fase iniziale della comprensione dell'olfatto. Il profumo della liquirizia,[41] per esempio, è stato decifrato solo nel 2016. E ci sono ancora tantissimi odori comuni da capire.

Per decenni è stato universalmente accettato che gli esseri umani sono in grado di individuare circa diecimila odori, poi però qualcuno ha deciso di approfondire l'origine di questo dato scoprendo che risaliva a due ingegneri chimici di Boston che nel 1927[42] tirarono a indovinare. Nel 2014 i ricercatori della Université Pierre et Marie Curie[43] di Parigi e della Rockefeller University di New York hanno scritto sulla rivista *Science* che in realtà possiamo distinguerne molti di più: almeno un trilione, forse persino oltre. Altri scienziati del settore hanno subito messo in dubbio la metodologia statistica adoperata nello studio. « Sono dichiarazioni prive di fondamento » ha detto in modo categorico Markus Meister, docente di scienze biologiche del California Institute of Technology.[44]

Una curiosità interessante e importante del nostro olfatto è che, dei cinque sensi più noti, è l'unico a non essere mediato dall'ipotalamo. Quando fiutiamo qualcosa, infatti, per ragioni ignote l'informazione va dritta nella corteccia olfattiva nascosta vicino all'ippocampo, dove prendono forma i ricordi, e secondo alcuni neuroscienziati questo potrebbe spiegare perché certi odori hanno il potere di evocarli.[45]

L'olfatto è senza dubbio un'esperienza molto personale. « Penso che l'aspetto più straordinario dell'olfatto sia che ciascuno di noi annusa il mondo in maniera diversa » dice Beauchamp. « Anche se abbiamo dai 350 ai 400 tipi di recettori, solo la metà è comune a tutti. Significa che non percepiamo le stesse cose. »

Da un cassetto della scrivania ha preso una fialetta, l'ha aperta e me l'ha passata per farmela annusare. Non ho sentito niente.

« È un ormone che si chiama androsterone » mi ha spiegato. « Come lei, un terzo delle persone non lo avverte, un terzo sente odore d'urina e un terzo legno di sandalo. » Ha sorriso. « Se tre persone non riescono nemmeno a concordare se un odore sia piacevole, nauseante o inesistente, può immaginare quanto sia complessa la scienza dell'olfatto.»

Eppure siamo più bravi di quanto pensiamo a individuare gli odori. In un interessante esperimento i ricercatori della University of California[46] di Berkeley hanno disseminato un prato di aroma di cioccolato e chiesto ai volontari di seguire la scia come farebbero i segugi, carponi e con il naso a terra: circa due terzi ci sono riusciti con notevole precisione. Per cinque odori su quindici,[47] gli esseri umani hanno persino battuto i cani. Altri test hanno dimostrato come i volontari, a cui erano state date alcune magliette da fiutare, siano stati in grado di individuare quella indossata dal proprio partner. Neonati e mamme sono altrettanto abili[48] a riconoscersi tramite l'olfatto, un senso ben più importante di quanto si pensi.

La perdita totale dell'olfatto si chiama anosmia e quella parziale iposmia. In tutto il mondo tra il 2 e il 5 per cento delle persone soffre di una o dell'altra patologia, un dato molto alto. Una minoranza particolarmente sfortunata è affetta invece da cacosmia, a causa della quale tutto puzza di feci e che, come si può immaginare, è davvero una condizione orribile. Al Monell chiamano la perdita dell'olfatto «invalidità invisibile».

«È raro che qualcuno perda il gusto» mi ha detto Beauchamp, «perché dipende da tre nervi diversi, quindi c'è parecchio rinforzo. L'olfatto, invece, è molto più vulnerabile.» La causa principale della perdita di questo senso è rappresentata dalle malattie infettive quali influenza e sinusite, ma può anche essere provocata da una botta in testa o dalla degenerazione dei neuroni. Uno dei primi sintomi dell'Alzheimer[49] è proprio la perdita dell'olfatto. Il 90 per cento di chi lo perde[50] per un danno alla testa non lo riacquista più, come pure il 70 per cento circa di chi lo perde a seguito di un'infezione.

«Di solito chi perde l'olfatto resta sorpreso dal piacere che

106

procurava» spiega Beauchamp. «Dipendiamo dall'olfatto per interpretare il mondo, ma anche, e non è un dettaglio trascurabile, per ricavarne piacere.»

Questo vale soprattutto per il cibo, e per un tema così importante occorre un capitolo a sé.

6
Sottocoperta: la bocca e la gola

Per allungare la vita, accorciamo i pasti.
BENJAMIN FRANKLIN

Nella primavera del 1843 il grande ingegnere britannico Isambard Kingdom Brunel si concesse una rara pausa dal lavoro – all'epoca stava progettando la SS *Great Britain*, la nave più imponente e complessa fino ad allora mai uscita da un tavolo da disegno – per divertire i figli con un trucchetto di magia. Purtroppo le cose non andarono come previsto. Durante l'intrattenimento[1] Brunel ingoiò per errore una moneta d'oro che aveva nascosto sotto la lingua. Possiamo ben immaginare l'espressione di sorpresa sul suo viso, seguita dallo sgomento e forse dal terrore mentre la sentiva scivolare in gola e conficcarsi alla base della trachea. Non fu particolarmente doloroso, ma gli causò disagio e apprensione, dal momento che se si fosse mossa appena avrebbe potuto soffocarlo.

Nei giorni seguenti amici, colleghi, parenti e medici tentarono ogni rimedio possibile: gli assestarono violente pacche sulla

108

schiena, lo capovolsero tenendolo dalle caviglie (era esile e non fu difficile) e scuotendolo con vigore, ma fu tutto inutile. Da bravo ingegnere qual era, Brunel progettò un marchingegno da cui poteva appendersi a testa in giù e ondeggiare disegnando ampi archi con la speranza che, insieme, il moto e la forza di gravità facessero cadere la moneta. Fu inutile anche questo.

In tutto il paese non si parlava d'altro. Piovvero consigli da ogni dove, persino dall'estero, eppure ogni tentativo fallì. Infine l'eminente medico Sir Benjamin Brodie decise di provare con la tracheotomia, un intervento rischioso e sgradevole. Senza anestesia – che in Gran Bretagna sarebbe stata usata per la prima volta tre anni dopo – Brodie gli praticò un'incisione in gola e cercò di estrarre la moneta inserendo un lungo forcipe nelle vie aeree, ma siccome Brunel non riusciva a respirare e tossiva con violenza l'intervento fu sospeso.

Il 16 maggio, a più di un mese e mezzo dall'inizio del calvario, l'ingegnere si fece legare di nuovo al suo marchingegno ondeggiante e, quasi subito, la moneta cadde rotolando sul pavimento.

Poco dopo il famoso storico Thomas Babington Macaulay irruppe nell'Athenaeum Club di Pall Mall gridando: «È uscita!» e tutti capirono all'istante a cosa si riferisse. Brunel non risentì mai di alcuna complicanza dovuta all'incidente e, a quanto si sa, non si mise mai più una moneta in bocca. Questo racconto serve a sottolineare, se mai ce ne fosse bisogno, che la bocca è un posto pericoloso. Gli esseri umani muoiono per soffocamento più facilmente di qualunque altro mammifero. Si può anzi affermare a ragione che siamo stati fatti per strozzarci; una caratteristica piuttosto strana con cui affrontare la vita, con o senza moneta nella trachea.

Se ci guardiamo in bocca vedremo parecchie cose familiari: lingua, denti, gengive, quel buco nero in fondo presidiato dal curioso lembo di carne noto come ugola. Dietro le quinte, però, ci sono molti altri elementi importantissimi che la maggior parte di noi non ha mai sentito nominare: muscolo palatoglosso, muscolo genioioideo, vallecola, elevatore del velo palatino. Come il resto della testa, anche la bocca è un regno complesso e misterioso.

Si pensi alle tonsille. Le conosciamo tutti, ma quanti di noi sanno a cosa servono? A dire il vero nessuno lo sa. Sono due rilievi carnosi che stanno di sentinella in fondo ai lati della gola (nel XIX secolo erano spesso chiamate amigdale, anche se il nome veniva già usato per certe strutture del cervello). Le adenoidi sono simili, ma nascoste nella cavità nasale. Sono tutti linfonodi (di solito chiamati erroneamente ghiandole linfatiche) e fanno parte del sistema immunitario anche se, va detto, non sono poi così fondamentali. Spesso in adolescenza le adenoidi si riducono fino a sparire, e sia loro sia le tonsille possono essere rimosse apparentemente senza alterare il benessere complessivo.* Le tonsille rientrano in una struttura più solenne detta anello linfatico del Waldeyer in onore dell'anatomista tedesco Heinrich Wilhelm Gottfried von Waldeyer-Hartz (1836-1921), noto per aver coniato il termine «cromosoma» nel 1888 e «neurone» nel 1891. In campo anatomico era onnipresente. Fu anche il primo a postulare,[2] nel lontano 1870, che le donne nascono con tutti gli ovuli già formati e pronti all'uso.

In termini scientifici l'azione di ingoiare[3] si chiama deglutizione e avviene all'incirca duemila volte al giorno, in media ogni

---

* Vale forse la pena ricordare che nel 2011 un ricercatore del Karolinska Institutet di Stoccolma notò che i soggetti a cui erano state rimosse le tonsille da giovani presentavano il 44 per cento in più di probabilità di avere un infarto. Potrebbe essere una semplice coincidenza, ma in assenza di prove definitive sarebbe prudente lasciare in pace le tonsille. Dallo stesso studio è inoltre emerso che chi aveva ancora l'appendice presentava il 33 per cento di probabilità in meno di avere un infarto durante la mezza età.

trenta secondi. Ed è una faccenda molto più complicata di quanto si possa immaginare. Quando ingoiamo, gli alimenti non si limitano a cadere nello stomaco grazie alla forza di gravità, ma vi sono spinti da contrazioni muscolari. Ecco perché, volendo, si può mangiare e bere a testa in giù. Ingoiare è più complesso di quanto si pensi. Per far passare un solo boccone dalle labbra allo stomaco possono essere coinvolti cinquanta muscoli, che devono scattare sull'attenti seguendo l'ordine esatto per garantire che qualsiasi cosa venga spedita nell'apparato digerente non imbocchi il canale sbagliato, conficcandosi nelle vie aeree come la moneta di Brunel.

La complessità della deglutizione umana è dovuta soprattutto al fatto che, rispetto a quella di altri primati, la nostra laringe si trova più in basso. Quando siamo diventati bipedi, il collo si è allungato e raddrizzato per favorire la posizione eretta, spostandosi più al centro sotto il cranio e non verso la parte posteriore come nelle scimmie. Per puro caso questi cambiamenti ci hanno conferito una maggiore attitudine al linguaggio, ma hanno anche aumentato il pericolo di «ostruzione tracheale», per dirlo con Daniel Lieberman. Unici fra tutti i mammiferi, usiamo lo stesso tunnel per aria e cibo. Fra noi e la catastrofe c'è solo una piccola struttura chiamata epiglottide, una sorta di botola per la gola che si apre quando respiriamo e si chiude quando deglutiamo, mandando l'aria in una direzione e il cibo in un'altra, anche se ogni tanto sbaglia con conseguenze disastrose.

Se ci si pensa è straordinario che quando ce ne stiamo seduti a cena a divertirci un mondo – mangiando, chiacchierando, ridendo, respirando, sorseggiando vino – i nostri custodi nasofaringei mandino tutto nel posto giusto, nelle due direzioni, senza richiederci neppure un istante di concentrazione. È un vero talento. E c'è di più. Mentre chiacchieriamo spensierati di lavoro, di scuola o del prezzo del cavolo riccio, il cervello monitora con attenzione non solo gusto e freschezza degli alimenti, ma anche massa e consistenza. Se ci permette di mandare giù facilmente un grosso bolo «umido» (un'ostrica o un cucchiaio di gelato), esige una masticazione più meticolosa in caso di bocconi piccoli, secchi e aguzzi, tipo frutta secca e semi, che potrebbero non passare in maniera altrettanto fluida.

Nel frattempo, lungi dal contribuire a questo procedimento cruciale, noi continuiamo a buttar giù vino rosso destabilizzando gli apparati interni e compromettendo non poco le funzioni cerebrali. Dire che il corpo è il nostro servo sofferente è un eufemismo.

Se si pensa alla precisione necessaria e alla quantità di volte che nell'arco di una vita il nostro corpo è messo a dura prova, è un miracolo che non ci si strozzi più spesso. Secondo fonti ufficiali, ogni anno muoiono per soffocamento da cibo circa cinquemila persone negli Stati Uniti e duecento in Gran Bretagna: strano come in base a questi dati, tenendo conto della popolazione, gli americani abbiano il quintuplo delle probabilità di strozzarsi mentre mangiano rispetto ai britannici.

Lo trovo improbabile persino conoscendo con quanto gusto banchettano i miei connazionali. È più verosimile che tante di queste morti siano erroneamente attribuite a infarto. Nutrendo lo stesso sospetto, tanti anni fa il coroner della Florida Robert Haugen esaminò alcune persone dichiarate morte d'infarto al ristorante e, senza grandi difficoltà, scoprì che nove si erano strozzate. In un articolo pubblicato sul *Journal of the American Medical Association* suggerì che la morte per soffocamento era più comune di quanto si pensasse. Ricorrendo persino alle stime più caute, però, oggi in America il soffocamento è la quarta[4] causa di morte accidentale.

La famosa soluzione a una crisi di soffocamento è la manovra di Heimlich, dal nome del dottor Henry Judah Heimlich (1920-2016), il chirurgo di New York che la inventò negli anni Settanta. La manovra consiste nell'abbracciare il malcapitato da dietro e stringere più volte al di sopra dell'ombelico fino a eliminare l'ostruzione, un po' come quando si stappa una bottiglia.

Henry Heimlich era una sorta di showman.[5] Promuoveva la procedura e se stesso senza tregua. Partecipò al *Tonight Show* con Johnny Carson, vendeva poster e magliette e parlava a gruppi di persone grandi e piccoli in tutto il paese. Si vantava che il suo metodo aveva salvato la vita a Ronald Reagan, a Cher, al sindaco di New York Ed Koch e ad altre centinaia di migliaia di persone. Non fu sempre benvoluto da chi gli stava vicino. Un ex collega lo definì «bugiardo e ladro», e uno dei figli lo accusò di «cinquant'anni di raggiri assortiti». Heimlich compromise gravemente la propria reputazione sostenendo la malarioterapia, che prevedeva la somministrazione di basse dosi di malaria per curare cancro, malattia di Lyme, AIDS e tanto altro. La cura non era corroborata da nessuno studio scientifico. Nel 2006, forse anche perché Heimlich era diventato motivo d'imbarazzo, la Croce Rossa americana cambiò nome alla manovra in «compressioni addominali».

Heimlich è morto nel 2016, a novantasei anni. Poco prima ha salvato la vita a una degente della casa di riposo di cui era ospite con la sua manovra, l'unica volta che ebbe modo di usarla. O forse no. In seguito si è saputo che sosteneva di aver salvato una persona anche in un'altra occasione. A quanto pare manovrava la verità come fosse un boccone intrappolato.

La maggiore autorità di tutti i tempi in fatto di soffocamento è stato quasi certamente un burbero medico americano dal nome pomposo, Chevalier Quixote Jackson, che visse dal 1865 al 1958. Jackson fu definito (dalla Society of Thoracic Surgeons) «il padre della broncoesofagoscopia americana» e lo fu davvero, anche se va detto che non c'erano tanti altri contendenti. La sua specialità – la sua ossessione, anzi – erano gli oggetti ingoiati o inalati. In una carriera che durò quasi settantacinque anni, Jackson si specializzò nella progettazione di strumenti e nel perfezionamento di metodi per recuperare oggetti ingoiati o inalati per errore, riunendo una straordinaria collezione di 2374 pezzi.[6] Oggi la Chevalier Jackson Foreign Body Collection è ospitata in una teca nel seminterrato del Mütter Museum del College of Physicians di Philadelphia, in Pennsylvania. Ogni oggetto è attentamente catalogato per età e sesso del malcapitato, tipologia, organo in cui era conficcato, cioè trachea, laringe, esofago, bronchi, stomaco, cavità pleurica o altro, se l'esito fu fatale o meno e con cosa fu rimosso. Si pensa sia la più grande raccolta al mondo di cose assurde mai ingoiate per sbaglio o per motivi bizzarri. Fra i tanti oggetti recuperati da Jackson dal gargarozzo di vivi e morti figurano un orologio, un crocifisso con i grani del rosario, un binocolo in miniatura, un piccolo lucchetto, una tromba giocattolo, un intero spiedino di carne, una chiave per radiatore, diversi cucchiai, una fiche da poker e un medaglione con su scritto (forse con un pizzico d'ironia) «Portami con te e ti porterò fortuna».

Jackson era un signore freddo e senza amici,[7] ma sembra che sotto sotto avesse un po' di umanità. Nella sua autobiografia racconta di come, in un'occasione, avesse rimosso dalla gola di una bambina «una massa grigiastra, forse cibo, forse tessuto morto», che le impediva di deglutire da alcuni giorni, e chiese all'assistente di darle un bicchiere d'acqua. La bambina bevve un sorso con prudenza e quando vide che andò giù ne bevve un altro. «Poi ha passato con delicatezza il bicchiere all'infermiera, mi ha preso la mano e l'ha baciata.» Jackson ne parla come dell'unico episodio della sua vita che sembra averlo toccato.

Negli oltre settant'anni di attività salvò centinaia di vite umane e fornì quella formazione che ha permesso ad altri di salvarne innumerevoli. Fosse stato un tantino più cordiale con pazienti e colleghi, oggi sarebbe senza dubbio più noto.

Non vi sarà di certo sfuggito che la bocca è una cavità umida e luccicante. Questo perché al suo interno ci sono dodici ghiandole salivari. Un adulto secerne[8] poco meno di un litro e mezzo di saliva al giorno. Secondo una stima, ne produciamo circa trentamila litri[9] in tutta la vita (l'equivalente di duecento vasche da bagno).

La saliva è quasi interamente composta di acqua. Solo una piccolissima porzione, lo 0,5 per cento, è composta di utili enzimi: le proteine, che accelerano le reazioni chimiche. Fra queste, le amilasi e la ptialina, che cominciano a scomporre gli zuccheri presenti nei carboidrati mentre sono ancora in bocca. Provate a masticare un alimento ricco di amido come il pane o le patate un po' più a lungo del normale e noterete un sapore dolciastro. Purtroppo anche ai batteri della nostra bocca piace il dolce, per cui divorano gli zuccheri liberati ed espellono acidi, che ci scavano i denti causando le carie. Altri enzimi, specie il lisozima – scoperto da Alexander Fleming prima che incappasse nella penicillina – attaccano molti agenti patogeni ma, ahimè, non quelli che cariano i denti. Ci troviamo nell'alquanto strana situazione in cui non solo siamo incapaci di uccidere i batteri che ci procurano tutti questi guai, ma addirittura li alimentiamo.

Recentemente si è scoperto che la saliva contiene anche un efficace analgesico chiamato opiorfina,[10] sei volte più potente della morfina, seppure in dosi modeste, motivo per cui non siamo sempre strafatti né al riparo dal dolore quando ci mordiamo la guancia o ci scottiamo la lingua. Essendo assai diluita non si capisce perché ci sia. Fra l'altro è così discreta da essere stata notata solo nel 2006.

115

Mentre dormiamo produciamo pochissima saliva,[11] motivo per cui i microbi proliferano e ci fanno svegliare con l'alito pesante. Lavarsi i denti prima di andare a letto è un'ottima idea, perché riduce il numero di batteri con cui si va a dormire. Se vi siete chiesti come mai nessuno vuole baciarvi appena vi svegliate, la ragione è che le esalazioni possono contenere fino a 150 composti chimici diversi,[12] non tutti freschi e al gusto di menta quanto si spera. Fra le sostanze più diffuse che contribuiscono a creare l'alito mattutino ci sono il metantiolo (che sa di cavolo stantio), l'acido solfidrico (uova marce), il solfuro dimetile (alghe viscide), la dimetilammina e la trimetilammina (pesce maleodorante) e la cadaverina, che non necessita spiegazioni.

Negli anni Venti il professor Joseph Appleton della University of Pennsylvania School of Dental Medicine fu il primo a studiare le colonie batteriche della bocca scoprendo che, in termini microbici, lingua, denti e gengive sono continenti distinti, ciascuno con le sue colonie di microorganismi. Ci sono addirittura differenze fra quelle che vivono sulla parte esposta di un dente e quelle presenti sotto la linea gengivale. Nella bocca umana sono state trovate in tutto circa mille specie di batteri,[13] anche se in un preciso momento è improbabile averne più di duecento.

Oltre a essere una casa ospitale per i germi, la bocca è anche un'ottima tappa intermedia per quelli che sono diretti altrove. Paul Dawson, docente di scienze alimentari della Clemson University in Carolina del Sud, si è fatto un nome studiando i modi in cui la gente diffonde i batteri da sé ad altre superfici, come quando ci si passa una bottiglia d'acqua o si intingono le patatine in una salsa. Nello studio denominato *Bacterial Transfer Associated With Blowing Out Candles on a Birthday Cake* (Trasferimento di batteri associato a spegnimento di candeline su torta di compleanno) il team di Dawson ha scoperto che spegnere le candeline[14] aumenta la presenza dei batteri sulla torta fino al 1400 per cento, un vero orrore, ma non molto peggio delle varie esposizioni a cui siamo sottoposti nella normale vita quotidiana. Nel mondo esistono innumerevoli germi che vagano o strisciano invisibili sulle superfici, fra cui moltissime di quelle che ci infiliamo in bocca e quasi tutte quelle che tocchiamo.

Gli elementi più noti della bocca sono ovviamente denti e lingua. I nostri denti sono creazioni formidabili, e anche comodamente versatili. Ce ne sono di tre varietà: creste (appuntiti), cuspidi (simili a pale) e solchi (a metà fra gli altri due tipi). All'esterno c'è lo smalto, la sostanza più dura del corpo umano, ma è uno strato davvero sottile, e se danneggiato non si può sostituire. Ecco perché se si hanno carie bisogna andare dal dentista. Sotto lo smalto c'è uno strato molto più spesso di un altro tessuto mineralizzato chiamato dentina, che invece *può* rinnovarsi. Al centro c'è la polpa, che contiene terminazioni nervose e vasi sanguigni. Essendo così duri, i denti sono stati definiti «fossili preconfezionati».[15] Quando tutto il resto è già diventato polvere o si è dissolto, l'ultima traccia fisica della nostra esistenza sulla Terra potrebbe essere un molare fossilizzato.

Siamo in grado di mordere con una certa forza, che si misura in unità dette newton (in onore della seconda legge del moto di Isaac Newton, non della ferocia della sua bocca): in media un maschio adulto[16] arriva a circa quattrocento newton di forza, il che è davvero notevole, anche se non è niente in confronto a quella di un orango, che può mordere con il quintuplo del vigore. Se però pensate a quanto siamo bravi a rompere un cubetto di ghiaccio (provate a farlo con il pugno e vedete che succede), e a quanto poco spazio occupano i cinque muscoli della mascella, apprezzerete l'abilità della masticazione umana.

La lingua è un muscolo diversissimo dagli altri. Tanto per cominciare è davvero molto sensibile – è in grado di stanare con destrezza un corpo estraneo finito per sbaglio in un boccone, tipo un frammento di guscio d'uovo o un granello di sabbia – ed è coinvolta in attività vitali come l'articolazione del linguaggio e la degustazione del cibo. Quando mangiamo, la lingua guizza come un ospite ansioso durante una festa, controllando il sapore e la forma di ogni boccone per prepararsi a spedirlo in gola. Come tutti sanno è ricoperta dalle gemme gustative, gruppetti di recettori del gusto che si trovano nelle papille. Hanno tre forme diverse – circumvallate (o arrotondate), fungiformi (a forma di fungo) e foliate (a forma di foglia) – e sono fra le cellule del corpo che si rigenerano con maggiore frequenza,[17] ogni dieci giorni.

Per anni persino i libri di testo hanno riportato la mappa della lingua, con i sapori di base che occupavano una zona ben definita: il dolce sulla punta, l'aspro ai lati, l'amaro in fondo. In realtà è una falsa credenza che risale al manuale[18] del 1942 di un certo Edwin G. Boring, psicologo di Harvard che fraintese l'articolo scritto da un ricercatore tedesco quarant'anni prima. In totale abbiamo circa diecimila gemme gustative distribuite perlopiù intorno alla lingua, perché al centro non ce ne sono. Altre gemme si trovano sul palato e poco oltre, motivo per cui sentiamo l'amaro di alcuni medicinali quando li ingoiamo.

Ma il corpo ha recettori del gusto anche nell'intestino e in gola[19] (per individuare sostanze avariate o tossiche), che però non sono collegati al cervello come quelli della lingua, e per un buon motivo: meglio non sentire ciò che sente lo stomaco. I recettori del gusto sono stati inoltre trovati[20] nel cuore, nei polmoni e persino nei testicoli, ma nessuno sa a cosa servano. Siccome però inviano al pancreas segnali per regolare la produzione insulinica, è possibile che siano collegati a questo.

Si pensa che i recettori del gusto si siano evoluti per due scopi pratici: aiutarci a trovare alimenti ricchi di energia (come la frutta dolce e matura) ed evitare quelli pericolosi. Va però detto che non sempre ci riescono alla perfezione. Il capitano James Cook, il grande esploratore britannico, lo imparò a sue spese nel 1774 durante la seconda epica traversata del Pacifico. Un membro dell'equipaggio catturò un pesce carnoso e sconosciuto. Fu cucinato e offerto con orgoglio al capitano e a due ufficiali, che però avevano già cenato e si limitarono ad assaggiarlo e a farlo mettere da parte per il giorno dopo. Una vera fortuna, visto che nel cuore della notte tutti e tre furono colti «da un'eccezionale debolezza e intorpidimento degli arti». Per alcune ore Cook restò di fatto paralizzato, incapace di sollevare addirittura una matita. Venne dato loro un emetico per ripulire lo stomaco. Furono fortunati a sopravvivere, perché avevano assaggiato un pesce palla pieno di tetradotossina,[21] un veleno mille volte più potente del cianuro.

Malgrado l'estrema tossicità, il pesce palla è una nota prelibatezza in Giappone, dov'è chiamato fugu. La sua preparazione è affidata soltanto a pochi chef appositamente formati, che prima di cucinarlo devono rimuovere con cura fegato, intestino e pelle, particolarmente saturi di veleno. Le tossine restanti sono sufficienti a intorpidire la bocca e a provocare un gradevole senso di stordimento. Nel 1975 il famoso attore Bando Mitsugoro – benché sollecitato a fermarsi – ne mangiò quattro porzioni e morì per asfissia quattro ore dopo. Il fugu uccide ancora una persona all'anno.

Il problema è che quando gli effetti dannosi diventano manifesti è ormai troppo tardi per rimediare. Lo stesso vale per tante altre sostanze, dalla belladonna a un'ampia varietà di funghi. Nel 2008, in un caso molto pubblicizzato, l'autore britannico Nicholas Evans[22] e tre suoi familiari si ammalarono gravemente durante una vacanza in Scozia quando scambiarono un fungo letale, il *Cortinarius speciosissimus*, per lo squisito innocuo cugino, il porcino. Gli effetti furono terribili – lui ebbe bisogno di un trapianto di reni e tutti subirono danni duraturi –, eppure niente nel sapore li avvertì del pericolo. Le nostre presunte difese sono molto più presunte del previsto.

Come abbiamo detto, in bocca ci sono circa diecimila recettori del gusto,[23] a cui si devono aggiungere anche quelli del dolore e altri recettori somatosensoriali, più numerosi ma spesso confusi con gli altri, perché si trovano anche loro sulla lingua. Quando diciamo che il peperoncino brucia non potremmo essere più accurati. Il cervello, infatti, lo interpreta proprio così. Come ha detto Joshua Tewksbury della University of Colorado: «I peperoncini stimolano gli stessi neuroni che attiviamo quando tocchiamo una superficie di 170 gradi. Di fatto il cervello ci dice che abbiamo messo la lingua sul fornello». In modo simile, il mentolo è percepito come fresco persino nel fumo caldo di una sigaretta.

L'ingrediente attivo dei peperoncini è una sostanza chimica chiamata capsaicina. Quando la ingeriamo, il corpo rilascia le endorfine – non è ancora chiaro perché – inondandoci di un piacevole calore. Però ogni tipo di calore, si sa, può velocemente diventare sgradevole e poi insopportabile.

La quantità presente nei peperoncini si misura in Scoville, da Wilbur Scoville (1865-1942), uno schivo farmacista americano che non aveva interesse per i cibi piccanti e forse non ne assaggiò mai uno in vita sua. Passò buona parte della carriera a insegnare al Massachusetts College of Pharmacy e sfornò articoli con titoli tipo *Some Observations on Glycerin Suppositories* (Osservazioni sulle supposte di glicerina), ma nel 1907, all'età di quarantadue anni, forse tentato dall'ottimo stipendio, si trasferì a Detroit per lavorare in una grossa casa farmaceutica, la Parke, Davis and Co. Fra le varie mansioni aveva il compito di supervisionare la produzione del noto unguento per i muscoli Heet, il cui calore proveniva dai peperoncini – gli stessi usati negli alimenti – ma variava da un lotto all'altro perché non esisteva un metodo attendibile per calcolarne le giuste dosi. Scoville ideò quindi un test organolettico per misurare in maniera scientifica quant'è piccante un qualunque peperoncino. La scala di Scoville è la stessa che usiamo ancora oggi.

Il peperone dolce ha un valore compreso fra i 50 e i 100 Scoville, mentre lo jalapeño va dai 2500 ai 5000. Oggi sono in tanti a coltivare peperoncini che siano il più piccante possibile. Mentre scrivo, il record lo detiene il Carolina Reaper con 2,2 milioni di Scoville. La versione pura di un'euforbia del Marocco[24] – cugina dell'innocua pianta da fiori da giardino – raggiunge i 16 miliardi di Scoville. Anche se non vengono usati negli alimenti – superano qualsiasi soglia umana – questi vegetali superpiccanti sono impiegati da produttori di spray al peperoncino, che contengono capsaicina.*

Fra gli altri benefici per un essere umano, la capsaicina abbassa la pressione del sangue, combatte le infiammazioni e riduce la predisposizione al cancro. Da uno studio pubblicato sul *British Medical Journal* è emerso che, nell'arco di tempo preso in analisi, gli adulti cinesi che ingerivano molta capsaicina[25] avevano il 14 per cento di probabilità in meno di morire per una qualunque causa rispetto ai meno avventurosi. Però, come sem-

---

* La ragione per cui la capsaicina esiste in natura è che i peperoncini l'hanno sviluppata per difendersi dai piccoli mammiferi che ne distruggevano i semi con i denti. Gli uccelli, invece, li ingoiano interi e non la sentono, quindi possono mangiarne a volontà. Poi volano via e, quando defecano, spargono i semi sotto forma di pacchettini bianchi di fertilizzante, soluzione che soddisfa sia gli uccelli sia i semi.

pre nel caso di simili risultati, il fatto che chi mangiava molto piccante avesse anche il 14 per cento di probabilità in più di sopravvivere potrebbe essere una semplice coincidenza.

Per inciso, i recettori del dolore si trovano anche negli occhi, nell'ano e nella vagina, motivo per cui gli alimenti piccanti possono causare disagio anche lì.

Per quanto riguarda il gusto, la lingua è in grado di individuare solo i familiari dolce, salato, aspro, amaro e umami (un termine giapponese che significa «saporito» o «succoso»). Secondo alcuni esperti[26] abbiamo anche recettori del gusto appositamente assegnati a metallo, acqua, grasso e a un altro concetto giapponese che è il kokumi, cioè «corposo» o «robusto», ma quelli universalmente accettati sono i primi cinque.

In Occidente l'umami è ancora piuttosto esotico. A dire il vero è relativamente recente persino in Giappone, anche se il sapore si conosce da secoli. Proviene dal noto brodo di pesce chiamato *dashi*, fatto con alghe e squame essiccate, e se aggiunto ad altre preparazioni conferisce un sapore ineffabile ma caratteristico che le rende squisite. All'inizio del Novecento il chimico di Tokyo Kikunae Ikeda volle scoprire l'origine del sapore e tentò di sintetizzarlo. Nel 1909 pubblicò un breve articolo su una rivista locale in cui spiegava che si trattava del glutammato, un amminoacido, e ribattezzò il sapore umami, cioè «l'essenza della prelibatezza».

La scoperta di Ikeda non attirò nessuna attenzione fuori dal Giappone. Il termine non si trova in inglese fino al 1963, quando apparve in un articolo accademico. La prima occorrenza in una pubblicazione più diffusa si ritrova nel 1979 in *New Scientist*. L'articolo di Ikeda fu tradotto in inglese solo nel 2002, dopo la conferma dell'esistenza dei recettori dell'umami da parte di ricercatori occidentali. In Giappone, invece, Ikeda diventò famoso non tanto come scienziato quanto come cofondatore di una grossa azienda, la Ajinomoto, creata per sfruttarne il brevetto e produrre umami sintetico sotto forma del notissimo glutammato monosodico, o MSG. Oggi la Ajinomoto è un colosso[27] che fabbrica circa un terzo di tutto il glutammato mondiale.

In Occidente l'MSG ha vita dura fin dal 1968, quando il *New England Journal of Medicine* pubblicò la lettera – non l'articolo o lo studio, la semplice lettera – di un medico il quale riferiva che a volte non si era sentito bene dopo aver mangiato cinese, e si chiedeva se fosse colpa del glutammato aggiunto ai piatti. Il titolo della lettera era «Sindrome da ristorante cinese» e da allora molti decisero che l'MSG era una sorta di tossina. Non è così. Esiste in tantissimi prodotti naturali come i pomodori e, se mangiato in quantità normali, non arreca alcun danno. Secondo l'affascinante studio di Ole G. Mouritsen e Klavs Styrbæk dal titolo *Umami: Unlocking the Secrets of the Fifth Taste*, «l'MSG è l'additivo alimentare sottoposto all'esame più scrupoloso di sempre» e nessuno scienziato ha mai trovato motivo di condannarlo. Eppure la fama che ha in Occidente, di causare cefalea e lieve malessere, si è tutt'altro che attenuata, anzi, resiste immutata.

Se grazie alla lingua e alle gemme gustative percepiamo la consistenza e gli attributi di base degli alimenti – se sono morbidi e senza grumi, dolci o amari e così via – la pienezza del piacere dipende dagli altri sensi. Parlare solo del gusto è quasi sempre sbagliato, anche se lo facciamo tutti. Quando si mangia si apprezza il sapore, cioè il gusto più il profumo.*

Il profumo è responsabile[28] di almeno il 70 per cento del sapore, forse addirittura del 90, e lo sappiamo in maniera istintiva, spesso senza pensarci. Per sapere se un vasetto di yogurt è alla fragola in genere lo annusiamo, non lo assaggiamo. Questo

* Oltre all'inglese ci sono almeno altre dieci lingue che usano in modo indifferente le parole «gusto» e «sapore».

perché la fragola è un profumo percepito dal naso e non un gusto percepito dalla bocca.

Quando mangiamo, il grosso dell'aroma non ci arriva tramite le narici, la cosiddetta via ortonasale, ma dalla scala posteriore della cavità nasale, cioè la via retronasale. Un modo facile per testare i limiti delle gemme gustative è chiudere occhi e narici e pescare una gelatina a caso. Dopo averla messa in bocca si avvertirà subito la dolcezza, ma non il sapore, che diventerà chiaro dopo aver riaperto occhi e narici.

Persino il rumore incide sulla piacevolezza. I volontari che assaggiano patatine fritte da diverse ciotole, dotati di cuffie per sentirne il rumore, associano sempre le patatine più croccanti e rumorose alle più fresche e saporite anche se sono tutte uguali.

Sono stati effettuati moltissimi test per dimostrare con quanta facilità veniamo ingannati. In uno di questi, un assaggio alla cieca ideato dall'università di Bordeaux, gli studenti della facoltà di Enologia hanno ricevuto due bicchieri di vino, uno rosso e uno bianco. In realtà il vino era lo stesso e il colore rosso era stato ottenuto con un additivo inodore e insapore. Tutti gli studenti hanno elencato[29] caratteristiche differenti per i due vini, e non perché fossero inesperti o ingenui, ma perché la vista li ha indotti ad avere aspettative diverse, influenzandone la percezione all'assaggio. Anche nel caso di una bevanda all'arancia colorata di rosso[30] non si può fare a meno di sentire il sapore di ciliegia.

Il fatto è che odori e sapori si creano nella testa. Pensate a una cosa buona, per esempio un brownie al cioccolato, soffice e cremoso, appena sfornato. Mordetelo e assaporate la morbidezza vellutata, il profumo pieno e inebriante del cioccolato che vi riempie la testa. E adesso soffermatevi sul fatto che nessuno di questi sapori e aromi esiste. In bocca ci sono solo consistenza e sostanze chimiche. È il cervello a leggere le molecole insapori e inodori e ad animarle per il vostro piacere. Il brownie è lo spartito, il cervello crea la sinfonia. Come accade in tanti altri casi, la nostra esperienza del mondo è quella che ci concede il cervello.

C'è un'altra cosa straordinaria che possiamo fare con la bocca e la gola, emettere suoni comprensibili. La capacità di creare e condividere suoni complessi è una delle grandi meraviglie dell'esistenza umana, la caratteristica che più di ogni altra ci distingue da tutte le creature che abbiano mai vissuto.

Secondo Daniel Lieberman, il linguaggio e il suo sviluppo «sono forse i temi più ampiamente dibattuti[31] dell'evoluzione umana». Non abbiamo la minima idea di quando il linguaggio sia comparso sulla Terra né se fosse un talento limitato all'*Homo sapiens* o una dote padroneggiata da umani arcaici come il *Neanderthal* e l'*Homo erectus*. Per Lieberman il cervello grande e l'insieme di strumenti lasciano supporre che i neandertaliani possedessero un linguaggio complesso, ma è un'ipotesi indimostrabile.

Certo è che la capacità di parlare richiede un equilibrio delicato e coordinato di muscoli, legamenti, ossa e cartilagini minuscoli che siano lunghi, tesi e posizionati nel modo giusto per espellere microscariche di aria modulata nella giusta misura. Inoltre, lingua, denti e labbra devono essere abbastanza agili da trasformare in fonemi di varie gradazioni le correnti in arrivo dalla gola. Il tutto senza compromettere deglutizione e respirazione. Per usare un eufemismo, un'impresa piuttosto difficile. A permetterci di parlare non è solo il cervello grande, ma una raffinata disposizione anatomica. Uno dei motivi per cui gli scimpanzé non parlano, infatti, è l'incapacità di muovere la lingua e le labbra in modo tale da formare suoni complessi.

Che sia successo per puro caso nel corso della riprogrammazione evolutiva della parte superiore del nostro corpo, quando abbiamo dovuto accogliere la nuova postura da bipedi, o che alcuni di questi tratti siano stati selezionati dalla saggezza lenta e progressiva dell'evoluzione, la conclusione è che siamo dotati di cervelli abbastanza grandi da gestire pensieri complessi, e da tratti vocali unici in grado di esprimerli.

La laringe è una scatolina di trenta o quaranta millimetri. Dentro e intorno ci sono nove cartilagini,[32] sei muscoli e una serie di legamenti, due dei quali noti come corde vocali o, meglio, pliche vocali.* Quando l'aria le attraversa, le pliche vocali schioccano e sbattono (come bandiere al vento, si dice) producendo suoni che vengono affinati da lingua, denti e labbra, i quali lavorano insieme per dar vita alle emissioni prodigiose, squillanti e comunicative note come linguaggio. Le tre fasi del processo sono respirazione, fonazione e articolazione. La respirazione consiste nello spingere l'aria oltre i legamenti vocali, la fonazione nel trasformare quell'aria in suoni e l'articolazione nel perfezionare i suoni in linguaggio. Per apprezzarne appieno la meraviglia provate a cantare una canzone – Fra' Martino è perfetta – e prestate attenzione a quanto la voce umana sia melodica, senza alcuno sforzo. Oltre a essere una chiusa e una galleria del vento, la gola è anche uno strumento musicale.

Se pensate alla complessità dell'operazione, non vi sorprenderà che alcuni fatichino a fare tutto. La balbuzie è uno dei disturbi comuni più crudeli e di cui si sa meno. Ne soffre l'1 per cento degli adulti e il 4 per cento dei bambini. Per ragioni ignote, l'80 per cento è composto da maschi. È inoltre più comune tra i mancini che tra i destrimani, soprattutto quelli che sono stati forzati a scrivere con la mano destra. Ha riguardato figure illustri come Aristotele, Virgilio, Charles Darwin, Lewis Carroll, Winston Churchill (da giovane), Henry James,

---

* Per la precisione, la plica vocale è formata dai due legamenti vocali più muscoli e membrane associati.

John Updike, Marilyn Monroe e re Giorgio VI di Gran Bretagna, magnificamente interpretato da Colin Firth nel film del 2010 *Il discorso del re*.

Nessuno sa cosa la provochi né perché s'inciampi in lettere o parole diverse in punti differenti di una stessa frase a seconda di chi ne soffre. Per tanti la balbuzie scompare misteriosamente quando cantano, usano una lingua straniera o parlano da soli. La maggioranza smette di balbettare durante l'adolescenza (motivo per cui la percentuale tra i bambini è più alta di quella degli adulti) e le femmine recuperano con più facilità dei maschi.

Per la balbuzie non esiste una cura affidabile. Johann Dieffenbach, uno dei più eminenti chirurghi tedeschi[33] del XIX secolo, la riteneva una patologia muscolare risolvibile rimuovendo alcuni muscoli dalla lingua dei pazienti. Sebbene l'intervento non avesse nessuna efficacia, per un po' fu molto copiato in tutta Europa e negli Stati Uniti. Diversi pazienti morirono, e tutti soffrirono tantissimo. Per fortuna oggi si ricorre all'aiuto della logopedia e a un approccio paziente e compassionevole.

Prima di lasciare la gola e di scendere nel resto del corpo, prendiamoci un istante per esaminare la strana appendice carnosa che sta di guardia là dove fa buio, e con cui abbiamo iniziato il tour della nostra principale apertura. Mi riferisco alla piccola e misteriosa ugola (il nome latino *uvula* significa « acino d'uva », anche se non gli assomiglia affatto).

Per molto tempo non si sapeva a cosa servisse e non si sa con certezza neppure oggi, anche se sembra essere una sorta di alettone per la bocca. Indirizza il cibo in gola evitando che finisca nella cavità nasale (quando si tossisce mentre si mangia, per esempio), contribuisce alla produzione della saliva, cosa sempre utile, ed è coinvolta nell'attivazione del riflesso faringeo. Forse ha anche un ruolo nel linguaggio, sebbene tale conclusione si basi su poco più del fatto che siamo gli unici mammiferi ad averla e gli unici a parlare. Certo è che le persone a cui l'ugola è stata rimossa perdono un certo controllo sui suoni gutturali e a volte riferiscono di non cantare in maniera melodiosa come prima. Il rantolo prodotto dall'ugola nel sonno pare essere un elemento significativo del russare ed è spesso il motivo per cui viene rimossa, il che comunque accade molto di rado. Nella stragrande maggioranza dei casi, nell'intero arco di una vita l'ugola non fa niente per attirare l'attenzione.

In breve, si può dire che sia davvero bizzarra. Vista la posizione al centro del nostro principale orifizio, nel punto di non ritorno, sembra particolarmente insignificante. C'è comunque un bizzarro duplice conforto nel sapere che con buona probabilità non la perderemo mai, ma che anche se succedesse non importerebbe poi tanto.

7

Il cuore e il sangue

« Assente. »[1]

Ultima parola del chirurgo e anatomista britannico
JOSEPH HENRY GREEN (1791-1863) mentre si controllava il battito

I

Il cuore è l'organo più frainteso di tutti. In primo luogo non assomiglia affatto al tradizionale simbolo associato al giorno di San Valentino, alle iniziali incise sulle cortecce degli alberi dagli amanti e così via (nessuno sa cosa ispirò quel simbolo, apparso per la prima volta[2] come dal nulla nei dipinti dell'Italia del Nord di inizio XIV secolo). In secondo luogo non si trova dove posiamo la mano destra nei momenti di patriottismo, è un po' più spostato verso il centro del torace. Infine, forse l'aspetto più curioso di tutti, non è la sede delle emozioni, come diamo per scontato quando dichiariamo di amare qualcuno con tutto il cuore o affermiamo di avere il cuore spezzato se la persona amata ci abbandona. Mi raccomando, adesso non fraintendete me. Il cuore è un organo stupendo e merita tutte le nostre lodi e la nostra gratitudine, però non è minimamente coinvolto nel benessere emotivo di chicchessia.

E meno male, perché non ha tempo per le distrazioni. È anzi il nostro organo più risoluto. Ha un compito e lo svolge alla perfezione: batte. Poco più di una volta al secondo, circa centomila volte al giorno e tre miliardi e mezzo in una vita, pulsa ritmicamente per diffondere il sangue nel corpo, e non lo fa con spintarelle delicate, ma con scosse talmente potenti da farlo schizzare fino a tre metri se l'aorta viene recisa.

Con un ritmo così inesorabile è un miracolo che un cuore duri tanto a lungo. Ogni ora dispensa[3] sui 260 litri di sangue, circa 6240 al giorno, più dei litri di benzina che ogni anno si mettono nel serbatoio dell'auto. E deve pompare con una potenza sufficiente non solo a diffondere il sangue nelle parti più periferiche, ma anche a riportarlo indietro. Trovandosi a circa un metro e venti dai piedi, per consentire il viaggio di ritorno del sangue deve contrastare parecchia forza di gravità. Immaginate di strizzare una pompa delle dimensioni di un pompelmo con una forza tale da spingere su per un tubo un liquido fino a un metro e venti. Adesso rifatelo circa una volta al secondo, giorno e notte, senza sosta per decenni e ditemi se non vi sentite un po' affaticati. Si è (chissà come) calcolato[4] che nell'arco di una vita il cuore svolge un lavoro paragonabile al sollevamento di un oggetto di una tonnellata in aria per 240.000 chilometri. Un attrezzo davvero straordinario, non c'è che dire. Solo che non gli importa nulla della nostra vita amorosa.

Malgrado tutto ciò che fa, è un organo sorprendentemente modesto. Pesa meno di mezzo chilo ed è diviso in quattro semplici cavità: due atri e due ventricoli. Il sangue entra dagli atri (« ingressi » in latino) ed esce dai ventricoli (« camere », sempre dal latino). In realtà non c'è una sola pompa, ma due: una manda il sangue ai polmoni e l'altra lo diffonde al resto del corpo, sempre nella giusta quantità, ogni singola volta, affinché tutto funzioni correttamente. Del sangue pompato dal cuore[5] il cervello assorbe il 15 per cento, ma chi ne prende di più, cioè il 20 per cento, sono i reni. Il viaggio del sangue nel corpo dura in tutto cinquanta secondi. La cosa insolita è che quello che attraversa le cavità non serve al cuore: ad alimentarlo è l'ossigeno che arriva tramite le arterie coronarie, proprio come per gli altri organi.

Le due fasi del battito sono la sistole (quando il cuore si contrae e spinge fuori il sangue) e la diastole (quando si rilassa e si riempie). La differenza tra le due è la pressione sanguigna. I valori che vengono misurati – mettiamo 120/80 o « 120 su 80 » se detto a voce – si riferiscono alla pressione minima e alla massima dei vasi a ogni battito. Il numero più alto è riferito alla pressione sistolica, il più basso alla diastolica, e rappresentano i millimetri percorsi dal mercurio in una colonnina graduata.

Rifornire di continuo ogni parte del corpo di sangue sufficiente è un'operazione complessa. Ogni volta che ci alziamo,[6] circa tre quarti di litro tentano di defluire verso il basso e il corpo contrasta l'attrazione della forza di gravità tramite le valvole presenti nelle vene, che impediscono al sangue di tornare indietro, e tramite i muscoli delle gambe, che quando si contraggono fungono da pompe e aiutano il sangue degli arti inferiori a tornare al cuore. Per contrarsi, però, i muscoli devono essere in movimento, ecco perché è importante fare due passi con regolarità. Nel complesso il corpo affronta queste sfide piuttosto bene. « Tra la pressione del sangue a livello della spalla e della caviglia, le persone sane hanno una differenza inferiore al 20 per cento » mi ha detto Siobhan Loughna, ricercatrice di anatomia alla facoltà di Medicina della University of Nottingham. « È incredibile come il corpo riesca in questa impresa. »

Da ciò si deduce che la pressione sanguigna non è un dato costante, ma cambia a seconda della parte del corpo, e in tutto il corpo, nell'arco di una giornata. Tende ad alzarsi durante il giorno, quando siamo attivi (o dovremmo esserlo), mentre la sera si abbassa e raggiunge il minimo dopo la mezzanotte. Da tempo si sa che l'infarto è più frequente di notte, e secondo alcuni esperti potrebbe essere scatenato proprio dalla variazione di pressione notturna.

Molte delle prime ricerche sulla pressione sanguigna[7] furono effettuate in una serie di esperimenti, decisamente raccapriccianti, svolti sugli animali a opera del reverendo Stephen Hales, un curato anglicano di Teddington, Middlesex, vicino Londra, all'inizio del XVIII secolo. In uno di questi Hales immobilizzò un vecchio cavallo e gli attaccò un tubo di vetro lungo quasi tre metri all'arteria carotide per mezzo di una cannula di ottone. Poi aprì l'arteria e misurò l'altezza a cui arrivava il sangue nel tubo a ogni pulsazione del moribondo. Per la sua sete di sapere uccise diverse creature inermi e fu duramente condannato – il poeta Alexander Pope, che viveva nei paraggi, non esitò a dire la sua –, ma la comunità scientifica ne celebrò i successi. Hales si distinse quindi sia per i progressi donati alla scienza, sia per la pessima reputazione che le accordò. Malgrado la condanna degli amanti degli animali, la Royal Society gli conferì la massima onorificenza, la medaglia Copley, e per un secolo circa il suo *Haemastaticks* fu il testo definitivo sulla pressione sanguigna di animali e umani.

Ancora nel XX secolo[8] molti esperti di medicina credevano che la pressione alta fosse positiva perché segno di un flusso vigoroso. Ovviamente oggi sappiamo che quando diventa cronica fa aumentare in modo pericoloso il rischio di infarto o ictus. Stabilire quale valore equivale alla pressione alta è una faccenda più complessa. A lungo 140/90 è stata ritenuta la soglia dell'ipertensione, ma nel 2017 l'American Heart Association[9] ha sorpreso quasi tutti abbassandola a 130/80. La lieve riduzione ha triplicato il numero degli uomini e raddoppiato quello delle donne di quarantacinque anni o meno con la pressione alta, e ha portato quasi tutti gli over sessantacinque nella fascia a rischio. Quasi la metà degli americani adulti – 103 milioni – si trova sul versante sbagliato della nuova soglia, rispetto ai precedenti 72 milioni, e si pensa che almeno 50 milioni[10] non ricevano cure mediche adeguate per tale problematica.

La salute del cuore è uno dei successi della medicina moderna. Il tasso di mortalità per disturbi cardiaci è sceso dai 600 su centomila del 1950 ad appena 168 su centomila di oggi. Nel 2000 era a 257,6 su centomila, ma rimane ancora la principale causa di morte. Solo negli Stati Uniti[11] oltre 80 milioni di persone soffrono di malattie cardiovascolari, e per curarle il paese spende 300 miliardi di dollari l'anno.

Il cuore può arrancare in vari modi. Può per esempio rallentare o, più di frequente, accelerare perché un impulso elettrico fa cilecca. Alcuni hanno fino a diecimila palpitazioni al giorno senza neanche accorgersene. Per altri, invece, un cuore aritmico è un interminabile calvario. Se il battito è troppo lento il disturbo si chiama bradicardia, se è troppo veloce tachicardia.

L'infarto e l'arresto cardiaco,[12] di solito confusi dai più, sono due problemi diversi. L'infarto si verifica quando il sangue ossigenato non riesce a raggiungere il miocardio per un'ostruzione in un'arteria coronaria. Di solito è improvviso – motivo per cui si chiama anche « attacco cardiaco » –, a differenza di altre forme di insufficienza cardiaca che sono spesso (ma non sempre) più graduali. Quando il miocardio a valle dell'ostruzione viene privato di ossigeno in genere muore nel giro di un'ora. I tessuti cardiaci così danneggiati sono persi per sempre, cosa alquanto irritante se si pensa che creature molto più semplici di noi – tipo il pesce farfalla – sono in grado di ripararli. Il motivo per cui l'evoluzione ci abbia privato di questa utile dote è l'ennesimo mistero del corpo umano.

L'arresto cardiaco si verifica quando il cuore smette di pompare del tutto, di solito per un'alterazione degli impulsi elettrici. Il cervello viene privato di ossigeno e ben presto subentra la perdita di coscienza e, in assenza di un intervento rapido, il rischio di morte. Spesso l'arresto cardiaco è causato da infarto, ma si può manifestare anche senza. La distinzione, che è importante dal punto di vista medico perché cambia il tipo di intervento, risulta un tantino oziosa per il paziente.

Tutte le forme di insufficienza cardiaca possono essere subdole e crudeli. Circa un quarto delle vittime[13] apprende per la prima (e sfortunatamente l'ultima) volta di avere un problema al cuore in occasione di infarto fatale. Non meno spaventoso è il dato secondo cui oltre la metà dei primi infarti (fatali o meno) si verifica in soggetti sani e in forma che non corrono rischi evidenti: non fumano, non bevono troppo, non sono sovrappeso, non hanno la pressione alta cronica e nemmeno il colesterolo alto, ma vengono comunque colpiti. Una vita virtuosa non garantisce di scampare ai disturbi di cuore, riduce giusto le probabilità.

A quanto pare non esistono due infarti uguali e ci sono differenze persino fra l'infarto femminile e quello maschile. Poiché le donne hanno più probabilità rispetto agli uomini di avvertire[14] dolore addominale e nausea, spesso viene fatta una diagnosi errata. Anche per questo, forse, se l'infarto sopraggiunge prima dei cinquantacinque anni hanno il doppio delle probabilità di morire rispetto agli uomini. Fra l'altro sono colpite più di quanto s'immagini. Ogni anno in Gran Bretagna 28.000 donne hanno un infarto fatale, e circa il doppio muore per cardiopatia: l'equivalente di quelle che muoiono per cancro al seno.

Poco prima di avere una tragica insufficienza cardiaca alcuni hanno una spaventosa e improvvisa premonizione di morte imminente. Il disturbo è talmente comune da avere un nome scientifico: *angor animi* o «ansia dell'animo». Per pochi fortunati (per quanto si possa esserlo in caso di evento fatale) la morte è così rapida da non provocare dolore. Una sera del 1986 mio padre andò a dormire e non si svegliò più. A quanto ne sappiamo morì senza dolore, angoscia o consapevolezza. Per motivi ignoti il popolo hmong del Sudest asiatico[15] è particolarmente soggetto alla sindrome della morte improvvisa nel sonno: il cuore smette di battere mentre dormono e, dalle autopsie, risulta quasi sempre normale e sano. La cardiomiopatia ipertrofica,[16] il disturbo che colpisce all'improvviso gli atleti sui campi da gioco, è causata dall'ispessimento innaturale (e quasi mai diagnosticato) di un ventricolo e negli Stati Uniti provoca undicimila morti inaspettate l'anno sotto i quarantacinque anni.

Il cuore ha più disturbi con un proprio nome di ogni altro organo, e sono tutti preoccupanti. Chi riesce a evitarsi l'angina di Prinzmetal, la malattia di Kawasaki, l'anomalia di Ebstein, la sindrome di Eisenmenger, la cardiomiopatia di Takotsubo e tutto il resto può ritenersi davvero fortunato.

La cardiopatia è molto diffusa, e forse non sorprenderà sapere che si tratta di un problema moderno. Fino agli anni Quaranta, infatti, le autorità sanitarie erano impegnate soprattutto a combattere malattie infettive come difterite, febbre tifoide e tubercolosi. Dopo che molte di queste furono debellate ci si accorse che era in aumento un'epidemia di malattie cardiovascolari. L'evento scatenante che pare aver allertato l'opinione pubblica[17] fu la morte di Franklin Delano Roosevelt. Il suo 300/190 di pressione all'inizio del 1945 non venne più considerato un sintomo di vigore, anzi. Quando subito dopo morì, a sessantatré anni, il mondo si rese all'improvviso conto che la cardiopatia era diventata un problema grave e diffuso, ed era ora di affrontarlo.

La conseguenza fu il famoso Framingham Heart Study, condotto nella città di Framingham, in Massachusetts. Avviato nell'autunno del 1948, lo studio reclutò cinquemila adulti del posto[18] e li seguì con attenzione per il resto della loro vita. Benché criticato perché i soggetti erano quasi tutti bianchi (lacuna poi colmata), almeno coinvolgeva le donne, cosa insolitamente lungimirante per l'epoca, specie vista la convinzione che non soffrissero granché di problemi cardiaci. L'obiettivo iniziale era stabilire i fattori che causano disturbi cardiaci ad alcuni ma non ad altri, ed è proprio grazie a questo studio che abbiamo individuato o confermato il grosso dei fattori di rischio associati a cardiopatia, cioè diabete, fumo, obesità, alimentazione carente, apatia e così via. L'espressione «fattore di rischio», anzi, pare sia stata coniata proprio a Framingham.

Il xx secolo si potrebbe a ben ragione chiamare il Secolo del cuore, perché non c'è stata un'altra branca della medicina a godere di progressi tecnologici altrettanto rapidi e rivoluzionari. In quello che è l'equivalente temporale di una singola vita siamo passati dall'essere a malapena capaci di toccare un cuore pulsante a effettuare interventi di routine. Come nel caso di tutte le operazioni complesse e rischiose, per perfezionare le tecniche e inventare le apparecchiature che le rendessero possibili ci sono voluti anni di paziente lavoro da parte di tantissime persone. Lo sconsiderato rischio personale corso da alcuni ricercatori è stato a volte davvero straordinario. Si pensi al caso di Werner Forssmann. Nel 1929 il giovane medico appena abilitato lavorava in un ospedale vicino Berlino quando decise di scoprire se si potesse avere accesso diretto al cuore tramite un catetere. Senza conoscere le eventuali conseguenze, Forssmann se ne infilò uno nell'arteria del braccio[19] e lo spinse pian piano verso la spalla e poi nel torace, fino a raggiungere il cuore che, per sua fortuna, non andò in arresto quando fu invaso da un oggetto estraneo. Consapevole di dover documentare quanto aveva appena fatto si recò in radiologia, a un altro piano dell'ospedale. La radiografia mostrò l'inquietante ombra del catetere che aveva nel cuore. La procedura avrebbe rivoluzionato la chirurgia cardiaca, ma lì per lì non fece affatto scalpore, specie perché Forssmann la descrisse in una rivista poco importante. Non fosse stato uno dei primi e più ferventi sostenitori del partito nazista e della Lega dei medici nazionalsocialisti tedeschi, responsabile dell'eliminazione degli ebrei per ottenere la purezza della razza tedesca, avrebbe di certo suscitato più benevolenza. Sebbene non si sappia per certo quanta crudeltà personale investì nell'Olocausto, resta ignobile quantomeno in senso filosofico. Dopo la guerra, anche per sfuggire alle conseguenze, Forssmann lavorò nell'anonimato come medico di famiglia in una cittadina della Foresta Nera. E sarebbe stato dimenticato se due ricercatori della Columbia University di New York, Dickinson Richards e André Cournand, il cui lavoro partiva proprio dalla sua svolta, non l'avessero rintracciato pubblicizzandone il contributo alla cardiologia. Nel 1956 i tre vinsero il Nobel per la Fisiologia o la Medicina.

Di gran lunga più nobile di Forssmann, e non meno stoico nella sopportazione del disagio fisico per amore della scienza, fu il dottor John H. Gibbon della University of Pennsylvania. All'inizio degli anni Trenta avviò la lunga e paziente costruzione di una macchina in grado di ossigenare artificialmente il sangue[20] affinché fosse possibile l'intervento a cuore aperto. Per testare la capacità di dilatarsi e contrarsi dei vasi sanguigni più profondi Gibbon si infilò nel retto un termometro e in gola una sonda gastrica in cui fece versare acqua ghiacciata per studiarne l'effetto sulla temperatura corporea interna. Dopo vent'anni di perfezionamenti e innumerevoli ed eroiche scorpacciate d'acqua, nel 1953 presentò la prima macchina cuore-polmone del mondo al Jefferson Medical College Hospital di Philadelphia e riparò un foro nel cuore – un'anomalia congenita – di una diciottenne che altrimenti sarebbe morta. Grazie a lui la ragazza visse altri trent'anni.

Purtroppo i successivi quattro pazienti morirono, e Gibbon abbandonò la macchina. A quel punto passò nelle mani di un chirurgo di Minneapolis, Walton Lillehei, che decise di perfezionare sia la tecnologia sia la procedura chirurgica e introdusse la modifica nota come circolazione crociata controllata: il paziente veniva collegato a un donatore temporaneo (in genere un parente stretto) che gli prestava il suo sangue durante l'operazione. La tecnica funzionò così bene che Lillehei fu celebrato come il padre della chirurgia a cuore aperto e godette di fama e successo economico. Negli affari privati non fu altrettanto impeccabile e nel 1973 ricevette cinque condanne per evasione fiscale e una contabilità alquanto fantasiosa. Tra le altre cose, aveva fatto passare per onere deducibile il pagamento di cento dollari a una prostituta spacciandolo per beneficenza.

L'intervento a cuore aperto, che pure permise ai chirurghi di correggere molti difetti prima inaccessibili, non poteva però risolvere il problema del battito irregolare, che richiedeva il dispositivo oggi noto a tutti come pacemaker. Nel 1958 l'ingegnere svedese Rune Elmqvist,[21] in collaborazione con il chirurgo Åke Senning del Karolinska Institutet di Stoccolma, costruì un paio di pacemaker cardiaci sperimentali sul tavolo della sua cucina. Il primo fu inserito nel petto di Arne Larsson, un paziente di quarantatré anni (anche lui ingegnere) prossimo alla morte per un'aritmia causata da infezione virale. Dopo alcune ore il dispositivo si guastò e fu inserito quello di riserva, che durò tre anni malgrado i malfunzionamenti e la necessità di ricaricare le batterie ogni poche ore. Grazie ai progressi tecnologici Larsson fu via via dotato di pacemaker nuovi e visse altri quarantatré anni. Nel 2002, quando morì a 86 anni, era arrivato al ventiseiesimo pacemaker ed era sopravvissuto sia al chirurgo Senning sia al collega ingegnere Elmqvist. Se il primo pacemaker era grande quanto un pacchetto di sigarette, quelli di oggi non superano una moneta da un euro e durano fino a dieci anni.

Il bypass coronarico, ovvero il prelievo di un tratto di vena sana dalla gamba del paziente per deviare il flusso sanguigno bypassando appunto l'arteria ostruita, fu inventato nel 1967 da René Favaloro del Cleveland Clinic in Ohio. La sua storia è tanto appassionante quanto tragica. Favaloro crebbe in Argentina in una famiglia povera di cui fu il primo a conseguire un'istruzione superiore. Una volta diventato medico lavorò dodici anni fra i poveri, e negli anni Sessanta si trasferì negli Stati Uniti per perfezionare la sua formazione. Al Cleveland Clinic era poco più di un tirocinante, ma ben presto si dimostrò abile in chirurgia cardiaca e nel 1967 inventò il bypass. La procedura era relativamente semplice eppure ingegnosa, e funzionava a meraviglia. Il suo primo paziente, così malato da non riuscire a salire una rampa di scale, guarì del tutto e visse altri trent'anni. Favaloro diventò ricco e famoso e a fine carriera tornò nella sua Argentina per costruire una clinica cardiologica universitaria, dove formare i medici e curare i pazienti bisognosi, che potessero permettersi o meno di pagare. L'impresa riuscì, ma la difficile crisi economica in cui versava il paese privò l'ospedale dei fondi necessari e, incapace di trovare una soluzione, Favaloro si uccise nel 2000.[22]

Se il grande sogno era il trapianto di cuore, in diversi paesi l'ostacolo all'apparenza insormontabile consisteva nel fatto che una persona poteva essere dichiarata morta solo quando il cuore aveva smesso di battere da un certo lasso di tempo, che però lo rendeva inutilizzabile ai fini del trapianto. Rimuovere un cuore che batteva ancora,[23] a prescindere dallo stato di decadimento generale del proprietario, equivaleva a rischiare l'accusa di omicidio. In Sudafrica, però, quella legge non c'era. Nel 1967, proprio mentre René Favaloro stava perfezionando il bypass a Cleveland, il chirurgo di Cape Town Christiaan Barnard attirò molta più attenzione trapiantando il cuore di una giovane donna morta in un incidente d'auto nel petto di Louis Washkansky, un signore di cinquantaquattro anni. L'intervento fu salutato come una svolta medica epocale, anche se Washkansky morì dopo appena diciotto giorni. Barnard ebbe più fortuna con il secondo paziente, il dentista in pensione Philip Blaiberg che sopravvisse diciannove mesi.*

Dopo le imprese di Barnard altri paesi decisero di usare la morte cerebrale come parametro alternativo di assenza di vita irreversibile e presto i trapianti di cuore vennero praticati ovunque, sebbene quasi sempre con esito scoraggiante. Il principale problema era la mancanza di un farmaco immunosoppressivo affidabile in caso di rigetto. L'azatioprina funzionava, ma non sempre. Poi nel 1969 H.P. Frey, dipendente della casa farmaceutica svizzera Sandoz, prelevò dei campioni di terreno mentre era in vacanza in Norvegia, e al suo ritorno li portò in laboratorio. Era una precisa richiesta che l'azienda faceva ai suoi dipendenti quando erano in viaggio, convinta che in quel modo si potessero scoprire potenziali antibiotici nuovi. Il campione di Frey conteneva il fungo[24] *Tolypocladium inflatum* che, pur non avendo proprietà antibiotiche, si dimostrò molto efficace nella soppressione delle risposte immunitarie, proprio ciò che serviva per rendere possibile il trapianto di organi. Sandoz convertì il sacchetto di terra di Frey, e un campione simile prelevato in seguito in Wisconsin, nel vendutissimo farmaco chiamato ciclosporina. Grazie a questo e a ulteriori progressi tecnici, all'inizio degli anni Ottanta i trapianti di cuore avevano un tasso di riuscita dell'80 per cento,[25] una conquista straordinaria in soli quindici anni. Oggi nel mondo se ne effettuano fra i quattro e i cinquemila l'anno,[26] con una media di sopravvivenza di quin-

---

* Quello di Barnard fu il primo trapianto di cuore fra umani. Il primo in assoluto mai effettuato su una persona risale al gennaio del 1964, quando il dottor James D. Hardy di Jackson, Mississippi, trapiantò un cuore di scimpanzé in un certo Boyd Rush, che morì nel giro di un'ora.

dici anni. Finora il paziente più longevo è stato il britannico John McCafferty, che ha vissuto trentatré anni con un cuore donato ed è morto nel 2016 a settantatré anni.

Per inciso, la morte cerebrale non si è rivelata semplice quanto all'inizio si pensava. Ora si sa che alcune aree periferiche del cervello possono continuare a vivere dopo che tutto il resto si è fermato. Mentre scrivo, questo argomento è al centro di un caso che dura da anni e che coinvolge una giovane americana dichiarata morta nel 2013 che però continua ad avere il ciclo mestruale, per il quale è necessario che l'ipotalamo – elemento chiave del cervello – funzioni. Per i genitori,[27] chiunque abbia anche una sola area cerebrale funzionante non può a ragione definirsi morto.

Quanto a Christiaan Barnard, l'uomo che inaugurò tutto questo, il successo gli diede alla testa. Viaggiò molto, frequentò stelle del cinema (specie Sophia Loren e Gina Lollobrigida) e, per dirla con le parole di una persona che lo conosceva bene, diventò «uno dei maggiori donnaioli al mondo». A peggiorarne la reputazione, si arricchì reclamizzando una linea di cosmetici dai poteri ringiovanenti pur sapendo, si immagina, che era una bufala. Morì d'infarto nel 2001, a settantotto anni, mentre se la spassava a Cipro, e la sua fama non fu mai più quella di prima.

Malgrado i progressi in campo scientifico, oggi abbiamo il 70 per cento di probabilità in più di morire per cardiopatia rispetto al 1900 sia perché un tempo si moriva prima per altri problemi, sia perché cent'anni fa non si passavano cinque o sei ore a sera davanti alla televisione armati di cucchiaio e vaschetta di gelato. La cardiopatia è di gran lunga il killer numero uno del mondo occidentale. Come ha scritto Michael Kinch, «ogni anno la cardiopatia uccide più o meno[28] tanti americani quanti ne uccidono cancro, influenza, polmonite e incidenti messi insieme.

141

Ogni anno un americano su tre muore di cardiopatia, e oltre un milione e mezzo ha un infarto o un ictus».

Secondo alcuni esperti, l'odierno eccesso di cure è un problema al pari dell'assenza di cure. L'angioplastica con stent e palloncino per l'angina (o dolori al petto) ne è un esempio. La procedura prevede che un palloncino venga gonfiato in un'arteria coronaria ristretta per allargarla e che uno stent, una sorta di ponteggio tubolare, sia lasciato in sito per mantenerla aperta.* In caso di emergenza è indiscutibilmente un intervento salvavita, ma si è anche rivelato una procedura elettiva molto affermata. Fino al 2000 negli Stati Uniti se ne effettuava un milione l'anno in via preventiva,[29] senza però avere le prove che salvasse davvero la vita. I risultati dei trial clinici, quando infine sono stati condotti, erano eloquenti. Secondo il *New England Journal of Medicine*, per ogni mille angioplastiche non di emergenza, in America 2 pazienti morivano sul tavolo operatorio, a 28 veniva un infarto a causa della procedura, fra i 60 e i 90 manifestavano miglioramenti «temporanei» e il resto – circa ottocento persone – non riportava né benefici né danni (a meno che per danni non si intendano il costo, la perdita di tempo e l'ansia causata dall'intervento, nel qual caso ce n'erano in abbondanza).

Eppure l'angioplastica è ancora molto diffusa. Nel 2013,

* Il termine «stent» ha una storia bizzarra. Prende il nome da Charles Thomas Stent, un dentista di Londra del XIX secolo che nulla ebbe a che fare con la cardiochirurgia. Stent inventò un composto usato per prendere le impronte dentali, che i chirurghi odontoiatri trovarono utile anche come supporto per i tessuti facciali dei soldati feriti durante la Guerra boera. Con il passare del tempo il termine fu adoperato per qualunque dispositivo usato per tenere fermi i tessuti durante la chirurgia correttiva e, in assenza di uno migliore, pian piano divenne il nome del supporto impiegato in cardiochirurgia. Per inciso, il record di stent lo detiene un signore di cinquantasei anni di New York che, secondo i *Proceedings of the Baylor University Medical Center*, ne ha avuti 67 per l'angina in dieci anni.

quando aveva sessantasette anni, l'ex presidente George W. Bush si è sottoposto alla procedura pur essendo in piena forma e non presentando segni di problemi cardiaci. Se di solito i chirurghi non criticano pubblicamente i colleghi, il dottor Steve Nissen, primario del reparto di cardiologia del Cleveland Clinic, è stato severo. «È davvero il peggio della medicina americana»[30] ha commentato. «È uno dei motivi per cui spendiamo tanto e ricaviamo poco.»

II

La quantità di sangue presente nel corpo dipende, come potrete immaginare, dalle nostre dimensioni. Un neonato ne ha appena 230 millilitri,[31] mentre un uomo adulto sui cinque litri. L'unico dato certo è che il sangue si trova ovunque. Possiamo pungerci in qualsiasi punto e lo vedremo. La nostra modesta struttura fisica è percorsa da circa 40.000 chilometri di vasi sanguigni[32] (perlopiù sotto forma di minuscoli capillari), quindi non esiste una parte del nostro corpo che sia priva dell'effetto ristoratore dell'emoglobina, la molecola che trasporta l'ossigeno.

Sappiamo tutti che il sangue ossigena le cellule – sembra anzi essere una delle poche nozioni relative al corpo unanimemente conosciute – però fa molto di più. Trasporta gli ormoni e altre sostanze chimiche vitali, smaltisce le sostanze di rifiuto, stana e uccide gli agenti patogeni, si assicura che l'ossigeno venga indirizzato alle parti del corpo che ne hanno maggior bisogno, rende manifeste le emozioni (come quando arrossiamo di imbarazzo o rabbia), contribuisce a regolare la temperatura corporea e mette in moto il complicato sistema idraulico dell'erezione maschile. È, in breve, un materiale complesso. In base a una stima, una sola goccia[33] può contenere quattromila molecole diverse. Ecco perché i medici adorano gli esami del sangue: sono pieni zeppi di informazioni.

Se si fa girare una provetta piena in una centrifuga, il sangue si divide in quattro strati: globuli rossi, globuli bianchi, piastrine e plasma. Il plasma è il più abbondante e rappresenta poco più della metà del volume complessivo. Per oltre il 90 per cento è composto d'acqua, in cui sono sospesi sali, grassi e altre sostanze chimiche. Non significa, però, che il plasma non sia importante. Tutt'altro. Gli anticorpi, i fattori della coagulazione e altri elementi si possono separare e usare in forma concentrata per curare le malattie autoimmuni o l'emofilia, che non è cosa da poco. Negli Stati Uniti la vendita del plasma[34] ammonta all'1,6 per cento delle esportazioni, più di quanto si ricavi dalla vendita degli aerei.

I globuli rossi (o eritrociti) sono i secondi per abbondanza e rappresentano il 44 per cento circa del volume totale del sangue. Sono progettati alla perfezione per svolgere un unico compito: diffondere l'ossigeno. Pur essendo minuscoli sono numerosissimi. Un cucchiaino di sangue umano ne contiene circa 25 miliardi, ciascuno dei quali ha al suo interno 250.000 molecole di emoglobina, la proteina a cui l'ossigeno si attacca facilmente. I globuli rossi sono biconcavi – cioè a forma di disco ma schiacciati al centro su entrambe le facce – il che conferisce loro la più ampia superficie possibile. Per essere efficienti al massimo hanno dovuto rinunciare a tutti i componenti di una normale cellula: DNA, RNA, mitocondri, apparati del Golgi ed enzimi di ogni sorta. Un globulo rosso è composto quasi interamente di emoglobina. Di fatto è una specie di container. Il paradosso è che, pur trasportando ossigeno alle altre cellule del corpo, i globuli rossi non lo usano. Per il loro fabbisogno energetico, infatti, usano il glucosio.

L'emoglobina ha una peculiarità strana e pericolosa:[35] all'ossigeno preferisce di gran lunga il monossido di carbonio. Se ce n'è in giro, l'emoglobina si riempie come un vagone della metropolitana nell'ora di punta, lasciando l'ossigeno sulla banchina. Ecco perché il monossido di carbonio uccide le persone (circa 430 morti fortuite all'anno negli Stati Uniti e un numero simile per suicidio).

I globuli rossi sopravvivono circa quattro mesi, una buona media vista e considerata l'esistenza frenetica che conducono, e vengono mandati in giro per il corpo[36] intorno alle 150.000 volte, percorrendo circa 160 chilometri prima di essere troppo sfiniti per continuare il viaggio. Infine vengono raccolti dai fagociti e spediti nella milza per essere riciclati. Ogni giorno ne eliminiamo sui cento miliardi, motivo principale per cui le feci sono marroni (la bilirubina, un sottoprodotto dello stesso processo, è invece responsabile della sfumatura dorata dell'urina e del giallo dei lividi scoloriti).*

I globuli bianchi (o leucociti) sono vitali per contrastare le infezioni. Sono anzi così importanti che li esamineremo nel capitolo 12, quello relativo al sistema immunitario. Per ora ci basti sapere che sono molti di meno dei fratelli rossi – settecento volte più numerosi – e non arrivano all'1 per cento del totale.

Anche le piastrine (o trombociti), l'ultimo elemento del quartetto del sangue, rappresentano meno dell'1 per cento del volume ematico. Per gli anatomisti sono state a lungo un mistero. Furono osservate per la prima volta al microscopio nel 1841 dall'anatomista britannico George Gulliver, ma rimasero senza un nome né una funzione fino al 1910, quando il primario di patologia del Massachusetts General Hospital di Boston, James

---

* Dal momento che il sangue è rosso, come mai le vene sono blu? Si tratta di un effetto ottico. Quando la luce colpisce la pelle, lo spettro rosso viene assorbito in proporzioni maggiori, mentre la luce blu viene riflessa, e quindi predomina. Il colore infatti non è una caratteristica innata di un oggetto, ma l'indicatore della luce che si rifrange da esso.

Homer Wright, ne dedusse il ruolo centrale nella coagulazione, operazione assai spinosa. Il sangue deve essere sempre pronto a coagularsi all'istante e, al tempo stesso, non deve farlo se non è necessario. In caso di sanguinamento, milioni di piastrine si ammassano intorno alla ferita insieme ad altrettante proteine che depositano la fibrina, un materiale che unito alle piastrine forma un tampone. Nel frattempo per evitare errori si attivano non meno di dodici meccanismi di sicurezza. La coagulazione non funziona nelle arterie principali perché lì il flusso sanguigno è troppo intenso e qualunque coagulo verrebbe spazzato via, il che spiega perché le emorragie vanno fermate con la pressione del laccio emostatico. Nei casi più gravi, il corpo[37] fa quanto è possibile per assicurarsi che il sangue venga indirizzato verso gli organi vitali, dirottandolo da quelli secondari tipo muscoli e tessuti superficiali. Ecco perché chi perde molto sangue sbianca ed è freddo al tocco. Le piastrine vivono appena una settimana, quindi vanno reintegrate di continuo. Negli ultimi dieci anni gli scienziati hanno capito che non si limitano a regolare la coagulazione ma svolgono un ruolo importante nell'immunoreazione[38] e nella rigenerazione dei tessuti.

Per moltissimo tempo del sangue non si è saputo niente, se non che era essenziale per la vita. In base alla teoria prevalente, che risaliva all'epoca del venerabile e spesso frainteso medico greco Galeno (129-210 circa), il sangue veniva fabbricato di continuo nel fegato e consumato dal corpo in tempo reale. Come senza dubbio ricorderete dai tempi della scuola, il medico inglese William Harvey (1578-1657) capì che non viene consumato di continuo, ma circola in un sistema chiuso. Nella sua opera di riferimento nota come *De motu cordis* (il titolo intero è *Exercitatio Anatomica de Motu Cordis et Sanguinis in Animalibus*) Harvey descrisse in maniera dettagliata il funzionamento del cuore e dell'apparato circolatorio più o meno nei termini che oggi conosciamo. Se quando andavo a scuola io la teoria veniva sempre presentata come un momento di svolta che cambiò il mondo, all'epoca di Harvey fu universalmente ridicolizzata e respinta. Quasi tutti i colleghi lo consideravano[39] « squinternato », per citare il diarista John Aubrey. Harvey fu abbandonato da diversi pazienti e trascorse gli ultimi anni della sua vita nel risentimento.

Non essendo riuscito a comprendere la respirazione, non poté spiegare la funzione del sangue né perché circolasse, due lacune piuttosto lampanti che i critici non persero tempo a additare. Fra l'altro i seguaci di Galeno credevano che il cuore contenesse due sistemi arteriosi distinti, uno in cui il sangue è rosso acceso, l'altro in cui è molto più spento. Oggi si sa che il sangue uscito dai polmoni è ricco di ossigeno, quindi di un cremisi brillante, mentre quello che vi ritorna è povero di ossigeno, quindi di colore più smorto. Il fatto che Harvey non seppe spiegare come mai il sangue che circolava[40] in un sistema chiuso potesse essere di due colori fu un motivo in più per dileggiare le sue teorie.

Il segreto della respirazione fu dedotto non molto tempo dopo la sua morte dall'inglese Richard Lower, che comprese che il sangue si scuriva nel viaggio di ritorno al cuore perché aveva ceduto l'ossigeno, o il « gas esilarante », come lo chiamava (l'ossigeno fu scoperto nel secolo successivo). Il sangue circolava, questo il suo ragionamento, per prelevare e rilasciare di continuo ossido di diazoto, un'intuizione piuttosto acuta che avrebbe dovuto renderlo celebre. Invece oggi Lower è ricordato per un altro aspetto legato al sangue. Negli anni Sessanta del Seicento fu uno degli eminenti scienziati che nutrirono interesse per la possibilità di salvare vite umane tramite le trasfusioni e fu coinvolto in una serie di esperimenti spesso raccapriccianti. Nel novembre del 1667, dinanzi a un pubblico di « persone autorevoli e intelligenti» della Royal Society di Londra e senza avere la benché minima idea delle possibili conseguenze, Lower trasferì poco meno di 250 millilitri[41] di sangue da una pecora viva al braccio dell'affabile volontario Arthur Coga. Poi lui, Coga e gli illustri astanti attesero impazienti diversi minuti per vedere cosa sarebbe successo. Niente, per fortuna. Uno dei presenti riferì che dopo Coga era «in forma e contento, ha bevuto un paio di bicchieri di malvasia e fumato la pipa».

L'esperimento fu ripetuto due settimane dopo, ancora una volta senza effetti collaterali, il che è davvero sorprendente. Di norma quando una sostanza estranea viene introdotta in quantità cospicua nel flusso sanguigno il ricevente va in shock, per cui è un vero mistero come Coga sia sfuggito a una penosa esperienza. Purtroppo l'esito incoraggiò altri scienziati europei a condurre test di trasfusione, che presero una piega sempre più creativa, per non dire surreale. Ai volontari furono iniettati latte, vino, birra e addirittura mercurio, nonché il sangue di ogni specie di animale domestico. I risultati furono fin troppo spesso decessi pubblici strazianti e imbarazzanti. Ben presto questi esperimenti vennero sospesi o vietati, e per circa un secolo e mezzo caddero in disgrazia.

E poi accadde una cosa strana. Mentre la comunità scientifica mondiale inaugurava il profluvio di scoperte e intuizioni che fu l'Illuminismo, la medicina sprofondò in una sorta di Medioevo. Difficile immaginare pratiche più incaute e controproducenti di quelle a cui si affezionarono i medici durante il XVIII e soprattutto il XIX secolo. Come ha scritto David Wootton in *Bad Medicine: Doctors Doing Harm Since Hippocrates*: «Fino al 1865 la medicina fu quasi del tutto inconcludente se non addirittura dannosa».

Si pensi alla sfortunata morte di George Washington. Nel dicembre del 1799, non molto tempo dopo la fine del secondo mandato, il primo presidente americano passò un'intera giornata a cavallo, in un clima inclemente, per ispezionare la sua piantagione di Mount Vernon in Virginia. Rincasato più tardi del previsto cenò con i vestiti bagnati e la notte gli venne mal di gola. Poi ebbe difficoltà a deglutire e faticò a respirare.

Furono chiamati tre medici che, dopo essersi consultati in tutta fretta, gli aprirono una vena del braccio e gli tolsero mezzo litro di sangue. Poiché però le condizioni di Washington peggiorarono, gli tappezzarono la gola con un cataplasma di cantaride – più nota come «mosca spagnola» – per estrarre gli umori cattivi e gli somministrarono un emetico per indurre il vomito. Quando tutto fallì, il paziente fu sottoposto a salasso altre tre volte. Nel giro di due giorni gli estrassero circa il 40 per cento del sangue totale.

«Sono duro a morire» gracchiò Washington mentre i benintenzionati medici lo dissanguavano. Non si sa con esattezza quale disturbo avesse, ma poteva benissimo essere una lieve infezione alla gola curabile con un po' di riposo. E invece il malanno e le cure lo uccisero a sessantasette anni.

Dopo la morte un altro medico propose di rianimare – anzi resuscitare – il defunto presidente sfregandogli delicatamente la pelle per stimolare il flusso sanguigno, e di infondergli sangue di agnello per reintegrare quello perso e rinvigorire il restante. La famiglia ebbe pietà di lui e decise di lasciarlo al suo eterno riposo.

A noi può sembrare sconsiderato dissanguare e tormentare chi è già gravemente malato, ma simili pratiche sono durate molto a lungo. Il salasso era ritenuto benefico non solo per curare le malattie, ma anche per instillare calma. Federico il Grande di Prussia si sottoponeva a salasso prima della battaglia per placare i nervi, e le ciotole in cui il sangue veniva raccolto erano considerate cimeli di famiglia e tramandate ai discendenti. L'importanza del salasso è testimoniata dal fatto che la celebre rivista medica inglese *The Lancet*, fondata nel 1823, prende il nome proprio dallo strumento usato per aprire le vene, cioè il bisturi o la lancetta.

Perché la pratica ebbe così lunga durata? Perché fino al XIX secolo inoltrato la maggior parte dei medici si accostava alle malattie considerandole non tanto afflizioni distinte, ciascuna delle quali richiedeva il proprio trattamento, quanto piuttosto scompensi generalizzati che interessavano l'intero corpo. Invece di somministrare un farmaco per il mal di testa e un altro, ad esempio, per l'acufene, tentavano di riportare il corpo a uno stato di equilibrio privandolo delle tossine mediante purganti, emetici e diuretici, o alleggerendo il paziente di un paio di ciotole di sangue. Aprire una vena, come disse un esperto, « raffredda e ventila il sangue »[42] permettendogli di circolare più liberamente « senza il pericolo di bruciare ».

Il flebotomo più celebre di tutti, anche noto come il « principe dei salassatori », è l'americano Benjamin Rush. Rush studiò a Edimburgo e a Londra, dove apprese l'arte della dissezione dal grande chirurgo e anatomista William Hunter, ma la convinzione che tutte le malattie scaturissero da un'unica causa – il sangue surriscaldato – la sviluppò in autonomia nel corso della sua lunga carriera in Pennsylvania. Va detto che Rush era un uomo coscienzioso e colto. Fu uno dei firmatari della Dichiarazione d'indipendenza e il più eminente medico del Nuovo Mondo dell'epoca. Eppure era anche un fanatico del salasso. Estraeva ai pazienti fino a due litri di sangue in un colpo solo e in alcuni casi ben due o tre volte al giorno. Il problema consisteva in parte nel fatto che per lui il corpo umano ne conteneva il doppio del reale quantitativo, e credeva che se ne potesse rimuovere fino all'80 per cento senza arrecare danni. Pur sbagliandosi di grosso su entrambi i fronti, non dubitò mai della correttezza del suo operato. Durante un'epidemia di febbre gialla a Philadelphia dissanguò centinaia di persone convinto di averne salvate moltissime, quando invece ebbe solo la fortuna di non riuscire a ucciderle tutte. «Ho osservato la convalescenza più rapida laddove il salasso è stato più abbondante»[43] scrisse con orgoglio alla moglie.

Ecco il problema del salasso. Finché si può affermare che chi è sopravvissuto deve ringraziare il tempestivo intervento, mentre chi è morto era già irrecuperabile, il salasso apparirà sempre come una soluzione prudente. La pratica ha conservato il suo posto fra le cure mediche fino all'epoca moderna. William Osler, autore del più autorevole manuale di medicina del XIX secolo dal titolo *The Principles and Practice of Medicine* (1893),[44] si esprime a favore del salasso in quella da noi ritenuta già pienamente era moderna.

Quanto a Rush nel 1813, all'età di sessantasette anni, fu colpito da una febbre persistente e suggerì ai suoi medici di salassarlo. Loro obbedirono. E lui morì.

L'inizio della conoscenza moderna del sangue si può forse far risalire al 1900 e all'astuta scoperta di un giovane ricercatore di medicina di Vienna. Karl Landsteiner notò che quando il sangue di persone diverse veniva mischiato a volte si agglutinava, altre volte no. Osservando quali campioni risultavano compatibili, fu in grado di suddividerli in tre gruppi, A, B e 0. Anche se tutti leggono e pronunciano[45] l'ultimo come la lettera O, Landsteiner intendeva zero, perché non si agglomerava affatto. In seguito due ricercatori del suo laboratorio ne scoprirono un quarto, che chiamarono AB, e quarant'anni dopo lo stesso Landsteiner contribuì all'individuazione del fattore Rh che sta per reso (*rhesus* in inglese), la tipologia di scimmia in cui fu trovato.* La scoperta

* Il fattore Rh è una proteina presente sulla superficie dei globuli rossi detta antigene. Chi ha l'antigene Rh (l'84 per cento di tutti noi) è Rh positivo, mentre chi non lo ha (il restante 16 per cento) è Rh negativo.

dei tipi di sangue spiegava il frequente fallimento delle trasfusioni: donatore e ricevente avevano gruppi incompatibili. Sebbene importantissima, purtroppo all'epoca quasi nessuno la prese sul serio. Passarono trent'anni prima che il contributo di Landsteiner alla medicina venisse riconosciuto con il Nobel nel 1930.

I gruppi sanguigni funzionano così: all'interno tutte le cellule ematiche sono uguali, ma all'esterno sono coperte da proteine di tipo diverso, gli antigeni, che ne determinano i gruppi. Nel complesso ne esistono quattrocento tipi,[46] ma non tutti incidono sulla trasfusione, motivo per cui abbiamo sentito parlare dei gruppi sanguigni A, B, AB e 0, ma non del Kell, del Giblett e del tipo E, per citarne alcuni fra i tanti. Chi ha il gruppo A può donare il sangue all'A o all'AB, ma non al B; chi ha il gruppo B può donarlo al B o all'AB, ma non all'A; chi ha l'AB può donarlo solo ad altri AB. Chi ha il gruppo 0 può donarlo a tutti ed è definito donatore universale. Il gruppo A ha sulla superficie l'antigene A, il gruppo B il B e il gruppo AB li ha entrambi. Se una persona di gruppo A dona il sangue a una di gruppo B, il corpo del ricevente lo considera un invasore e lo attacca. Il perché esistano i gruppi sanguigni è ignoto, ma forse non c'era ragione per cui non dovesse essere così, cioè non c'era ragione di supporre che il sangue di un individuo finisse nel corpo di un altro, quindi non occorreva evolvere meccanismi in grado di affrontare casi simili. Fra l'altro privilegiando certi antigeni si può ricavare maggiore resistenza ad alcune malattie, non senza conseguenze. Chi ha il sangue di gruppo 0, per esempio, è più resistente alla malaria ma meno al colera. Sviluppando una varietà di gruppi e diffondendoli fra le varie popolazioni la specie ne trae giovamento, ma non sempre vale lo stesso per i singoli individui.

I gruppi sanguigni hanno un altro beneficio inaspettato: stabilire la genitorialità. In un noto caso avvenuto a Chicago nel 1930 i Bamberger e i Watkins, due coppie di genitori che avevano avuto un figlio nello stesso ospedale lo stesso giorno, tornati a casa scoprirono con grande sgomento che sull'etichetta dei neonati c'era il cognome dell'altra coppia. Il dilemma era se le madri fossero state dimesse con il figlio sbagliato oppure con quello giusto dotato di etichetta sbagliata. Nelle seguenti settimane di incertezza le coppie fecero quello che di solito fanno i genitori: si innamorarono dei piccoli a loro affidati. Infine fu convocato un esperto della Northwestern University con un nome che sembrava uscito da un film dei fratelli Marx, il professor Hamilton Fishback, il quale fece a tutti e quattro l'esame del sangue, all'epoca ritenuto l'apice del progresso tecnologico. Dagli esami di Fishback emerse che i signori Watkins avevano il sangue di gruppo 0, per cui potevano generare solo figli dello stesso gruppo, mentre il neonato che avevano ricevuto era di gruppo AB. Grazie alla medicina i piccoli furono riconsegnati ai genitori giusti, non senza grandi sofferenze.

Ogni anno le trasfusioni salvano molte vite umane, ma prelevare e conservare il sangue è un'operazione costosa e addirittura rischiosa. «Il sangue è un tessuto vivo»[47] spiega il dottor Allan Doctor della Washington University di St. Louis. «È vivo quanto il cuore, i polmoni e ogni altro organo. Nell'attimo in cui viene estratto dal corpo inizia a deteriorarsi, ed è allora che cominciano i problemi.»

Io e Doctor, un signore solenne ma affabile con la barbetta bianca, ci siamo incontrati a Oxford, dove lui partecipava a un convegno della Nitric Oxide Society, un gruppo costituitosi solo nel 1996 perché prima nessuno aveva intuito che il monossido di azoto fosse un motivo sufficiente per riunirsi. La sua importanza per la biologia umana era quasi del tutto ignota. Il monossido di azoto (da non confondersi con l'ossido di diazoto, o gas esilarante) è anzi una delle nostre principali molecole segnale e riveste un ruolo centrale nel mantenimento dell'equilibrio della pressione del sangue, nella lotta alle infezioni, nell'erezione del pene e nella regolazione del flusso sanguigno, l'ambito di Doctor. La sua ambizione è produrre sangue artificiale, ma nel frattempo vorrebbe contribuire a rendere più sicuro quello vero per le trasfusioni. Per tanti di noi potrà anche risultare uno shock, eppure il sangue trasfuso può uccidere.

Il problema è che non si sa quanto a lungo rimanga efficace una volta prelevato. « Dal punto di vista legale » spiega Doctor, « negli Stati Uniti il sangue si può conservare per la trasfusione fino a quarantadue giorni, ma in realtà l'efficacia potrebbe durare appena due settimane e mezzo. Dopo nessuno sa se funzioni o meno. » La regola dei quarantadue giorni, stabilita dalla Food and Drug Administration, si basa sulla durata della circolazione di un globulo rosso. « Si è a lungo ipotizzato che se un globulo rosso è in circolo significa che è ancora funzionante, ma oggi si sa che potrebbe non essere così. »

Per consuetudine la procedura standard prevedeva che i medici reintegrassero il sangue perso in seguito a trauma. « Se si perdeva un litro e mezzo circa di sangue, se ne reintegrava altrettanto. Poi, però, sopraggiunsero l'AIDS e l'epatite C e a volte il sangue donato era contaminato, così le trasfusioni diminuirono e, con grande sorpresa di tutti, si scoprì che spesso i pazienti miglioravano di più *senza* trasfusione. »

In effetti è emerso che per un paziente può essere preferibile l'anemia rispetto al sangue altrui, specie se quel sangue era conservato da molto, come accadeva di frequente. Quando una banca del sangue riceve una richiesta, invia quasi sempre quello che ha da più tempo per smaltirlo prima che scada, quindi quasi tutti ricevono sangue vecchio. E, ancora peggio, si è scoperto che persino il sangue fresco una volta trasfuso ostacola le prestazioni di quello presente nel corpo del ricevente. Ed è qui che interviene il monossido di azoto.

Molti di noi credono che il sangue sia sempre distribuito nel corpo più o meno nello stesso modo: la quantità che abbiamo nel braccio in questo momento è quella che c'è sempre. Come invece mi ha spiegato Doctor, non è affatto così. «Quando siamo seduti non abbiamo bisogno di molto sangue nelle gambe perché i tessuti non richiedono tanto ossigeno. Se però ci alziamo di scatto e cominciamo a correre nelle gambe ci serve molto più sangue, e in fretta. Sono i globuli rossi, che usano il monossido di azoto come molecola segnale, a stabilire dove inviare il sangue via via che le esigenze del corpo cambiano. Quello trasfuso confonde il sistema di segnalazione e ne ostacola il funzionamento.»

In aggiunta, il sangue che viene immagazzinato presenta alcuni problemi pratici. Innanzitutto, poiché dev'essere refrigerato, è difficile tenerlo sui campi di battaglia o dove ci sono incidenti, un vero peccato visto che è lì che avviene il grosso delle emorragie. Ogni anno in America 20.000 persone muoiono per emorragia prima di arrivare in ospedale, e nel mondo il numero di decessi l'anno ammonta a due milioni e mezzo. Se la trasfusione fosse immediata e sicura si salverebbero molte vite. Ecco spiegato il desiderio di creare sangue artificiale.

In teoria produrre sangue artificiale sembrerebbe piuttosto semplice, visto che non dovrebbe svolgere tutti i compiti di quello vero, ma solo trasportare emoglobina. «Ma nella pratica non si è rivelato così facile» dice Doctor con un sorriso fugace, e mi spiega il problema paragonando i globuli rossi alle grosse calamite che sollevano i rottami delle auto nelle discariche. La calamita deve attaccarsi a una molecola di ossigeno nei polmoni e trasportarla alla cellula di destinazione. Per farlo deve sapere dove andare e quando liberarla, e soprattutto non deve farla cadere lungo il tragitto. È sempre stato questo il problema del sangue artificiale. Persino il migliore di tanto in tanto perde una molecola di ossigeno, rilasciando ferro nel flusso sanguigno. Il ferro è una tossina. Siccome l'apparato circolatorio ha un'attività frenetica, anche un tasso di incidenti infinitesimale cresce velocemente fino a raggiungere livelli tossici, per cui il sistema di trasporto dev'essere praticamente perfetto. In natura lo è.

Da oltre cinquant'anni[48] i ricercatori tentano di creare sangue artificiale e, malgrado i milioni di dollari spesi, non ci sono ancora riusciti. Gli intoppi, anzi, sono più dei progressi. Negli anni Novanta alcuni derivati del sangue sono approdati ai trial clinici, ma poi si è scoperto che i pazienti coinvolti avevano un numero allarmante di infarti e ictus. Visti i pessimi risultati, nel 2006 la FDA ha temporaneamente sospeso i trial e da allora diverse case farmaceutiche hanno abbandonato i tentativi di produrre sangue sintetico.

Per ora l'approccio migliore è limitare le trasfusioni. In un esperimento condotto allo Stanford Hospital in California gli specialisti sono stati invitati a ridurre le trasfusioni di globuli rossi se non quando erano assolutamente necessarie. In cinque anni sono calate di un quarto, con il conseguente risparmio di 1,6 milioni di dollari[49] e soprattutto con meno decessi, dimissioni più rapide e diminuzione di complicanze post-trattamento.

Adesso, però, Doctor e i colleghi di St. Louis pensano di aver quasi risolto il problema. «Ora abbiamo a disposizione le nanotecnologie, che prima non c'erano» dice. La sua équipe ha messo a punto un sistema che conserva l'emoglobina in gusci di polimero a forma di comuni globuli rossi, ma circa cinquanta volte più piccoli. Uno dei vantaggi è che si possono liofilizzare, permettendone la conservazione fino a due anni a temperatura

156

ambiente. Quando l'ho conosciuto, Doctor credeva che dopo tre anni avrebbero potuto essere testati sugli esseri umani, e forse adoperati dopo dieci.

Nel frattempo riflettiamo sul fatto che circa un milione di volte al secondo il nostro corpo fa cose di cui finora tutta la scienza del mondo messa insieme non è capace.

8

Il *dipartimento di chimica*

Spero che il male della pietra non ritorni e, se vuole Iddio,
venga espulso con l'urina, però consulterò il mio medico.

SAMUEL PEPYS

I

Il diabete è una malattia orribile, ma un tempo era addirittura
peggiore perché non ci si poteva fare quasi nulla. Di solito i
bambini morivano nel giro di un anno dalla diagnosi, e la morte
era penosa. L'unico modo per diminuire i livelli di zucchero nel
corpo, e prolungare di poco la vita, era ridurre i pazienti alla
fame. Un ragazzino di dodici anni tenuto a stecchetto[1] fu sorpreso a rubare il mangime dalla gabbia di un canarino. Come
tutti gli altri, morì affamato e avvilito. Non arrivava a sedici
chili.

Alla fine del 1920, in uno dei più felici e improbabili episodi
della storia del progresso scientifico, un giovane dottore non
proprio affermato di London, in Canada, lesse un articolo sul

pancreas in una rivista medica e decise di trovare la cura. Si chiamava Frederick Banting e del disturbo sapeva talmente poco che nei suoi appunti scriveva *diabetus* invece di *diabetes*. Pur non avendo alcuna esperienza di ricerca, era convinto che la sua idea meritasse un tentativo.

La sfida per chiunque si occupasse del diabete consisteva nel fatto che il pancreas umano ha due funzioni distinte. Il grosso è dedicato alla produzione e alla secrezione degli enzimi che contribuiscono alla digestione, ma contiene anche gruppi di cellule note come isole di Langerhans, scoperte nel 1868 da uno studente di Medicina di Berlino, Paul Langerhans, che ammise schiettamente di non sapere a cosa servissero. La loro funzione, produrre una sostanza chimica dapprima chiamata isletina, fu dedotta vent'anni dopo dal francese Édouard Laguesse. Oggi quella sostanza si chiama insulina.

L'insulina è una piccola proteina vitale per il mantenimento del delicatissimo equilibrio degli zuccheri nel sangue. L'eccesso o la carenza producono terribili conseguenze. Tutti noi ne consumiamo moltissima. Ogni molecola dura dai cinque ai quindici minuti, quindi la richiesta di reintegro è inarrestabile.

Anche se ai tempi di Banting il ruolo dell'insulina nel controllo del diabete era noto, non si era riusciti a separarla dai succhi gastrici. Secondo Banting – che però non aveva alcuna prova a favore – legando il dotto pancreatico per impedire ai succhi gastrici di raggiungere l'intestino, il pancreas avrebbe smesso di produrli. Malgrado non vi fossero motivi per ipotizzare che sarebbe successo, convinse il professor J.J.R. Macleod della University of Toronto a farsi assegnare un posto in laboratorio, un assistente e dei cani su cui condurre gli esperimenti.

Il suo assistente era Charles Herbert Best, americano di origini canadesi cresciuto nel Maine dove il padre era medico di famiglia. Scrupoloso e zelante, non sapeva quasi niente del diabete proprio come Banting, e ne sapeva ancora meno di metodi sperimentali. Nonostante ciò i due si misero all'opera, legarono il dotto pancreatico dei cani e, da non crederci, ottennero buoni risultati. Di fatto sbagliarono quasi tutto. Come commentò un osservatore, i loro esperimenti erano «mal concepiti, mal eseguiti[2] e mal interpretati». Eppure nel giro di qualche settimana iniziarono a produrre insulina pura.

Una volta somministrata ai diabetici, l'effetto aveva un che di miracoloso. Pazienti apatici e scheletrici, che potevano a malapena dirsi vivi, riprendevano presto vigore. Per dirla con le parole di Michael Bliss, autore del testo *The Discovery of Insulin*, era quanto di più vicino alla resurrezione che la medicina moderna avesse mai realizzato. Un altro ricercatore del laboratorio, J.B. Collip, ideò un metodo ancora più efficace per estrarre l'insulina, che ben presto fu prodotta in quantità sufficienti a salvare vite umane in tutto il mondo. «La scoperta dell'insulina»[3] dichiarò il premio Nobel Peter Medawar «si può considerare il primo, grande trionfo della medicina.»

Poteva essere una storia a lieto fine per tutti. Nel 1923 Banting ricevette il Nobel per la Fisiologia o la Medicina insieme a Macleod, il direttore del laboratorio, e ne fu inorridito. Non solo Macleod non era stato coinvolto negli esperimenti, ma all'epoca della scoperta non si trovava neppure nel paese bensì nella nativa Scozia per la consueta, lunga visita annuale. Convinto che Macleod non meritasse l'onore, Banting annunciò di voler dividere il premio in denaro con il fidato assistente Best. Collip, nel frattempo, si rifiutò di condividere con il team il suo metodo di estrazione dell'insulina migliorato e annunciò di volerlo brevettare a suo nome, facendo infuriare gli altri. Banting, che a quanto pare era di temperamento irascibile, fu allontanato da Collip in almeno un'occasione dopo averlo aggredito.

Dal canto suo Best, che non sopportava né Collip né Macleod, si rivoltò anche contro Banting. In breve finirono con l'odiarsi tutti, ma almeno il mondo aveva l'insulina.

Il diabete è di due tipi. In realtà sono due disturbi distinti con complicanze e gestione simili, ma patologie nel complesso diverse. Nel tipo 1 il corpo smette del tutto di produrre insulina, mentre nel tipo 2 l'insulina è meno efficace, in genere per via di un insieme di produzione ridotta e reazione anomala delle cellule su cui agisce. Questo problema viene detto insulino-resistenza. Il tipo 1 tende a essere ereditario, mentre il tipo 2 di solito è una conseguenza dello stile di vita. Però non è così semplice. Seppur associato a una vita poco sana, il tipo 2 può presentare una certa familiarità, suggerendo che ci sia anche una componente genetica. Allo stesso modo il tipo 1, seppur associato a difetto dei geni HLA (antigeni umani leucocitari), insorge solo in alcuni soggetti con tale anomalia, a indicare che esiste un ulteriore fattore scatenante non identificato. Molti ricercatori sospettano un nesso con l'esposizione a una serie di agenti patogeni nei primi anni di vita, altri invece ipotizzano uno scompenso[4] dei microbi intestinali o forse addirittura un legame con il livello di benessere e nutrimento nell'utero.

Quello che possiamo dire è che l'incidenza del diabete è ovunque in aumento. Fra il 1980 e il 2014, in tutto il mondo, il numero degli adulti[5] con il diabete di entrambi i tipi è schizzato da poco più di cento milioni a ben oltre quattrocento milioni. Il 90 per cento aveva il tipo 2, in rapida crescita soprattutto nei paesi in via di sviluppo che adottano le pessime abitudini occidentali di una dieta inadeguata e di uno stile di vita inattivo. Eppure si diffonde anche il tipo 1. Dal 1950 in Finlandia è aumentato del 550 per cento e continua a salire quasi ovunque a un tasso compreso fra il 3 e il 5 per cento l'anno per ragioni ignote.

Pur avendo cambiato la vita a milioni di diabetici, l'insulina non è la soluzione perfetta. Non potendola somministrare per via orale, perché verrebbe scomposta nell'intestino prima di essere assorbita e adoperata, va iniettata, procedura fastidiosa e sgradevole. In un corpo sano i livelli di insulina sono monitorati e ritoccati di secondo in secondo, mentre nei diabetici avviene solo periodicamente, a discrezione del paziente. Significa che[6] per buona parte del tempo i livelli non sono corretti, con un possibile effetto cumulativo negativo.

L'insulina è un ormone e gli ormoni sono i corrieri che recapitano i messaggi chimici nell'intera metropoli brulicante che è il nostro corpo. Sono definiti come una qualunque sostanza prodotta in una parte del corpo che agisce altrove, ma a parte questo non è facile dire cosa siano. Hanno forme e composizioni chimiche diverse, si spostano verso sedi diverse e, una volta a destinazione, hanno effetti diversi. Alcuni sono proteine, altri steroidi, altri ancora rientrano nel gruppo delle ammine. In comune hanno solo lo scopo, non la chimica, e noi li conosciamo poco e da poco tempo.

Il docente di endocrinologia di Oxford John Wass ne è innamorato. «Adoro gli ormoni»[7] dice sempre. Quando ci siamo incontrati in un bar alla fine di una lunga giornata di lavoro aveva le braccia cariche di scartoffie in disordine, ma sembrava incredibilmente riposato per uno arrivato in mattinata da ENDO 2018, il convegno della Endocrine Society che si tiene ogni anno negli Stati Uniti.

«È una follia» mi dice in tono divertito. «Fra gli ottomila e i diecimila endocrinologi accorrono da tutto il pianeta. Le riunioni cominciano alle cinque e mezzo del mattino e possono protrarsi fino alle nove di sera, quindi c'è tantissimo da assorbire e si torna» dà una scrollatina ai fogli «con *tantissimo* da leggere. È molto utile, ma una vera follia.»

Wass si batte senza tregua per una migliore comprensione degli ormoni e della loro funzione. «Quello endocrino è stato l'ultimo sistema importante a essere scoperto» spiega. «E non si finisce mai di trovare cose nuove. So di essere di parte, ma è un campo davvero affascinante.»

Nel 1958 si conoscevano solo una ventina di ormoni. Oggi sembra che nessuno sappia con esattezza quanti ne abbiamo. «Secondo me sono almeno ottanta» dice, «ma forse addirittura un centinaio. Ne scopriamo di continuo di nuovi.»

Fino a non molto tempo fa si pensava che gli ormoni fossero prodotti solo nelle ghiandole endocrine (ecco perché questa branca della medicina si chiama endocrinologia) per finire direttamente nel flusso sanguigno, a differenza delle ghiandole esocrine che secernono gli ormoni su una superficie (come quelle sudoripare della pelle o le salivari della bocca). Le principali ghiandole endocrine – tiroide, paratiroidi, ipofisi, pineale, ipotalamo, timo, testicoli (negli uomini), ovaie (nelle donne) e pancreas – sono sparpagliate in tutto il corpo ma lavorano a stretto contatto. Pur essendo minuscole e pesando insieme pochi grammi, rispetto alle modeste dimensioni hanno un'importanza spropositata per la felicità e il benessere di tutti.

L'ipofisi (o ghiandola pituitaria) si trova ben nascosta nel cervello subito dietro gli occhi. Nonostante sia grande quanto un fagiolo i suoi effetti possono essere letteralmente enormi. Robert Wadlow di Alton, Illinois, l'essere umano più alto di sempre, aveva un disturbo che lo faceva crescere senza sosta a causa della sovrapproduzione dell'ormone della crescita. Dall'animo schivo e allegro, superava il padre (un uomo di statura media) già a otto anni, raggiunse i due metri e dieci a dodici anni e quasi due metri e mezzo quando si diplomò nel 1936, tutto per colpa dell'iperaffaticamento chimico del fagiolo al centro del cranio. Non smise mai di crescere e arrivò quasi a due metri e ottanta. Pur non essendo grasso pesava sui 230 chili e portava scarpe numero 78. Dopo i vent'anni iniziò a far fatica a camminare e per aiutarsi indossò dei tutori alle gambe, il cui sfregamento gli causò una grave infezione che degenerò in setticemia e lo uccise nel sonno il 15 luglio 1940. Aveva appena ventidue anni ed era alto due metri e settantadue centimetri. In vita era stato molto amato e nella sua città viene ricordato ancora oggi.

Trovo ironico che un corpo così grande fosse il frutto del malfunzionamento di una ghiandola minuscola. L'ipofisi è spesso chiamata ghiandola master perché controlla tantissime cose. Produce (o regola la produzione di): ormone della crescita, cortisolo, estrogeno e testosterone, ossitocina, adrenalina e molto altro. In caso di attività fisica intensa rilascia nel flusso sanguigno le endorfine, le stesse sostanze chimiche sprigionate quando si mangia o si fa sesso, il cui effetto è simile a quello degli oppiacei. Ecco perché si parla di sballo del corridore. Non c'è quasi nessun ambito della vita in cui l'ipofisi non intervenga, eppure le sue funzioni sono state comprese solo nel XX secolo inoltrato.

La moderna endocrinologia ha avuto un inizio piuttosto accidentato anche grazie alle imprese entusiastiche ma malaccorte di un uomo altrimenti brillante di nome Charles Edouard Brown-Séquard (1817-1894). Brown-Séquard era un cittadino del mondo. Nato nell'isola di Mauritius nell'Oceano Indiano – il che fa di lui sia un mauriziano sia un britannico, dato che all'epoca Mauritius era una colonia –, era di madre francese e padre americano. Quindi poté vantare fin dal primo vagito ben quattro nazionalità. Non conobbe mai il padre, che era comandante di una nave e sparì in mare prima della sua nascita. Brown-Séquard crebbe in Francia dove studiò per diventare medico, poi girò l'Europa e l'America fermandosi di rado a lungo. In appena venticinque anni attraversò l'Atlantico ben sessanta volte – in un'epoca in cui anche un solo viaggio simile nell'arco di una vita era eccezionale – svolgendo una serie di incarichi, alcuni dei quali di spicco, in Gran Bretagna, Francia, Svizzera e Stati Uniti. Nello stesso periodo scrisse nove libri e oltre cinquecento articoli, diresse tre riviste, insegnò a Harvard, all'università di Ginevra e alla facoltà di medicina di Parigi, tenne numerose conferenze e diventò un'autorità in materia di epilessia, neurologia, rigor mortis e secrezioni ghiandolari. Fu però un esperimento che condusse a Parigi nel 1889, alla veneranda età di settantadue anni, ad assicurargli una fama duratura e per certi versi risibile.

Dopo aver tritato i testicoli di alcuni animali domestici (i più citati sono cani e maiali, ma a quanto pare non esistono due fonti che concordino sui preferiti), Brown-Séquard si iniettò l'estratto e riferì di sentirsi eccitato come un quarantenne. In realtà le sensazioni che provava erano solo psicologiche. I testicoli dei mammiferi contengono pochissimo testosterone, che viene inviato nel corpo non appena è prodotto, e in ogni caso ne fabbricano in quantità molto ridotte. Se mai Brown-Séquard lo assimilò, era giusto un'ombra. Pur sbagliandosi su tutta la linea a proposito degli effetti ringiovanenti del testosterone, aveva invece ragione a ritenerlo una sostanza potente, a tal punto che oggi quello sintetizzato è trattato da stupefacente.

L'entusiasmo per il testosterone minò gravemente la sua credibilità scientifica, e comunque morì poco dopo, ma ironia vuole che il suo impegno incoraggiò altri a osservare con più attenzione e sistematicità i processi chimici che controllano la nostra vita. Nel 1905, a dieci anni di distanza dalla morte di Brown-Séquard, il fisiologo britannico E.H. Starling coniò il termine *ormone*[8] (su consiglio di uno studioso di classici di Cambridge; il termine deriva dalla parola greca che significa «mettere in moto»), anche se la branca non decollò fino al decennio seguente. La prima rivista dedicata all'endocrinologia fu fondata solo nel 1917, e l'espressione generica che riunisce le ghiandole endocrine, cioè sistema endocrino, fu coniata addirittura nel 1927 dallo scienziato britannico J.B.S. Haldane.

Si può dire che il vero padre dell'endocrinologia visse una generazione prima di Brown-Séquard. Thomas Addison (1793-1860) faceva parte di un terzetto di eminenti medici noti come «i grandi tre», che lavoravano al Guy's Hospital di Londra negli anni Trenta dell'Ottocento. Gli altri due erano Richard Bright, che scoprì il morbo di Bright (nefrite), e Thomas Hodgkin, specializzato in disturbi del sistema linfatico, che ha dato il nome ai linfomi di Hodgkin e non Hodgkin. Dei tre Addison era forse il più geniale, e di certo il più produttivo. È l'autore del primo resoconto accurato dell'appendicite ed era un'autorità in materia di anemia. A lui sono dedicati almeno cinque gravi disturbi, il più famoso era (e resta) il morbo di Addison, una patologia degenerativa delle ghiandole surrenali da lui descritta nel 1855, il che ne fece il primo disturbo ormonale mai individuato. Malgrado la fama, Addison era soggetto a periodi di depressione e nel 1860 si ritirò a Brighton e si tolse la vita.

Il morbo di Addison è una malattia rara ma ancora molto grave e colpisce circa una persona su diecimila. Il paziente più famoso della storia[9] è John F. Kennedy, a cui fu diagnosticato nel 1947, anche se lui e la famiglia lo negarono sempre con enfasi e disonestà. Fu fortunato a sopravvivere perché all'epoca, prima dell'introduzione dei glucocorticoidi, un tipo di steroide, l'80 per cento dei pazienti moriva nel giro di un anno dalla diagnosi.

Quando l'ho incontrato, John Wass era molto preoccupato per il morbo di Addison. «Può essere davvero penoso perché i sintomi – soprattutto perdita di appetito e di peso – sono spesso fraintesi» mi ha detto. «Non molto tempo fa mi è capitato il caso di una ventitreenne adorabile con un futuro assai promettente, morta perché il medico credeva che soffrisse di anoressia e l'ha mandata da uno psichiatra. Il morbo di Addison nasce da uno scompenso di cortisolo, l'ormone dello stress che regola la pressione del sangue. La tragedia è che ristabilendone i livelli, il paziente può riprendersi in mezz'ora. Lei non sarebbe dovuta morire. Buona parte di ciò che faccio è formare i medici di famiglia affinché non trascurino i disturbi ormonali comuni, che fin troppo spesso non vengono riconosciuti. »

Nel 1995 l'endocrinologia fu scossa da un vero e proprio terremoto quando il genetista della Rockefeller University di New York Jeffrey Friedman scoprì un ormone che non si pensava potesse esistere. Lo chiamò leptina (dal greco « sottile »). Notò che veniva prodotto non nelle ghiandole endocrine, ma nelle cellule adipose. Fu una scoperta sensazionale. Fino ad allora, infatti, nessuno aveva sospettato che gli ormoni potessero essere prodotti al di fuori delle apposite ghiandole. Oggi invece si sa che vengono prodotti nello stomaco, nei polmoni, nei reni, nel pancreas, nel cervello, nelle ossa, insomma, ovunque.

La leptina suscitò fin da subito un enorme interesse non solo per questa sua particolarità, ma soprattutto per la funzione che svolge: regola l'appetito. Controllandola, quindi, sarebbe forse stato possibile controllare il peso corporeo. In alcuni studi condotti sui ratti gli scienziati scoprirono che alterando i livelli di leptina riuscivano a far ingrassare o dimagrire gli animali a loro piacimento. C'erano tutti i presupposti per un farmaco prodigioso.

Furono subito avviati trial clinici sugli esseri umani, con grandi aspettative. I volontari con problemi di peso fecero iniezioni quotidiane per un anno, ma alla fine dello studio nulla era cambiato. Gli effetti della leptina non si rivelarono semplici come sperato. A quasi un quarto di secolo dalla scoperta, il funzionamento di questo ormone è ancora un mistero e siamo lontani dal poterlo usare come aiuto nel controllo del peso.

Il cuore del problema è che il nostro corpo si è evoluto per far fronte alla carenza di cibo, non all'eccesso. La leptina, quindi, non è programmata per fermarci quando mangiamo. Nessuna sostanza chimica del corpo lo è. Ecco perché non riusciamo a smettere di farlo. Siamo abituati a divorare il cibo con avidità ogni volta che possiamo in base all'assunto che l'abbondanza è occasionale. Anzi, in assenza di leptina non facciamo che mangiare, perché il nostro corpo percepisce di essere affamato. In circostanze normali, invece, se viene aggiunta alla dieta non produce alcuna differenza percepibile sull'appetito. In sostanza, comunica al cervello se abbiamo o meno sufficienti riserve di energia per svolgere compiti relativamente gravosi tipo restare incinta o affrontare la pubertà. Se gli ormoni pensano che il corpo muoia di fame, quei processi non hanno la possibilità di iniziare. Ecco perché i ragazzi che soffrono di anoressia hanno spesso un notevole ritardo della pubertà. «È quasi certamente il motivo per cui oggi la pubertà comincia anni prima rispetto al passato» dice Wass. «Se all'epoca di Enrico VIII iniziava a sedici o diciassette anni, oggi inizia a undici, forse grazie alla migliore alimentazione.»

A complicare ulteriormente le cose, le funzioni corporee non sono quasi mai influenzate da un singolo ormone. Quattro anni dopo la scoperta della leptina gli scienziati individuarono un altro ormone coinvolto nella regolazione dell'appetito. La grelina (detta anche ghrelina, dove le prime tre lettere stanno per «growth-hormone related», ovvero affine all'ormone della crescita) è prodotta sia nello stomaco sia in altri organi. Quando abbiamo fame i livelli di grelina aumentano, ma non si sa se sia questo a provocare la fame o se si limiti ad accompagnarla. L'appetito è influenzato anche da tiroide, fattori genetici e culturali, umore, accessibilità (difficile resistere a una ciotola di arachidi sul tavolo), forza di volontà, ora del giorno, stagione e tanto altro. Nessuno ha ancora capito come infilare tutto questo in una pillola.

Fra l'altro, dato che la maggior parte degli ormoni ha più funzioni, individuarne la composizione chimica è complesso e interferire è rischioso. La grelina, ad esempio, non è coinvolta solo nella fame, ma contribuisce a controllare i livelli di insulina e il rilascio dell'ormone della crescita. Alterare una funzione potrebbe perciò compromettere le altre.

La varietà di compiti regolatori svolti da un qualunque ormone può essere davvero ampia. L'ossitocina, per citarne uno, genera i sentimenti di attaccamento e affetto – è spesso chiamata «l'ormone dell'amore» –, ma è anche coinvolta nel riconoscimento dei volti, nella stimolazione delle contrazioni uterine durante il parto, nell'interpretazione dell'umore degli altri e nell'avvio della produzione del latte materno. Il perché abbia accumulato così tante specializzazioni resta un mistero. Il suo ruolo nei legami affettivi è il più intrigante e il meno compreso. Somministrata alle femmine di ratto le induce a costruire nidi e a coccolare neonati non loro. Eppure nei test[10] in cui è stata somministrata agli esseri umani ha avuto un effetto scarso o nullo. In alcuni casi, anzi, ha reso i volontari più aggressivi e meno disposti a collaborare. Gli ormoni, quindi, sono molecole complesse. Alcuni, come l'ossitocina, sono anche neurotrasmettitori, cioè molecole segnale del sistema nervoso. In breve, fanno tanto ma ben poco di semplice.

Forse nessuno ha compreso[11] l'infinita complessità degli ormoni meglio del biochimico tedesco Adolf Butenandt (1903-1995). Nato a Bremerhaven, studiò Fisica, Biologia e Chimica alle università di Marburgo e Gottinga, e trovò persino il tempo di compiere imprese più gagliarde. Era un appassionato di scherma, che praticava senza protezioni, come pare fosse l'elegante ma poco prudente consuetudine dell'epoca fra i giovani tedeschi, e che gli costò una cicatrice frastagliata sulla guancia sinistra di cui andava molto fiero. La sua passione era la biologia – sia animale sia umana –, specie gli ormoni, che separò e sintetizzò con infinita pazienza. Nel 1931 riunì un'ingente quantità di urina donata dalla polizia di Gottinga – secondo alcune fonti 15.000 litri, secondo altre 25.000, senz'altro più di quella con cui quasi tutti vorrebbero aver a che fare – da cui distillò quindici milligrammi di androsterone. In imprese altrettanto tenaci distillò svariati altri ormoni. Per isolare il progesterone, ad esempio, ebbe bisogno delle ovaie di 50.000 scrofe, mentre per i primi feromoni – gli ormoni dell'attrazione sessuale – furono necessarie le gonadi di 500.000 bachi da seta giapponesi.

Grazie a questo suo interesse fuori dal comune è giunto a delle scoperte che hanno reso possibile la produzione di ogni sorta di prodotto, dagli steroidi sintetici per uso medico alla pillola contraccettiva. Nel 1939, ad appena trentasei anni, vinse il Nobel per la Chimica, ma gli fu impedito di accettarlo. Adolf Hitler lo vietò dopo che quello per la Pace fu assegnato a un ebreo (lo ricevette solo nel 1949, senza però la somma di denaro: secondo le volontà di Alfred Nobel, infatti, se il premio non viene ritirato entro un anno decade).

Per molto tempo gli endocrinologi hanno creduto che il testosterone fosse un ormone solo maschile e l'estrogeno solo femminile, invece sia uomini che donne producono e usano entrambi. Negli uomini il testosterone è prodotto soprattutto dai testicoli e in parte minore dalle ghiandole surrenali, e svolge tre funzioni: lo rende fertile, gli conferisce attributi virili tipo una voce profonda e il bisogno di radersi, e ne influenza profondamente il comportamento donandogli non solo lo stimolo sessuale, ma anche il piacere per il rischio e l'aggressività. Nelle donne è prodotto metà dalle ovaie e metà dalle ghiandole surrenali, ma in quantità assai inferiori, e alimenta la libido lasciando per fortuna intatto il buonsenso.

Un ambito in cui il testosterone non sembra affatto favorire gli uomini è la longevità. Se la durata della vita è determinata da molti fattori, è un dato di fatto che gli uomini castrati vivono più o meno quanto le donne. Non si sa in che modo il testosterone accorci la vita maschile.[12] I livelli diminuiscono circa dell'1 per cento all'anno a cominciare dai quarant'anni, inducendo molti ad assumere integratori nella speranza di dare una spinta allo stimolo sessuale e ai livelli di energia. Le prove a sostegno del fatto che potenzino effettivamente prestazioni e virilità sono nel migliore dei casi esili; molto più numerose[13] sono invece quelle secondo cui possono aumentare il rischio di infarto e ictus.

II

Come già detto non tutte le ghiandole sono minuscole (giusto per chiarire, una ghiandola è un qualunque organo del corpo che secerne sostanze chimiche). Lo è anche il fegato che, rispetto alle altre, è enorme. Quello di un adulto pesa circa un chilo e mezzo (più o meno quanto il cervello) e riempie gran parte del centro del torace subito sotto il diaframma. Nei neonati è esageratamente grande, motivo per cui hanno un bel pancino rotondo.

Il fegato è anche l'organo con le funzioni più varie del corpo, così vitali che la cessata attività causa la morte nel giro di poche ore. Tra le altre cose fabbrica ormoni, proteine e il succo gastrico noto come bile. Filtra le tossine, elimina i globuli rossi che non funzionano più, immagazzina e assorbe le vitamine, converte grassi e proteine in carboidrati e controlla il glucosio, un processo talmente essenziale che se rallenta anche solo per pochi minuti può causare la disfunzione dell'organo e persino danni cerebrali (per la precisione converte il glucosio in glicogeno, una sostanza chimica più compatta, un po' come avvolgere bene gli alimenti nella pellicola per far entrare più cose in freezer; quando occorre energia il fegato riconverte il glicogeno in glucosio e lo rilascia nel flusso sanguigno). Nel complesso partecipa a circa cinquecento processi metabolici. È il laboratorio del corpo. In questo momento un quarto del nostro sangue si trova lì.

La caratteristica forse più prodigiosa del fegato è la sua capacità di rigenerarsi. Se ne possono rimuovere due terzi, e lui in poche settimane ritornerà alle dimensioni normali. «Non è bello a vedersi» mi ha detto il professor Hans Clevers, un genetista olandese. «Rispetto all'originale sembra un po' malconcio e abbozzato, però funziona abbastanza bene. Il processo è un mistero. Non sappiamo come faccia a crescere fino a tornare alle giuste dimensioni per poi fermarsi, ma per la fortuna di alcuni di noi lo fa.»

Tuttavia non ha una resilienza infinita. È soggetto a oltre cento disturbi, alcuni molto gravi. Quasi tutti pensano che siano causati dal consumo eccessivo di alcol, ma in realtà l'alcol è coinvolto in appena un terzo delle malattie croniche del fegato. La steatoepatite non alcolica (o fegato grasso)[14] è una patologia ancora sconosciuta per molti di noi, eppure è più diffusa della cirrosi e di gran lunga più sconcertante. Pur essendo associata a sovrappeso e obesità, molti pazienti sono in forma e magri. Il perché non si sa. Nel complesso si pensa che un terzo di tutti noi ce l'abbia allo stadio iniziale, ma per fortuna in molti non progredisce. Per la sfortunata minoranza, invece, la steatoepatite non alcolica si traduce in insufficienza epatica o altre malattie gravi. Anche in questo caso il perché alcuni ne siano colpiti duramente e altri la facciano franca è un mistero. L'aspetto forse più spaventoso è che in genere è asintomatica finché il danno non è fatto. Persino più allarmante è che comincia a essere riscontrata nei bambini, cosa mai successa in passato. Negli Stati Uniti viene colpito circa il 10,7 per cento di bambini e adolescenti e a livello mondiale il 7,6 per cento.

Un altro rischio di cui tanti non sono del tutto consapevoli è l'epatite C. Secondo i Centri per la prevenzione e il controllo delle malattie (CDC), in America una persona su trenta nata fra il 1945 e il 1965 – per un totale di due milioni – ha l'epatite C senza saperlo (chi è nato in quel periodo è più a rischio per via delle trasfusioni di sangue contaminato e dello scambio di aghi fra tossicodipendenti). L'epatite C può sopravvivere per quarant'anni o più, divorando il fegato all'insaputa della vittima. I CDC calcolano che se si riuscisse a individuare e a curare tutti, solo in America si potrebbero salvare 120.000 vite umane.

Si è a lungo pensato che il fegato fosse la sede del coraggio, da cui il detto « avere fegato », ed era anche considerato la fonte di due dei quattro umori, la bile nera e la bile gialla, rispettivamente responsabili di malinconia e collera, quindi causa di tristezza e rabbia (gli altri due erano sangue e flemma). Secondo tali teorie, gli umori erano liquidi che circolavano nel corpo provvedendo all'equilibrio generale. Per duemila anni questa convinzione è stata usata per spiegare salute, aspetto, gusti, indole, insomma tutto. In tale contesto l'umore non ha niente a che fare con lo stato d'animo, ma deriva dal termine latino che significa « umido ».

Accanto al fegato ci sono altri due organi, il pancreas e la milza, spesso appaiati perché vivono fianco a fianco e hanno dimensioni simili pur essendo piuttosto diversi. Il pancreas è una ghiandola, la milza no. Il pancreas è essenziale per la vita, la milza è sacrificabile. Il pancreas ha un aspetto gelatinoso, è lungo una quindicina di centimetri, è a forma di banana ed è nascosto dietro lo stomaco nella parte alta dell'addome. Oltre all'insulina produce il glucagone, un ormone coinvolto nella regolazione degli zuccheri presenti nel sangue, e gli enzimi tripsina, lipasi e amilasi, che contribuiscono a digerire il colesterolo e i grassi. Nel complesso secerne oltre un litro di succo pancreatico al giorno, una quantità davvero prodigiosa per un organo così piccolo. Se cucinato, il pancreas di un animale viene detto animella (*sweetbread* in inglese, documentato per la prima volta nel 1565, anche se non se ne conosce l'origine visto che non è dolce e non ha niente a che fare con il pane; la parola «pancreas» non compare fino alla fine del decennio seguente, quindi fra i due *sweetbread* è il termine inglese più antico).

La milza è grossa più o meno come un pugno, pesa sui 220 grammi e si trova piuttosto in alto sul lato sinistro dell'addome. Svolge l'importante funzione di monitorare le condizioni delle cellule ematiche e di inviare i globuli bianchi a combattere le infezioni. Funge da riserva di sangue per i muscoli in caso di improvvisa necessità, e aiuta il sistema immunitario. Quando si dice che qualcuno è splenetico, o bilioso, si intende che è rabbioso e collerico. Gli studenti di medicina di lingua inglese imparano a ricordare le principali caratteristiche della milza contando i numeri dispari da uno a undici. Questo perché misura 1x3x5 pollici, pesa 7 libbre e si trova fra la nona e l'undicesima costola, anche se tutte tranne le ultime due sono solo misure medie.

Subito sotto il fegato, e a esso associata, c'è la colecisti (o cistifellea o vescica biliare). È un organo bizzarro perché molti animali lo hanno, molti altri no. Ad esempio non tutte le giraffe ne sono dotate. Quella degli esseri umani immagazzina la bile del fegato e la manda all'intestino. Le reazioni chimiche possono andar storte per una serie di ragioni e causare i calcoli biliari, un disturbo comune che un tempo si diceva colpisse soprattutto le donne «grasse, bionde, fertili e quarantenni» secondo una formula assai nota, ma a quanto mi dicono del tutto infondata, usata dai medici. Almeno un quarto degli adulti li ha senza saperlo. Solo di tanto in tanto uno ostruisce i dotti biliari causando dolore addominale.

Se oggi l'intervento per rimuovere i calcoli è di routine, un tempo il disturbo era spesso pericolosissimo. Fino alla fine del XIX secolo i chirurghi non osavano incidere la parte alta dell'addome per paura di danneggiare gli organi vitali e le arterie. Uno dei primi a tentare l'intervento sulla colecisti fu il grande ed eccentrico chirurgo americano William Halsted (la cui storia straordinaria è raccontata in modo più approfondito nel capitolo 21). Nel 1882, quando era ancora un giovane medico, effettuò una delle prime rimozioni chirurgiche della cistifellea sulla madre, sul tavolo della cucina della casa di famiglia nel nord dello stato di New York. A rendere l'operazione ancora più incredibile era il fatto che all'epoca non si sapeva se si potesse sopravvivere senza quell'organo. Chissà se la signora Halsted ne era al corrente mentre il figlio le premeva un fazzoletto imbevuto di cloroformio sul viso. A ogni modo lei si riprese a meraviglia, mentre per un'assurda ironia della sorte il pioniere Halsted morì quarant'anni dopo in seguito allo stesso intervento, quando era ormai di routine.

L'operazione di Halsted sulla madre ricordava la procedura condotta alcuni anni prima dal chirurgo tedesco Gustav Simon, che rimosse un rene malato a una paziente senza sapere bene cosa sarebbe successo e scoprì con immenso piacere – di certo condiviso dalla paziente – che non sarebbe morta. Fu la conferma che gli esseri umani possono sopravvivere con un solo rene. Il perché ce ne siano due resta ancora un mistero. Ovviamente è magnifico averne uno di scorta, ma siccome non è così per cuore, fegato o cervello, il motivo per cui abbiamo un rene in più è un felice enigma.

I reni sono i muli del corpo. Ogni giorno trasformano circa 180 litri[15] d'acqua – il contenuto di una vasca da bagno piena fino all'orlo – e un chilo e mezzo di sale. Per la mole di lavoro che svolgono sono incredibilmente piccoli, pesano appena 140 grammi ciascuno. Non si trovano nella parte bassa della schiena, come tutti pensano, ma più in alto, appena sotto la gabbia toracica. Il destro è sempre più basso per la pressione esercitata dal fegato, che è asimmetrico. La loro funzione principale è il filtraggio delle sostanze di rifiuto, ma contribuiscono anche alla regolazione delle reazioni chimiche del sangue, al mantenimento della pressione sanguigna, al metabolismo della vitamina D e all'equilibrio vitale fra i livelli di sale e acqua. Se mangiamo troppo sale i reni filtrano dal sangue quello in eccesso e lo mandano alla vescica per espellerlo con l'urina. Se ne mangiamo troppo poco lo recuperano dall'urina prima che lasci il corpo. Il problema è che se chiediamo loro di filtrare troppo in un arco di tempo troppo lungo si stancano e smettono di funzionare bene. Quando diventano meno efficienti, i livelli di sodio nel sangue aumentano facendo schizzare la pressione alle stelle.

I reni vengono compromessi dall'invecchiamento più della maggior parte degli organi. Fra i quaranta e i settant'anni la capacità di filtraggio diminuisce del 50 per cento circa e i calcoli diventano più frequenti, come pure altre malattie pericolose. Dal 1990 negli Stati Uniti il tasso di mortalità per malattia renale cronica è salito del 70 per cento, in alcuni paesi in via di sviluppo persino di più. La principale causa dell'insufficienza renale è il diabete, e obesità e ipertensione sono importanti fattori di rischio.

Come dicevo, quello che i reni non restituiscono al corpo tramite il flusso sanguigno lo inviano alla seconda e più conosciuta delle nostre vesciche, quella urinaria, per lo smaltimento. Ciascun rene è collegato alla vescica da un canale chiamato uretere. A differenza degli altri organi appena visti, la vescica non produce ormoni (o almeno finora non ne sono stati scoperti) né partecipa alle reazioni chimiche del corpo, però possiede una certa venerabilità. Il termine inglese *bladder* è uno dei più antichi relativi al corpo, risale all'Alto Medioevo e precede sia *kidney* (rene) sia *urine* (urina) di oltre seicento anni (la maggior parte delle parole dell'inglese antico mutò il suono *d* intermedio nel più morbido *th*, così che *feder* diventò *feather* e *fader* diventò *father*, mentre chissà perché *bladder* ha resistito all'attrazione gravitazionale dell'uso comune ed è rimasta fedele alla pronuncia originaria per oltre mille anni, cosa che solo poche parti del corpo possono vantare).

La vescica è una sorta di palloncino, progettata per gonfiarsi via via che si riempie (in un uomo di statura media ha una capienza di circa mezzo litro, in una donna di molto meno). Invecchiando perde elasticità[16] e non riesce a espandersi come prima, che è in parte il motivo per cui gli anziani sono spesso in cerca di un bagno, come scrive Sherwin Nuland in *Come moriamo*. Fino a non molto tempo fa si pensava che l'urina e la vescica fossero sterili. Di tanto in tanto alcuni batteri vi si intrufolavano causando infezioni del tratto urinario, ma non vivevano lì in modo permanente. È per questo che quando nel 2008 fu inaugurato il Progetto microbioma umano, con l'intento di stanare e catalogare tutti i microbi presenti nel corpo, la vescica venne esclusa dall'indagine. Ora si sa che anche il mondo dell'urina è, almeno in parte, microbico,[17] sebbene non in maniera eccessiva.

Una sventurata caratteristica che la vescica ha in comune con la colecisti e i reni è la tendenza a formare i calcoli, palline indurite di calcio e sali. Per secoli i calcoli hanno afflitto chi ne soffriva a livelli oggi quasi inimmaginabili. Dato che era molto difficile trattarli, spesso chi ne era colpito li lasciava crescere fino a raggiungere dimensioni prodigiose prima di accettare la necessità – e l'altissimo rischio – di ricorrere alla chirurgia. L'estrazione era orribile, un mix di dolore, pericolo e mortificazione indescrivibili in un unico umiliante intervento. I pazienti venivano calmati, per quanto possibile, con infusi di oppiacei e mandragora (o mandragola), sistemati su un tavolo a pancia in su, piegati in due con le ginocchia legate al torace e le

177

braccia legate al tavolo. Di solito quattro uomini forzuti li tenevano fermi mentre il chirurgo frugava in cerca dei calcoli. Non sorprende che chi eseguiva la procedura fosse famoso soprattutto per la velocità.

Forse la più nota litotomia, o rimozione dei calcoli, della storia[18] è quella subita dal diarista Samuel Pepys nel 1658, quando aveva venticinque anni, ovvero due prima che cominciasse il suo diario. Non possediamo dunque un resoconto di prima mano dell'esperienza, ma la citò spesso e in toni vividi (ne parla fin dai primi scritti) e visse nel palese terrore di doversi nuovamente sottoporre al tremendo intervento.

Non è difficile capire il perché. Il calcolo di Pepys era grande quanto una pallina da tennis (una del XVII secolo, un po' più piccola di quelle moderne, benché la distinzione risulterebbe un tantino oziosa a chiunque ne avesse uno simile). Mentre lo trattenevano in quattro, il chirurgo Thomas Hollyer gli inserì nel pene e su nella vescica uno strumento chiamato conduttore per tenere fermo il calcolo. Poi prese un bisturi e con rapidità e perizia – ma non senza causare un dolore lancinante – praticò un'incisione di sette centimetri e mezzo nel perineo (la zona fra lo scroto e l'ano). Allargata l'apertura, tagliò con delicatezza la vescica esposta e tremolante, infilò una pinza a becco d'anatra, afferrò il calcolo e lo estrasse. In tutto l'intervento durò appena cinquanta secondi, ma Pepys rimase a letto per settimane e traumatizzato per sempre.*

L'intervento gli costò 24 scellini, però furono soldi ben spesi.

---

* Il problema di Pepys è spesso confuso con i calcoli renali. Purtroppo ho commesso anch'io lo stesso errore nel mio libro *Breve storia della vita privata*. Pepys ebbe anche diversi calcoli renali – espulsi con regolarità per tutta la vita – ma il dottor Hollyer (scritto anche Hollier) non sarebbe riuscito a estrarne uno così grande dai reni senza ucciderlo. L'esperienza è raccontata per intero, e in modo memorabile, nell'apprezzata biografia di Claire Tomalin dal titolo *Samuel Pepys: The Unequalled Self*.

Hollyer era famoso non solo per la velocità, ma anche perché di solito i suoi pazienti sopravvivevano. In un anno eseguì quaranta litotomie senza perdere nessuno, un risultato davvero straordinario. Non sempre i medici in passato erano pericolosi e incompetenti come a volte pensiamo. Avranno anche ignorato l'antisepsi, ma ai migliori non mancavano né abilità né intelligenza.

Dal canto suo, Pepys ricordò l'anniversario[19] della sua sopravvivenza per alcuni anni con preghiere e una cena speciale. Conservò il calcolo in una scatola laccata e per il resto della vita non perse occasione di mostrarlo a chiunque fosse disposto ad ammirarlo. E chi potrebbe biasimarlo?

9
Nella sala anatomica: lo scheletro

«Cielo, prendi la mia anima,
e tu, Inghilterra, conserva le mie ossa!»
WILLIAM SHAKESPEARE, *Re Giovanni*

I

L'impressione più forte che si ha in una sala anatomica è che il corpo umano non sia un capolavoro di ingegneria di precisione. È carne. Non somiglia affatto ai modelli didattici sistemati l'uno accanto all'altro sugli scaffali che corrono lungo il perimetro della sala. Quelli sono colorati e lucidi come giocattoli. Un corpo vero in sala anatomica non ricorda per niente un giocattolo. È solo carne spenta, tendini e organi senza vita, privi di colore. È un po' avvilente accorgersi come l'unica carne che in genere vediamo sia quella degli animali che ci accingiamo a cucinare. Quella di un braccio umano, una volta rimossa la pelle, somiglia moltissimo al pollo o al tacchino. Si capisce che è umana solo quando si nota che termina con una mano, dita e unghie. Ed è allora che si rischia di sentirsi male.

«Tocca qui» mi sta dicendo il dottor Ben Ollivere.[1] Ci troviamo nella sala anatomica della facoltà di Medicina della University of Nottingham, in Inghilterra, e lui mi sta mostrando un tubo isolato nella parte alta del torace di un corpo maschile. È stato inciso a scopo dimostrativo e Ben mi dice di infilarci il dito e toccarlo. Malgrado il guanto lo sento duro come pasta cruda, come un cannellone vuoto. Non ho idea di cosa sia.

«L'aorta» spiega lui con un certo orgoglio.

Io resto stupito. «Quindi quello è il cuore?» chiedo indicando la massa informe che le sta accanto.

Ben annuisce. «E il fegato, il pancreas, i reni e la milza» aggiunge indicando gli altri organi dell'addome, a volte scansandone uno per esporre quello vicino o sottostante. Non sono fissi e duri come nei modelli anatomici di plastica, si spostano con facilità. Ricordano vagamente palloncini pieni d'acqua. E c'è molto altro: vasi sanguigni, nervi, tendini e metri di intestino, il tutto all'apparenza messo alla rinfusa come se quella povera, anonima ex persona avesse dovuto infilarselo dentro in fretta e furia. Impossibile immaginare come una qualunque di quelle parti disordinate potesse svolgere le funzioni che permettevano a quel corpo inerte di sedersi, pensare, ridere e vivere.

«La morte è inconfondibile» mi dice Ben. «I vivi sembrano vivi, dentro addirittura più che fuori. Quando apri un corpo in sala operatoria, gli organi pulsano e luccicano. Sono chiaramente cose viventi. Nella morte perdono tutto questo.»

Ben è un vecchio amico nonché un illustre accademico e chirurgo. È professore associato di chirurgia d'urgenza della University of Nottingham e primario di chirurgia del Queen's Medical Centre cittadino. Non c'è nulla del corpo umano che non lo affascini. Ci muoviamo veloci intorno alla salma mentre lui cerca di raccontarmi ciò per cui nutre interesse, cioè tutto.

«Pensa solo a quanto fanno mano e polso» dice. Tira con delicatezza un tendine dell'avambraccio del cadavere vicino al

181

gomito e, con mia grande sorpresa, il mignolo si muove. Ben sorride e mi spiega come nello spazio ristretto della mano ci siano così tante cose che buona parte del lavoro è svolta da remoto, tipo i fili che muovono le marionette. «Se stringi il pugno la tensione la senti nell'avambraccio, perché sono i muscoli del braccio a fare il grosso.»

Con il guanto blu ruota il polso del cadavere, quasi volesse esaminarlo. «Il polso è stupendo» prosegue. «Anche se dentro ci passa di tutto – muscoli, nervi, vasi sanguigni – dev'essere al tempo stesso molto mobile. Pensa a tutte le cose che sa fare: svitare il coperchio del barattolo della marmellata, salutare, girare la chiave nella serratura, cambiare una lampadina. È una magnifica opera di ingegneria.»

Ben si occupa di ortopedia, per cui adora ossa, tendini e cartilagini – l'infrastruttura vivente del corpo – proprio come altri adorano auto costose o vini pregiati. «Vedi questo?» dice picchiettando una piccola escrescenza liscia e bianchissima alla base del pollice, che io prendo per un ossicino. «No, è cartilagine» mi corregge. «Anche la cartilagine è stupenda. È di gran lunga più liscia del vetro: ha un coefficiente di attrito cinque volte inferiore al ghiaccio. Immagina una partita di hockey su una superficie talmente liscia che permette ai pattinatori di andare sedici volte più veloce. La cartilagine è così. A differenza del ghiaccio, però, non è fragile. Non si crepa sotto la pressione. E la produciamo noi. È una cosa vivente. L'ingegneria e la scienza non l'hanno mai eguagliata. Il grosso della migliore tecnologia al mondo è dentro di noi. E viene data quasi del tutto per scontata.»

Prima di procedere, indugia ancora un po'. «A proposito, non tentare mai di ucciderti tagliandoti i polsi» dice. «Il contenuto è avvolto in una fascia protettiva detta guaina, che rende difficile arrivare alle arterie. La maggior parte di quelli che cercano di uccidersi così non ci riesce, ed è senza dubbio un bene.»

Lo vedo assorto. «È anche difficile uccidersi saltando da una certa altezza» aggiunge. «Le gambe tendono ad assorbire l'urto e a deformarsi. Il danno può essere gravissimo, ma ci sono buone probabilità di sopravvivere. Uccidersi non è semplice. Siamo progettati per evitarlo.»

È alquanto ironico detto in uno stanzone pieno di cadaveri, ma ne capisco il senso.

Di solito la sala anatomica di Nottingham è piena di studenti di Medicina, ma Ben Ollivere me la mostra durante la pausa estiva. Di tanto in tanto ci raggiungono Siobhan Loughna, ricercatrice di anatomia, e Margaret «Margy» Pratten, direttrice del dipartimento di Anatomia e professore associato.

La sala anatomica è grande, ben illuminata, pulitissima e piuttosto fredda, con una dozzina di postazioni di lavoro disposte tutt'intorno. Nell'aria è sospeso l'odore del liquido per l'imbalsamazione, che sa di unguento. «L'abbiamo appena cambiato» mi spiega Siobhan. «Conserva meglio, ma l'odore è un po' più pungente. È composto soprattutto da formaldeide e alcol.»

La maggior parte dei corpi è tagliata a pezzi – o sezionata, per usare il termine tecnico – affinché gli studenti possano concentrarsi su una zona particolare: gamba, spalla o collo. Arrivano una cinquantina di corpi all'anno. Chiedo a Margy se sia difficile reperirli. «No, anzi» risponde. «Ce ne donano più di quanti riusciamo ad accettarne. Alcuni dobbiamo rifiutarli, se per esempio hanno la malattia di Creutzfeldt-Jakob, che può essere infettiva, o se sono obesi patologici.» Maneggiare corpi troppo grandi può essere difficile.

A Nottingham esiste una politica informale in base a cui si può conservare solo un terzo di un corpo sezionato, aggiunge Margy. Questo può essere tenuto lì anche per anni. «Il resto viene restituito alla famiglia per il funerale.» I corpi interi, invece, sono conservati per non più di tre anni, poi vengono cremati. Spesso personale e studenti partecipano alla funzione. Lei cerca sempre di andarci.

Sembra strano dirlo a proposito di corpi squartati con cura e affidati agli studenti affinché eseguano ulteriori tagli e indagini, però qui ci tengono a trattarli con rispetto. Non tutte le istituzioni sono altrettanto rigorose. Poco dopo quella visita, in America c'è stato un piccolo scandalo:[2] un assistente e alcuni specializzandi della University of Connecticut di New Haven si sono fatti un selfie con due teste recise nella sala anatomica. In Gran Bretagna le foto sono vietate. A Nottingham persino i telefonini.

«Erano persone con sogni, speranze, famiglie e tutto ciò che ci rende umani. Hanno donato il proprio corpo per aiutare gli altri, un gesto incredibilmente nobile, e noi facciamo di tutto per non dimenticarcene mai» mi ha detto Margy.

La medicina ha impiegato moltissimo tempo a mostrare interesse per ciò che si trova dentro di noi e per come funziona. Fino al Rinascimento la dissezione era proibita, e quando venne tollerata non furono in tanti a praticarla volentieri. Alcuni animi intrepidi – il più famoso dei quali è Leonardo da Vinci – aprivano i cadaveri per amore del sapere, ma persino lui ha scritto nei suoi appunti che un corpo in decomposizione è alquanto disgustoso.

Reperire la materia prima era quasi sempre difficile. Il grande anatomista Andrea Vesalio,[3] ancora giovane e in cerca di resti umani da studiare, rubò il corpo di un assassino da una forca fuori dalla sua città, Lovanio (Louvain in francese), nelle Fiandre a est di Bruxelles. In Inghilterra William Harvey, alla disperata ricerca[4] di corpi, dissezionò il padre e la sorella. E l'anatomista italiano Gabriele Falloppio (da cui prendono il nome le tube di Falloppio) ottenne addirittura un criminale ancora vivo con l'istruzione di ucciderlo come meglio credeva. Di comune accordo, i due[5] optarono per una relativamente umana overdose di oppiacei.

In Gran Bretagna gli impiccati per omicidio erano distribuiti alle scuole di Medicina locali per la dissezione, ma i corpi non bastavano mai. Per questo motivo nacque un alacre traffico illecito di cadaveri trafugati nei cimiteri. Molti vivevano nel terrore che dopo la morte il loro corpo venisse diseppellito e violato. Un noto caso fu quello del famoso gigante irlandese Charles Byrne (1761-1783). Con i suoi due metri e trenta, Byrne era l'uomo più alto d'Europa, e il suo scheletro era molto ambito dall'anatomista e collezionista John Hunter. Terrorizzato all'idea di essere sezionato, Byrne fece in modo che alla morte la bara venisse portata in mare e gettata al largo, ma Hunter corruppe il comandante con cui Byrne si era accordato e il corpo fu recapitato nella sua residenza a Earl's Court, Londra, e dissezionato ancora caldo. Le lunghe ossa di Byrne sono rimaste appese per decenni in una teca dell'Hunterian Museum del londinese Royal College of Surgeons. Nel 2018 il museo è stato chiuso per un restauro di tre anni e si è parlato di seppellire Byrne in mare secondo le sue ultime volontà.

Via via che le scuole di Medicina proliferarono, il problema si aggravò. Nel 1831 Londra aveva novecento studenti che si contendevano appena undici corpi. L'anno dopo il parlamento approvò l'Anatomy Act, una legge che inaspriva le pene per chi depredava le tombe e consentiva agli istituti di pretendere il cadavere di chiunque morisse povero nei ricoveri, scontentando molti ma incrementando in maniera considerevole l'offerta di corpi.

L'avvento della dissezione accademica coincise con il miglioramento degli standard dei manuali di medicina e anatomia. L'opera più autorevole dell'epoca – ancora oggi ineguagliata – è *Anatomy: Descriptive and Surgical* pubblicata nel 1858 a Londra e da allora conosciuta come *Gray's Anatomy*, dall'autore Henry Gray.

Henry Gray, giovane e brillante assistente di anatomia del St. George's Hospital di Londra (l'edificio in Hyde Park Corner c'è ancora, ma adesso è un albergo di lusso), decise di realizzare una guida anatomica definitiva e moderna, che cominciò nel 1856, quando non aveva ancora trent'anni. Per le illustrazioni incaricò lo studente di Medicina del St. George's, Henry Vandyke Carter, per una somma di 150 sterline da pagare nell'arco di quindici mesi. Carter era molto timido, ma assai dotato. Tutte le illustrazioni dovevano essere disegnate[6] al contrario per poi essere stampate nel verso giusto, il che fu senza dubbio un'impresa inimmaginabile. Carter realizzò non solo i 363 disegni, ma anche quasi tutte le dissezioni preparatorie. In confronto agli altri manuali anatomici quello di Gray, per dirla con le parole di un biografo, «li eclissava tutti sia per la meticolosità dei dettagli, sia per l'enfasi posta sull'anatomia chirurgica, e forse soprattutto per le magnifiche illustrazioni».

Come collaboratore, Gray si rivelò piuttosto meschino. Non si sa se abbia mai pagato a Carter tutto quello che gli doveva, o almeno una parte. Di certo non condivise mai le royalty. Impose agli stampatori di ridurre il carattere del nome di Carter sul frontespizio e di cancellare il riferimento alla sua qualifica medica per farlo apparire come mero illustratore. Sulla costola c'era solo il suo nome, motivo per cui il volume è conosciuto come *Gray's Anatomy* e non *Gray's and Carter's* come avrebbe dovuto.

Il manuale fu un successo immediato, ma Gray non ebbe il tempo di goderselo. Morì di vaiolo nel 1861, tre anni dopo la pubblicazione, a soli trentaquattro anni. A Carter andò meglio. Nell'anno dell'uscita del libro si trasferì in India, dove diventò docente di anatomia e fisiologia (e in seguito preside) del Grant

Medical College. Trascorse lì trent'anni prima di ritirarsi a Scarborough, sulla costa dello Yorkshire settentrionale, dove morì di tubercolosi nel 1897 a due settimane dal suo sessantaseiesimo compleanno.

II

All'architettura del nostro corpo chiediamo moltissimo. Lo scheletro dev'essere al tempo stesso rigido e duttile. Dobbiamo poter stare fermi, ma anche chinarci e girarci. «Siamo sia flosci sia rigidi», come dice Ben Ollivere. Le ginocchia devono bloccarsi quando stiamo in piedi, sbloccarsi subito dopo e piegarsi fino a 140 gradi per permetterci di sederci, inginocchiarci e spostarci, il tutto con una certa grazia e fluidità, giorno dopo giorno per decenni. Se pensate a quanto sono goffi e innaturali quasi tutti i robot esistenti – alla fatica con cui camminano, a come si inclinano sulle scale o sul terreno accidentato, a quanto si disorienterebbero se cercassero di stare al passo con un bimbo di tre anni in un parco giochi – apprezzerete la creazione raffinata che siamo.

Benché di solito si dica che il corpo umano ha 206 ossa, il numero può variare da individuo a individuo. Una persona su otto ha un tredicesimo paio di costole in più, mentre spesso a chi ha la sindrome di Down ne manca uno. Quindi per molti 206 è un numero approssimativo, e non comprende i (di solito) piccoli ossi sesamoidi sparsi ovunque nei tendini, specie di mani e piedi (sesamoide significa «simile a seme di sesamo», descrizione in genere accurata, ma non sempre, perché anche la rotula o patella è un osso sesamoide, eppure non somiglia affatto a un seme di sesamo).

Le ossa, inoltre, non sono equamente distribuite. Solo nei piedi ne abbiamo 52, il doppio di quelle della spina dorsale.

Mani e piedi insieme ne hanno oltre la metà del totale. Il fatto che in alcuni punti ci siano molte ossa, però, può non dipendere sempre da una necessità reale, ma essere un'eredità evolutiva.

Le ossa non si limitano a impedirci di afflosciarci. Oltre a fornire sostegno proteggono le interiora, producono le cellule ematiche, immagazzinano le sostanze chimiche, trasmettono i suoni (all'orecchio medio) ed è anche possibile che rafforzino la memoria e tengano alto il morale grazie all'osteocalcina, un ormone di recente scoperta. Fino ai primi anni Duemila non si sapeva che producessero ormoni, poi il genetista del Columbia University Medical Center, Gerard Karsenty, ha capito che l'osteocalcina prodotta nelle ossa non è solo un ormone, ma sembra coinvolta in diverse e importanti attività di regolazione fra cui la gestione dei livelli di glucosio, l'incremento della fertilità maschile, l'influsso sull'umore e il funzionamento della memoria. A parte il resto, potrebbe contribuire a spiegare l'antico mistero di come una regolare attività fisica aiuti a ritardare l'Alzheimer:[7] l'esercizio rafforza le ossa, e ossa più forti producono più osteocalcina.

Il 70 per cento circa di un osso è materiale inorganico, mentre il 30 per cento è organico. L'elemento fondamentale è il collagene, la proteina più abbondante del corpo – il 40 per cento di tutte le nostre proteine – che è assai versatile. Crea il bianco degli occhi, ma anche il trasparente della cornea nonché le fibre muscolari, che si comportano da vere e proprie funi, forti se tese, cedevoli se rilasciate, il che è ottimo per i muscoli, ma non altrettanto per i denti. Quando serve una rigidità permanente, quindi, il collagene si unisce spesso a un minerale chiamato idrossiapatite, che si rinforza se compresso permettendo al corpo di creare strutture belle solide come le ossa e i denti.

Di solito consideriamo le ossa pezzi inerti di un'impalcatura, invece sono anch'esse tessuti viventi. Con l'attività fisica e l'uso crescono proprio come i muscoli. «L'osso del braccio con cui un tennista professionista batte può essere fino al 30 per cento più grosso dell'altro» mi ha detto Margy Pratten citando come esempio Rafael Nadal. Viste al microscopio le ossa si presentano con una serie intricata di cellule attive come in ogni altra cosa vivente. E sono progettate per essere fortissime e leggere al tempo stesso.

«Un osso è più resistente del cemento armato» dice Ben, «eppure abbastanza leggero da permetterci di saltare.» Nel loro insieme le ossa pesano sui nove chili, ma la maggior parte può sopportare una compressione pari a una tonnellata. «L'osso è anche l'unico tessuto del corpo su cui quasi non restano cicatrici» aggiunge Ben. «Una frattura guarita praticamente non si vede. Non ci sono benefici pratici, l'osso vuole solo essere perfetto.» Ancora più sorprendente è che può ricrescere e colmare i vuoti. «Se da una gamba si rimuovono trenta centimetri di osso, con l'aiuto di ausili esterni questo ricresce» mi dice. «Nel nostro corpo non c'è nient'altro che sia in grado di fare una cosa simile.» Le ossa, in sostanza, sono incredibilmente dinamiche.

Ovviamente lo scheletro è solo una parte dell'infrastruttura vitale che ci rende eretti e mobili. Servono anche molti muscoli e un accorto assortimento di tendini, legamenti e cartilagini. Senza dubbio tanti di noi non sanno cosa facciano né quale sia la differenza tra loro. Ecco a voi, quindi, un breve ragguaglio.

Tendini e legamenti sono tessuti connettivi. I tendini collegano i muscoli alle ossa, i legamenti un osso all'altro. I tendini sono elastici, i legamenti meno. In sostanza i tendini sono estensioni dei muscoli. Vederne uno è semplice: stringete il pugno con il palmo della mano rivolto verso l'alto e noterete che sul polso si forma un rilievo. Quello è il tendine.

I tendini sono robusti e di solito occorre molta forza per lacerarli, però avendo poco apporto sanguigno impiegano tanto a guarire. Ci riescono comunque meglio della cartilagine, che non avendo alcun apporto sanguigno è quasi priva della capacità di guarire.

Il grosso del corpo, a prescindere dalle dimensioni, è tuttavia costituito dai muscoli. Ne abbiamo oltre seicento e anche se li notiamo solo quando ci fanno male, sono al nostro costante servizio in un migliaio di modi a noi ignoti, per esempio quando arricciamo le labbra, sbattiamo le palpebre, spostiamo il cibo nel tratto digerente. Solo per alzarvi occorre il lavoro di un centinaio di muscoli,[8] di una dozzina per spostare gli occhi sulle parole che state leggendo e il più semplice movimento della mano – uno spasmo del pollice – può coinvolgerne fino a dieci. Molti, come la lingua e il cuore, non li consideriamo neppure muscoli. Gli anatomisti li catalogano in base alla funzione: i flessori chiudono le articolazioni, gli estensori le aprono, gli elevatori alzano e i depressori abbassano, gli abduttori allontanano e gli adduttori avvicinano, gli sfinteri restringono.

Nel complesso un uomo magro è formato da un 40 per cento circa di muscoli, una donna da un po' meno, e solo per mantenerli come sono consumiamo fino al 40 per cento della nostra dotazione d'energia a riposo, e parecchio di più quando siamo attivi. Essendo così dispendiosi, quando non li usiamo sacrifichiamo in fretta la loro massa. Studi della NASA hanno mostrato[9] che persino in missioni brevi – dai cinque agli undici giorni – gli astronauti perdono fino al 20 per cento di massa muscolare (e densità ossea).

Muscoli, ossa, tendini e così via lavorano insieme in un'abile e magnifica coreografia. Non c'è esempio migliore delle mani. In ciascuna abbiamo 29 ossa, 17 muscoli (più altri 18 nell'avambraccio, che però controllano la mano), due arterie principali, tre importanti nervi (uno dei quali, l'ulnare, è quello che sentiamo quando urtiamo la parte subito sopra il gomito), altri 45 nervi e 123 legamenti con un proprio nome, e tutti devono coordinare ogni azione con precisione ed eleganza. Secondo il grande chirurgo e anatomista scozzese del XIX secolo Sir Charles Bell,[10] la mano è la più perfetta creazione del corpo, addirittura superiore all'occhio. Intitolò il suo testo *The Hand: Its Mechanism and Vital Endowments as Evincing Design*, suggerendo che fosse la prova stessa della creazione divina.

La mano è senza dubbio una creazione meravigliosa, ma non tutte le sue parti sono uguali. Se chiudiamo le dita in un pugno e poi tentiamo di estenderle una alla volta, le prime due obbediscono mentre l'anulare non sembra volerlo fare. Siccome la sua posizione non gli permette di contribuire granché ai movimenti di precisione ha una muscolatura meno raffinata. Stranamente nella mano non tutti possediamo gli stessi componenti. Il 14 per cento della popolazione non ha il muscolo palmare lungo, che contribuisce a tenere il palmo teso. Di rado manca agli sportivi professionisti, che hanno bisogno di una presa forte, ma altrimenti è abbastanza superfluo. Le estremità tendinee del muscolo sono anzi così poco usate che di frequente vengono prelevate dai chirurghi in caso di innesto.

Si dice spesso che abbiamo i pollici opponibili (possono cioè toccare le altre dita conferendoci una buona presa) neanche fosse un attributo esclusivamente umano, mentre li ha la maggior parte dei primati, solo che i nostri sono più duttili e mobili. In più abbiamo[11] tre muscoletti dai nomi splendidi che nessun altro animale ha, nemmeno gli scimpanzé, ovvero l'estensore breve, il flessore lungo del pollice e il primo interosseo palmare.* Insieme ci permettono di afferrare e maneggiare gli attrezzi

* Il primo interosso palmare è stato identificato da Jakob Henle (1809-1885), anatomista tedesco assai industrioso e stranamente sconosciuto. Tra le sue scoperte, le ghiandole che si trovano nell'occhio, l'ampolla uterina, il legamento che si trova nell'addome, le anse dei nefroni.

con sicurezza e precisione. Anche se non li avete mai sentiti nominare, questi tre muscoletti sono il cuore della civiltà umana. Senza, la nostra massima conquista come specie potrebbe essere stanare le formiche dai formicai con un bastone.

«Il pollice non è soltanto più corto e tozzo delle altre dita» mi ha detto Ben. «È attaccato diversamente. Non lo nota quasi nessuno ma è laterale, con l'unghia rivolta in una direzione differente rispetto alle altre dita. Sulla tastiera del computer battiamo i tasti con i polpastrelli, ma con il lato del pollice. È questo che si intende per 'pollice opponibile'. Significa che siamo bravissimi ad afferrare. Fra l'altro il pollice ruota bene – compie un arco piuttosto ampio – rispetto alle altre dita.»

Malgrado la loro importanza, siamo stati davvero pigri nel dare un nome alle dita. Chiedete in giro quante dita abbiamo e la maggior parte delle persone risponderà dieci. Chiedete qual è il primo dito e quasi tutti allungheranno l'indice ignorando il pollice e relegandolo a uno status separato. A questo punto chiedete il nome del dito successivo e la risposta sarà il medio, che può chiamarsi così solo se sta in mezzo alle dita, quindi se le dita sono cinque e non quattro. Persino i dizionari non riescono a decidere se abbiamo otto o dieci dita. La maggior parte definisce il dito «una delle cinque parti terminali della mano, o una delle quattro escluso il pollice». Vista l'incertezza neppure i medici le numerano, non sapendo quale sia effettivamente il primo.

Buona parte di quanto sappiamo[12] sulla relativa forza della mano e del polso deriva dagli improbabili esperimenti condotti dal medico francese Pierre Barbet negli anni Trenta. Chirurgo dell'Hôpital Saint-Joseph de Paris, Barbet era ossessionato dalle sfide e dalle limitazioni fisiche della crocifissione umana. Per testare il metodo migliore per crocefiggere qualcuno, inchiodò cadaveri veri a croci di legno usando chiodi di tipi diversi piantati in vari punti di mani e polsi. Scoprì così che quelli conficcati nel palmo – la pratica tradizionalmente ritratta nei dipinti – non erano in grado di sostenere il peso del corpo e le mani si laceravano. Se invece i chiodi venivano conficcati nei polsi il corpo restava in posizione per un tempo indefinito, a riprova che sono molto più robusti delle mani. Ed è così che pian piano avanza il sapere umano.

Gli altri avamposti dalla spropositata quantità di ossa, cioè i piedi, sono molto meno elogiati e considerati quando si parla di ciò che ci rende speciali, pur essendo a loro volta meravigliosi. Il piede deve fare tre cose: assorbire i traumi, sostenere e sospingere. Con ogni passo – nell'arco di una vita ne facciamo sui duecento milioni – si eseguono tutte e tre le funzioni in quest'ordine. La forma ricurva, simile a un arco romano, è davvero forte e al tempo stesso duttile, e conferisce a ogni passo un rimbalzo molleggiato. La combinazione di arco ed elasticità dota il piede di un meccanismo di contraccolpo che contribuisce a rendere la camminata ritmica, dinamica ed efficiente rispetto ai movimenti più goffi delle scimmie. In media un individuo[13] percorre 103 centimetri al secondo, o 120 passi al minuto, anche se il dato varia moltissimo a seconda di età, peso, fretta e molto altro.

I piedi hanno così tante ossa perché sono stati progettati per afferrare. E non sono invece stati progettati per sostenere molto peso, motivo per cui alla fine di una lunga giornata passata in piedi o in movimento fanno male. Come scrive Jeremy Taylor nel suo *Body by Darwin*, gli struzzi hanno eliminato il problema[14] fondendo le ossa di zampa e caviglia, ma loro hanno avuto 250 milioni di anni per adattarsi alla camminata eretta, noi circa quaranta volte di meno.

Tutti i corpi sono un compromesso tra forza e mobilità. Quanto più è voluminoso un animale, tanto più massicce saranno le sue ossa. Un elefante ha perciò il 13 per cento di ossa, mentre a un toporagno ne basta il 4. Gli esseri umani sono una via di mezzo, con l'8,5 per cento. Se avessimo un'impalcatura più forte non potremmo essere così agili. Il prezzo da pagare per poter correre e scattare è, per tanti, avere mal di schiena e dolore alle ginocchia più in là nella vita, o neanche tanto più in là. La pressione sulla spina dorsale esercitata dalla posizione eretta è tale che i cambiamenti patologici si possono individuare fin «dal diciottesimo anno»,[15] come osservò Peter Medawar.

Ovviamente il problema è che proveniamo da una lunga discendenza di esseri il cui scheletro era progettato per distribuire il peso su quattro zampe. Poiché esamineremo i vantaggi e le conseguenze di questo imponente cambiamento anatomico nel capitolo seguente, per ora basti ricordare che il passaggio alla postura eretta ha implicato la redistribuzione del peso, con il conseguente dolore di cui altrimenti non avremmo sofferto. Nei moderni esseri umani l'esempio più spiacevole ed evidente è la schiena. La postura eretta ha sottoposto a maggiore pressione i dischi di cartilagine che sostengono e ammortizzano la spina dorsale, e questi a volte si spostano o si deformano causando la nota ernia del disco. Ne soffre tra l'1 e il 3 per cento degli adulti. Il mal di schiena è il più diffuso dei disturbi cronici via via che invecchiamo. Circa il 60 per cento degli adulti[16] prima o poi ha preso almeno una settimana di malattia per colpa del mal di schiena.

Assai vulnerabili sono anche le articolazioni degli arti inferiori. Ogni anno negli Stati Uniti i chirurghi eseguono oltre ottocentomila sostituzioni articolari,[17] soprattutto di anche e ginocchia, e soprattutto per il logorio della cartilagine di cui sono rivestite. La durata della cartilagine ha dell'incredibile, specie perché non si ripara né si rigenera. Se pensate alle paia di scarpe che avete indossato in vita vostra comincerete ad apprezzarla.

Poiché la cartilagine non è alimentata dal sangue, la cosa migliore che si possa fare perché duri a lungo è camminare molto affinché resti immersa nel suo liquido sinoviale. La cosa peggiore, invece, è accumulare peso. Provate ad andarvene in giro tutto il giorno con due palle da bowling legate alla cintura e in serata ve le sentirete nelle anche e nelle ginocchia. Di fatto è quanto già fate tutto il giorno ogni giorno se avete fra gli undici e i tredici chili in più. Non stupisce che prima o poi tanti di noi debbano sottoporsi alla chirurgia correttiva.

Per un bel numero di persone gli elementi più problematici della infrastruttura sono le anche, che si consumano perché svolgono due funzioni incompatibili: fornire mobilità agli arti inferiori e sostenere il peso del corpo. In tal modo si esercita una notevole pressione d'attrito sulla cartilagine sia della testa del femore sia della cavità articolare in cui essa si inserisce. Invece di ruotare in maniera fluida, le due ossa possono sfregare una contro l'altra come pestello e mortaio causando dolore. Negli anni Cinquanta la medicina non poteva fare granché per risolvere il problema. Le complicanze dell'intervento erano tali che la procedura consueta consisteva nella « fusione » dell'anca, con il risultato di alleviare il dolore ma condannare il paziente ad avere una gamba irrigidita.

Fra l'altro il sollievo era sempre di breve durata perché i materiali sintetici usati si consumavano in fretta e le ossa riprendevano a sfregare tra loro. In certi casi, quando si camminava, le plastiche adoperate per sostituire l'anca cigolavano talmente tanto da suscitare imbarazzo. E poi l'ostinato chirurgo ortopedico di Manchester John Charnley si dedicò eroicamente alla ricerca di materiali e nuovi metodi in grado di risolvere il problema. In sostanza Charnley capì che il logorio si riduceva molto se il femore veniva sostituito da una testa d'acciaio inossidabile e la cavità articolare – detta acetabolo – veniva rivestita di plastica. Fuori dalla cerchia dell'ortopedia (che lo venera) quasi nessuno ha mai sentito parlare di Charnley,[18] ma in pochi hanno donato un sollievo così grande a così tante persone come ha fatto lui.

Le ossa perdono massa a un ritmo dell'1 per cento circa all'anno dalla tarda mezza età in poi. Ecco spiegato perché anziani e fratture vanno purtroppo a braccetto. Particolarmente problematica è la frattura dell'anca. Il 40 per cento di chi se la rompe dopo i settantacinque anni non è più in grado di badare a se stesso. Per tanti è una sorta di ultima goccia. Il 10 per cento muore nel giro di un mese e quasi il 30 nel giro di un anno. Come amava scherzare il chirurgo e anatomista britannico Sir Astley Cooper: «Veniamo al mondo attraverso il bacino e ce ne andiamo attraverso l'anca».

Per fortuna esagerava. Tre quarti degli uomini e metà delle donne[19] non si rompono nessun osso durante la vecchiaia, e tre quarti di persone vivono senza alcun problema grave alle ginocchia, quindi non va poi così male. Come presto vedremo, però, se si pensa ai milioni di anni di rischi e sacrifici passati dai nostri progenitori affinché noi potessimo starcene comodamente eretti, non abbiamo granché di cui lamentarci.

10

In moto: la postura eretta e l'esercizio fisico

All'esercizio fisico andrebbero dedicate
non meno di due ore al giorno a prescindere dal clima.
Se il corpo è debole, la mente non potrà essere forte.

THOMAS JEFFERSON

Nessuno sa perché camminiamo. Delle circa 250 specie di primati, siamo gli unici ad aver scelto di raddrizzarci per andarcene in giro su due sole gambe. Secondo alcuni esperti la postura eretta è una caratteristica specifica degli esseri umani, importante almeno quanto il nostro super cervello.

Sul perché i nostri avi abbandonarono gli alberi e adottarono la postura eretta sono state avanzate numerose teorie – per avere le mani libere con cui portare i piccoli e gli oggetti; per avere una visuale migliore in campo aperto; per poter lanciare meglio i proiettili – ma l'unica certezza è che camminare su due gambe ci è costato un prezzo altissimo. Spostarsi così rese i nostri antichi predecessori molto vulnerabili dal momento che non erano creature imponenti, per usare un eufemismo. Lucy, giovane e gracile australopiteco che visse nell'attuale Etiopia 3,2 milioni di anni fa, spesso usata come esempio di prima postura eretta, era alta poco più di un metro e pesava appena trenta chili, statura tutt'altro che in grado di intimidire un leone o un ghepardo.

È probabile che Lucy e la sua tribù fossero costretti a correre il rischio di uscire allo scoperto. Quando il cambiamento climatico ridusse le foreste, che erano i loro habitat, ebbero bisogno di allontanarsi sempre di più per cercare il cibo, ma senza dubbio quando potevano tornavano sugli alberi. Persino Lucy sembra fosse solo parzialmente convertita alla vita a terra. Nel 2016 gli antropologi della University of Texas[1] hanno infatti concluso che morì in seguito alla caduta da un albero (subì « un evento di decelerazione verticale », come hanno scritto con un certo distacco), a riprova che passava molto tempo fra i rami, e forse lì si sentiva a casa proprio come sul suolo. O almeno fino agli ultimi tre o quattro secondi di vita.

Camminare è un'impresa più complessa di quanto pensiamo. Tenendoci in equilibrio su due soli sostegni, sfidiamo di continuo la forza di gravità. Come dimostrano i bambini che fanno i primi passi, e sono alquanto spassosi, camminare equivale a lanciare il busto in avanti per poi rincorrerlo con le gambe. Una persona in movimento tiene uno o l'altro piede lontano dal suolo per circa il 90 per cento del tempo, e questo la costringe a regolare costantemente e in modo inconscio l'equilibrio. Inoltre abbiamo un baricentro alto – si trova subito sopra la vita – che non fa che accrescere l'innata instabilità.

Per poterci trasformare dai primati che vivevano sugli alberi ai moderni umani eretti che siamo, la nostra anatomia ha subito profondi cambiamenti. Si è già visto come il collo si sia allungato e raddrizzato, congiungendosi al cranio in posizione più o meno centrale e non verso il retro, come nelle scimmie. Abbiamo una schiena flessuosa che si piega, ginocchia fuori misura e femori dall'ingegnosa inclinazione. Le nostre gambe, infatti, non vengono giù dritte dalla vita – come nei primati – perché il femore è angolato verso l'interno via via che scende dal bacino al ginocchio, con l'effetto di avvicinare i polpacci e donarci un'andatura molto più fluida e aggraziata. Nessuna scimmia riuscirebbe mai a camminare come noi. La struttura ossea costringe i primati a ondeggiare, e per giunta con scarsissima efficienza. Per spostarsi a terra gli scimpanzé usano il quadruplo^2 dell'energia impiegata dagli esseri umani.

Per spingerci in avanti abbiamo un muscolo enorme nelle natiche, il grande gluteo, più il tendine di Achille, che nessun primate possiede. Abbiamo i piedi arcuati (per il molleggio), una spina dorsale sinuosa (per redistribuire il peso) e vie nervose e sanguigne riconfigurate, il tutto reso necessario, o quantomeno consigliabile, dall'imperativo evolutivo di collocare la testa ben al di sopra dei piedi. Per non surriscaldarci quando facciamo uno sforzo abbiamo perso il grosso dei peli e sviluppato abbondanti ghiandole sudoripare.

Soprattutto, però, abbiamo una testa che si è evoluta in maniera molto diversa da quella degli altri primati. Il viso è piatto e il naso si è ridotto notevolmente. La fronte è alta per accogliere un cervello più imponente. L'abitudine di cuocere i cibi ha rimpicciolito denti e mascella. La cavità orale è corta, come anche la lingua, che è più arrotondata, e la laringe si trova in basso nella gola. I cambiamenti anatomici della parte superiore del corpo ci hanno consegnato, per un caso fortunato, un apparato vocale unico, in grado di articolare il linguaggio. Forse il camminare e il parlare sono collegati. Per una creaturina che caccia animali ben più grandi poter comunicare è decisamente un vantaggio.

Sul retro della testa c'è un modesto legamento, assente nei primati, che smaschera all'istante ciò che ha permesso alla nostra specie di evolversi. Si tratta del legamento nucale, che ha un solo compito: tenere ferma la testa quando corriamo. E correre – in maniera seria, accanita, duratura – è un'attività che svolgiamo magnificamente.

Non siamo le creature più veloci del mondo, come sa bene chiunque abbia inseguito un cane, un gatto o addirittura un criceto in fuga. Gli esseri umani più veloci arrivano a una trentina di chilometri all'ora, anche se giusto per brevi tratti. Eppure in una gara con un'antilope o uno gnu durante una calda giornata non c'è storia. Mentre noi sudiamo per raffreddarci, i quadrupedi lo fanno tramite la respirazione, cioè ansimando. Se non si fermano per riprendersi si surriscaldano e non hanno scampo. La maggior parte degli animali di grandi dimensioni non è in grado di correre per più di una quindicina di chilometri prima di crollare. A rendere i nostri antenati ancora più efficienti era la possibilità di riunirsi in gruppo per cacciare, accerchiare la preda o spingerla in spazi confinati.

I cambiamenti anatomici furono così monumentali da dar vita a un nuovo genere (che nella classificazione biologica è sopra la specie ma sotto la famiglia) chiamato *Homo*. Daniel Lieberman di Harvard sottolinea che la trasformazione fu un processo in due fasi. Prima diventammo abili a camminare e ad arrampicarci, ma non a correre. Poi pian piano diventammo abili a camminare e a correre, ma non più ad arrampicarci. Correre non è solo una forma di locomozione più veloce rispetto a camminare ma, dal punto di vista meccanico, è proprio un'altra attività. «Camminare ricorda l'andatura del trampoliere e prevede adattamenti assai diversi dal correre» spiega Lieberman. Lucy camminava e si arrampicava, ma non aveva la struttura per correre che subentrò molto dopo, quando il cambiamento climatico trasformò buona parte dell'Africa in foreste rade e savane erbose inducendo i nostri antenati vegetariani a modificare la dieta diventando carnivori (anzi, onnivori).

Questi cambiamenti anatomici e di stile di vita si verificarono con estrema lentezza. Le prove fossili dimostrano che i primi ominidi[3] camminavano circa sei milioni di anni fa, ma ce ne vollero altri quattro per acquisire la capacità di correre a lungo e cacciare. Poi passò un altro milione e mezzo di anni prima che mettessero insieme abilità cerebrale sufficiente a fabbricare lance appuntite. È una lunghissima attesa per un insieme di doti di sopravvivenza in un mondo ostile e famelico. Malgrado le lacune, i nostri avi cacciavano già con successo i grandi animali poco meno di due milioni di anni fa.

Questo grazie a un trucchetto che si aggiunse all'armamentario dell'*Homo*: il lancio. Lanciare richiese tre cambiamenti fisici cruciali: vita alta e mobile (per creare molta torsione), spalle libere e versatili e, infine, parte superiore del braccio capace di imitare il movimento della frusta. L'articolazione della spalla non è composta da una sfera che poggia in una cavità, come l'anca, ma è più libera e aperta. Questo significa che è più sciolta e capace di ruotare – proprio ciò che serve per lanciare con forza – ma anche che rischia di dislocarsi con facilità.

Nell'atto del lancio è coinvolto tutto il corpo. Se provate a lanciare un oggetto con forza restando immobili ci riuscirete a malapena. Un buon lancio prevede un passo avanti, un'energica rotazione di vita e busto, un'ampia estensione all'indietro del braccio all'altezza della spalla e tanta potenza. Se il lancio è ben eseguito, l'oggetto può viaggiare con notevole precisione a una velocità di 150 chilometri all'ora, come dimostrano di continuo i lanciatori di baseball professionisti. La capacità di ferire e tormentare una preda sfinita lanciandole sassi da una distanza di sicurezza dev'essere stata una dote assai utile fra i primi cacciatori.

Anche la postura eretta, però, ha avuto conseguenze con cui tutti noi oggi conviviamo, come può testimoniare chiunque abbia mal di schiena cronico o problemi alle ginocchia. Il bacino più stretto, adatto alla nuova andatura, ha aumentato molto il dolore che provano e i rischi che corrono le donne durante il parto. Fino a non molto tempo fa nessun altro animale del pianeta aveva più probabilità di morire di parto di un'umana, e forse nessuno soffre altrettanto.

Per tanto tempo non è stata riconosciuta l'importanza del movimento per una vita sana. Alla fine degli anni Quaranta, però, il dottor Jeremy Morris del Medical Research Council della Gran Bretagna si convinse[4] che l'aumento dell'incidenza di infarto e coronaropatia era associato al livello di attività fisica, non solo all'età o allo stress cronico come pensavano quasi tutti all'epoca. Poiché la Gran Bretagna si stava ancora riprendendo dalla guerra e i fondi per la ricerca erano esigui, Morris dovette trovare un modo per svolgere un valido ed economico studio su vasta scala. Un mattino, mentre andava al lavoro, gli venne in mente che gli autobus a due piani di Londra sarebbero stati il laboratorio ideale, perché in ciascuno c'erano un conducente che passava l'intera giornata lavorativa seduto e un bigliettaio che la passava in piedi. Oltre a spostarsi lateralmente, i bigliettai salivano in media seicento gradini in ogni turno. Difficilmente Morris avrebbe potuto inventarsi due gruppi più perfetti da raffrontare. Seguì per due anni 35.000 conducenti e bigliettai scoprendo che, tenuto conto di tutte le altre variabili, i primi – a prescindere dalla forma fisica – presentavano il doppio delle probabilità di avere un infarto rispetto ai secondi. Era la prima dimostrazione di un legame diretto e misurabile fra esercizio e salute.

Da allora, studio dopo studio, si è dimostrato che l'attività fisica produce benefici straordinari. Camminare con regolarità riduce il rischio[5] di infarto e di ictus del 31 per cento. Da un'analisi condotta su 655.000 persone nel 2012 è emerso che dopo i quarant'anni bastano appena undici minuti di moto al giorno per aumentare di 1,8 anni l'aspettativa di vita. Un'attività di un'ora o più[6] al giorno la aumenta di 4,2 anni.

Oltre a rafforzare le ossa, l'attività fisica potenzia il sistema immunitario, stimola gli ormoni, riduce il rischio di diabete e di diversi tumori (fra cui quello al seno e il colorettale), migliora l'umore e addirittura ritarda la senilità. Com'è stato detto più volte, forse non c'è organo o apparato del corpo che non tragga benefici dall'esercizio fisico. Se inventassero una pillola con effetti pari a quelli di una moderata attività, diventerebbe all'istante il farmaco più affermato della storia.

Quanto esercizio occorre fare? Rispondere non è facile. La convinzione più o meno generale per cui dovremmo fare diecimila passi al giorno[7] – sugli otto chilometri – non è certo una cattiva idea, ma non ha alcun fondamento scientifico. Ovviamente qualunque tipo di movimento ci fa bene, però l'idea che esista un numero magico e universale di passi capace di donarci salute e longevità è una leggenda, spesso attribuita a un unico studio effettuato in Giappone negli anni Sessanta, anche se persino quello potrebbe essere una leggenda. E neppure le raccomandazioni dei Centri per la prevenzione e il controllo delle malattie (CDC) degli Stati Uniti, cioè due ore e mezzo di attività moderata a settimana, si basano sulla quantità ottimale necessaria per la salute, che non si conosce, bensì sugli obiettivi che secondo i consulenti dei CDC la gente ritiene realizzabili.

Se si parla di esercizio fisico, si può dire che la maggior parte di noi non ne fa abbastanza. Solo il 20 per cento circa delle persone[8] riesce a svolgere una modesta attività in maniera regolare. La maggior parte non ne fa quasi per niente. In media oggi un americano fa[9] appena mezzo chilometro al giorno, considerando ogni movimento, anche a casa e sul luogo di lavoro. Di meno sarebbe quasi impossibile persino in una società indolente. Stando all'*Economist*, alcune aziende americane hanno cominciato a offrire ricompense ai dipendenti che totalizzano un milione di passi all'anno con un Fitbit. Sembrerebbe un numero piuttosto ambizioso, che si riduce però a 2740 passi al giorno, poco meno di due chilometri. Ma neanche questo sembra essere alla portata di tutti. «Alcuni dipendenti[10] hanno messo il Fitbit al cane per aumentare il proprio punteggio» ha scritto l'*Economist*. I moderni cacciatori-raccoglitori, di contro,[11] arrivano in media a trentuno chilometri al giorno per procurarsi da mangiare, ed è ragionevole ipotizzare che i nostri progenitori facessero altrettanto.

In breve, il cibo se lo sudavano e di conseguenza finirono con l'avere corpi adatti a compiere due azioni per certi versi contraddittorie: essere quasi sempre attivi, ma mai più dello stretto necessario. Come spiega Daniel Lieberman: «Per capire il corpo umano[12] bisogna capire che ci siamo evoluti per essere cacciatori-raccoglitori, vale a dire pronti a usare molta energia per cercare il cibo e a non sprecarla quando non serve». Se l'esercizio è importante, anche il riposo è vitale. «Per fare un esempio» prosegue Lieberman, «non si può digerire durante l'attività fisica perché il corpo devia il sangue dall'apparato digerente per poter soddisfare la maggiore domanda di ossigeno dei muscoli. Quindi a volte occorre riposare per fini metabolici e per riprendersi dalla fatica dell'esercizio fisico.»

Dovendo sopravvivere in tempi di vacche sia magre sia grasse, i nostri antenati svilupparono la tendenza a immagazzinare i grassi come riserva di carburante, riflesso che oggi fin troppo spesso ci uccide. L'esito è che milioni di noi passano la vita a faticare per mantenere un equilibrio fra un corpo progettato per il Paleolitico e i moderni eccessi di gola, una battaglia che in tanti perdono.

Non esiste luogo in tutti i paesi sviluppati in cui questo è più vero degli Stati Uniti. Secondo l'OMS, oltre l'80 per cento degli uomini americani e il 77 per cento delle donne americane è sovrappeso e il 35 per cento di loro è obeso, contro il 23 per cento del 1988. Nello stesso periodo l'obesità è più che raddoppiata fra i bambini e quadruplicata fra gli adolescenti. Se tutti[13] fossero fisicamente simili agli americani sarebbe come aggiungere un miliardo di persone alla popolazione mondiale.

Il sovrappeso è definito come l'indice di massa corporea (IMC) compreso tra 25 e 30, oltre diventa obesità. L'IMC è il peso espresso in chili diviso per il quadrato dell'altezza espressa in metri. I Centri per la prevenzione e il controllo delle malattie mettono a disposizione un utile calcolatore che permette a chiunque di ricavare il proprio IMC digitando altezza e peso. Va però detto che si tratta di una misura approssimativa, perché non distingue fra l'eventuale presenza di muscoli e il grasso. Un culturista e un pantofolaio[14] potrebbero avere un IMC identico ma uno stato di salute diversissimo. Ma anche se l'IMC non è un metodo di misura infallibile, basta guardarsi intorno per avere la conferma che in giro c'è parecchia carne di scorta.

Forse nessun dato statistico che si occupi del nostro costante aumento di massa è più eloquente del fatto che oggi negli Stati Uniti una donna pesa in media[15] quanto pesava un uomo nel 1960. In questo mezzo secolo il peso medio di una donna è passato da 63,5 a 75,3 chili, quello medio di un uomo da 75,3 a 89 chili (un aumento di oltre 12 chili). Il costo economico annuale per le cure sanitarie aggiuntive dovute al sovrappeso è stimato attorno ai 150 miliardi di dollari. Quel che è peggio, secondo un recente modello matematico di Harvard oltre la metà dei bambini di oggi[16] a trentacinque anni sarà obesa. L'attuale generazione di giovani[17] è la prima nella storia documentata che, in base alle previsioni, non vivrà quanto i genitori per disturbi legati al peso.

Il problema non si limita all'America. Si ingrassa ovunque. Nei paesi ricchi dell'Organizzazione per la cooperazione e lo sviluppo economico il tasso medio di obesità è del 19,5 per cento, ma varia molto da stato a stato. I britannici sono fra i più pienotti[18] dopo gli americani, con circa due terzi di adulti che pesano più di quanto dovrebbero, e il 27 per cento di questi è obeso, rispetto al 14 per cento del 1990. Il Cile ha la percentuale più alta di cittadini sovrappeso, il 74,2 per cento, seguito dal Messico con il 72,5 per cento. Persino nella relativamente snella Francia il 49 per cento degli adulti è sovrappeso e il 15,3 per cento è obeso, rispetto a meno del 6 per cento di appena venticinque anni fa. Il dato globale dell'obesità si attesta al 13 per cento.[19]

Dimagrire è difficile, non c'è dubbio. Secondo una stima,[20] per perdere appena mezzo chilo bisognerebbe camminare per 56 chilometri o correre per sette ore. Uno dei principali problemi dell'attività fisica è che non la calcoliamo con precisione. Uno studio condotto in America ha scoperto che in genere si sopravvaluta[21] di quattro volte il numero di calorie bruciate durante un allenamento. E poi si consuma in media il doppio di quanto si è appena bruciato. Come scrive Daniel Lieberman nel libro *La storia del corpo umano*, in un anno un operaio[22] brucia circa 175.000 calorie in più rispetto a un impiegato, pari a oltre sessanta maratone. È un dato imponente, ma la domanda è: quanti operai hanno l'aspetto di chi fa una maratona ogni sei giorni? Non tanti, a essere franchi, perché la maggior parte di loro, come quasi tutti, quando non lavora reintegra le calorie bruciate con gli interessi. Il punto è che mangiando troppo, come molti di noi, si fa in fretta a cancellare buona parte dell'esercizio fisico.

Come minimo – ed è davvero il minimo – bisognerebbe alzarsi e muoversi un po'. Secondo uno studio, per un pantofolaio incallito (chi sta seduto sei ore o più al giorno) il rischio di mortalità aumenta quasi del 20 per cento se è uomo, del doppio se è donna (perché la sedentarietà sia ben più pericolosa per le donne è un mistero). Chi sta troppo seduto[23] ha il doppio delle probabilità di sviluppare diabete e infarto fatale, e due volte e mezzo la probabilità di soffrire di malattie cardiovascolari.

Il dato strano e allarmante è che non importa quanta attività si faccia nel tempo restante. Una serata trascorsa[24] sull'allettante imbottitura che è il grande gluteo può vanificare i benefici ricavati durante una giornata di moto. Come ha scritto James Hamblin in un articolo dell'*Atlantic*: «Il tempo passato seduti non si può disfare». Chi ha un'occupazione o uno stile di vita sedentari – cioè il grosso di noi – rischia di passare seduto quattordici o quindici ore al giorno, stando completamente e patologicamente immobile più o meno per la sua intera esistenza.

James Levine, esperto di obesità[25] della Mayo Clinic e dell'Arizona State University, ha coniato l'espressione «Termogenesi da attività non associata all'esercizio fisico» per descrivere l'energia che si consuma in una normale giornata. Già esistere brucia di per sé un bel po' di calorie. Cuore, cervello e reni ne consumano ciascuno sulle quattrocento al giorno, il fegato circa duecento. Mangiare e digerire richiede un decimo del fabbisogno energetico giornaliero del corpo. Il solo levare le chiappe dal divano fa molto di più. L'atto di alzarsi brucia 107 calorie all'ora. Camminare ne brucia altre 180. In uno studio i volontari hanno passato una serata a guardare la televisione, ma alzandosi e gironzolando per la stanza durante ogni pausa pubblicitaria. Solo così hanno bruciato 65 calorie in più all'ora,[26] circa 240 nell'arco della serata.

Levine ha scoperto che chi è magro tende a passare in piedi due ore e mezzo in più al giorno rispetto a chi è grasso, quindi pur non facendo di proposito attività fisica, ma giusto muovendosi un po', evita di accumulare adipe. Un altro studio, però, ha scoperto che giapponesi e norvegesi sono inattivi quanto gli americani, eppure solo la metà di loro è altrettanto obesa, per cui l'esercizio fisico spiega solo in parte l'essere snelli.

In ogni caso un po' di peso in eccesso non è del tutto negativo. Alcuni anni fa il *Journal of the American Medical Association* ha scatenato un putiferio sostenendo che chi è lievemente sovrappeso, specie se di mezza età o più anziano, potrebbe sopravvivere a gravi malattie meglio di chi è magro o obeso. La teoria, ribattezzata «il paradosso dell'obesità», è contestata con veemenza da molti scienziati. Il ricercatore di Harvard Walter Willett l'ha definita «una sciocchezza[27] che nessuno dovrebbe perdere tempo a leggere».

Anche se non c'è dubbio che l'esercizio fisico faccia bene alla salute, è difficile capire davvero quanto ne occorra. Uno studio condotto su 18.000 corridori danesi ha concluso che chi corre con regolarità può aspettarsi di vivere in media sei anni in più di chi non corre. Correre è davvero benefico o chi corre tende ad avere comunque uno stile di vita sano e misurato ed è quindi destinato, con o senza tuta, a ottenere risultati migliori rispetto a noi che siamo più indolenti?

Certo è che al massimo fra qualche decina di anni chiuderemo tutti gli occhi e smetteremo per sempre di muoverci. Forse sarebbe meglio approfittare del movimento, per la salute e per puro piacere, finché possiamo.

11
L'equilibrio

> La vita è una perenne reazione chimica.
> STEVE JONES

La legge della superficie non è qualcosa su cui ci si sofferma di solito, ma spiega moltissimo di noi. In base a questa legge, con l'aumento del volume di un oggetto la sua superficie relativa diminuisce. Pensate a un palloncino. Quando è vuoto è gomma con dentro una quantità trascurabile d'aria. Gonfio, invece, diventa aria con una quantità relativamente modesta di gomma intorno. Più viene gonfiato, più l'interno domina il tutto.

Poiché il calore si disperde in superficie, quanta più superficie c'è rispetto al volume, tanto più faticoso è scaldarsi. Significa che le creature piccole devono produrre il calore[1] più in fretta di quelle grandi, quindi avere uno stile di vita del tutto diverso. Il cuore dell'elefante batte trenta volte al minuto, quello umano sessanta, quello della mucca tra le cinquanta e le ottanta, mentre quello di un topo batte seicento volte al minuto, dieci al secondo. Ogni giorno, solo per sopravvivere, il topo deve mangiare per circa il 50 per cento del suo peso corporeo. Noi umani, di contro, abbiamo bisogno di mangiare solo per il 2 per cento del nostro peso per soddisfare il fabbisogno energetico.

Una cosa in cui gli animali sono stranamente[2] – quasi misteriosamente – uguali è il numero dei battiti cardiaci nell'arco di una vita. Malgrado le enormi differenze, quasi tutti ne hanno intorno agli ottocento milioni, se la durata della vita rientra nella media. Noi siamo l'eccezione. Superiamo gli ottocento milioni di battiti dopo i venticinque anni e poi proseguiamo per cinquant'anni aggiungendone altri 1,6 miliardi. Verrebbe la tentazione di attribuire questo eccezionale vigore a una certa superiorità innata, ma in realtà abbiamo deviato dallo standard dei mammiferi solo nelle ultime dieci o dodici generazioni grazie al prolungamento dell'aspettativa di vita. Per buona parte della nostra storia, ottocento milioni è stata anche la media dei battiti dell'esistenza umana.

Se avessimo optato per il sangue freddo avremmo potuto ridurre notevolmente il nostro fabbisogno energetico. In un giorno un qualunque mammifero consuma trenta volte[3] l'energia di un qualunque rettile: per questo noi dobbiamo mangiare ogni giorno quello che a un coccodrillo basta per un mese. Da qui la nostra abilità di saltare giù dal letto al mattino, invece di dover aspettare su una roccia finché il sole ci scaldi, di muoverci di notte o nei climi freddi e in genere di avere più energia e reattività dei rettili.

La nostra esistenza si muove all'interno di raffinatissime tolleranze. Anche se la temperatura corporea varia un po' durante la giornata (la più bassa è al mattino, la più alta nel tardo pomeriggio o di sera), non esce dalla stretta forbice di 36-38 gradi. Allontanarsi anche di poco[4] in un senso o nell'altro procura guai. La diminuzione di appena due gradi sotto la norma o l'aumento di quattro possono far piombare il cervello in una crisi che rischia di causare in fretta danni irreversibili o addirittura morte. Per evitare la catastrofe, il cervello ha il suo fido centro di controllo, l'ipotalamo, che dice al corpo di raffreddarsi sudando o di riscaldarsi tremando e deviando il flusso sanguigno dalla pelle verso gli organi più vulnerabili.

Potrà anche non sembrare il metodo più sofisticato per affrontare una situazione critica, ma il corpo lo applica a meraviglia. In un celebre esperimento citato dall'accademico britannico Steve Jones, il volontario ha fatto una maratona su un tapis roulant mentre la temperatura della stanza veniva pian piano portata da 45 gradi sotto lo zero a 55 gradi sopra lo zero, più o meno i limiti della tolleranza umana. Malgrado la fatica e l'enorme differenza climatica, durante l'esercizio la temperatura corporea del volontario non si è allontanata dalla norma di più di un grado.

L'esperimento ricordava[5] la serie condotta oltre duecento anni prima per la Royal Society di Londra dal medico Charles Blagden. Blagden costruì una camera riscaldata – di fatto un enorme forno – in cui lui e i suoi zelanti colleghi si chiusero per misurare la tolleranza al calore. Blagden resistette dieci minuti a una temperatura di 92,2 gradi e il suo amico botanico Joseph Banks, appena rientrato dal giro del mondo con il capitano James Cook e futuro presidente della Royal Society, arrivò a 98,9 gradi, ma solo per tre minuti. «Per dimostrare che non c'era errore nel grado di calore mostrato dal termometro» annotò Blagden «abbiamo messo delle uova e una bistecca su una grata di stagno sistemata accanto al termometro standard. [...] Dopo una ventina di minuti sono state tirate fuori le uova ben arrostite e dopo quaranta minuti la carne non era solo pronta, ma quasi asciutta.» Gli sperimentatori misurarono anche la temperatura dell'urina subito prima e subito dopo il test scoprendo che non era cambiata nonostante il calore. Blagden dedusse inoltre che la sudorazione rivestiva un ruolo centrale nel raffreddamento del corpo, la sua principale intuizione, anzi il suo unico contributo duraturo al sapere scientifico.

Come si sa, di tanto in tanto la temperatura corporea aumenta causando la febbre. È strano, ma nessuno sa esattamente perché succeda,[6] se la febbre sia un meccanismo di difesa innato atto a uccidere gli agenti patogeni invasori o solo un effetto del superlavoro del corpo per combattere un'infezione. La differenza è importante, perché se la febbre è un meccanismo di difesa tutti i tentativi di ridurla o eliminarla potrebbero rivelarsi controproducenti. Forse permettere alla febbre di fare il suo corso (inutile dire entro certi limiti) è la cosa più saggia. Un innalzamento di temperatura di un solo grado[7] rallenta di duecento volte il tasso di replicazione dei virus, un incredibile aumento delle difese per un modestissimo aumento del calore corporeo. Il guaio è che non comprendiamo del tutto il funzionamento della febbre. Come ha detto il professor Mark S. Blumberg della University of Iowa: «Se la febbre fosse un'antica reazione alle infezioni dovrebbe essere facile stabilire i meccanismi tramite cui l'ospite ne trae beneficio, e invece non è così».

Se l'aumento della temperatura di un paio di gradi è così utile a respingere i microbi invasori, perché non farlo in maniera permanente? La risposta è che sarebbe troppo dispendioso. Se la innalzassimo in via permanente di appena due gradi, il fabbisogno energetico salirebbe del 20 per cento circa. La nostra temperatura è un ragionevole compromesso fra costi e benefici, come accade per quasi tutto, e del resto persino quella normale non è affatto male nel tenere a bada i microbi. Pensate alla velocità con cui sciamano e divorano i morti. Il motivo è che un cadavere si raffredda alla loro temperatura ideale, tipo una torta lasciata sul davanzale.

A quanto pare anche l'idea che perdiamo il grosso del calore[8] dalla sommità della testa è una falsa credenza. La superficie, infatti, non supera il 2 per cento del totale e, in molti casi, è isolata dai capelli, quindi non potrà mai essere un buon radiatore. Se però siete all'aperto e al freddo e quella è l'unica parte del corpo esposta, la testa giocherà un ruolo sproposito nella dispersione del calore, quindi date retta a vostra madre quando vi consiglia di mettere il berretto.

Il mantenimento dell'equilibrio interno al corpo si chiama omeostasi, termine coniato da colui[9] che spesso viene ritenuto il padre della disciplina, cioè il fisiologo di Harvard Walter Bradford Cannon (1871-1945). Quel signore robusto, il cui sguardo arcigno e duro che si vede nelle foto nascondeva in realtà un'indole affabile e mite, era senza dubbio un genio, e parte di quel genio consisteva nella capacità di persuadere gli altri a sottoporsi a esperimenti avventati e disagevoli in nome della scienza. Curioso di capire perché lo stomaco brontola quando si ha fame, convinse lo studente Arthur L. Washburn ad allenarsi a vincere il riflesso faringeo per infilargli un tubo di gomma in gola e poi nello stomaco, dove il palloncino con cui il tubo terminava si poteva gonfiare per misurare le contrazioni in assenza di cibo. Washburn passò un'intera giornata facendo le solite cose – andò a lezione, lavorò in laboratorio, fece commissioni – mentre il palloncino si gonfiava e si sgonfiava, e la gente lo fissava perché emetteva strani rumori e aveva un tubo che gli usciva dalla bocca.

Cannon convinse altri studenti a mangiare durante una radiografia per veder scendere il cibo dalla bocca nell'esofago e fino all'apparato digerente. Così facendo fu il primo a osservare la peristalsi, cioè le contrazioni muscolari che spingono giù gli alimenti. Questi e altri esperimenti innovativi furono le basi del manuale intitolato *Bodily Changes in Pain, Hunger, Fear, and Rage*, che per anni fu la bibbia della fisiologia.

Gli interessi di Cannon erano sconfinati. Diventò l'autorità mondiale in materia di sistema nervoso autonomo – tutte le azioni che il corpo compie in modo automatico, tipo respirare, pompare sangue e digerire il cibo – e plasma. Svolse ricerche pionieristiche sull'amigdala e l'ipotalamo, dedusse il ruolo dell'adrenalina nelle risposte di sopravvivenza (fu lui a coniare l'espressione «fight or flight», combatti o fuggi), sviluppò i primi trattamenti efficaci in caso di shock e riuscì addirittura a trovare il tempo per scrivere un autorevole e rispettoso articolo sulla pratica del vudù.[10] Cannon amava stare all'aria aperta. C'è anche una vetta montuosa che si chiama Mount Cannon in onore suo e della moglie, che furono i primi a scalarla durante il viaggio di nozze nel 1901. Quando scoppiò la Prima guerra mondiale decise di arruolarsi nell'Harvard Hospital Unit pur avendo quarantacinque anni e cinque figli. Trascorse due anni in Europa come medico di campo. Nel 1932 distillò quasi tutto il suo sapere e le sue ricerche nel noto libro intitolato *La saggezza del corpo*, in cui descriveva la straordinaria capacità del corpo umano di autoregolarsi. Lo svedese Ulf von Euler approfondì i suoi studi sull'istinto di sopravvivenza e vinse il Nobel per la Fisiologia o la Medicina nel 1970: quando l'importanza del suo lavoro fu riconosciuta appieno Cannon era già morto da tempo, ma oggi è celebrato ovunque.

Una cosa che non riuscì a capire – come del resto nessun altro – è l'imponente fabbisogno energetico del corpo a livello cellulare. È stato necessario molto tempo per scoprirlo e, quando accadde, la risposta arrivò non da un potente istituto di ricerca ma da un eccentrico inglese che lavorava per conto suo in una bella casa di campagna nell'ovest del paese.

Oggi sappiamo che all'interno e all'esterno delle cellule sono presenti particelle cariche note come ioni. Fra loro, nella membrana cellulare, c'è una sorta di minuscola camera d'equilibrio detta canale ionico che, aperto, lascia fluire gli ioni generando una piccola scarica elettrica, sebbene qui l'aggettivo «piccola» sia davvero relativo. Anche se ogni scarica a livello cellulare produce appena cento millivolt di energia, il dato si traduce in trenta milioni di volt al metro, più o meno pari a un fulmine. In altri termini, l'elettricità presente nelle cellule è mille volte superiore a quella che abbiamo in casa. Siamo, in una scala minuscola, incredibilmente energetici.

È tutta una questione di dimensioni. A scopo puramente dimostrativo, immaginate di spararmi un proiettile nell'addome. Fa un male cane e parecchi danni. Adesso immaginate di sparare lo stesso proiettile in un gigante alto ottanta chilometri. Non gli oltrepasserebbe neppure la pelle. Stesso proiettile e stessa pistola, ma dimensioni diverse. È più o meno quanto accade con l'elettricità delle nostre cellule.

La sostanza chimica responsabile dell'energia delle cellule è l'adenosina trifosfato (ATP), forse la cosa più importante del corpo di cui non avete mai sentito parlare. Ogni molecola di ATP è una minuscola batteria che immagazzina l'energia e la rilascia per alimentare tutte le attività richieste alle nostre cellule, ma anche a quelle vegetali e animali. Le reazioni chimiche coinvolte sono magnificamente complesse; eccovi una frase tratta da un manuale che spiega un po' quanto avviene: «Essendo polianionica e dotata di un gruppo di polifosfati potenzialmente chelanti, l'ATP si lega ai cationi metallici con alta affinità»; a noi basti sapere che il funzionamento delle cellule dipende moltissimo dall'ATP. Ogni giorno ne produciamo e ne consumiamo[11] una quantità pari al nostro peso corporeo, qualcosa come duecento trilioni di trilioni di molecole. Per l'ATP siamo solo la macchina che la produce. Il resto è tutto un sottoprodotto. Consumandola più o meno all'istante, in ogni dato momento ne abbiamo appena sessanta grammi.[12]

Capire tutto questo richiese tantissimo tempo, e dapprima nessuno volle crederci. A scoprirne la funzione[13] fu lo schivo scienziato Peter Mitchell, che all'inizio degli anni Sessanta ere-

215

ditò una fortuna dalla società edile Wimpey e la usò per aprire un centro di ricerca in una maestosa residenza in Cornovaglia. Mitchell era un eccentrico. Portava i capelli alle spalle e aveva l'orecchino in un'epoca in cui era davvero insolito fra gli scienziati seri. Era anche notoriamente smemorato. Al matrimonio della figlia si avvicinò a un'ospite e le confessò di conoscerla, ma di non ricordare chi fosse.

« Sono la tua prima moglie »[14] disse lei.

Le sue teorie furono universalmente ignorate, il che non sorprende del tutto. Come ha scritto un cronachista: « All'epoca in cui avanzò le sue ipotesi, Mitchell non aveva uno straccio di prova ». Infine, però, ebbe ragione lui e nel 1978 vinse il Nobel per la Chimica, un successo straordinario per uno scienziato che lavorava in un laboratorio casalingo. Per l'eminente biochimico britannico Nick Lane, Mitchell dovrebbe essere famoso come Watson e Crick.

La legge della superficie detta anche le dimensioni del corpo. Come osservò lo scienziato e scrittore britannico J.B.S. Haldane quasi un secolo fa, nel famoso saggio *On Being the Right Size*, un essere umano alto trenta metri come i giganti di Brobdingnag del romanzo *I viaggi di Gulliver* peserebbe 280 tonnellate, 4600 volte di più di uno di statura normale, mentre le ossa sarebbero appena trecento volte più grosse, quindi non abbastanza per sostenere un peso simile. In breve, abbiamo le dimensioni che abbiamo perché sono le uniche che possiamo permetterci.

La grandezza del corpo è strettamente collegata all'influenza della forza di gravità. Non vi sarà sfuggito che quando un insetto cade da un tavolo atterra illeso e prosegue indisturbato il suo cammino. Questo perché le piccole dimensioni (il rapporto fra superficie e volume) gli consentono di non essere quasi toccato dalla forza di gravità. Ma forse non sapete che vale lo stesso, per quanto su scala diversa, per i piccoli umani. Una bambina[15] che cade e sbatte la testa sentirà una forza d'impatto pari a un trentaduesimo di quella che sentirebbe un adulto, che è parte del motivo per cui spesso i bambini sembrano per fortuna indistruttibili.

Gli adulti non sono altrettanto fortunati. In pochi sopravvivono a una caduta da oltre sette-nove metri, anche se ci sono alcune ragguardevoli eccezioni, e forse nessuna è più memorabile di quella dell'aviatore britannico della Seconda guerra mondiale[16] Nicholas Alkemade.

Alla fine dell'inverno del 1944, durante un bombardamento in Germania, il sergente maggiore Alkemade, mitragliere di coda di un bombardiere britannico Lancaster, si ritrovò letteralmente alle strette quando l'aereo fu colpito dal fuoco nemico e si riempì di fumo e fiamme. I mitraglieri di coda dei Lancaster non potevano indossare il paracadute perché lo spazio a loro disposizione era troppo angusto e quando Alkemade riuscì a issarsi fuori dalla torretta e ad afferrare il suo lo trovò bruciato e inutilizzabile. A un'orribile morte tra le fiamme preferì comunque saltare, così aprì un portello e si lanciò nella notte.

Si trovava a un'altitudine di circa cinque chilometri dal suolo e precipitava a una velocità di quasi duecento chilometri orari. «C'era un gran silenzio» ricordò anni dopo, «l'unico rumore era il martellio lontano dei motori e io non avevo affatto l'impressione di cadere. Mi sentivo sospeso nello spazio.» Con sua grande sorpresa, provò una strana sensazione di serenità e pace. Ovviamente gli dispiaceva morire, ma l'accettò con filosofia, come un'eventualità connaturata al suo lavoro. L'esperienza fu talmente surreale e onirica che dopo Alkemade non ha mai saputo con certezza se abbia perso conoscenza o meno. L'unica certezza è che ripiombò nella realtà quando si schiantò sui rami di alcuni alti pini e atterrò con un tonfo fragoroso sulla neve, in posizione seduta. Aveva perso entrambi gli stivali e aveva un ginocchio indolenzito e qualche livido, ma per il resto era illeso. Le sue avventure di sopravvivenza non finiscono qui. Dopo la guerra cominciò a lavorare in un impianto chimico di Loughborough, nelle Midlands inglesi. Mentre armeggiava con il cloro la maschera antigas si staccò e lui venne esposto a livelli pericolosamente alti del gas. Rimase privo di sensi per un quarto d'ora, poi i colleghi lo trascinarono in salvo. Sopravvisse per miracolo. Qualche tempo dopo il tubo che stava riparando si ruppe e lo spruzzò da capo a piedi di acido solforico. Malgrado le estese ustioni sopravvisse anche in quel caso. Poco dopo il ritorno al lavoro dalla malattia un palo di metallo di quasi tre metri gli cadde addosso dall'alto rischiando di ucciderlo, ma Alkemade si riprese di nuovo. Stavolta, però, decise di non tentare più la sorte, diventò commerciante di mobili e visse il resto dei suoi giorni senza incidenti. Morì nel 1987 in pace, nel suo letto, all'età di sessantacinque anni.

Sia chiaro, non vi sto suggerendo di aspettarvi di sopravvivere a una caduta dal cielo, però è successo più spesso di quanto si immagini. Nel 1972 l'assistente di volo Vesna Vulović sopravvisse a una caduta da un'altitudine di 10 chilometri quando il DC-9 della Yugoslav Airlines su cui volava ebbe un'avaria nei cieli della Cecoslovacchia. Nel 2007 il lavavetri di origini ecuadoregne Alcides Moreno cadde da 140 metri a Manhattan quando l'impalcatura su cui stava lavorando crollò. Suo fratello, che si trovava accanto a lui, morì nell'impatto, mentre Moreno sopravvisse miracolosamente. Il corpo umano, insomma, può avere una straordinaria resilienza.

A dire il vero sembra non esserci alcuna sfida alla tolleranza umana che non sia stata superata. Si pensi al caso della piccola Erika Nordby,[17] una bambina di Edmonton, Alberta, che una notte d'inverno si svegliò e, con addosso solo il pannolino e una maglietta, uscì di casa da una porta sul retro chiusa male. Quando alla fine fu trovata, il suo cuore era fermo da almeno due ore, ma venne riscaldata con cura nell'ospedale locale e per miracolo si svegliò. Si riprese del tutto e passò alla storia come «la miracolata». Un paio di settimane dopo un bambino di due anni che viveva in una fattoria del Wisconsin fece quasi la stessa cosa, fu rianimato e si riprese. Passatemi la battuta, ma morire è l'ultima cosa che il corpo desideri.

I bambini se la cavano molto meglio nel freddo intenso che non nel caldo intenso. Non avendo le ghiandole sudoripare completamente sviluppate, non sudano quanto gli adulti. Ecco perché muoiono in fretta quando vengono lasciati a lungo in auto sotto il sole. Quando fuori ci sono trenta gradi un abitacolo sigillato può arrivare a cinquantaquattro, e nessun bambino sopravvive a lungo. Fra il 1998 e l'agosto del 2018 quasi ottocento bambini[18] negli Stati Uniti sono morti nelle auto arroventate. La metà aveva meno di due anni. Stranamente – anzi, incredibilmente – gli stati americani che vietano per legge di lasciare un animale incustodito in auto sono più di quelli che vietano di lasciare un bambino, ovvero 29 contro 21.

A causa delle nostre fragilità, buona parte del pianeta è per noi off limits. La Terra sembrerà anche tutto sommato generosa e benevola, ma una sua grossa fetta è troppo fredda, calda, arida o elevata per permetterci di abitarla. Persino con il vantaggio di vestiti, ripari e una sconfinata creatività, gli esseri umani possono vivere solo sul 12 per cento circa della superficie terrestre, e sul 4 per cento del totale se si contano i mari.

La rarefazione dell'atmosfera pone un limite all'altitudine a cui possiamo abitare. Gli insediamenti permanenti più alti al mondo[19] si trovano nelle Ande del Cile settentrionale, sul monte Aucanquilcha, dove i minatori vivono a 5340 metri, che però sembra essere ai limiti massimi della tolleranza umana. Gli stessi minatori preferiscono scarpinare ogni giorno in salita per 460 metri per raggiungere la miniera piuttosto che dormire a 5800 metri. Per avere un termine di paragone, l'Everest è alto 8850 metri.

Ad altitudini molto elevate qualunque sforzo diventa difficile ed estenuante. Il 40 per cento circa delle persone ha il mal di montagna oltre i quattromila metri ed è impossibile prevedere chi ne sarà colpito perché non è un disturbo collegato alla forma fisica. Ad altezze estreme fatica chiunque. In *Oltre ogni limite*, Frances Ashcroft racconta come Tenzing Norgay e Raymond Lambert,[20] durante la scalata del 1952 del Colle Sud dell'Everest, impiegarono cinque ore e mezzo per salire di appena duecento metri.

A livello del mare il 40 per cento circa del volume sanguigno[21] è occupato dai globuli rossi, a cui può aggiungersi un altro 20 per cento quando ci si acclimata ad altitudini superiori, anche se a caro prezzo. L'aumento dei globuli rossi rende infatti il sangue più denso e lento con l'esito di esercitare una maggiore pressione sul cuore persino di chi ha vissuto tutta la vita in alto. A volte gli abitanti di città elevate come La Paz in Bolivia (3500 metri) soffrono di un disturbo noto come malattia di Monge (o mal di montagna cronico) che provoca labbra blu e dita ippocratiche, perché il sangue costantemente addensato non scorre bene. Il problema sparisce se si spostano più in basso. Molti di loro sono quindi esiliati nelle valli, lontano da amici e familiari.

Per motivi di economia, di solito le compagnie aeree hanno cabine pressurizzate a un equivalente di quota compresa fra i 1500 e i 2400 metri, per questo in volo l'alcol dà più alla testa. È anche il motivo per cui le orecchie si tappano durante la discesa a causa dei cambiamenti di pressione via via che l'altezza si riduce. Su un aereo di linea che vola alla normale quota di crociera di circa 10.000 metri, se la cabina si depressurizza all'improvviso passeggeri ed equipaggio possono sentirsi disorientati e confusi nel giro di dieci secondi. Ashcroft racconta il caso di un pilota svenuto[22] perché si era attardato a mettersi gli occhiali prima della maschera per l'ossigeno. Per fortuna il copilota poté prendere il controllo dell'aereo.

Uno dei più tristi esempi di privazione d'ossigeno – o ipossia – si verificò nell'ottobre del 1999 quando il golfista professionista americano Payne Stewart, insieme a tre colleghi e a due piloti, si trovava su un Learjet a noleggio in volo da Orlando a Dallas. Un'improvvisa decompressione fece perdere i sensi ai sei membri dell'equipaggio. L'ultimo contatto avvenne alle 9.27 del mattino, quando il pilota ebbe l'autorizzazione a salire a quota 39.000 piedi (12.000 chilometri). Sei minuti dopo un controllore di volo ricontattò l'aereo senza ricevere risposta. Invece di virare a ovest verso il Texas, con il pilota automatico il jet proseguì in direzione nordoccidentale sugli Stati Uniti centrali prima di terminare il carburante e schiantarsi in un campo del South Dakota. Morirono tutti e sei.

Un'enorme e inquietante mole di ciò che sappiamo sulle capacità di sopravvivenza umane è il risultato degli esperimenti condotti su prigionieri di guerra, detenuti dei campi di concentramento e civili durante la Seconda guerra mondiale. Nella Germania nazista i prigionieri sani[23] erano sottoposti ad amputazioni, trapianti degli arti e innesti ossei sperimentali nella speranza di trovare cure migliori per i feriti tedeschi. I prigionieri russi venivano immersi nell'acqua gelida per stabilire quanto a lungo un pilota tedesco sarebbe potuto sopravvivere se l'aereo fosse stato abbattuto in mare. Per scopi simili, altri venivano tenuti nudi all'aperto al freddo fino a quattordici ore. Alcuni esperimenti erano dettati unicamente da una curiosità morbosa. In uno furono iniettate delle tinture negli occhi delle vittime per vedere se il colore si potesse cambiare in via permanente. A molti furono iniettati veleni e gas nervini di ogni tipo o vennero infettati con malaria, febbre gialla, tifo e vaiolo. «Malgrado le scuse dopo la guerra» scrivono George J. Annas e Michael A. Grodin nel libro *The Nazi Doctors and the Nuremberg Code*, «i medici non furono mai costretti a eseguire simili esperimenti.» Li fecero di loro spontanea volontà.*

Benché spaventosi, gli esperimenti tedeschi furono superati per portata se non addirittura per crudeltà da quelli giapponesi. A Harbin, in Manciuria, sotto la supervisione del dottor Shiro Ishii venne costruito un complesso di oltre 150 edifici sparsi su sei chilometri quadrati con l'intento dichiarato di accertare i limiti fisiologici umani con ogni mezzo necessario. Il complesso era noto come Unità 731.

In un classico esperimento, i prigionieri cinesi[24] erano legati a pali sistemati a distanze sfalsate ed esposti alla detonazione di una granata. Poi gli scienziati passavano dall'uno all'altro annotando con cura la natura e la portata delle ferite nonché il tempo che impiegavano a morire. Ad altri sparavano con i lanciafiamme per scopi simili, oppure li affamavano, congelavano o avvelenavano. Per motivi insondabili, alcuni furono dissezionati[25] mentre erano ancora coscienti. Il grosso delle vittime era composto da soldati cinesi fatti prigionieri, ma l'Unità 731 sperimentava anche su prigionieri di guerra alleati, selezionati per verificare che tossine e gas nervini avessero sugli occidentali lo stesso effetto che avevano sugli asiatici. Quando servivano donne incinte e bambini,[26] venivano rapiti dalle strade di Harbin. Nessuno sa in quanti morirono nell'Unità 731, ma in base a una stima si pensa siano stati più o meno 250.000.

Di conseguenza Giappone e Germania finirono la guerra con un discreto vantaggio sul resto del mondo per quanto concerne

* L'insensibilità della Germania nazista toccava vette sconvolgenti. Nel 1941 un ospedale psichiatrico di Hadamar, vicino a Limburg, ricordò la messa a morte del decimillesimo paziente affetto da deficit cognitivo nel corso di una cerimonia ufficiale con tanto di discorsi e birra per il personale.

conoscenze di microbiologia, alimentazione, congelamento, ferite da arma da fuoco e soprattutto effetti di gas nervini, tossine e malattie infettive. Se molti tedeschi furono catturati e processati per i crimini di guerra, i giapponesi evitarono quasi del tutto la punizione. Alla maggior parte di loro, infatti, gli americani concessero l'immunità in cambio delle informazioni ricavate dagli esperimenti. Shiro Ishii, il medico che aveva concepito e diretto l'Unità 731, fu interrogato a fondo e restituito alla vita civile.

L'esistenza dell'Unità 731 era un segreto ben custodito dalle autorità giapponesi e americane, e tale sarebbe rimasto se nel 1984, in una libreria dell'usato, uno studente dell'università Keio di Tokyo[27] non si fosse imbattuto in una scatola piena di documenti incriminanti che portò all'attenzione pubblica. Ormai, però, era troppo tardi per consegnare Shiro Ishii alla giustizia. Era morto nel sonno nel 1959, a sessantasette anni, dopo quasi quindici anni di serena vita postbellica.

12

Il sistema immunitario

Il sistema immunitario è l'organo più interessante del corpo.
MICHAEL KINCH

I

Il sistema immunitario è esteso, un po' caotico ed è distribuito in tutto il corpo. Fra l'altro comprende diversi elementi che di solito non associamo alla sfera dell'immunità tipo cerume, pelle e lacrime. L'eventuale invasore in grado di superare tali difese esterne – e sono relativamente in pochi a riuscirci – si imbatte nell'orda delle cellule immunitarie «vere e proprie» che accorrono da linfonodi, midollo osseo, milza, timo e altri angoli del corpo. Le reazioni chimiche in atto sono tantissime. Per comprendere il sistema immunitario occorre prima capire anticorpi, linfociti, citochine, chemochine, istamina, neutrofili, linfociti B, linfociti T, linfociti NK, macrofagi, fagociti, granulociti, basofili, interferoni, prostaglandine, cellule staminali ematopoietiche pluripotenti e molto altro, e ribadisco molto altro. Mentre alcune cellule hanno lo stesso compito, altre svolgono più funzioni. L'interleuchina 1, per esempio, non si limita ad attaccare gli agenti patogeni, ma è anche coinvolta nel sonno, a parziale spiegazione del perché quando non stiamo bene siamo spesso insonnoliti. In base a un calcolo abbiamo circa trecento tipi cellule immunitarie[1] anche se per Daniel Davis, docente di immunologia della University of Manchester, il numero è di fatto incalcolabile. «Una cellula dendritica della pelle è molto diversa da quella di un linfonodo, per cui è difficile individuare i tipi specifici»[2] spiega.

Per di più i sistemi immunitari sono unici quanto gli individui, quindi è più complicato generalizzarli, comprenderli e curarli quando si inceppano. Fra l'altro non si occupano solo dei germi, ma reagiscono a tossine, farmaci, tumori, oggetti estranei e influiscono addirittura sull'umore. Chi è stressato o sfinito[3] ha, per esempio, più probabilità di contrarre infezioni.

Siccome la protezione dalle invasioni è una sfida pressoché senza limiti, a volte il sistema immunitario si sbaglia e sferra un attacco a cellule innocenti. Vista la quantità di ispezioni che le cellule immunitarie compiono giorno dopo giorno, il tasso di errore è assai basso. È però ironico che un'altissima quantità di sofferenze ci venga inflitta dalle nostre difese sotto forma di malattie autoimmuni come sclerosi multipla, lupus, artrite reumatoide, morbo di Crohn e tanti altri disturbi spiacevoli. Nel complesso il 5 per cento circa di tutti noi[4] ha una malattia autoimmune – percentuale altissima per una tipologia di patologie così sgradevoli –, e il numero cresce più in fretta della nostra capacità di curarle con efficacia. «A ben pensarci[5] è una follia che il sistema immunitario attacchi se stesso» dice Davis. «Eppure, visto tutto ciò che fa, è incredibile che non succeda sempre. Il sistema immunitario è bombardato di continuo da cose sconosciute, magari appena nate, come i nuovi virus dell'influenza in costante mutazione. Quindi dev'essere in grado di individuare e respingere una quantità di cose più o meno infinita.»

Davis è un omone cortese che ha superato i quaranta, con una risata rumorosa e l'aria felice di chi ha trovato la sua nicchia. Ha studiato Fisica a Manchester e a Strathclyde, poi a metà degli anni Novanta si è trasferito a Harvard e ha deciso che la biologia era la sua passione. Per puro caso è finito nel laboratorio di immunologia ed è rimasto affascinato dall'elegante complessità del sistema immunitario e dalla sfida di provare a comprenderlo nel dettaglio.

Malgrado la complessità a livello molecolare, tutte le parti del sistema immunitario collaborano per un unico scopo: stanare eventuali presenze estranee nel nostro corpo e, se necessario, eliminarle. L'operazione, però, non è affatto lineare. Dentro di noi ci sono elementi innocui o addirittura benefici, ed eliminarli sarebbe avventato nonché uno spreco di energia e risorse. Il sistema immunitario deve quindi comportarsi un po' come gli addetti alla sicurezza aeroportuale, che controllano i bagagli sul nastro trasportatore e contestano solo gli oggetti dal potenziale nefando.

Al cuore del sistema troviamo cinque tipi di globuli bianchi: linfociti, monociti, basofili, neutrofili ed eosinofili. Pur essendo tutti importanti, i linfociti sono quelli che appassionano di più gli immunologi. Secondo David Bainbridge sono «le cellule più intelligenti[6] dell'intero corpo» per la loro capacità di riconoscere ogni sorta di invasore indesiderato e mobilitare una reazione rapida e mirata.

I linfociti si dividono in due categorie principali: B e T. La B deriva da «borsa di Fabrizio», un organo simile all'appendice tipico degli uccelli, dove furono scoperti i linfociti B.* Gli esseri

* La borsa di Fabrizio prende il nome dall'anatomista italiano Geronimo Fabrici d'Acquapendente o Hieronymus Fabricius (1537-1619), secondo il

umani e altri mammiferi non ce l'hanno. I nostri linfociti B sono prodotti nel midollo osseo. I linfociti T, invece, hanno un nome più fedele alla loro origine. Pur essendo creati nel midollo osseo spuntano dal timo, un piccolo organo che si trova subito sopra il cuore, fra i polmoni. Per molto tempo il ruolo del timo è rimasto un totale mistero, perché sembrava solo pieno di cellule immunitarie morte, «il luogo in cui le cellule andavano a morire» come ha scritto Daniel Davis nel suo magnifico libro *Il gene della compatibilità*. Nel 1961 Jacques Miller, giovane ricercatore franco-australiano che lavorava a Londra, ne svelò il mistero.

Stabilì infatti che il timo è il vivaio dei linfociti T,[7] una sorta di corpo scelto del sistema immunitario, e che le cellule morte trovate lì erano i linfociti scartati o perché non bravissimi a individuare e attaccare gli invasori esterni, o perché troppo impazienti di attaccare le cellule sane del corpo. In breve, non avevano passato il test. Come annunciò la rivista medica *The Lancet*, Miller era «l'ultima persona a individuare la funzione[8] di un organo umano». In molti si sono chiesti perché non gli fu assegnato il Nobel.

A loro volta i linfociti T si dividono in due categorie: helper e

quale era collegata alla produzione delle uova. Fabricius si sbagliava, ma il vero scopo rimase un mistero fino al 1956, quando fu risolto da un caso fortunato. Bruce Glick, all'epoca specializzando alla Ohio State University, rimosse le borse ai polli per vedere come avrebbero reagito e non notando alcun effetto percepibile si arrese. I polli furono affidati a Tony Chang, uno studente che si occupava di anticorpi. Chang scoprì che i polli senza borse non producevano anticorpi, così i due giovani ricercatori capirono che a produrli era la borsa di Fabrizio, una scoperta straordinaria per l'immunologia. Inviarono un articolo alla rivista *Science*, che però lo rispedì al mittente perché «non interessante». Infine riuscirono a farlo pubblicare da *Poultry Science* e da allora, secondo la British Society for Immunology, è uno degli studi più citati del settore. Per inciso, borsa deriva dal latino e può riferirsi a varie strutture. Negli esseri umani sono piccole sacche che ammortizzano le articolazioni, e sono responsabili della borsite.

killer. I killer, come indica il nome, uccidono le cellule invase dagli agenti patogeni. Gli helper, invece, aiutano altre cellule immunitarie ad agire e aiutano i linfociti B a produrre anticorpi. I linfociti T della memoria ricordano i dettagli dei precedenti invasori e, se si ripresenta lo stesso agente patogeno, sono in grado di coordinare una rapida reazione nota come immunità adattativa o acquisita.

I linfociti T della memoria sono incredibilmente vigili. Se non mi tornano gli orecchioni è perché, da oltre sessant'anni, loro mi proteggono da un secondo attacco. Quando individuano il nemico ordinano ai linfociti B di produrre le proteine note come anticorpi, che attaccano gli organismi invasori. Gli anticorpi sono furbi: riconoscono e combattono rapidamente precedenti invasori se osano ripresentarsi. Ecco perché tantissime malattie ci colpiscono una sola volta. Ed è anche il processo al cuore dei vaccini, che inducono il corpo a produrre anticorpi utili contro un particolare flagello senza farci ammalare.

I microbi hanno sviluppato vari stratagemmi per ingannare il sistema immunitario, ad esempio inviando segnali chimici ambigui o spacciandosi per batteri benigni. Alcuni agenti infettivi, come l'*Escherichia coli* e la salmonella, possono indurre con l'inganno il sistema immunitario ad attaccare gli organismi sbagliati. In giro esistono molti agenti patogeni per l'uomo e buona parte della loro esistenza è dedicata a sviluppare modi nuovi e astuti per penetrarci. Il prodigio non è tanto che a volte ci ammaliamo, quanto piuttosto che non succeda molto più spesso. Oltre a uccidere le cellule intruse, il sistema immunitario deve tentare di uccidere le nostre che non si comportano bene, per esempio quando diventano cancerose.

L'infiammazione è il culmine della battaglia, quando il corpo si difende dal pericolo. I vasi sanguigni vicini a una ferita si dilatano, permettendo al sangue di affluire più copioso e di portare globuli bianchi per combattere gli invasori. L'area intorno alla ferita si gonfia, facendo aumentare la pressione sui nervi intorno e causando sensibilità. A differenza dei globuli rossi, i bianchi possono uscire dall'apparato circolatorio e attraversare i tessuti circostanti come una pattuglia che perlustra una giungla. Se incontrano l'invasore sferrano l'attacco con le citochine, le sostanze chimiche che causano febbre e malessere quando combattono un'infezione. Non è infatti l'infezione a farci sentire male, bensì il corpo che si difende. Il pus rilasciato da una ferita è composto, tra le altre cose, dai globuli bianchi morti che hanno dato la vita per proteggerci.

L'infiammazione è un meccanismo complesso. Se è eccessiva distrugge i tessuti vicini e può arrecare dolore inutile, se è modesta non ferma l'infezione. Il suo malfunzionamento è stato associato[9] a diversi disturbi, da diabete e Alzheimer a infarto e ictus. «Certe volte» mi ha spiegato Michael Kinch della Washington University di St. Louis, «il sistema immunitario si scatena a tal punto[10] da chiamare a raccolta tutte le sue difese e sparare tutti i suoi missili nella cosiddetta tempesta citochinica. È questa che ci uccide. Si ripresenta in varie pandemie, ma anche nelle forti reazioni allergiche alle punture d'ape.»

Buona parte di quanto accade nel sistema immunitario a livello cellulare dev'essere ancora compreso a fondo. Parecchio dev'essere compreso del tutto. Durante la mia visita a Manchester Davis mi ha portato nel suo laboratorio, dove un team di ricercatori stava studiando sui computer delle immagini acquisite da microscopi ad altissima risoluzione. Il ricercatore Jonathan Worboys mi ha mostrato una nuova scoperta: anelli di proteine simili a oblò sparsi sulla superficie di una cellula. Al di fuori di quel laboratorio nessuno li aveva mai visti.

«Senza dubbio si sono formati per un motivo» ha detto Davis, «che però è ancora sconosciuto. Sembra importante, ma potrebbe non esserlo. Non lo sappiamo. Magari lo capiremo fra quattro o cinque anni. Ecco cosa rende la scienza sia entusiasmante sia difficile.»

Se il sistema immunitario ha un santo patrono, quello è di certo Peter Medawar, uno dei maggiori scienziati britannici del XX secolo e forse anche il più esotico. Figlio di un libanese e di un'inglese, nacque nel 1915 in Brasile, dove il padre aveva interessi commerciali, ma quando lui era ancora piccolo la famiglia si trasferì in Inghilterra. Medawar era alto, avvenente e atletico. Un suo contemporaneo, Max Perutz, lo definì «vivace, socievole, disinvolto, brillante conversatore,[11] disponibile, irrequieto e assai ambizioso». Per Stephen Jay Gould era «l'uomo più intelligente che abbia mai conosciuto». Malgrado la formazione da zoologo, Medawar si è conquistato fama imperitura con il lavoro sugli esseri umani durante la Seconda guerra mondiale.

Un pomeriggio d'estate del 1940 si godeva il sole con la moglie e la figlioletta nel loro giardino di Oxford quando sentì uno scoppiettio e, alzati gli occhi al cielo, vide precipitare un bombardiere della RAF. L'aereo si schiantò tra le fiamme ad appena duecento metri da casa sua. Un membro dell'equipaggio sopravvisse malgrado le orribili ustioni. Medawar rimase probabilmente stupito quando, un paio di giorni dopo, i medici dell'esercito gli chiesero di andare a dare un'occhiata al giovane aviatore. In fondo era uno zoologo, ma essendo impegnato nella ricerca sugli antibiotici magari era in grado di dare una mano. Fu l'inizio di una magnifica e proficua collaborazione che culminò nel premio Nobel.

A preoccupare di più i medici era il problema dell'innesto cutaneo. Quando la pelle veniva prelevata da un individuo e innestata su un altro dapprima veniva accettata, poi però avvizziva e moriva. Medawar fu subito attratto dal problema, non riusciva a capire perché il corpo rigettasse un evidente beneficio. «Nonostante lo zelo clinico[12] e forse persino l'urgenza mortale che accompagna il trapianto, gli omoinnesti cutanei sono trattati come una malattia la cui unica cura è la distruzione» scrisse.

«Si credeva che il problema risiedesse nell'intervento, che se i chirurghi fossero riusciti a perfezionare la tecnica sarebbe filato tutto liscio» mi spiega Daniel Davis. Medawar, però, capì che c'era sotto dell'altro. Al secondo innesto cutaneo la pelle veniva rigettata ancora più in fretta. In seguito scoprì che il sistema immunitario apprende fin dai primi anni di vita a non attaccare le sue cellule normali e sane. Come mi ha detto Davis: «Scoprì che se un topo giovane è esposto alla pelle di un altro topo, quando cresce è capace di accettare il trapianto della sua pelle. In altri termini, scoprì che il corpo impara presto ciò che è suo, ciò che non deve attaccare. Il trapianto di pelle da un topo all'altro funziona purché il ricevente sia stato allenato da giovanissimo a non attaccare». Fu l'intuizione che, anni dopo, gli valse il Nobel. Come ha osservato David Bainbridge: «Anche se oggi lo diamo per scontato, l'improvviso nesso fra trapianto e sistema immunitario fu una conquista cruciale della medicina. Ci ha spiegato cos'è davvero l'immunità».

II

Due giorni prima del Natale del 1954 Richard Herrick di Marlborough,[13] Massachusetts, rischiava di morire per insufficienza renale a soli ventitré anni quando la vita gli fu restituita grazie al primo trapianto di reni mai effettuato al mondo. Per sua fortuna Herrick aveva Ronald, un gemello identico e quindi il donatore con il tessuto ideale.

Nessuno, però, aveva mai tentato nulla di simile e i medici non avevano certezze sull'esito. C'era una netta possibilità che morissero entrambi. Come spiegò anni dopo il chirurgo Joseph Murray, primo operatore: «Nessuno di noi aveva mai chiesto a una persona sana di accettare quell'immenso rischio per il bene di un altro». Per fortuna andò meglio di quanto chiunque avesse osato sperare, con un lieto fine degno di una favola. Richard Herrick non solo sopravvisse all'intervento, ma sposò la sua infermiera ed ebbe due figli. Visse altri otto anni prima che la glomerulonefrite, la malattia originaria, tornò per ucciderlo. Il gemello Ronald visse altri cinquantasei anni con un rene solo. E il chirurgo Joseph Murray vinse il Nobel per la Medicina o la Fisiologia nel 1990, anche se soprattutto per il successivo lavoro sull'immunosoppressione.

Il rigetto, però, decretava il fallimento della maggior parte delle operazioni. Nel decennio seguente 211 persone si sottoposero al trapianto di rene e il grosso non superò qualche settimana di vita, quando non morì subito. Solo sei sopravvissero un anno, nella maggior parte dei casi perché il donatore era un gemello. Fu solo dopo la creazione del farmaco miracoloso noto come ciclosporina, estratto da un campione di terra raccolto per caso durante una vacanza in Norvegia (come ricorderete dal capitolo 7), che i trapianti decollarono.

I progressi degli ultimi decenni in questo ambito della chirurgia sono stati eccezionali. Oggi negli Stati Uniti, per esempio, delle trentamila persone sottoposte ogni anno al trapianto di un organo oltre il 95 per cento è ancora vivo dopo un anno e l'80 per cento dopo cinque. Il rovescio della medaglia è che la domanda di organi supera di gran lunga l'offerta. Nel 2018 nelle liste d'attesa americane c'erano 114.000 persone.[14] Ogni dieci minuti si aggiunge una nuova persona alla lista, e ogni giorno ne muoiono venti prima che si possa trovare un organo disponibile. Se chi è in dialisi vive in media otto anni in più,[15] con un trapianto si arriva a ventitré.

Mentre un terzo dei trapianti di rene proviene da donatori

vivi (in genere un parente prossimo), gli altri organi provengono da donatori deceduti, il che rappresenta un enorme ostacolo. Chi ha bisogno di un organo, infatti, deve sperare che qualcuno muoia in circostanze tali da lasciargli un organo sano e riutilizzabile delle giuste dimensioni, che non si trovi troppo lontano e che ci siano due équipe di chirurghi pronte a intervenire, una per rimuovere l'organo dal donatore, l'altra per inserirlo nel ricevente. Oggi l'attesa media per un trapianto di rene negli Stati Uniti è di 3,6 anni, dai 2,9 del 2004, e molti non possono aspettare così a lungo. Sempre negli Stati Uniti ogni anno 7000 persone muoiono prima del trapianto, mentre in Gran Bretagna sono circa 1300 (poiché i due paesi usano criteri di misurazione diversi, è impossibile un raffronto diretto dei dati).

Un'eventuale soluzione è il ricorso agli animali.[16] Gli organi prelevati dai maiali si potrebbero far crescere fino alle dimensioni giuste e poi usare a volontà. Gli interventi sarebbero programmati e non più d'urgenza. In teoria è una soluzione magnifica, ma nella pratica solleva due grossi problemi. Il primo è che gli organi di un'altra specie scatenano una violenta immunoreazione – se c'è una cosa che il sistema immunitario sa è che nel corpo non dovrebbe esserci un fegato di maiale – e il secondo è che i maiali sono pieni di retrovirus endogeni porcini, che rischiano di infettare qualunque essere umano in cui siano introdotti. Ci sono speranze che entrambi i problemi possano essere superati nell'immediato futuro, avverando così le speranze di migliaia di persone.

Un problema diverso e non meno difficile da gestire è che i farmaci immunosoppressori non sono l'ideale per svariati motivi. Innanzitutto agiscono sull'intero sistema immunitario e non solo sull'organo trapiantato, quindi il paziente è destinato a essere predisposto alle infezioni e ai tumori di norma combattuti, e poi possono essere tossici.

Sebbene con un po' di fortuna la maggior parte di noi non

avrà mai bisogno di un trapianto, ci sono tante altre cose che il sistema immunitario può farci. Nel complesso siamo afflitti da una cinquantina[17] di disturbi autoimmuni, e il dato è in crescita. Si pensi al morbo di Crohn, una malattia infiammatoria cronica dell'intestino in costante aumento. Prima del 1932, quando il medico di New York Burrill Crohn[18] lo descrisse in un articolo pubblicato dal *Journal of the American Medical Association*, non era neppure un disturbo riconosciuto.* All'epoca colpiva una persona su 50.000, poi una su 10.000 e in seguito una su 5000. Oggi siamo a una su 250, e il dato aumenta. Nessuno sa perché. Daniel Lieberman avanza l'ipotesi che l'abuso di antibiotici[19] e il conseguente impoverimento delle riserve microbiche potrebbe averci reso più soggetti alle malattie autoimmuni, ma ammette che le « cause restano sfuggenti ».

Altrettanto sconcertante è il fatto che le malattie autoimmuni sono spudoratamente sessiste.[20] Le donne, infatti, hanno il doppio delle probabilità di avere la sclerosi multipla, dieci volte di più di avere il lupus e cinquanta volte di più di avere un disturbo della tiroide chiamato tiroidite di Hashimoto. Nel complesso l'80 per cento delle malattie autoimmuni colpisce le donne. Gli ormoni sono i presunti responsabili, ma non è ancora chiaro come facciano quelli femminili, a differenza di quelli maschili, a confondere il sistema immunitario.

La categoria più ampia e per molti versi più misteriosa e incurabile dei disturbi da immunodeficienza è quella delle allergie. Un'allergia è la reazione inadeguata del corpo a un invasore solitamente innocuo. Il concetto di allergia è molto recente. Il termine è comparso per la prima volta in lingua inglese[21] nel

---

* Crohn lo chiamava ileite regionale, enterite regionale o enterocolite cicatrizzante. In seguito si scoprì che il chirurgo di Glasgow Thomas Kennedy Dalziel aveva descritto la stessa malattia quasi vent'anni prima chiamandola enterite cronica interstiziale.

Journal of the American Medical Association poco più di un secolo fa. E già l'allergia è diventata la piaga della vita moderna. Circa la metà delle persone sostiene[22] di averne almeno una, mentre tante altre ne hanno più di una (in medicina si chiama atopia).

Il tasso mondiale di incidenza varia dal 10 al 40 per cento e segue da vicino la situazione economica. Più ricco è il paese, più allergie hanno i suoi abitanti. Non si sa perché la ricchezza risulti nociva. Può darsi che negli stati ricchi e urbanizzati l'esposizione alle sostanze inquinanti sia superiore – è comprovato che gli ossidi di azoto del diesel sono associati a più alte incidenze di allergia – o forse il diffuso consumo degli antibiotici ha inciso in maniera diretta o indiretta sulle nostre risposte immunitarie. Altri fattori concomitanti potrebbero essere la mancanza di attività fisica e la maggiore obesità. Anche se le allergie non sono genetiche, i geni possono influenzarne la predisposizione. Quando i genitori hanno un'allergia, i figli hanno il 40 per cento di probabilità di averla. Maggiori probabilità, ma nessuna certezza.

Il grosso delle allergie si limita giusto a causare disagio, ma alcune possono essere pericolosissime. In America circa settecento persone l'anno muoiono di anafilassi, il nome scientifico della reazione allergica più violenta che può provocare ostruzione delle vie aeree. Le cause scatenanti sono spesso antibiotici, alimenti, punture d'insetto e lattice, in quest'ordine. Alcune persone sono molto sensibili a determinati materiali. Nel libro *The Molecules Within Us* il dottor Charles A. Pasternak racconta che un bambino[23] è rimasto due giorni in ospedale perché un passeggero dello stesso aereo su cui volava, seduto a due file di distanza, mangiava arachidi. Se nel 1999 alle arachidi era allergico lo 0,5 per cento dei bambini, oggi, vent'anni dopo, il numero è quadruplicato.

Nel 2017 il National Institute of Allergy and Infectious Diseases americano[24] ha dichiarato che il modo migliore per evitare o ridurre al minimo l'allergia alle arachidi non è tanto negarle ai bambini, come si è creduto per decenni, quanto piuttosto concederle a piccole dosi per abituarli. Secondo altri esperti, invece, lasciare che siano i genitori a fare esperimenti sui figli non è saggio, e qualunque programma di assuefazione andrebbe seguito con l'attenta e qualificata supervisione dei medici.

La spiegazione più diffusa per il vertiginoso aumento delle allergie è la celebre «ipotesi dell'igiene»,[25] avanzata per la prima volta nel 1989 nel breve articolo – pubblicato dal *British Medical Journal* – dell'epidemiologo della London School of Hygiene and Tropical Medicine David Strachan (che però non usò quest'espressione, subentrata in seguito). In breve, si ipotizza che i bambini del mondo sviluppato, cresciuti in ambienti molto più puliti rispetto ai bambini del passato, non abbiano la stessa resistenza alle infezioni di chi ha contatti più diretti con sporcizia e parassiti.

L'ipotesi dell'igiene ha però qualche falla, tra cui il fatto che l'enorme aumento delle allergie risale agli anni Ottanta, quando la pulizia esisteva ormai da tempo, per cui non può spiegare da sola una simile diffusione. Oggi è stata soppiantata da una versione più ampia, la cosiddetta «ipotesi dei vecchi amici», in base a cui le nostre vulnerabilità non derivano solo dall'esposizione alle sostanze durante l'infanzia, ma sono il frutto dell'accumulo dei cambiamenti di stile di vita che risalgono al Neolitico.

In entrambi i casi non sappiamo perché le allergie esistano. In fondo morire per aver ingerito un'arachide non apporta alcun evidente vantaggio evolutivo, quindi il motivo per cui alcuni hanno conservato una tale sensibilità è, come tanto altro, un enigma.

Sbrogliare l'intrico del sistema immunitario è tutt'altro che un esercizio intellettuale. La scoperta di come usare le difese

umane per combattere le malattie – la cosiddetta immunoterapia – porterebbe con sé la promessa di trasformare interi ambiti
della medicina. Gli approcci che di recente hanno suscitato più
interesse sono due. Uno è la terapia dei checkpoint immunitari,
basata in sostanza sull'idea che il sistema immunitario è programmato per risolvere un problema – uccidere un'infezione –
e poi ritirarsi. In tal senso si comporta come una squadra di vigili
del fuoco. Poiché una volta domato l'incendio non ha più motivo di continuare a spargere acqua sulle ceneri, segnali interni lo
avvisano di fare i bagagli e tornare in caserma in attesa della crisi
successiva. I tumori hanno imparato a sfruttare tale meccanismo
inviando propri segnali di stop che ingannano il sistema immunitario, inducendolo a ritirarsi prematuramente. La terapia dei
checkpoint bypassa i segnali di stop e fa miracoli con alcuni
tumori – dei pazienti terminali con melanomi in stadio avanzato
si sono ristabiliti del tutto –, ma per ragioni ancora incomprese
funziona solo in certi casi. E può avere gravi effetti collaterali.

Il secondo approccio è la CAR-T. CAR sta per recettore chime-
rico per l'antigene, e la terapia è complessa e particolare proprio
come sembra, ma di fatto prevede la manipolazione genetica dei
linfociti T di un malato di cancro per restituirli al corpo in una
forma che permetta loro di attaccare e uccidere le cellule tumorali. Funziona benissimo nel caso di alcune leucemie, ma siccome uccide anche i globuli bianchi sani il paziente è più facilmente soggetto a infezioni.

Il vero problema di queste terapie è il costo. La CAR-T, per
esempio, può arrivare a 500.000 dollari a paziente. «Che dobbiamo fare?» si chiede Daniel Davis. «Curare pochi ricchi e
dire a tutti gli altri che non è disponibile?» Ma questa, ovviamente, è un'altra storia.

13

Un bel respiro: i polmoni e la respirazione

> Ho l'abitudine di mettermi in mare
> ogni volta che comincio a vedere appannato,
> e divento troppo cosciente dei miei polmoni.
> HERMAN MELVILLE, *Moby Dick*

I

Senza far rumore e con un ritmo cadenzato, da svegli o addormentati, in genere senza pensarci, ogni giorno inspiriamo ed espiriamo sulle ventimila volte, elaborando con regolarità circa 12.500 litri d'aria a seconda della stazza e di quanto siamo attivi. Stiamo parlando di qualcosa come 7,3 milioni di respiri fra un compleanno e l'altro, 550 milioni nell'arco di una vita.

I numeri della respirazione, come quelli dell'intera esistenza, sono sconcertanti, anzi, hanno dell'incredibile. Ogni volta che respiriamo, sprigioniamo[1] 25 sestilioni ($2,5 \times 10^{22}$) di molecole di ossigeno, talmente tante che con buona probabilità ci basta una giornata per inalare almeno una molecola del respiro di chiunque abbia mai vissuto. E chiunque vivrà da adesso a quando il sole si spegnerà di tanto in tanto respirerà un po' di noi. Dal punto di vista atomico siamo, per certi versi, eterni.

Per buona parte di noi le molecole affluiscono dalle *nares*, il termine latino che indica le narici (senza alcun motivo impellente, va detto). Da lì l'aria attraversa le cavità più misteriose della testa, i seni paranasali, che occupano uno spazio sproposito, non si sa bene perché.

«I seni sono elementi strani» mi ha detto un giorno Ben Ollivere della Nottingham University e del Queen's Medical Centre. «Sono solo spazi cavernosi all'interno della testa. Se non dovessimo destinare loro tutto quello spazio, ce ne sarebbe molto di più per la materia grigia.» Lo spazio, però, non è del tutto vuoto, ma occupato da una complessa rete di ossa che forse contribuiscono all'efficienza della respirazione. Che abbiano o meno una funzione, i seni creano non pochi guai. Ogni anno trentacinque milioni di americani soffrono di sinusite, e circa il 20 per cento delle prescrizioni di antibiotici[2] è destinato a chi ha patologie dei seni (anche se, essendo soprattutto di natura virale, sono immuni agli antibiotici).

Per inciso, il motivo per cui il naso cola quando fa freddo è lo stesso per cui la finestra del bagno si ricopre di un velo d'acqua in inverno. Nel nostro caso, l'aria calda dei polmoni incontra quella fredda che entra dalle narici e si condensa causando il gocciolio.

I polmoni sono abilissimi nel fare le pulizie. Secondo una stima, in media una persona che vive in città inala venti miliardi di particelle estranee al giorno, fra cui polvere, sostanze inquinanti industriali, pollini, spore fungine e qualunque cosa sia sospesa nell'aria. Tante di queste possono causare gravi malattie, ma in genere non succede perché il corpo respinge gli intrusi. Se una particella è molto grande o particolarmente irritante viene espulsa all'istante da un colpo di tosse o da uno starnuto (diventando spesso in questo modo un problema altrui). Se è troppo piccola per provocare una risposta così violenta resta intrappolata nella mucosa che riveste le cavità nasali o viene catturata dai bronchi, o tubuli, dei polmoni. Queste minuscole vie aeree sono rivestite da milioni e milioni di ciglia che fungono da pagaie (sono velocissime, sbattono sedici volte al secondo) e rispediscono in gola gli invasori, poi dirottati nello stomaco e dissolti dall'acido cloridrico. Se riesce a superare questa massa ondeggiante, l'intruso si scontra con delle macchinette divoratrici dette macrofagi alveolari, che lo inghiottiscono. A volte, però, gli agenti patogeni la spuntano e ci fanno ammalare. La vita è così.

Da non molto si è scoperto che starnutire è un'esperienza ben più impetuosa di quanto si pensasse. Come ha riferito *Nature*, il team coordinato dalla professoressa Lydia Bourouiba del Massachusetts Institute of Technology ha studiato gli starnuti con un'attenzione mai riservata loro in passato, e ha scoperto che le goccioline possono schizzare fino a otto metri[3] e restare sospese nell'aria per una decina di minuti prima di posarsi leggiadre sulle superfici limitrofe. Tramite riprese a ultrarallentatore si è inoltre osservato che lo starnuto non è un bolo di goccioline, come si era sempre creduto, bensì una cortina – una sorta di pellicola liquida – che si infrange sulle superfici vicine fornendo ulteriori prove, se mai ce ne fosse bisogno, che è meglio non trovarsi nei paraggi quando qualcuno starnutisce. Secondo un'interessante teoria, clima e temperatura possono influenzare il modo in cui le goccioline di uno starnuto si uniscono, spiegando perché influenza e raffreddore sono più diffusi nei mesi freddi, ma non perché le goccioline risultano più contagiose se prelevate tramite il tocco piuttosto che con il respiro (o il bacio). A proposito, alcuni esperti in vena di spiritosaggini chiamano lo starnuto scoppio elio-oftalmico autosomico dominante compulsivo.

Nel complesso i polmoni pesano un chilo e cento grammi e

occupano più spazio di quanto si immagini. Si protendono dal collo allo sterno. Tendiamo a pensare che si gonfino e si sgonfino in maniera autonoma, tipo un mantice, invece sono assistiti da uno dei muscoli più sottovalutati del corpo, il diaframma. Il diaframma è un'invenzione dei mammiferi, e per giunta un'ottima invenzione, perché potenzia il funzionamento dei polmoni tirandoli giù. La superiore efficienza respiratoria che apporta favorisce un maggior afflusso di ossigeno ai muscoli, migliorando la nostra forza, e al cervello, favorendo l'intelligenza. A tale efficienza contribuisce anche il lieve scarto di pressione fra l'aria esterna e l'aria della cavità pleurica. Nel torace, infatti, la pressione è inferiore a quella atmosferica e consente ai polmoni di restare gonfi. Se l'aria penetra nel torace, per esempio a causa di una ferita, questo scarto si annulla e i polmoni collassano riducendosi a un terzo delle loro dimensioni.

La respirazione è una delle poche funzioni involontarie che siamo in grado di controllare, anche se solo fino a un certo punto. Se possiamo tenere gli occhi chiusi quanto ci pare e piace, non possiamo sospendere a oltranza la respirazione senza che il sistema torni a imporsi e ci costringa a inspirare. L'aspetto interessante è che il disagio provato quando si trattiene il fiato troppo a lungo non è causato dall'esaurimento dell'ossigeno ma dall'accumulo di anidride carbonica. Ecco perché la prima cosa che si fa quando si riprende a respirare è sbuffare. Verrebbe da pensare che l'esigenza più impellente sia inalare aria fresca piuttosto che buttar fuori quella viziata, e invece no. Il corpo detesta l'anidride carbonica a tal punto che deve espellerla prima di reintegrare l'ossigeno.

Gli esseri umani non sono campioni di apnea, anzi, neppure di respirazione. Sebbene i polmoni abbiano una capienza di sei litri d'aria,[4] in genere ne inaliamo appena mezzo litro alla volta, quindi c'è parecchio margine di miglioramento. Il record di apnea volontaria, 24 minuti e 3 secondi, lo detiene lo spagnolo

Aleix Segura Vendrell, che ha trattenuto il fiato in una piscina di Barcellona nel febbraio del 2016, ma dopo aver respirato ossigeno puro per un po' ed essere rimasto immobile nell'acqua per ridurre al minimo il fabbisogno energetico. Rispetto alla resistenza di tanti mammiferi acquatici è niente. Alcune foche possono stare sott'acqua fino a due ore, mentre la maggior parte di noi non dura più di un minuto, ammesso che ci arrivi. Neppure le famose pescatrici di perle giapponesi, dette *Ama*, si trattengono più di due minuti (anche se si tuffano un centinaio di volte al giorno).

Nel complesso per vivere ci occorre molto fiato. Un adulto di dimensioni medie[5] ha poco meno di due metri quadri di pelle, ma circa un centinaio di metri quadri di tessuto polmonare che contiene intorno ai 2500 chilometri di vie aeree. Stipare un simile apparato respiratorio nel modesto spazio del torace è un'abile soluzione all'immane problema di come procurare tanto ossigeno in maniera efficiente per miliardi di cellule. Senza quell'intricato imballaggio saremmo come le alghe kelp, lunghe decine di metri ma con tutte le cellule vicinissime alla superficie per facilitare il ricambio di ossigeno.

Visto e considerato quant'è complesso l'atto della respirazione non sorprende che i polmoni possano causare diversi problemi. A sorprendere, invece, è quanto poco a volte si sa delle origini di tali problemi, in particolare nel caso dell'asma.

II

Volendo proporre un testimonial per l'asma, il grande romanziere francese Marcel Proust (1871-1922) non sarebbe affatto una cattiva idea. Del resto Proust potrebbe essere il testimonial di moltissimi disturbi, visto che ne aveva in abbondanza. Soffriva di insonnia, indigestione, mal di schiena, cefalee, spossatezza, vertigini e di un opprimente mal di vivere. Ma era soprattutto schiavo dell'asma. Il primo attacco lo ebbe a nove anni e da allora la sua vita fu infelice. Alla sofferenza si accompagnò un'acuta germofobia. Prima di aprire la posta[6] chiedeva all'assistente di chiuderla in una scatola sigillata ed esposta a vapori di formaldeide per due ore. Ovunque andasse,[7] inviava alla madre dettagliati resoconti giornalieri su sonno, funzionalità polmonare, stato mentale e movimenti intestinali. Come avrete capito, era alquanto ossessionato dalla salute.

Sebbene alcuni dei suoi assilli fossero forse un tantino ipocondriaci, l'asma era vera. Alla disperata ricerca di una cura, Proust si sottopose a innumerevoli (e vani) clisteri; bevve infusi di morfina, oppio, caffeina, amile, trional, valeriana e atropina; fumò sigarette medicate; inalò creosoto e cloroformio; subì oltre cento dolorose cauterizzazioni nasali; seguì una dieta a base di latte; si fece tagliare il gas in casa; visse più che poté nell'aria pura delle città termali e dei rifugi di montagna. Niente funzionò. Morì di polmonite, con i polmoni stremati, nell'autunno del 1922 a soli cinquantuno anni.

All'epoca di Proust l'asma era una malattia rara e poco conosciuta. Oggi è molto diffusa e ancora poco conosciuta. Nella seconda metà del XX secolo si verificò un'impennata dei casi di asma in buona parte dei paesi sviluppati e nessuno sa perché. A livello globale oggi ne soffrono circa trecento milioni di persone, il 5 per cento degli adulti e il 15 dei bambini negli stati in cui è misurata con cura, anche se i numeri variano molto da zona a zona e da paese a paese, persino da città a città. Guangzhou, in Cina, ha un alto tasso di inquinamento, mentre la vicina Hong Kong, ad appena un'ora di treno, è relativamente pulita avendo poche industrie e aria pura a volontà grazie alla presenza del mare. Eppure nella pulita Hong Kong l'asma si attesta al 15 per cento, mentre nell'inquinata Guangzhou ad appena il 3, il contrario di quanto ci si aspetti. Nessuno è in grado di spiegarlo.

Prima della pubertà l'asma è più diffusa tra i maschi, dopo tra le femmine. Colpisce di più le persone di colore rispetto ai caucasici (in genere, ma non ovunque) e gli abitanti delle città piuttosto che di campagna. Nei bambini è associata a obesità e a sottopeso: in chi è obeso è più frequente, in chi è sottopeso è più grave. Il primato mondiale lo detiene la Gran Bretagna, dove lo scorso anno il 30 per cento dei bambini ha mostrato sintomi d'asma. Cina, Grecia, Georgia, Romania e Russia hanno appena il 3 per cento. Tutti i paesi di lingua inglese hanno un'alta incidenza, come anche quelli dell'America Latina. Per l'asma non esiste cura, benché nel 75 per cento dei casi scompaia da sola con l'inizio dell'età adulta. Non si sa né come né perché succeda, né come mai non capiti alla sfortunata minoranza. A dirla tutta, dell'asma non si sa quasi un bel niente.

Oggi l'asma (che deriva dal verbo greco « ansimare ») è non solo più diffusa, ma anche più letale, e spesso in maniera improvvisa. In Gran Bretagna è la quarta causa di morte infantile.[8] Negli Stati Uniti fra il 1980 e il 2000 i casi sono raddoppiati, mentre i ricoveri sono triplicati, a indicare che l'asma è sia più frequente sia più virulenta. Lo stesso fenomeno si è verificato in buona parte del mondo sviluppato – Scandinavia, Australia, Nuova Zelanda, alcune zone ricche dell'Asia – benché stranamente non altrove. In Giappone, per esempio, non c'è stato un aumento significativo.[9]

« Si pensa che l'asma sia causata[10] da acari della polvere, pelo di gatto, sostanze chimiche, fumo di sigaretta o inquinamento atmosferico » dice Neil Pearce, professore di Epidemiologia e Biostatistica della London School of Hygiene and Tropical Medicine. « Io ho passato trent'anni a studiarla e sono solo riuscito a dimostrare che quasi nessuno dei fattori ritenuti responsabili lo è davvero. Possono giusto provocare attacchi in chi è già asmatico. Delle cause principali sappiamo pochissimo e non possiamo fare nulla per prevenirla. »

Pearce, originario della Nuova Zelanda, è una delle autorità mondiali sulla diffusione dell'asma, ma è approdato a questa branca della medicina per puro caso e piuttosto tardi. «Ho avuto la brucellosi» – un'infezione batterica che lascia la sensazione di essere sempre influenzati – «poco dopo i vent'anni e ho dovuto interrompere gli studi» racconta. «Sono di Wellington e siccome nelle città la brucellosi è rara i medici impiegarono tre anni per diagnosticarla. Ironia vuole che, una volta capito cos'era, bastarono due settimane di antibiotici per curarla.» Malgrado una laurea con lode in Matematica, aveva perso l'occasione di entrare a Medicina, così lasciò perdere la specializzazione e lavorò due anni come conducente di autobus e in fabbrica.

Fu solo per caso, mentre cercava qualcosa di più interessante, che finì a lavorare come biostatistico alla Wellington Medical School. Da lì diventò direttore del Centre for Public Health Research della Massey University di Wellington. Il suo interesse per l'epidemiologia dell'asma scaturì da una serie di decessi inspiegati fra giovani asmatici. Pearce faceva parte del team che collegò le morti a un farmaco assunto per inalazione, il fenoterolo (che non c'entra nulla con il noto oppioide fentanyl). Fu l'inizio di una lunga relazione con l'asma, che oggi è solo uno dei suoi tanti interessi. Nel 2010 si è trasferito in Inghilterra per lavorare alla venerabile London School of Hygiene and Tropical Medicine nel quartiere di Bloomsbury.

«Per molto tempo» mi ha detto quando l'ho incontrato «l'asma è stata ritenuta un disturbo neurologico: il sistema nervoso inviava segnali sbagliati ai polmoni. Poi, negli anni Cinquanta e Sessanta, fu avanzata l'ipotesi che si trattasse di una reazione allergica e persino i manuali di oggi sostengono che l'asma è causata dall'esposizione agli allergeni durante i primi anni di vita. Idea, però, quasi del tutto errata. Ora si sa che la faccenda è molto più complessa. Una metà dei casi mondiali coinvolge le allergie, ma l'altra è dovuta a cause diverse, a ignoti meccanismi non allergici.»

Per molti asmatici il disturbo può essere scatenato da aria fredda, stress, attività fisica o altri fattori che nulla hanno a che fare con gli allergeni o le particelle dell'aria. «Più in generale» ha aggiunto Pearce, «si ritiene che l'asma, allergica e non, implichi un'infiammazione polmonare, ma se alcuni asmatici mettono i piedi in un secchio d'acqua ghiacciata cominciano subito a rantolare. Succede troppo in fretta perché sia dovuto a un'infiammazione. Dev'esserci una causa neurologica. Almeno in parte, stiamo chiudendo il cerchio.»

L'asma è molto diversa dagli altri disturbi dei polmoni perché non sempre è presente. «Il più delle volte la funzionalità polmonare della maggior parte degli asmatici è perfettamente normale. Il problema si manifesta solo in caso di attacco, ed è davvero insolito per una malattia. Anche quando le patologie sono asintomatiche restano quasi sempre evidenti nel sangue o nell'espettorato, mentre per l'asma è come se in certi casi svanisse.»

Durante un attacco le vie aeree si restringono[11] e l'asmatico fatica a respirare, soprattutto a espirare. Nelle forme più lievi gli steroidi sono quasi sempre in grado di tenere sotto controllo gli attacchi, mentre nelle forme più gravi funzionano di rado.

«Dell'asma si può dire che è un disturbo soprattutto occidentale» spiega Pearce. «Lo stile di vita dell'Occidente ha qualcosa che rende più vulnerabile il sistema immunitario. Non sappiamo perché.» Una possibilità è l'ipotesi dell'igiene, per cui l'esposizione precoce agli agenti infettivi rafforza la resistenza all'asma e alle allergie in futuro. «È una teoria interessante» dice Pearce, «però non sempre torna. In paesi come il Brasile l'incidenza dell'asma è alta, ma anche quella delle infezioni.»

L'età culmine dell'insorgenza è tredici anni, eppure l'asma compare anche in tanti adulti. «Per i medici i primi anni di vita sono cruciali, ma non è del tutto vero» spiega. «Sono i primi anni di esposizione. Se si cambia lavoro o paese l'asma può insorgere anche da adulti.»

Alcuni anni fa Pierce ha fatto una bizzarra scoperta: chi ha avuto un gatto da piccolo è protetto a vita. «Mi diverto a dire che studio l'asma da trent'anni e non ho mai prevenuto un solo caso, però ho salvato la vita a tantissimi gatti» dice.

Difficile sapere cosa dello stile di vita occidentale scateni l'asma.[12] Crescere in una fattoria sembra fornire protezione e trasferirsi in città aumenta il rischio, ma il motivo resta ignoto. Un'intrigante teoria avanzata da Thomas Platts-Mills della University of Virginia collega l'aumento dell'asma alla diminuzione delle ore trascorse all'aperto. Come ha osservato, un tempo i bambini restavano fuori a giocare dopo la scuola, mentre ora spesso tornano a casa e ci restano. «Oggi i bambini ciondolano per casa o stanno seduti come non accadeva mai in passato»[13] ha detto in un'intervista a *Nature*. Davanti alla televisione, non solo non allenano i polmoni come farebbero se giocassero, ma addirittura respirano diversamente da quelli che non sono paralizzati di fronte a uno schermo. Secondo tale teoria, chi legge respira più a fondo e sospira più spesso di chi guarda la tivù e questa lieve differenza dell'attività respiratoria può bastare a far aumentare la predisposizione all'asma.

Per altri ricercatori i responsabili dell'insorgenza dell'asma potrebbero essere i virus. Uno studio del 2015 condotto alla University of British Columbia indica che l'assenza di quattro microbi intestinali (*Lachnospira*, *Veillonella*, *Faecalibacterium* e *Rothia*) nei neonati è associata allo sviluppo dell'asma nei primi anni di vita. Finora, però, si tratta solo di ipotesi. «La conclusione è che ancora non lo sappiamo» dice Pearce.

III

Un'altra diffusissima minaccia per i polmoni merita una menzione non tanto per ciò che provoca, quanto per il tempo inimmaginabile che la società ha impiegato ad accettarlo. Mi riferisco al fumo e al suo rapporto con il cancro.

Ignorarlo è quasi impossibile. Chi fuma con regolarità[14] (circa un pacchetto al giorno) rischia che gli venga il cancro ai polmoni cinquanta volte di più di un non fumatore. Nei trent'anni fra il 1920 e il 1950, quando le sigarette presero piede in tutto il mondo, i casi schizzarono alle stelle. Benché in America triplicarono, e aumenti simili si registrarono anche altrove, ci volle tantissimo per ammettere che la causa era il fumo.

Se oggi sembra assurdo, all'epoca non lo era. Poiché fumavano in tantissimi – l'80 per cento degli uomini alla fine degli anni Quaranta – ma solo alcuni sviluppavano cancro ai polmoni, persino qualche non fumatore, il legame non appariva diretto. Se in molti fanno una cosa che uccide solo alcuni è difficile attribuire la colpa a un'unica causa. L'aumento fu attribuito all'inquinamento atmosferico o all'uso massiccio dell'asfalto.

Uno dei principali scettici fu Evarts Ambrose Graham (1883-1957), chirurgo toracico e professore della Washington University di St. Louis famoso perché sosteneva (scherzando) che tanto valeva dare la colpa alle calze di nylon, visto che si diffusero nella stessa epoca del fumo. Quando però alla fine degli anni Quaranta il suo allievo di origini tedesche Ernst Wynder gli chiese il permesso di condurre uno studio sulle correlazioni tra fumo e cancro, Graham glielo concesse aspettandosi che smentisse una volta per tutte la teoria. Wynder dimostrò invece, e in modo definitivo, che il rapporto esisteva, al punto che Graham cambiò idea dinanzi alle prove. Nel 1950 i due pubblicarono un articolo sul *Journal of the American Medical Association* e poco dopo sul *British Medical Journal* uscì lo studio di Richard Doll e A. Bradford Hill della London School of Hygiene and Tropical Medicine con risultati più o meno identici.*

Sebbene due delle più prestigiose riviste mediche del mondo avessero dimostrato il chiaro collegamento tra fumo e cancro ai polmoni, le conseguenze furono quasi nulle. Fumare piaceva troppo per rinunciarvi. Richard Doll a Londra ed Evarts Graham a St. Louis, anche loro incalliti fumatori, smisero, ma troppo tardi nel caso del secondo che morì di cancro ai polmoni sette anni dopo aver scritto l'articolo. Negli anni Cinquanta negli Stati Uniti i fumatori aumentarono del 20 per cento.

Spronati dall'industria del tabacco, molti esperti si beffarono dei risultati. Non potendo addestrare i topi a fumare, Graham e Wynder idearono una macchina che estraeva il catrame dalle sigarette consumate per poi spalmarlo sulla pelle delle cavie da laboratorio, dove comparvero i tumori. Un collaboratore della rivista *Forbes* commentò con acidità (e, va detto, un pizzico d'idiozia): «Quanti uomini distillano il catrame dal tabacco e se lo spalmano sulla schiena?» I governi non si dimostrarono granché interessati alla vicenda. Quando il ministro della Sanità britannico Iain Macleod[15] annunciò ufficialmente che il rapporto tra fumo e cancro ai polmoni era inequivocabile, compromise non poco l'annuncio fumando durante la conferenza stampa.

Secondo il Tobacco Industry Research Committee – un panel scientifico finanziato dai produttori di sigarette – il cancro da tabacco indotto alle cavie da laboratorio non era mai stato dimostrato negli esseri umani. «Nessuno ha stabilito che il fumo di sigaretta,[16] o uno dei suoi componenti noti, provoca il cancro nell'uomo» scrisse il direttore scientifico del panel nel 1957, sorvolando di proposito sull'impossibilità di trovare un metodo

* Bradford Hill aveva già donato un importante contributo alla medicina. Due anni prima, infatti, aveva inventato il trial clinico controllato randomizzato per uno studio sugli effetti della streptomicina.

etico per indurre in via sperimentale il cancro a individui ancora in vita.

Per evitare ulteriori preoccupazioni (e rendere i prodotti più allettanti per le donne), all'inizio degli anni Cinquanta i colossi del tabacco introdussero il filtro, con cui si poteva affermare che le sigarette erano molto più sicure. La maggior parte dei produttori applicò un prezzo maggiorato anche se il filtro costava meno del tabacco risparmiato. Fra l'altro quasi nessuno bloccava catrame e nicotina meglio di quanto facesse il tabacco, quindi per compensare la perdita del gusto percepito si cominciò a usarne uno più forte. Di conseguenza alla fine degli anni Cinquanta un fumatore inalava in media più catrame e nicotina di quanto facesse prima dell'introduzione del filtro. A quel punto un adulto americano fumava[17] sulle quattromila sigarette l'anno. Il dato interessante è che in quel decennio tanta apprezzabile ricerca sul cancro fu svolta da scienziati finanziati dall'industria delle sigarette in cerca di cause alternative. A patto che il tabacco non fosse direttamente coinvolto, il lavoro fu spesso impeccabile.

Nel 1964 il chirurgo generale degli Stati Uniti (il capo esecutivo dello United State Public Health Service Commissioned Corps e portavoce delle questioni che riguardano la salute pubblica) annunciò il rapporto inequivocabile tra fumo e cancro ai polmoni, ma neanche stavolta sortì alcun effetto. Le sigarette fumate[18] in media da un americano, a partire dai sedici anni, scesero dalle 4340 dell'anno prima a 4200, per poi risalire e attestarsi a circa 4500 per moltissimo tempo. Caso strano, l'American Medical Association impiegò quindici anni per avallare la conclusione del chirurgo generale. In tutto quel periodo uno dei membri del consiglio direttivo[19] dell'American Cancer Society fu un magnate del tabacco. Nel 1973 *Nature* pubblicò addirittura un editoriale[20] a sostegno del fumo in gravidanza, sostenendo che attenuasse lo stress.

La situazione è proprio cambiata. Oggi fuma solo il 18 per cento degli americani e viene da pensare che il problema sia quasi risolto. E invece non è così semplice. Fuma ancora quasi un terzo di chi è al di sotto della soglia di povertà e l'abitudine continua a causare un quinto di tutti i decessi. Altro che problema quasi risolto.

Concluderei con un comunissimo fenomeno respiratorio decisamente meno preoccupante (almeno per tanti di noi, quasi sempre) benché non meno misterioso: il singhiozzo.

Il singhiozzo è un'improvvisa contrazione spasmodica del diaframma, che in sostanza induce la laringe a chiudersi di scatto producendo il noto rumore. Nessuno sa perché succeda. Il record mondiale[21] lo detiene l'allevatore dell'Iowa nordoccidentale Charles Osborne, che singhiozzò senza interruzione per sessantasette anni. Cominciò nel 1922 dopo aver tentato di sollevare un maiale di 160 chili per macellarlo. Dapprima la frequenza era di quaranta volte al minuto, poi rallentò a venti. In quasi settant'anni si è calcolato che Osborne singhiozzò 430 milioni di volte, mai quando dormiva. L'estate del 1990, un anno prima di morire, all'improvviso smise inspiegabilmente.*

Se il singhiozzo non passa spontaneamente dopo qualche minuto, la medicina non ha modo di intervenire. I rimedi migliori suggeriti dai dottori sono gli stessi che conosciamo sin dall'infanzia: uno spavento (con il classico grido: « Bu! »), lo sfregamento della nuca, il succo di un limone, un bel sorso di acqua gelata, una tirata alla lingua e almeno un'altra decina.

* Osborne era di Anthon, Iowa, che pur avendo appena seicento abitanti era anche la cittadina dell'uomo più alto del mondo. Nel 1921, quando morì a ventitré anni, poco prima che Osborne cominciasse la sua maratona di singhiozzo, Bernard Coyne sfiorava i due metri e mezzo.

L'eventuale efficacia di questi antichi rimedi non è mai stata scientificamente dimostrata. Fra l'altro non esistono dati sulla quantità di persone che soffrono di singhiozzo cronico o prolungato, però il problema non è affatto trascurabile. Un chirurgo mi ha detto che dopo un intervento al torace capita di frequente, « più spesso di quanto ci piaccia ammetterlo » ha aggiunto.

14

Food, Glorious Food

Dimmi cosa mangi e ti dirò chi sei.

ANTHELME BRILLAT-SAVARIN, *Fisiologia del gusto*

È risaputo che l'eccessivo consumo di birra, dolci, pizza, cheese-burger e tutte le altre cose che rendono la vita degna di essere vissuta fa mettere su qualche chilo per colpa delle troppe calorie. Ma cosa sono esattamente questi numeretti così ansiosi di renderci rotondi e flaccidi?

La caloria è una strana e complessa misura dell'energia alimentare. Il nome preciso è chilocaloria, definita come la quantità di energia necessaria a innalzare di un grado la temperatura di un chilo d'acqua, ma senza dubbio nessuno ci pensa mai in questi termini quando sta decidendo cosa mangiare. Il fabbisogno calorico è del tutto personale. Fino al 1964 la raccomandazione ufficiale negli Stati Uniti per un uomo mediamente attivo era di assumere 3200 calorie al giorno, e 2300 per una donna. Oggi i dati sono stati abbassati a circa 2600 calorie per un uomo mediamente attivo e a 2000 per una donna mediamente attiva.

Un bel taglio. Nell'arco di un anno, per un uomo equivale a quasi un quarto di milione di calorie in meno.

Forse non vi sorprenderà sapere che in realtà le cose sono andate nella direzione opposta. Oggi gli americani ingeriscono circa il 25 per cento[1] in più di calorie rispetto al 1970 (e diciamocelo, non morivano certo di fame nemmeno nel 1970).

Il padre della misurazione delle calorie[2] – anzi, della scienza alimentare moderna – è lo studioso americano Wilbur Olin Atwater. Mite e devoto, con i baffi da tricheco e una corporatura massiccia, a riprova del fatto che bazzicava anche lui la dispensa, Atwater era nato nel 1844 nel nord dello stato di New York. Figlio di un predicatore metodista itinerante, studiò Chimica agraria alla Wesleyan University del Connecticut e dal viaggio di studio in Germania, dove apprese il nuovo e stimolante concetto di caloria, tornò con l'impulso evangelico di conferire rigore scientifico alla neonata scienza della nutrizione.* Diventato professore di chimica all'università in cui aveva studiato, si imbarcò in una serie di esperimenti per testare ogni aspetto della scienza alimentare. Alcuni erano un tantino non ortodossi, per non dire rischiosi. In uno mangiò un pesce avvelenato con ptomaina per vedere che effetto avesse. Rischiò la morte.

Il progetto più celebre di Atwater fu la costruzione di un marchingegno che chiamò calorimetro respiratorio. Era una camera sigillata, non più grande di un armadio, in cui i volontari venivano chiusi fino a cinque giorni, mentre lui e gli assistenti misuravano con precisione vari aspetti del metabolismo

---

* C'è una totale mancanza di accordo su chi abbia davvero inventato il concetto di calorie nella dieta. Alcuni storici dell'alimentazione attribuiscono l'idea al francese Nicolas Clément nel 1819, altri al tedesco Julius Mayer nel 1848 e altri ancora a due francesi che lavoravano insieme, P.A. Favre e J.T. Silbermann nel 1852. L'unica certezza è che le calorie impazzavano fra i nutrizionisti europei degli anni Sessanta dell'Ottocento, quando Atwater ne sentì parlare per la prima volta.

– entrata di cibo e ossigeno, produzione di anidride carbonica, urea, ammoniaca, feci eccetera – e calcolavano l'apporto calorico. Il lavoro fu così certosino da richiedere sedici persone per leggere i quadranti ed effettuare i calcoli. I volontari erano quasi tutti studenti, anche se a volte veniva arruolato persino il custode del laboratorio, Swede Osterberg, non si sa quanto volontariamente. Sconcertato dallo scopo del calorimetro – in fondo le calorie erano un concetto del tutto nuovo – e soprattutto dal costo, il rettore della Wesleyan ordinò ad Atwater di dimezzarsi lo stipendio o di assumere un assistente a sue spese. Lui scelse la seconda soluzione e, imperterrito, ricavò le calorie e i valori nutrizionali di quasi tutti gli alimenti noti, circa quattromila. Nel 1896 pubblicò il capolavoro dal titolo *The Chemical Composition of American Food Materials*, che è rimasto la bibbia della dieta e della nutrizione per una generazione. Per un po' fu uno degli scienziati in assoluto più famosi d'America.

Buona parte delle conclusioni era sbagliata, ma non per colpa sua. Il concetto di vitamine e minerali non era ancora stato compreso e neppure l'esigenza di una dieta bilanciata. Per Atwater e i suoi contemporanei la superiorità di un alimento rispetto a un altro era determinata dall'efficienza con cui svolgeva la funzione di carburante. Frutta e verdura, che fornivano relativamente poca energia, non erano quindi contemplate nella dieta. Atwater suggeriva invece di mangiare moltissima carne,[3] quasi un chilo al giorno, 330 chili all'anno. Oggi in media un americano ne mangia 122 all'anno, circa un terzo di quanto consigliava Atwater, e per molti esperti è ancora una quantità eccessiva (in media un britannico ne mangia 84 chili all'anno, quasi il 70 per cento in meno di quanto raccomandato di Atwater, che è comunque troppo).

La scoperta più inquietante – sia per lui sia per il mondo intero – fu che l'alcol era particolarmente calorico, quindi un carburante ad alta efficienza. Da figlio di un esponente del clero, nonché astemio, era atterrito al pensiero di divulgare questa informazione, ma da scienziato diligente sentì il dovere di dire la verità, per quanto imbarazzante. Fu subito ripudiato dalla sua devota università metodista e dal già sprezzante rettore. Prima che la controversia si risolvesse intervenne il fato. Nel 1904 Atwater ebbe un violento ictus, sopravvisse tre anni senza mai recuperare le facoltà e morì a sessantatré anni, ma i suoi sforzi garantirono alle calorie un posto a quanto pare perenne nella scienza della nutrizione.

Come unità di misura dell'apporto alimentare la caloria ha diversi difetti. Tanto per cominciare, non offre alcuna indicazione sul fatto che un determinato cibo sia più o meno adatto al consumo dell'uomo. Il concetto di calorie «vuote» era praticamente sconosciuto all'inizio del XX secolo. Fra l'altro la misurazione tradizionale non spiega come vengono assorbiti i cibi durante il passaggio nel corpo. Buona parte della frutta secca, per esempio, è digerita in maniera meno completa rispetto ad altro, apportando meno calorie di quelle ingerite. Se si mangiano mandorle per 170 calorie[4] se ne trattengono solo 130. Il resto defluisce senza lasciare traccia.

A prescindere dal metodo di misurazione, siamo piuttosto bravi a estrarre energia dal cibo e non perché abbiamo un metabolismo particolarmente dinamico, ma grazie a un trucco imparato tantissimo tempo fa: la cottura. Non si sa bene quando abbiamo cominciato a cuocere gli alimenti. Anche se esistono solide prove che i nostri progenitori usavano il fuoco trecentomila anni fa, per Richard Wrangham di Harvard, che ha dedicato gran parte della carriera a studiare l'argomento, i nostri antenati lo padroneggiavano già un milione e mezzo di anni prima, ovvero quando ancora non eravamo del tutto umani.

La cottura offre numerosi vantaggi. Uccide le tossine, migliora il sapore, rende masticabili gli alimenti duri, amplia la varietà di quelli commestibili e, soprattutto, incrementa la quantità di calorie che si possono trarre. Oggi è convinzione diffusa che i cibi cotti ci abbiano dato l'energia necessaria per sviluppare un cervello più grande e il tempo libero per utilizzarlo.

Per cuocere il cibo, però, è necessario saperselo procurare e prepararlo con efficienza, quello che secondo Daniel Lieberman di Harvard sta al cuore dell'era moderna. « Non si può avere un cervello grande[5] se non si ha l'energia con cui alimentarlo » mi ha detto quando l'ho incontrato. « E per alimentarlo occorre padroneggiare caccia e raccolta, operazioni più complesse di quanto si pensi. Non si tratta solo di trovare bacche o estrarre tuberi, ma di lavorarli – renderne più facili e sicure l'assunzione e la digestione – cosa che a sua volta implica la costruzione di utensili, la comunicazione e la collaborazione. È questa l'essenza del passaggio da esseri primitivi a moderni. »

Nella natura moriremmo di fame piuttosto in fretta. Siamo incapaci di ricavare nutrizione dalla maggior parte delle piante e, soprattutto, non sappiamo usare la cellulosa, principale sostanza di cui sono fatte. I pochi vegetali che possiamo mangiare sono gli ortaggi, altrimenti non ci restano che alcuni semi e frutti, tanti dei quali sono velenosi. Cuocendo i cibi, però, possiamo approfittare di una maggiore varietà. Una patata cotta, per esempio, è venti volte più digeribile di una cruda.

La cottura, inoltre, ci regala tanto tempo libero. Gli altri primati passano sette ore al giorno a masticare. Noi non abbiamo bisogno di mangiare di continuo per sopravvivere. La tragedia, però, è che lo facciamo comunque.

Gli elementi fondamentali della dieta umana – i macronutrienti: acqua, carboidrati, grassi e proteine – furono individuati quasi duecento anni fa dal chimico inglese William Prout, eppure persino allora si intuì che un'alimentazione sana ne richiedeva anche altri più sfuggenti. Benché per tantissimo tempo non si sia capito quali fossero, era evidente che in loro assenza c'erano più probabilità di contrarre le malattie da carenza alimentare come beriberi e scorbuto.

Quegli elementi, che oggi conosciamo, sono le vitamine e i minerali. Le prime sono sostanze chimiche organiche – contenute cioè in organismi un tempo vivi come piante e animali – mentre i secondi sono inorganici e provengono dal suolo o dall'acqua. Nel complesso esistono quaranta di queste particelle che dobbiamo ricavare dagli alimenti perché non siamo in grado di produrle da soli.

Il concetto di vitamine è sorprendentemente recente. Fu proposto per la prima volta poco più di quattro anni dopo la morte di Wilbur Atwater dal chimico polacco emigrato a Londra Casimir Funk. Funk le chiamò « vitamines » dall'unione di « vital » e « amines » (le ammine sono un composto organico). In realtà solo alcune vitamine sono ammine, per cui in seguito il nome inglese fu abbreviato (ne furono provati anche altri fra cui « nutramine », « ormoni alimentari » e « fattori alimentari accessori », che però non attecchirono). Funk non scoprì le vitamine, si limitò a indovinarne, a ragione, l'esistenza. Poiché però nessuno era capace di produrre quegli strani elementi, molti esperti si rifiutarono di accettarli. Sir James Barr, presidente della British Medical Association, le definì « un frutto della fantasia ».[6]

La scoperta e il battesimo delle vitamine dovettero aspettare quasi fino gli anni Venti e, per usare un eufemismo, la vicenda fu alquanto movimentata. Se dapprima vennero chiamate in rigoroso ordine alfabetico – A, B, C, D e così via – poi il sistema cominciò a presentare qualche falla. Si scoprì infatti che la vitamina B non era una sola ma tante, che furono rinominate B1, B2, B3 eccetera fino alla B12. In seguito fu deciso che le vitamine B non erano poi così diverse, quindi alcune vennero eliminate e altre riclassificate, così oggi ne abbiamo sei e neppure in sequenza: B1, B2, B3, B5, B6 e B12. Altre vitamine comparvero e scomparvero, per cui la letteratura scientifica è piena di vitamine fantasma tipo M, P, PP, S, U e diverse altre. Nel 1935 un ricercatore di Copenaghen, Henrik Dam, ne scoprì una vitale per la coagulazione del sangue e la chiamò vitamina K (dal danese *koagulere*). L'anno dopo altri ricercatori scoprirono la vitamina P (che sta per «permeabilità»). Il metodo non è ancora del tutto consolidato. La biotina, per esempio, è stata per un po' la vitamina H, poi è diventata la B7. Oggi viene principalmente chiamata biotina.

Anche se fu Funk a coniare il termine «vitamines», e a lui si attribuisce spesso il merito della scoperta, il grosso del lavoro di individuazione della loro natura chimica fu svolto da altri, specie da Sir Frederick Hopkins che nel 1929 vinse il Nobel, cosa che avvilì non poco il povero Funk.

Le vitamine sono tutt'ora un'entità vaga. Il termine descrive tredici particelle chimiche che ci servono per funzionare bene, ma che siamo incapaci di produrre. Pur tendendo a considerarle affini, hanno poco in comune tra loro, a parte la loro utilità per noi. A volte sono definite «ormoni fabbricati al di fuori del corpo», una buona definizione, ma vera solo in parte. La vitamina D, una delle più importanti, è sia prodotta nel corpo (dov'è davvero un ormone) sia ingerita (che la rende di nuovo una vitamina).

Buona parte di quanto sappiamo sulle vitamine e sui cugini minerali è recentissima. La colina, per esempio, è un micronutriente di cui forse non avete mai sentito parlare. Pur rivestendo un ruolo centrale nella produzione dei neurotrasmettitori e nel buon funzionamento del cervello, si conosce solo dal 1998. Poiché abbonda in alimenti che consumiamo poco – tipo fegato, cavoletti di Bruxelles e fagioli di Lima –, ecco spiegato perché si pensa che il 90 per cento di noi abbia una carenza quantomeno moderata.

Nel caso di molti micronutrienti, gli scienziati non sanno

quanti ce ne occorrano né quale beneficio apportino quando li consumiamo. Il bromo, per esempio, si trova in tutto il corpo, ma nessuno sa se ci serva o sia solo di passaggio. L'arsenico è un oligoelemento essenziale per alcuni animali, ma non si sa se lo sia anche per noi. Il cromo è decisamente necessario, però in quantità talmente trascurabili da diventare presto tossico. La sua costante diminuzione con l'invecchiamento resta un mistero.

Per quasi ogni vitamina e minerale, il rischio di un'eccessiva assunzione è pari a quello di un'assunzione insufficiente. La vitamina A è utile alla vista, alla salute della pelle e a combattere le infezioni, quindi averla è vitale. Per fortuna abbonda in molti alimenti tipo uova e latticini, quindi è facile assumerne più che a sufficienza. Però c'è un intoppo. La dose quotidiana consigliata è di settecento microgrammi per le donne e di novecento per gli uomini; il limite massimo per entrambi i sessi è circa tremila microgrammi, superati i quali può risultare pericolosa. Chi di noi ha una vaga idea di quanto si è avvicinato al giusto apporto? Il ferro è fondamentale per avere globuli rossi sani. Troppo poco causa anemia, troppo è tossico, e secondo alcuni esperti sono in parecchi ad assumerne troppo. Stranamente in entrambi i casi il sintomo è lo stesso, la letargia. «Troppo ferro sotto forma di integratori può accumularsi nei tessuti e far letteralmente arrugginire gli organi» ha detto Leo Zacharski del Dartmouth-Hitchcock Medical Center del New Hampshire a *New Scientist* nel 2014. «È un fattore di rischio di gran lunga superiore al fumo per ogni sorta di disturbo clinico» ha aggiunto.

Nel 2013, partendo da uno studio dei ricercatori della Johns Hopkins University, un editoriale della stimatissima rivista americana *Annals of Internal Medicine* sosteneva che nei paesi ad alto reddito quasi tutti sono nutriti abbastanza bene da non richiedere integratori vitaminici o di altro tipo e che bisognava smetterla di sprecare denaro per acquistarli. L'articolo si attirò subito critiche feroci. Per il professor Meir Stampfer dell'Harvard Medical School era deplorevole che «uno studio così scadente[7] fosse pubblicato da un'autorevole rivista». A detta dei Centri per la prevenzione e il controllo delle malattie non ne assumiamo affatto in abbondanza, anzi, il 90 per cento degli americani adulti non ricava la dose giornaliera consigliata di vitamine D ed E, e circa la metà non assume sufficiente vitamina A. Sempre secondo i CDC, il 97 per cento non ricava sufficiente potassio, dato allarmante perché il potassio contribuisce al regolare battito cardiaco e al mantenimento della pressione del sangue entro limiti tollerabili. Detto questo, c'è spesso disaccordo su quale sia il corretto fabbisogno. In America la dose quotidiana consigliata di vitamina E è di quindici milligrammi, in Gran Bretagna invece è fra i tre e i quattro. Una differenza considerevole.

Certo è che gli integratori ispirano una fiducia che va al di là della ragionevolezza. Gli americani possono scegliere tra ben 87.000 integratori alimentari diversi,[8] per i quali spendono la cifra non meno imponente di quaranta miliardi di dollari all'anno.

La principale controversia sulle vitamine fu suscitata dal chimico americano Linus Pauling (1901-1994), che si distinse non per uno, ma per ben due Nobel (per la Chimica nel 1954 e per la Pace otto anni dopo). Pauling credeva che dosi massicce di vitamina C fossero efficaci contro raffreddore, influenza e persino alcuni tumori. Lui stesso ne assumeva fino a quarantamila milligrammi al giorno[9] (la dose quotidiana consigliata è di sessanta) e sosteneva che quell'apporto considerevole avesse tenuto a bada il cancro alla prostata per vent'anni. Non ne aveva alcuna prova, e gli studi successivi lo hanno smentito. Grazie a Pauling, però, ancora oggi in molti credono che assumere tanta vitamina C aiuti a sbarazzarsi del raffreddore. Non è così.

*

Delle numerose sostanze che assumiamo con il cibo (sali, acqua, minerali e così via) solo tre devono essere modificate mentre attraversano l'apparato digerente, e cioè proteine, carboidrati e grassi. Analizziamole una per volta.

PROTEINE

Le proteine sono molecole complesse.[10] Ammontano a circa un quinto del peso corporeo. In parole povere, sono costituite da catene di amminoacidi. Finora ne sono state individuate un milione circa e nessuno sa quante altre se ne scopriranno. Sono tutte composte da appena venti amminoacidi, anche se in natura esistono centinaia di amminoacidi che potrebbero svolgere il compito altrettanto bene. Perché mai l'evoluzione ci abbia unito[11] a così pochi amminoacidi è uno dei grandi misteri della biologia. Malgrado la loro importanza, le proteine non ci sono ancora del tutto chiare. Non si è infatti concordi sul numero di amminoacidi necessari affinché una catena possa definirsi proteina. Tutto quello che possiamo dire è che una quantità modesta ma non specificata di amminoacidi legati tra loro forma un peptide. Dieci o dodici stringhe di amminoacidi formano un polipeptide che, se si ingrandisce, a un certo punto diventa una proteina.

È bizzarro che scomponiamo tutte le proteine ingerite solo per riassemblarle in nuove proteine, neanche fossero pezzi di Lego. Otto dei venti amminoacidi non sono prodotti dal corpo e vanno assunti tramite l'alimentazione.* Se non sono presenti nel cibo, quindi, certe proteine vitali verranno a mancare. La carenza proteica non è quasi mai un problema per chi consuma carne, mentre può esserlo per i vegetariani, perché non tutte le piante

---

* Gli otto amminoacidi sono: isoleucina, leucina, lisina, metionina, fenilalanina, triptofano, treonina e valina. Il batterio *Escherichia coli* ha l'insolita capacità di usarne un ventunesimo chiamato selenocisteina.

forniscono gli amminoacidi necessari. Da notare come il grosso delle diete tradizionali del mondo[12] si basi sulla combinazione di alimenti vegetali ricchi di tutti gli amminoacidi che ci occorrono. In Asia si mangiano molto riso e soia, mentre i nativi americani hanno a lungo unito il mais ai fagioli neri o screziati. A quanto pare non è solo una questione di gusto, ma l'istintiva consapevolezza che serve una dieta completa.

CARBOIDRATI

I carboidrati sono composti di carbonio, idrogeno e ossigeno, legati fra loro a formare vari zuccheri: glucosio, galattosio, fruttosio, maltosio, saccarosio, desossiribosio (trovato nel DNA) e così via. Dal punto di vista chimico alcuni sono complessi e si chiamano polisaccaridi, altri sono semplici e si chiamano monosaccaridi, altri ancora sono una via di mezzo e si chiamano disaccaridi. Pur essendo zuccheri, non sono tutti dolci. Gli amidi presenti nella pasta e nelle patate sono troppo grandi per attivare i recettori del dolce della lingua. Di fatto tutti i carboidrati[13] provengono dalle piante, con un'evidente eccezione: il lattosio, che deriva dal latte.

Pur mangiando molti carboidrati li consumiamo in fretta, per cui la quantità totale presente nel corpo in un dato momento è modesta, in genere meno di mezzo chilo. L'aspetto più importante da tenere a mente è che, una volta digeriti, i carboidrati sono zuccheri in più, spesso decisamente in più. Sui livelli di glucosio del sangue, quindi, 150 grammi di riso bianco[14] o una ciotolina di corn flakes hanno lo stesso effetto di nove cucchiaini di zucchero.

GRASSI

Anche i grassi, il terzo elemento del trio, sono composti da carbonio, idrogeno e ossigeno, ma in proporzioni diverse, il che li rende più facili da immagazzinare. Quando sono scomposti dal corpo si uniscono a colesterolo e proteine in una nuova molecola chiamata lipoproteina, che viaggia attraverso il flusso sanguigno. Le lipoproteine sono di due tipi: ad alta e a bassa densità. Quelle a bassa densità sono comunemente chiamate «colesterolo cattivo» perché tendono a depositarsi sulle pareti dei vasi sanguigni. Il colesterolo non è del tutto cattivo come in genere si pensa, anzi è fondamentale per una vita sana. Il grosso del colesterolo del corpo è racchiuso nelle cellule e svolge un compito utile. Solo una minima parte – circa il 7 per cento – finisce nel sangue. Di quel 7 per cento un terzo è colesterolo «buono» e due terzi «cattivo».

Il trucco da adottare con il colesterolo non è tanto eliminarlo, quanto mantenerlo a livelli sani. Il segreto è mangiare molte fibre, presenti in frutta, verdura e altri vegetali che il corpo non riesce a scomporre del tutto. Le fibre non contengono calorie né vitamine, ma fra i vari benefici contribuiscono ad abbassare il colesterolo e a rallentare la velocità con cui gli zuccheri entrano nel flusso sanguigno per poi essere trasformati in grassi dal fegato.

Carboidrati e grassi sono le nostre principali riserve di carburante, ma vengono conservati e usati in modi diversi. Quando serve energia, il corpo brucia i carboidrati a disposizione e immagazzina il grasso in eccesso. La cosa più importante da ricordare – di cui senza dubbio siete consapevoli quando vi sfilate la maglietta – è che ci piace conservare i grassi. Ne bruciamo un po' per ricavare energia, ma buona parte viene inviata a decine di miliardi di minuscoli terminal di stoccaggio chiamati adipociti, presenti dappertutto. Siamo quindi progettati per ingerire carburante, usarne quanto serve e conservare il resto per esigenze future, in modo tale da poter essere attivi per ore senza mangiare. Siccome dal collo in giù il corpo non pensa, è più che soddisfatto di immagazzinare il grasso in eccesso. Arriva addirittura a ricompensarci per aver mangiato troppo con una piacevole sensazione di benessere.

A seconda di dove finiscono, i grassi si dividono in sottocutanei (sotto la pelle) e viscerali (intorno alla pancia). Per complesse ragioni chimiche[15] i grassi viscerali sono peggiori dei sottocutanei. Ne esistono anche diverse varietà. «Grassi saturi», espressione che suona unta e malsana, è la dicitura scientifica dei legami di carbonio e idrogeno e non la quantità di unto che ci cola sul mento quando mangiamo. Di norma i grassi animali sono saturi e quelli vegetali insaturi, però esistono diverse eccezioni, ed è impossibile capire di quale tipo siano guardando gli alimenti. Chi indovinerebbe mai, per esempio, che un avocado ha il quintuplo di grassi saturi[16] di un pacchettino di patatine fritte? O che un caffellatte grande ne ha di più di una qualunque brioche? O che l'olio di cocco è quasi esclusivamente grasso saturo?

Persino più odiosi sono gli acidi grassi trans, sostanze artificiali ricavate dagli oli vegetali. Inventati dal chimico tedesco Wilhelm Normann nel 1902, furono a lungo considerati l'alternativa sana al burro e al grasso animale, ma oggi si sa che non è affatto così. Anche detti grassi idrogenati, per il cuore gli acidi grassi trans sono più nocivi di tutti gli altri. Innalzano i livelli di colesterolo cattivo, abbassano quelli del colesterolo buono e danneggiano il fegato. Secondo Daniel Lieberman, che è stato piuttosto categorico, «gli acidi grassi trans sono una forma di veleno ad azione prolungata».

Già a metà degli anni Cinquanta Fred A. Kummerow, biochimico della University of Illinois, parlava di evidenti prove di un nesso fra alto apporto di acidi grassi trans e ostruzione delle arterie coronarie, ma i suoi risultati furono ampiamente ignorati specie a causa dell'opera di lobbismo dell'industria alimentare. Solo nel 2004 l'American Heart Association[17] ha finalmente dato ragione a Kummerow, e solo nel 2015 – a quasi sessant'anni di distanza – la Food and Drug Administration ha deliberato che gli acidi grassi trans sono dannosi. Malgrado i pericoli noti, in America è stato legale aggiungerli agli alimenti fino al luglio del 2018.

Infine un accenno al più vitale dei macronutrienti: l'acqua. Ne assumiamo circa due litri e mezzo al giorno, anche se non sempre ne siamo consapevoli perché la metà è contenuta negli alimenti. Quello di dover bere otto bicchieri d'acqua al giorno è il più persistente di tutti gli equivoci alimentari e risale a un articolo del 1945[18] del Food and Nutrition Board statunitense, secondo cui era la quantità media giornaliera consumata. «La gente fraintese» ha detto nel 2017 il dottor Stanley Goldfarb della University of Pennsylvania al programma radiofonico della BBC *More or Less* «e si convinse che era l'apporto necessario. L'altro equivoco era che gli otto bicchieri al giorno andavano aggiunti ai liquidi assunti con il cibo, ma non esistono prove scientifiche a supporto.»

Secondo un'altra duratura leggenda relativa all'apporto d'acqua, le bevande che contengono caffeina sono diuretiche e fanno urinare più di quanto si assume. Pur non essendo l'alternativa più salutare in fatto di apporto di liquidi, sono comunque un contributo netto all'equilibrio idrico personale. Stranamente la sete non è un indicatore affidabile del fabbisogno. Se diciamo a qualcuno che ha molta sete che può bere a volontà,[19] in genere si sentirà soddisfatto dopo appena un quinto della quantità persa attraverso la sudorazione.

Bere troppa acqua[20] in realtà può essere pericoloso. Di norma il corpo gestisce molto bene l'equilibrio dei fluidi, ma alcuni bevono così tanta acqua che i reni non riescono a smaltirla abbastanza in fretta e finiscono con il diluire pericolosamente i livelli di sodio nel sangue, innescando l'iponatriemia. Nel 2007 la giovane californiana Jennifer Strange morì dopo aver bevuto sei litri d'acqua in tre ore in una sconsiderata gara organizzata da una radio locale. E nel 2014 un giocatore di football di un liceo della Georgia, che aveva lamentato crampi dopo un allenamento, ha tracannato sette litri e mezzo d'acqua e altrettanti di Gatorade e poco dopo è andato in coma ed è morto.

Nell'arco di una vita mangiamo circa sessanta tonnellate di cibo[21] che, come osserva Carl Zimmer in *Microcosm*, equivale a sessanta utilitarie. Nel 1915 un americano spendeva in media la metà del salario settimanale in prodotti alimentari, oggi appena il 6 per cento. Il paradosso è che per secoli si è mangiato male per motivi economici, oggi si mangia male per scelta. Viviamo nella straordinaria epoca in cui gli obesi superano[22] di gran lunga gli affamati. A essere sinceri non ci vuole granché per ingrassare. In assenza di attività fisica che lo compensi, un biscotto al cioccolato alla settimana[23] si traduce in circa un chilo di peso in più all'anno.

Abbiamo impiegato tantissimo tempo per capire che molte delle cose che mangiamo sono davvero malsane. Il nutrizionista che ha contribuito più di tutti[24] a illuminarci in tal senso è stato Ancel Keys della University of Minnesota.

Keys nacque nel 1904 in una famiglia abbastanza illustre della California (suo zio era la star del cinema Lon Chaney, a cui lui somigliava moltissimo). Era un ragazzino brillante ma poco motivato. Per il professor Lewis Terman di Stanford, che ha studiato l'intelligenza dei giovani (è grazie a lui se «Stanford» è stato aggiunto a «Binet» nel test del quoziente intellettivo Stanford-Binet), era un potenziale genio, però Keys decise di non coltivare le sue potenzialità, lasciò la scuola a quindici anni e fece svariati lavori esotici, dal marinaio nella marina mercantile allo spalatore di guano di pipistrello in Arizona. Solo allora intraprese la carriera accademica, compensando abbondantemente il tempo perso con una laurea in Biologia e una in Eco-

267

nomia alla University of California di Berkeley, a cui seguirono un dottorato in Oceanografia allo Scripps Institute di La Jolla, California, e un secondo in Fisiologia a Cambridge. Dopo una breve sosta a Harvard, dove diventò un'autorità mondiale della fisiologia in alta quota, la University of Minnesota lo volle come direttore fondatore del Laboratory of Physiological Hygiene. Grazie alle sue competenze su alimentazione e sopravvivenza, durante la Seconda guerra mondiale il War Department gli commissionò la creazione di pasti nutritivi per i paracadutisti. Il risultato furono le immortali razioni K dell'esercito, dove K sta per Keys.

Nel 1944, quando buona parte dell'Europa si ritrovò ad affrontare la prospettiva della morte per inedia a seguito della distruzione e degli stenti della guerra, Keys avviò il Minnesota Starvation Experiment[25] in cui reclutò 36 volontari sani – tutti obiettori di coscienza – e per sei mesi concesse loro due pasti scarsi al giorno (la domenica uno solo) per un apporto quotidiano totale di circa 1500 calorie. In media il peso di tutti scese da 69 a 52 chili. L'esperimento intendeva stabilire quale fosse la resistenza in caso di fame cronica, e quale il successivo recupero. Di fatto si limitò a confermare quanto chiunque avrebbe potuto immaginare fin dall'inizio, e cioè che la fame cronica rende irritabili, apatici, depressi e più soggetti alle malattie. L'aspetto positivo è che, una volta ripresa la dieta abituale, i volontari recuperarono in fretta i chili e la vitalità perduti. Lo studio fornì a Keys il materiale per scrivere un'opera in due volumi dal titolo *The Biology of Human Starvation*, che riscosse molto successo malgrado il pessimo tempismo. Uscì infatti nel 1950, quando ormai in Europa la morte per inedia non rappresentava più un problema.

Poco dopo Keys intraprese lo studio che gli avrebbe assicurato la fama imperitura. Nel Seven Countries Study mise a raffronto le abitudini alimentari e la salute di 12.000 uomini di sette paesi – cioè Italia, Grecia, Paesi Bassi, Jugoslavia, Finlandia, Giappone e Stati Uniti – scoprendo un legame diretto tra grassi e problemi cardiaci. Nel 1959 scrisse con la moglie Margaret il noto libro dal titolo *La dieta mediterranea*, che promuoveva appunto questo tipo di alimentazione, mandando su tutte le furie l'industria casearia e della carne, ma rese Keys ricco e famoso e segnò una svolta nella storia della scienza alimentare. Prima, infatti, gli studi si erano concentrati quasi esclusivamente sul contrasto alle malattie da carenza alimentare. Grazie a lui, la gente comprese che gli effetti dell'eccesso di nutrizione potevano essere altrettanto nocivi.

Negli ultimi anni i suoi risultati si sono attirati critiche severe. Una delle più diffuse è che Keys studiò i paesi che sostenevano la sua tesi e ignorò quelli che non facevano altrettanto. I francesi, ad esempio, mangiano più formaggio e bevono più vino di qualunque altro abitante del pianeta, eppure hanno uno dei tassi d'incidenza di cardiopatia più bassi. Secondo i detrattori il «paradosso francese», com'è noto, indusse Keys a escludere la Francia perché non confermava i suoi risultati. «Quando i dati non gli piacevano» dice Daniel Lieberman «li eliminava. Per i nostri standard Keys sarebbe stato accusato di negligenza scientifica e licenziato.»

Secondo i sostenitori, invece, poiché l'anomalia francese fu notata all'estero solo nel 1981, Keys non poteva sapere di doverla includere. A prescindere dalle conclusioni a cui giunse, lo scienziato ha senz'altro il merito di aver attirato l'attenzione sul ruolo dell'alimentazione nella salute cardiaca. A lui fece un gran bene. Seguì la dieta mediterranea prima che chiunque ne avesse sentito parlare e campò cent'anni (è morto nel 2004).

I suoi risultati hanno avuto un effetto duraturo sulle raccomandazioni alimentari. Secondo quelle ufficiali della maggior parte dei paesi, i grassi non devono superare il 30 per cento dell'apporto quotidiano, quelli saturi il 10 per cento. L'American Heart Association li fissa addirittura al 7 per cento.

Ora, però, non siamo più così sicuri della fondatezza di tali consigli. Nel 2010 due imponenti studi (pubblicati dall'*American Journal of Clinical Nutrition* e dall'*Annals of Internal Medicine*), che hanno coinvolto quasi un milione di persone in diciotto paesi, hanno concluso che non esistono prove evidenti in base a cui evitando i grassi saturi si riduce il rischio di cardiopatia. Da uno studio simile e più recente, pubblicato su *The Lancet* nel 2017, è emerso che il grasso «non è associato in maniera significativa a patologie cardiovascolari, infarto miocardico o con la mortalità da malattie cardiovascolari», quindi le linee guida alimentari andrebbero riviste. Entrambe le conclusioni, però, sono state contestate con veemenza da alcuni accademici.

Il problema degli studi alimentari è che i cibi hanno un misto di oli, grassi, colesterolo buono e cattivo, zuccheri, sali e sostanze chimiche di ogni foggia, il tutto mescolato in modo tale da rendere impossibile l'attribuzione di un dato esito a un solo fattore, per non parlare degli altri che incidono sulla salute, come l'attività fisica, il consumo di alcol, i siti di accumulo dei grassi, la genetica e tanto altro. In base a uno studio spesso citato, un quarantenne che mangia un hamburger al giorno sottrae un anno alla propria aspettativa di vita. Il guaio è che chi mangia spesso hamburger tende anche a fumare, bere e non fare sufficiente esercizio, abitudini che contribuiscono in egual misura a un'eventuale dipartita prematura. Pur non essendo sano, l'eccessivo consumo di hamburger in sé non rappresenta una misura affidabile dell'aspettativa di vita.

Al momento il caso alimentare più citato è quello dello zucchero, che è associato a diverse malattie gravi, specie il diabete, e che senza dubbio la maggior parte di noi assume in dosi superiori a quelle necessarie. Un americano ne consuma in media ventidue cucchiaini al giorno, i giovani si avvicinano ai quaranta. L'OMS ne consiglia un massimo di cinque.

Per superare il limite basta poco. Una bibita gassata in lattina contiene circa il doppio dello zucchero quotidiano massimo consigliato per un adulto. Un quinto dei giovani negli Stati Uniti[26] ingerisce ogni giorno cinquecento o più calorie dalle bibite, dato ancora più scioccante se si pensa che lo zucchero ha appena sedici calorie per cucchiaino. Per accumulare tante calorie, quindi, bisogna consumare molto zucchero. Il problema è che va proprio così, più o meno di continuo.

Quasi tutti i prodotti industriali, infatti, hanno zuccheri aggiunti. Secondo una stima, circa la metà dello zucchero consumato si annida in alimenti insospettabili tipo pane, condimenti per insalata, sughi pronti, ketchup e altri che di norma non riteniamo essere dolci. Nel complesso l'80 per cento circa dei prodotti industriali contiene zuccheri aggiunti. Il ketchup Heinz è composto quasi per un quarto da zucchero: per unità di volume ne ha più della Coca-Cola.

Giusto per complicare le cose, ce n'è tanto anche negli alimenti sani. Il fegato non sa se lo zucchero ingerito proviene da una mela o da una barretta di cioccolata. Se mezzo litro di Pepsi contiene intorno ai tredici cucchiaini di zucchero e nessun valore nutrizionale, tre mele hanno lo stesso quantitativo di zucchero ma anche vitamine, minerali e fibre, per non parlare del maggiore senso di sazietà. Detto questo, persino le mele sono più dolci di quanto dovrebbero. Come spiega Daniel Lieberman, la frutta moderna è stata selezionata per essere ben più zuccherina di quella di un tempo. È probabile che in media quella consumata da Shakespeare[27] non fosse più dolce di una moderna carota.

La frutta e la verdura di oggi sono carenti rispetto a quelle del recente passato anche dal punto di vista nutrizionale. Nel 2011 il biochimico della University of Texas Donald Davis ha raffrontato i valori nutrizionali di vari alimenti del 1950 con quelli odierni, scoprendo un calo significativo in quasi ogni varietà. La frutta moderna, per esempio, ha quasi la metà del ferro rispetto alla frutta dei primi anni Cinquanta, il 12 per cento in meno di calcio e il 15 per cento in meno di vitamina A. Sembra che le pratiche agricole moderne si concentrino su grande produzione e rapida crescita, a spese della qualità.

Gli Stati Uniti si ritrovano nella situazione bizzarra e paradossale per cui i suoi abitanti sono i più ipernutriti del pianeta, ma anche fra i più carenti dal punto di vista nutrizionale. I raffronti con il passato sono difficili perché nel 1970 il Congresso eliminò l'unico studio federale completo mai realizzato dopo che i risultati preliminari si rivelarono imbarazzanti. «Una fetta significativa della popolazione intervistata è malnutrita o ad alto rischio di sviluppare disturbi della nutrizione» riferiva lo studio poco prima di essere cancellato.

Non è facile sapere come comportarsi. Secondo lo *Statistical Abstract of the United States*, la quantità media di verdura consumata ogni anno da un americano tra il 2000 e il 2010 è scesa di quattordici chili. Sembrerà preoccupante, ma siccome il vegetale più diffuso in America[28] è la patatina fritta (pari a un quarto dell'intero apporto vegetale), un calo di consumo di «verdura» di quattordici chili può essere invece un miglioramento.

Una prova evidente di quanto possano essere confusionari i consigli alimentari è il risultato a cui è giunto il comitato consultivo dell'American Heart Association, secondo cui il 37 per cento dei nutrizionisti americani considera l'olio di cocco – nient'altro che grasso saturo in forma liquida – un «alimento sano». L'olio di cocco sarà anche saporito, ma non è migliore di una bella cucchiaiata di burro fritto. «Questo riflette le lacune dell'educazione alimentare» spiega Daniel Lieberman. «Non sempre si dice la verità alla gente. I medici possono uscire dall'università senza aver imparato nulla di alimentazione. È assurdo.»

Con ogni probabilità non esiste esempio più rappresentativo dell'incerto sapere sulla dieta moderna della lunga e irrisolta controversia sul sale. Il sale è vitale per noi, su questo non si discute. Senza moriremmo. Ecco perché abbiamo papille gustative dedicate. La mancanza di sale è pericolosa quasi quanto la mancanza d'acqua, e siccome il corpo non produce sale dobbiamo prenderlo dagli alimenti. Il problema sta nel decidere quale sia la quantità giusta. Se se ne assume troppo poco si soffre di apatia e debolezza, fino alla morte. Se se ne assume troppo la pressione schizza alle stelle e si rischiano insufficienza cardiaca e ictus.

L'ingrediente nocivo del sale è il sodio, che pur rappresentando solo il 40 per cento del totale (l'altro 60 per cento è il cloruro) è responsabile di quasi l'intero rischio ai danni della nostra salute nel lungo termine. L'OMS raccomanda il consumo di non oltre 2000 milligrammi di sodio al giorno, ma la maggior parte di noi li supera abbondantemente. In media i britannici ne consumano circa 3200, gli americani sui 3400[29] e gli australiani non meno di 3600. Non eccedere è difficilissimo. Un pranzo leggero a base di zuppa e panino, nessuno dei due troppo salato, può facilmente superare i limiti consigliati.[30] Secondo alcuni esperti, però, limiti così severi potrebbero essere non solo eccessivi, ma addirittura deleteri.

Uno dei motivi principali di una tale mancanza di accordo è che i due schieramenti insistono nel cosiddetto pregiudizio di conferma. In parole povere, non si ascoltano. Da uno studio del 2016 uscito sull'*International Journal of Epidemiology* è emerso che i ricercatori di entrambi i fronti citano solo gli articoli a favore della loro tesi e ignorano quelli contrari. «Abbiamo scoperto che in letteratura[31] non c'è traccia di una controversia, ma si delineano due scuole di pensiero distinte» hanno scritto gli autori.

Per cercare di trovare una risposta ho incontrato Christopher Gardner, direttore degli studi di Nutrizione e professore di Medicina a Stanford, Palo Alto, in California. È un signore cordiale dalla risata pronta e dai modi pacati. Pur essendo vicino ai sessant'anni ne dimostra almeno quindici di meno (a Palo Alto sembra un fenomeno assai diffuso). L'appuntamento era al ristorante del centro commerciale di quartiere e, quasi inevitabilmente, lui è arrivato in bicicletta.

Gardner è vegetariano. Gli ho chiesto se la scelta fosse dettata da motivi di salute o etici. «All'inizio era per far colpo su una ragazza»[32] ha risposto ridendo. «Erano gli anni Ottanta. Poi ho deciso che mi piaceva.» Gli piaceva così tanto, infatti, da voler aprire un ristorante vegetariano, ma siccome prima sentiva di dover approfondire fece il dottorato in Scienze della nutrizione e finì per lavorare in università. Il suo punto di vista su cosa si dovrebbe e non si dovrebbe mangiare è semplice e sensato. «In teoria è facilissimo» dice. «Basta mangiare meno zuccheri aggiunti, meno grani raffinati e più verdura. Si tratta di scegliere alimenti sani ed evitare quelli dannosi. Per farlo non serve una laurea.»

Nella pratica, però, non è altrettanto facile. Siamo tutti attratti, a livello quasi subliminale, dagli alimenti dannosi. E gli studenti di Gardner lo hanno dimostrato con un semplicissimo esperimento nella mensa universitaria. Ogni giorno hanno chiamato con un nome diverso le carote cotte. Le carote erano sempre le stesse e l'etichetta sempre sincera, ma ogni volta metteva in risalto un aspetto diverso. Un giorno si chiamavano carote, il giorno dopo carote a basso contenuto di sodio, poi carote ad alto contenuto di fibre, infine carote glassate. «Gli studenti hanno preso il 25 per cento in più di carote glassate, che evocano lo zucchero» mi ha detto Gardner con un bel sorriso.

« Sono ragazzi in gamba, consapevoli di tematiche quali peso, salute eccetera, eppure hanno comunque scelto male. È un riflesso condizionato. Con asparagi e broccoli i risultati sono stati identici. Non è facile vincere i dettami dell'inconscio. »

Ed è un punto debole che l'industria alimentare è bravissima a manipolare, aggiunge. « Molti prodotti sono reclamizzati con basso contenuto di sale, grassi o zuccheri, ma quasi sempre quando se ne riduce uno si aumentano gli altri due per compensare. O si aggiungono omega 3 in un brownie strombazzandolo a grandi lettere sulla confezione come se fosse un alimento sano. Però è un brownie! Il problema della società è che mangiamo un sacco di schifezze. Persino i banchi alimentari distribuiscono perlopiù prodotti industriali. Occorre cambiare le abitudini della gente. »

Secondo lui, seppur lentamente, sta già succedendo. « Sono convinto che qualcosa si stia muovendo » dice. « Ma le abitudini non si cambiano da un giorno all'altro. »

Ingigantire i rischi è semplicissimo. Spesso si legge che una porzione quotidiana di carne trattata aumenta il rischio di cancro colorettale del 18 per cento, il che è senza dubbio vero. Come ha però osservato Julia Belluz di *Vox*: « Nell'arco della vita il rischio di cancro colorettale è del 5 per cento circa, e mangiare quotidianamente carne trattata incrementa il rischio assoluto di cancro di un punto percentuale, arrivando al 6 per cento (pari al 18 per cento del 5 per cento iniziale) ». In altri termini, se cento persone mangiano un hot dog o un panino al bacon ogni giorno, nell'arco della vita una di loro avrà il cancro colorettale (oltre alle cinque che l'avrebbero avuto comunque). Non è un rischio piacevole da correre, ma non è una condanna a morte.

È importante distinguere fra probabilità e destino. Essere obesi, fumatori o pantofolai non equivale a morire prima del tempo, proprio come un regime ascetico non esime dai pericoli.

Il 40 per cento circa di chi ha diabete,[33] ipertensione cronica o malattie cardiovascolari era sano come un pesce prima di ammalarsi e il 20 per cento circa di chi è gravemente sovrappeso invecchia senza cambiare abitudini. L'attività fisica e l'insalata non garantiscono una vita più lunga, aumentano le nostre probabilità di averla.

La salute del cuore coinvolge così tante variabili – esercizio e stile di vita, consumo di sale, alcol, zucchero, colesterolo, acidi grassi trans, grassi saturi e insaturi, e così via – che quasi certamente è un errore attribuire tutte le colpe a un solo fattore. Un infarto, come ha detto un medico, è « al 50 per cento genetica e al 50 per cento cheeseburger ».[34] Ovviamente è un'iperbole, ma il messaggio fra le righe è valido.

La soluzione più prudente è optare per una dieta equilibrata e moderata. La saggezza, in breve, sta nell'adottare un approccio saggio.

15

L'intestino

La felicità è un bel conto in banca,
un bravo cuoco e una buona digestione.

JEAN-JACQUES ROUSSEAU

Come già detto, all'interno siamo enormi. Il tratto gastrointestinale di un uomo misura circa dodici metri, quello di una donna
poco meno. L'area complessiva dei condotti[1] arriva a due metri
quadrati.

La durata del transito intestinale, come si dice in gergo, è
molto personale e varia parecchio da individuo a individuo,
nonché nello stesso individuo a seconda dell'attività svolta in
un dato giorno e di cosa e quanto ha mangiato. A tal proposito
c'è una sorprendente differenza tra uomini e donne. Per un
uomo il transito medio dalla bocca all'ano dura 55 ore, per
una donna in genere 72. Gli alimenti si trattengono nelle donne[2]
quasi un giorno in più con conseguenze, ammesso che ce ne
siano, sconosciute.

Approssimando, ogni pasto consumato trascorre dalle quat-

277

tro alle sei ore nello stomaco, dalle sei alle otto ore nell'intestino tenue – dove le sostanze nutritive (o ingrassanti) vengono separate e inviate al resto del corpo per essere usate o, ahimè, immagazzinate – e fino a tre giorni nel colon, dove miliardi e miliardi di batteri passano in rassegna quello che gli intestini non sono riusciti a smaltire, soprattutto le fibre. Ecco perché ci viene detto continuamente[3] di mangiarne tante: fanno contenti i batteri intestinali e, per ragioni non ancora comprese, riducono il rischio di cardiopatia, diabete, cancro colorettale e morte di ogni sorta.

Quasi tutti collocano lo stomaco nella pancia, mentre in realtà si trova ben più in alto e spostato a sinistra. È lungo circa 25 centimetri e ha la forma di un guantone da boxe. Il polso del guantone, da cui entra il cibo, si chiama piloro e il primo tratto si chiama fondo. Lo stomaco è meno vitale di quanto si pensi e ha meno meriti di quelli che la coscienza collettiva gli attribuisce. Contribuisce un po' alla digestione, dal punto di vista sia chimico sia fisico, strizzando il contenuto mediante contrazioni muscolari e immergendolo nell'acido cloridrico, ma è un contributo utile, non essenziale. Dopo un intervento di rimozione dello stomaco in tanti vivono senza grossi problemi. La vera digestione e il vero assorbimento – la nutrizione del corpo – avviene più in basso.

Lo stomaco ha una capacità di un litro e mezzo scarso, non molto in confronto ad altri mammiferi. Quello di un grosso cane ha una capienza doppia. Quando il cibo raggiunge la consistenza di una zuppa di piselli viene detto chimo. A proposito, i noti brontolii[4] non provengono dallo stomaco ma dall'intestino crasso e si chiamano borborigmi.

Una delle funzioni dello stomaco è uccidere i microbi immergendoli nell'acido cloridrico. «Senza stomaco molti più alimenti ci farebbero ammalare» mi ha detto la chirurga e ricercatrice della University of Nottingham Katie Rollins.

È incredibile che i microbi possano superarlo, eppure alcuni ci riescono, come purtroppo sappiamo bene. In parte perché ci bombardiamo di tanta roba contaminata. Un'indagine condotta dall'American Food and Drug Administration nel 2016 ha scoperto che l'84 per cento dei petti di pollo, circa il 70 per cento della carne macinata e quasi la metà delle braciole di maiale contenevano l'*Escherichia coli*, una buona notizia soltanto per il colibacillo.

Le malattie di origine alimentare sono l'epidemia segreta dell'America. Ogni anno tremila persone,[5] pari agli abitanti di una cittadina, muoiono per avvelenamento da cibo e altre 130.000 vengono ricoverate. E la morte può essere orribile. Nel dicembre del 1992 Lauren Beth Rudolph mangiò un cheeseburger in un ristorante della catena Jack in the Box di Carlsbad, in California. Cinque giorni dopo fu portata in ospedale con crampi addominali lancinanti e dissenteria e le sue condizioni peggiorarono in fretta. Ebbe tre gravi arresti cardiaci e morì. Aveva sei anni.

Nelle settimane successive si ammalarono settecento clienti di settantatré Jack in the Box sparsi in quattro stati. Tre morirono, altri si ritrovarono una sindrome da disfunzione multiorgano permanente. L'origine era l'*Escherichia coli* presente nella carne al sangue. Secondo *Food Safety News*, la società sapeva che i suoi hamburger erano poco cotti, «ma aveva deciso che cuocerli[6] ai 68,3 gradi previsti dalla legge li induriva troppo».*

Altrettanto pericolosa è la salmonella, definita «l'agente patogeno più presente in natura». Ogni anno negli Stati Uniti vengono registrati quarantamila casi di infezione, ma si pensa siano molti di più. In base a una stima, per ogni caso denunciato ne esistono 28 non dichiarati, per un totale di 1.120.000 casi

---

* L'*Escherichia coli* è uno strano organismo perché la maggior parte dei ceppi è innocua e alcuni sono benefici, a patto che non finiscano nel posto sbagliato. Quello presente nel colon, per esempio, produce la vitamina K ed è assai gradito. Qui si parla dei ceppi dannosi o di quelli che si trovano dove non dovrebbero.

l'anno. Secondo uno studio[7] del dipartimento dell'Agricoltura statunitense, circa un quarto di tutti i pezzi di pollo venduti nei supermercati è contaminato dalla salmonella. La cura non esiste.

La salmonella non ha niente a che vedere con il pesce che depone le uova. Prende il nome dallo scienziato americano Daniel Elmer Salmon del dipartimento dell'Agricoltura, anche se fu scoperta dal suo assistente, Theobald Smith, l'ennesimo eroe dimenticato della storia della medicina. Smith, nato nel 1859, era figlio di tedeschi (il nome di famiglia era Schmitt) immigrati nel nord dello stato di New York e crebbe parlando la sua lingua, per cui poté seguire e apprezzare gli esperimenti di Robert Koch più in fretta della maggior parte dei contemporanei americani. Imparò i metodi usati da Koch per la coltura dei batteri e nel 1885 riuscì a isolare la salmonella, molto prima che lo facessero gli americani. Daniel Salmon dirigeva il Bureau of Animal Industry del dipartimento dell'Agricoltura, quindi era un funzionario, ma all'epoca si usava citare il direttore come principale autore degli studi del dipartimento e il nome conferito al microbo fu il suo. Smith fu inoltre privato del merito della scoperta del protozoo infettivo Babesia, erroneamente chiamato con il nome del batteriologo rumeno Victor Babes. Nel corso di una carriera lunga e illustre, Smith svolse anche un importante lavoro su febbre gialla, difterite, malattia del sonno e contaminazione fecale dell'acqua potabile, dimostrando che la tubercolosi negli umani e nel bestiame è causata da microorganismi diversi e smentendo Robert Koch su due punti cruciali. Koch era convinto che la tubercolosi non potesse passare dagli animali a noi e Smith lo smentì anche su quello. Fu grazie a questa scoperta che si cominciò a pastorizzare il latte. In breve, Smith fu l'americano più importante dell'età d'oro della batteriologia, eppure oggi è quasi del tutto dimenticato.

Per inciso, la maggior parte dei microbi che provocano la nausea ha bisogno di tempo per proliferare dentro di noi prima di causare malessere. Alcuni, come lo *Staphylococcus aureus*, impiegano un'ora, ma la maggior parte ci mette almeno ventiquattr'ore. Come ha detto al *New York Times* la dottoressa Deborah Fisher della Duke University: «Si tende a incolpare l'ultima cosa mangiata,[8] ma probabilmente la causa è la penultima». A dire il vero tante infestazioni impiegano molto di più a manifestarsi. La listeriosi, che in America uccide circa trecento persone all'anno, può impiegare fino a settanta giorni per mostrare i sintomi, rendendo un incubo risalire all'origine. Nel 2011 morirono trentatré persone prima che la fonte dell'infezione, il melone giallo del Colorado, venisse individuata.

Le cause principali delle malattie di origine alimentare, fra l'altro, non sono carne, uova e maionese, bensì le verdure a foglia verde, responsabili di un disturbo su cinque.

Per moltissimo tempo quasi tutto quello che sapevamo dello stomaco era merito di un deplorevole incidente avvenuto nel 1822. Nell'estate di quell'anno, nell'emporio di Mackinac Island sul lago Huron, nel Michigan settentrionale, un signore stava esaminando un fucile che all'improvviso fece fuoco. Un giovane cacciatore di animali da pelliccia canadese, Alexis St. Martin, ebbe la sfortuna di trovarsi ad appena un metro da lui e sulla linea del fuoco. Lo sparo gli procurò un buco nel torace, sulla sinistra, donandogli una cosa che non gradì affatto: lo stomaco più famoso della storia della medicina. St. Martin sopravvisse per miracolo, ma la ferita non si rimarginò mai del tutto. Il suo medico, il chirurgo dell'esercito americano William Beaumont, intuì che quel foro di due centimetri e mezzo forniva un'insolita visuale dell'interno del cacciatore, nonché un accesso diretto allo stomaco. Accolse St. Martin in casa sua e se ne prese cura, con l'accordo (siglato in un contratto ufficiale) di poter effettuare esperimenti sull'ospite. Per Beaumont era un'occasione unica. Nel 1822 nessuno sapeva cosa succedesse al cibo una volta sparito in gola. St. Martin aveva l'unico stomaco al mondo che si potesse studiare in tempo reale.

Gli esperimenti consistevano principalmente nel sospendere diversi alimenti attaccati a un filo di seta nello stomaco del malcapitato, lasciarceli per un certo periodo di tempo e poi estrarli per vedere cosa fosse successo. A volte, nell'interesse della scienza, Beaumont li assaggiava per valutarne l'acidità, da cui dedusse che il principale agente digestivo dello stomaco è l'acido cloridrico. La scoperta epocale suscitò grande entusiasmo tra i colleghi e lo rese famoso.

St. Martin, va detto, non aveva un grande spirito di collaborazione. Spariva spesso, e una volta ci vollero quattro anni per scovarlo. Nonostante le interruzioni, Beaumont pubblicò comunque il suo manuale dal titolo *Experiments and Observations on the Gastric Juice and the Physiology of Digestion*. Per circa un secolo quasi tutto il sapere medico sulla digestione è stato merito dello stomaco di St. Martin.

Ironia vuole che sopravvisse a Beaumont di ben ventisette anni. Dopo aver vagato per un po',[9] tornò nella città natale di Saint-Thomas, in Quebec, si sposò, crebbe sei figli e morì a ottantasei anni, nel 1880, quasi sessant'anni dopo l'incidente che lo rese famoso.*

Il cuore dell'apparato digerente è l'intestino tenue, un tubo serpeggiante lungo sette metri e mezzo circa in cui avviene il grosso della digestione. L'intestino tenue è diviso in tre tratti:

---

* St. Martin visse per un po' a Cavendish, nel Vermont, sede dell'incidente della sbarra di ferro che si conficcò nel cranio del povero manovale Phineas Gage e luogo di nascita di Nettie Stevens, che scoprì il cromosoma Y. Nessuno dei tre, però, si trovò mai a Cavendish nello stesso momento.

duodeno (che significa «dodici» perché nell'antica Roma si pensava che occupasse uno spazio di dodici dita), digiuno (che significa «senza cibo» perché nei cadaveri si trovava spesso vuoto) e ileo (che significa «inguine» per la prossimità a quella zona). La divisione, però, è puramente teorica. Se ci estraessimo l'intestino e lo srotolassimo per terra non si vedrebbe dove finisce un tratto e dove comincia l'altro.

L'intestino tenue è rivestito da minuscoli peli chiamati villi, che ne ampliano a dismisura la superficie. Gli alimenti lo attraversano grazie al processo di contrazioni noto come peristalsi, una specie di ola dell'intestino, e avanzano alla velocità di due centimetri e mezzo al minuto. La domanda che sorge spontanea è come mai i nostri spietati succhi gastrici non corrodano il rivestimento dell'intestino. La risposta è che l'apparato digerente è foderato da un unico strato di cellule protettive dette epitelio. Fra noi e l'autodigestione ci sono solo queste cellule vigili e la mucosa appiccicosa che producono. Se tale tessuto si lacera e il contenuto dell'intestino raggiunge un'altra parte del corpo si rischia grosso, ma per fortuna capita assai di rado. Questo fronte di cellule è sottoposto a talmente tanto lavoro che ciascuna viene sostituita dopo appena tre o quattro giorni, il ricambio in assoluto più rapido dell'intero corpo.

A contenere il tutto, come un muro attorno a un giardino, c'è un tubo di quasi due metri noto come intestino crasso, grande intestino o colon. Nel punto in cui il tenue incontra il crasso (subito sopra il punto vita, sulla destra) c'è una sacca chiamata cieco, importante negli erbivori ma molto meno negli umani, da cui protrude la sporgenza a forma di dito detta appendice, che non ha alcuno scopo certo se non quello di uccidere 80.000 persone l'anno in tutto il mondo se si lacera o si infetta.

Per via della sua forma, l'appendice è anche detta vermiforme. Tutto quello che si è a lungo saputo di quest'organo era che si poteva rimuovere senza sentirne la mancanza, il che suggerì che non avesse alcuno scopo. Adesso al massimo si pensa che funga da serbatoio dei batteri intestinali.

Nel mondo sviluppato una persona su sedici prima o poi avrà l'appendicite, numero sufficiente a renderla la causa più diffusa di interventi d'urgenza. Secondo l'American College of Surgeons, ogni anno negli Stati Uniti 250.000 persone circa vengono ricoverate[10] per appendicite e circa trecento muoiono. Senza l'intervento ne morirebbero di più. In passato era una causa di morte piuttosto diffusa. Oggi l'incidenza dell'appendicite acuta[11] nel mondo ricco è circa la metà rispetto agli anni Settanta, ma il perché non è chiaro. Resta ancora più diffusa nei paesi ricchi che in quelli in via di sviluppo, anche se in questi ultimi è in rapido aumento, forse per via delle nuove abitudini alimentari, ma neppure questo è certo.

La storia più straordinaria di sopravvivenza all'appendicectomia che io conosca avvenne a bordo del sottomarino americano *Seadragon* nelle acque giapponesi del mar Cinese Meridionale durante la Seconda guerra mondiale, quando il marinaio Dean Rector del Kansas manifestò un caso di appendicite acuta. In assenza di personale medico qualificato, il comandante ordinò all'ufficiale farmacista Walter Bryson Lipes (che non aveva legami di parentela noti con l'autore del presente libro) di eseguire l'intervento. Lipes disse di non possedere una formazione medica, di non sapere che aspetto avesse l'appendice né dove si trovasse e di non avere a disposizione strumenti chirurgici. Il comandante gli ordinò comunque di fare quanto poteva essendo la massima autorità sanitaria a bordo.

I modi di Lipes non furono impeccabili.[12] Ecco il discorsetto che rifilò a Rector: «Stammi bene a sentire, Dean, non ho mai fatto niente del genere, ma siccome non hai molte probabilità di cavartela, che dici di fare?»

Dopo averlo anestetizzato – già questo un successo, visto che

284

non aveva idea del dosaggio da somministrare – si accinse, con un filtro da tè foderato di garza al posto della mascherina e guidato da un manuale di pronto soccorso, a incidere Rector con un coltello da cucina, e riuscì a trovare e rimuovere l'appendice infiammata nonché a ricucire la ferita. Miracolosamente il marinaio sopravvisse e si riprese a meraviglia. Purtroppo non poté godersi una vita lunga e sana perché tre anni dopo fu ucciso in battaglia a bordo di un altro sottomarino, più o meno nella stessa zona. Lipes servì in marina fino al 1962 e arrivò a ben ottantaquattro anni, ma non eseguì mai più un intervento chirurgico, e forse è stato meglio così.

L'intestino tenue si svuota nell'intestino crasso tramite un collegamento chiamato valvola ileocecale. Il crasso è una specie di vasca di fermentazione, sede di feci, flato e della flora microbica, in cui tutto avviene con calma. All'inizio del XX secolo Sir William Arbuthnot Lane, per altri versi un celebre chirurgo britannico, si convinse che quella pigra poltiglia favorisse l'accumulo di tossine malsane causando un disturbo da lui chiamato autointossicazione. Individuata un'anomalia che divenne nota come «Lane's kinks» (pieghe di Lane), cominciò ad asportare chirurgicamente tratti di intestino crasso ai pazienti. Pian piano estese la pratica fino a eseguire colectomie totali, procedure assolutamente non necessarie. La gente accorreva da ogni dove[13] per separarsi dal colon. Morto Lane fu dimostrato che le sue pieghe erano del tutto immaginarie.

In America purtroppo anche Henry Cotton, direttore del Trenton State Hospital del New Jersey, si interessò all'intestino crasso. Convinto che i disturbi psichiatrici non fossero causati da interferenze nel cervello ma da una malformazione congenita del colon, intraprese una serie di interventi chirurgici per i quali era evidente che non mostrasse alcuna predisposizione. Riuscì a uccidere il 30 per cento dei pazienti e a non curarne nessuno, ma del resto nessuno aveva un disturbo da curare. Cotton diventò inoltre un fanatico dell'estrazione dei denti e ne rimosse circa 6500 (una media di dieci a paziente) in un solo anno, nel 1921, senza usare l'anestetico.

L'intestino crasso assolve invece diversi compiti importanti. Riassorbe grandi volumi d'acqua restituendola al corpo e ospita vaste colonie di microbi che distruggono tutto ciò che l'intestino tenue non ha trattenuto catturando le utili vitamine B1, B2, B6, B12 e K, anche queste restituite al corpo. Il resto è destinato all'evacuazione sotto forma di feci.

In Occidente gli adulti ne producono circa due etti al giorno, 73 chili all'anno, sei tonnellate e mezzo nell'arco di una vita. Sono formate soprattutto da batteri morti, fibre non digerite, cellule intestinali scartate e i residui dei globuli rossi morti. Ogni grammo di feci[14] contiene quaranta miliardi di batteri e cento milioni di archei. Dall'analisi dei campioni si trovano inoltre molti funghi, amebe, batteriofagi, alveolati, ascomiceti, basidio-miceti e tanto altro: se alcuni di questi siano residenti stabili o giusto di passaggio non è dato saperlo. I campioni di feci prelevati a un paio di giorni di distanza possono fornire risultati diversissimi, come addirittura due campioni prelevati da due punti diversi[15] di quelle dello stesso individuo, che a volte sembrano provenire da due persone differenti.

Quasi tutti i tumori intestinali si trovano nel crasso, raramente nel tenue. Nessuno sa con certezza il motivo, ma molti ricercatori lo imputano all'abbondanza di batteri. Per il professor Hans Clevers dell'università di Utrecht, nei Paesi Bassi, c'è un nesso con l'alimentazione. «Ai topi viene il cancro nell'intestino tenue ma non nel colon» spiega. «Se vengono sottoposti alla dieta occidentale, però, succede il contrario. Lo stesso vale per i

286

giapponesi quando si trasferiscono in Occidente e adottano lo stile di vita locale. Corrono meno rischi di ammalarsi di cancro allo stomaco, ma di più di cancro al colon.»

In età moderna il primo a nutrire un interesse scientifico per le feci fu Theodor Escherich (1857-1911), giovane ricercatore pediatrico di Monaco che alla fine del XIX secolo iniziò a esaminare al microscopio quelle dei neonati. Trovò diciannove microorganismi diversi, ben più di quanti se ne aspettasse visto che le uniche fonti evidenti erano il latte materno e l'aria che respiravano. Il più presente si chiama *Escherichia coli* in suo onore (lui lo chiamava *Bacterium coli commune*).

L'*Escherichia coli* è il microbo più studiato del pianeta. Secondo Carl Zimmer, autore dell'affascinante libro *Microcosm* che lo sviscera nel dettaglio, questo bacillo unico e straordinario ha stimolato centinaia di migliaia di articoli. Due ceppi[16] hanno una variabilità genetica superiore a quella di tutti i mammiferi terrestri messi insieme. Il povero Theodor Escherich non lo seppe mai. L'*Escherichia coli* prese il suo nome solo nel 1918,[17] sette anni dopo la sua morte, e fu ufficialmente riconosciuto soltanto nel 1958.

Infine un accenno al flato, il termine ammodo per la scoreggia. Il flato è composto da anidride carbonica (fino al 50 per cento), idrogeno (fino al 40 per cento) e azoto (fino al 20 per cento), anche se le proporzioni esatte variano da individuo a individuo e da un giorno all'altro. Circa un terzo delle persone produce metano, un noto gas serra, mentre gli altri non ne producono affatto (o quantomeno nelle occasioni in cui sono stati testati: l'analisi del flato non è la più meticolosa delle discipline). L'odore è dato soprattutto dall'acido solfidrico, che però equivale a una quantità che va appena da una a tre parti per milione di quanto viene espulso. L'acido solfidrico in forma concentrata – come nel gas mefitico – può essere letale, ma il perché siamo così sensibili a esposizioni minime è una domanda a cui la scienza deve ancora rispondere. Stranamente però quando arriva a livelli letali non lo sentiamo. Come ha detto Mary Roach nel suo magnifico studio degli alimenti dal titolo *Gulp*: «I nervi olfattivi si paralizzano».[18]

I gas del flato possono generare una miscela piuttosto esplosiva, come fu tragicamente dimostrato nel 1978 a Nancy, in Francia, quando i chirurghi infilarono uno strumento riscaldato elettricamente nel retto di un signore di sessantanove anni per cauterizzare un polipo causando un'esplosione che fece a pezzi il paziente. Secondo la rivista *Gastroenterology*, fu uno dei «tanti esempi documentati di esplosione[19] del gas del colon durante un intervento». Oggi la prassi più diffusa è la chirurgia laparoscopica, o mini-invasiva, che consiste nell'insufflare – cioè gonfiare – il paziente di anidride carbonica, riducendo così il disagio e le cicatrici ed eliminando il rischio di incidenti esplosivi.

16
Il sonno

«O sonno, dolce sonno, tenera nutrice di natura...»
WILLIAM SHAKESPEARE, *Enrico IV*, Parte II

I

Il sonno è la più misteriosa delle nostre occupazioni. Si sa che è vitale, ma non il perché. Non siamo in grado di dire con esattezza a cosa serva, quale sia la giusta quantità per ottenere il massimo della salute e della felicità né come mai alcuni vi si abbandonino con facilità mentre altri fatichino costantemente per riuscirci. Gli dedichiamo un terzo della vita. Mentre scrivo ho sessantasei anni e, di fatto, ho dormito per tutto il XXI secolo.

Non esiste parte del corpo che non tragga giovamento dal sonno o che non risenta della sua mancanza. La prolungata privazione uccide, benché non si sappia con precisione cosa dell'assenza di sonno porti alla morte. In un esperimento del 1989,[1] che difficilmente sarà ripetuto vista la crudeltà, i ricercatori della University of Chicago tennero svegli dieci ratti fino alla fine e scoprirono che la spossatezza ebbe la meglio su di loro in un arco di tempo compreso fra gli 11 e i 32 giorni. L'autopsia non rilevò anomalie in grado di spiegarne la morte. I corpi, semplicemente, si erano arresi.

Il sonno è stato associato a numerosi processi biologici quali consolidamento della memoria, ripristino dell'equilibrio ormonale, pulizia del cervello dall'accumulo di neurotossine, resettaggio del sistema immunitario. Chi inizia a mostrare sintomi di ipertensione[2] e dorme un'ora in più a notte presenta un miglioramento significativo dei valori. In breve, sembra che il sonno sia una specie di messa a punto notturna del corpo. Come ha detto il professor Loren Frank della University of California di San Francisco alla rivista *Nature* nel 2013: «Di solito si dice che il sonno è importante per trasferire i ricordi al resto del cervello, però non esistono prove dirette che sia davvero così». Il perché ci venga chiesto di rinunciare del tutto alla coscienza affinché questo succeda non ha ancora una risposta. Quando si dorme, infatti, non ci si limita a svincolarsi dal mondo circostante ma, per buona parte del tempo, si è proprio paralizzati.

Il sonno, quindi, è ben più che semplice riposo. Un aspetto curioso è che gli animali in letargo presentano anche periodi di sonno. Per quasi tutti sarà una sorpresa, eppure letargo e sonno non sono la stessa cosa, almeno dal punto di vista neurologico e metabolico. Il letargo somiglia più a una commozione cerebrale, o a un'anestesia: il soggetto è privo di conoscenza ma non addormentato, per cui un animale in letargo ha bisogno ogni giorno di alcune ore di sonno tradizionale malgrado lo stato di incoscienza. Un'ulteriore sorpresa è che gli orsi, i più famosi dormiglioni invernali, non vanno in letargo. Il vero letargo comporta un profondo stato di incoscienza e un netto calo della temperatura corporea, spesso intorno allo zero. Quindi gli orsi non vanno in letargo perché la loro temperatura resta quasi nella norma e si svegliano con facilità. Il loro sonno invernale è meglio definito come uno stato di torpore.

Quale che sia la sua funzione, il sonno è più di un'inattività ristoratrice. Il nostro desiderio di dormire è talmente forte da farci accettare di essere vulnerabili all'attacco di banditi o predatori, eppure a quanto si sappia il sonno non fa niente che non si possa ottenere a riposo ma rimanendo svegli. Non si sa neppure perché passiamo buona parte della notte in compagnia delle surreali e spesso inquietanti allucinazioni chiamate sogni. A ben pensarci, essere inseguiti dagli zombie o ritrovarsi inspiegabilmente nudi alla fermata dell'autobus non sembrano le attività più ristoratrici da concedersi nelle ore notturne.

Eppure è universalmente riconosciuto che il sonno risponde a un bisogno profondo ed elementare. Come disse tanti anni fa l'eminente ricercatore Allan Rechtschaffen: «Se il sonno non serve[3] a nessuna funzione vitale, allora è l'errore più grande che il processo evolutivo abbia mai commesso». Malgrado ciò, per dirla con le parole di un altro ricercatore, non fa che «metterci in condizione di stare svegli».

Tutti gli animali dormono, persino creature molto semplici come i nematodi[4] e i moscerini della frutta hanno periodi di quiescenza. La quantità di sonno varia da animale ad animale. Chissà perché, elefanti e cavalli dormono appena due o tre ore a notte. Alla maggior parte degli altri mammiferi ne occorrono molte di più. Quello che era considerato il campione del sonno, il bradipo tridattilo, pare dorma fino a venti ore al giorno, ma il dato è emerso dallo studio di esemplari in cattività che non dovevano temere i predatori e non avevano niente da fare. I bradipi selvatici dormono al massimo una decina di ore, non tanto più di noi. Alcuni uccelli e mammiferi marini, invece, riescono a spegnere mezzo cervello alla volta, per cui una metà resta vigile mentre l'altra riposa.

*

Le moderne conoscenze sul sonno risalgono a una notte del dicembre del 1951, quando un giovane ricercatore della University of Chicago, Eugene Aserinsky, sperimentò la macchina per misurare le onde cerebrali acquistata dal suo laboratorio. Il volontario per il primo test fu il figlio di otto anni Armond.[5]

Un'ora e mezzo dopo che il piccolo Armond si era addormentato per un tranquillo sonno notturno, Aserisnky fu sorpreso nel vedere che la carta millimetrata collegata al monitor si animò e cominciò a produrre il tracciato frastagliato associato a una mente sveglia e attiva. Quando andò nella stanza accanto, però, Armond dormiva ancora, ma gli occhi si muovevano visibilmente sotto le palpebre. Aserinsky aveva appena scoperto il sonno REM (movimento oculare rapido), la fase più interessante e misteriosa delle tante che formano il ciclo del sonno. Non corse a riferirlo al mondo: passarono quasi due anni prima che apparisse un articoletto nella rivista *Science*.*

Oggi sappiamo che il sonno è composto da una serie di cicli, ciascuno formato da quattro o cinque fasi (a seconda dei metodi di classificazione adottati). La prima è la rinuncia alla coscienza, che per buona parte di noi richiede dai cinque ai quindici minuti. Questa è seguita da un periodo di sonno leggero ma ristoratore, simile al pisolino, di circa venti minuti. Nelle prime due fasi il sonno è così superficiale[6] che si può essere addormentati ma pensare di essere svegli. Poi subentra un sonno più profondo che dura un'oretta, da cui è molto più difficile svegliarsi (alcuni esperti lo dividono in due stadi, aggiungendo al ciclo un quinto periodo). Infine arriva la fase REM, quella in cui si sogna di più.

* Per quanto irrequieto, Aserinsky era un giovanotto interessante. Prima di approdare alla University of Chicago nel 1949, all'età di ventisette anni, in altre due università aveva provato a specializzarsi in Sociologia, Propedeutica alla medicina, Spagnolo e Odontoiatria senza completarne neanche una. Nel 1943 fu arruolato nell'esercito e, pur non vedendo da un occhio, partecipò alla guerra come artificiere.

Durante la fase REM si è quasi paralizzati, ma gli occhi sfrecciano sotto le palpebre chiuse, quasi assistessero a un imperdibile melodramma, e il cervello è attivo come nelle ore di veglia. Alcune parti del prosencefalo sono anzi più animate rispetto a quando siamo coscienti e attivi.

Non è chiaro neanche perché in questa fase gli occhi si muovano. Un'ipotesi ovvia è che stiamo «guardando» i sogni. Durante la fase REM non tutto è paralizzato. Per ovvie ragioni cuore e polmoni continuano a funzionare e gli occhi sono liberi di roteare, mentre i muscoli che controllano il movimento corporeo sono bloccati. La spiegazione che si dà più spesso è che l'immobilismo ci impedisce di farci del male andandocene in giro o cercando di fuggire dall'eventuale attacco vissuto in un brutto sogno. Alcuni, molto pochi, soffrono del cosiddetto disturbo comportamentale in sonno REM, in cui gli arti non restano immobili e a volte, divincolandosi, fanno del male a se stessi o a chi dorme con loro. Per altri la paralisi non sempre passa subito dopo il risveglio, e pur essendo vigili sono incapaci di muoversi, un'esperienza traumatica che per fortuna dura solo alcuni secondi.

La fase REM dura un paio d'ore, circa un quarto del sonno totale. Con il passare della notte si allunga, per cui in genere la maggior parte dei sogni si colloca nelle ultime ore prima del risveglio.

I cicli del sonno si ripetono quattro o cinque volte a notte. Ciascuno dura un'ora e mezzo circa, ma può variare. La fase REM sembra sia importante per lo sviluppo. I neonati passano almeno il 50 per cento del sonno (che è comunque la maggior parte del loro tempo) nella fase REM. I feti possono arrivare all'80 per cento. Si è a lungo pensato che si sognasse solo durante quella fase, ma uno studio del 2017 della University of Wisconsin ha scoperto che il 71 per cento delle persone sogna durante il sonno non REM (rispetto al 95 per cento che invece sogna in quella fase). Durante il sonno REM quasi tutti gli uomini hanno l'erezione e le donne un maggior afflusso sanguigno ai genitali. Non se ne conosce il motivo, ma il fenomeno non sembra direttamente associato a impulsi erotici. L'erezione notturna dura in media un paio d'ore.[7]

Di notte siamo più irrequieti di quello che si pensa. Un individuo si gira[8] o cambia posizione fra le trenta e le quaranta volte. Fra l'altro ci svegliamo più spesso di quanto si immagini. I brevi risvegli notturni possono totalizzare fino a trenta minuti, ma passare del tutto inosservati. Nel corso di una visita a un centro del sonno che fece per il suo libro del 1995 dal titolo *Notte*, lo scrittore Alfred Alvarez pensava di aver dormito senza interruzione, ma il mattino dopo scoprì dal grafico di essersi svegliato ben ventitré volte. C'erano anche stati cinque momenti in cui aveva sognato, ma non ricordava nulla.

Oltre al normale sonno notturno, alcuni indugiano nel cosiddetto stato ipnagogico diurno, una sorta di sospensione tra la veglia e l'incoscienza, spesso senza accorgersene. Dallo studio condotto su una decina di piloti durante voli di lungo percorso[9] gli scienziati hanno scoperto che, senza saperlo, più o meno tutti avevano dormito o quasi in vari momenti del volo.

Il rapporto fra chi dorme e il mondo esterno è spesso bizzarro. Molti di noi hanno provato la sgradevole sensazione di cadere nel vuoto, nota come spasmo ipnico o mioclonico. Nessuno sa perché succeda, ma secondo una teoria risalirebbe ai tempi in cui dormivamo sugli alberi e dovevamo stare attenti a non precipitare. Lo spasmo potrebbe essere una sorta di esercitazione. Vi sembrerà improbabile eppure a ben pensarci è curioso che, a prescindere da quanto siamo incoscienti o irrequieti, non cadiamo quasi mai dal letto, nemmeno in albergo o comunque fuori casa. Anche se per il mondo siamo morti, una sentinella interna conosce i confini del letto e ci impedisce di superarli (a meno che non siamo ubriachi o abbiamo la febbre alta). Una parte di noi, quindi, sorveglia il mondo esterno addirittura durante il sonno pesante. Studi condotti a Oxford, e riferiti da Paul Martin nel suo *Counting Sheep*, hanno scoperto che l'elettroencefalografia di ogni soggetto vibrava se veniva pronunciato il suo nome quando dormiva, mentre non reagiva a nomi sconosciuti. I test hanno inoltre dimostrato che alcuni sono piuttosto bravi a svegliarsi a orari prestabiliti senza una sveglia, quindi una parte della mente addormentata segue il mondo al di fuori del cranio.

I sogni potrebbero essere un semplice effetto collaterale delle pulizie cerebrali notturne. Via via che il cervello si sbarazza delle sostanze di rifiuto e consolida i ricordi, i circuiti neurali si attivano a casaccio portando a galla immagini brevi e frammentarie, un po' come chi passa da un canale all'altro con il telecomando in cerca di qualcosa da guardare. Dal flusso incoerente di ricordi, assilli, fantasie, emozioni represse e simili, forse il cervello tenta di ricavare un racconto sensato o forse, visto che è a riposo, non ci prova affatto e lascia fluire gli impulsi in modo incoerente. Potrebbe essere il motivo per cui,[10] malgrado l'intensità, in genere non ricordiamo i sogni. Perché non sono significativi né importanti.

II

Nel 1999, dopo dieci anni di accurato lavoro, il ricercatore dell'Imperial College di Londra Russell Foster dimostrò una cosa talmente improbabile che quasi tutti si rifiutarono di credergli. Scoprì infatti che negli occhi, oltre ai noti bastoncelli e coni, abbiamo un terzo tipo di fotorecettori, le cellule gangliari retiniche fotosensibili, che non hanno nulla a che fare con la vista ma individuano la luminosità, per sapere se è giorno o notte. L'informazione viene trasmessa a due gruppetti di neuroni del cervello grandi quanto una capocchia di spillo, incassati nell'ipotalamo e noti come nuclei soprachiasmatici. I due gruppetti (uno per emisfero) controllano i ritmi circadiani, sono cioè le sveglie del corpo che ci dicono quando darci da fare e quando ritirarci in buon ordine.

Se oggi ci sembra plausibile e utile, Foster suscitò grandi proteste nell'ambiente dell'oftalmologia quando annunciò la scoperta. Quasi nessuno riusciva a capacitarsi del fatto che in tutto quel tempo una cellula oculare così fondamentale non fosse stata notata. Durante una presentazione, dal pubblico qualcuno gridò:[11] «Fesserie!», per poi andarsene come una furia.

«Per loro era difficile accettare[12] che l'occhio, studiato ormai da centocinquant'anni, avesse una cellula diversa, la cui funzione era stata del tutto trascurata» commenta Foster, che adesso gode di un riconoscimento unanime: insegna Neuroscienze e dirige il Nuffield Laboratory of Ophthalmology di Oxford. «Ora sono molto più cortesi» scherza.

«L'aspetto davvero interessante di questo terzo tipo di recettori» mi ha detto quando sono andato a trovarlo nel suo ufficio del Brasenose College, in una traversa di High Street, «è che funzionano in maniera del tutto indipendente dalla vista. In un esperimento abbiamo chiesto a una donna non vedente – aveva perso coni e bastoncelli per via di un disturbo genetico – di dirci quando pensava che le luci della stanza fossero accese o spente. Ci ha detto di non essere ridicoli, dato che non vedeva niente, ma noi abbiamo insistito e la signora ha indovinato sempre. Pur essendo cieca, non avendo modo di 'vedere' la luce, il cervello la individuava con precisione a livello subliminale. Lei è rimasta sbalordita, e anche noi.»

Dalla scoperta di Foster gli scienziati hanno individuato orologi biologici non solo nel cervello, ma ovunque – pancreas, fegato, cuore, reni, tessuti grassi, muscoli, dappertutto – che operano secondo i propri tempi, ordinando il rilascio degli ormoni o regolando attività e riposo degli organi.* I riflessi, per esempio, sono massimi a metà pomeriggio, mentre la pressione del sangue raggiunge il picco verso sera. Gli uomini tendono a pompare in assoluto più testosterone il mattino presto. Un qualunque sfasamento può provocare dei problemi. Si pensa che eventuali interferenze ai danni dei ritmi corporei quotidiani contribuiscano a causare diabete, cardiopatia, depressione e un notevole aumento di peso.

I nuclei soprachiasmatici lavorano a stretto contatto con la struttura vicina e da sempre misteriosa chiamata ghiandola pineale, che è grande quanto un pisello e si trova più o meno al centro della testa. Per via della posizione e della natura solitaria – quasi tutte le strutture cerebrali esistono in coppia, la ghiandola pineale no – il filosofo Cartesio concluse che era la sede dell'anima. La vera funzione, produrre l'ormone melatonina che aiuta il cervello a individuare la lunghezza del giorno, fu scoperta solo negli anni Cinquanta, diventando così l'ultima delle principali ghiandole endocrine a essere decifrata. Ancora non si conosce l'esatto rapporto fra melatonina e sonno. I suoi livelli aumentano con l'arrivo della sera e raggiungono il picco massimo nel cuore della notte, quindi sembrerebbe logico associarli alla sonnolenza. Invece la produzione di questo ormone aumenta di notte anche negli animali notturni, quando sono più attivi, il che significa che non favorisce il torpore. In ogni caso la ghiandola pineale non individua solo i ritmi giorno/notte ma anche i cambiamenti stagionali, importantissimi per gli animali che vanno in letargo o si riproducono con cadenza stagionale. E lo sono pure per noi, sebbene in modi quasi impercettibili. In

---

* Persino i denti segnano il passare del tempo acquisendo microscopiche stratificazioni quotidiane, non diverse dagli anelli degli alberi, fino all'età di vent'anni, quando smettono di crescere. Gli scienziati contano gli anelli dei denti antichi per capire quanto impiegavano a crescere i bambini.

estate, per esempio, i capelli crescono più in fretta. «La ghiandola pineale non è la nostra anima, è il nostro calendario»[13] è stata l'efficace descrizione di David Bainbridge. Stranamente diversi mammiferi – elefanti e dugonghi, per citarne due – non ce l'hanno e non sembrano risentirne.

Il ruolo stagionale della melatonina negli esseri umani non è del tutto chiaro. È una molecola più o meno universale, presente in batteri, meduse, piante e in quasi ogni altro organismo soggetto ai ritmi circadiani. Con l'invecchiamento la produzione diminuisce drasticamente. Un settantenne ne produce appena un quarto rispetto a un ventenne, ma il perché e gli effetti che questo ha su di noi restano ancora da stabilire.

Certo è che se i normali ritmi quotidiani vengono turbati il sistema circadiano si confonde. In un famoso esperimento condotto nel 1962, lo scienziato francese Michel Siffre si isolò per circa due mesi in una grotta sulle Alpi. Senza luce naturale, orologi o altro, doveva indovinare il passare dei giorni e alla fine scoprì, con sua grande sorpresa, che i 37 da lui contati erano in realtà 58. Divenne incapace di calcolare persino tempi brevissimi: quando gli fu chiesto di calcolare due minuti ne fece passare più di cinque.[14]

In questi ultimi anni Foster e colleghi hanno capito che abbiamo più ritmi stagionali di quanto si pensasse. «Continuiamo a individuarli in tanti ambiti imprevisti, tipo autolesionismo, suicidio, abuso sui minori. Non è una coincidenza se eventi simili hanno massimi e minimi stagionali, perché l'andamento è sfasato di sei mesi dall'emisfero settentrionale all'emisfero meridionale.» Qualunque cosa accada nella primavera del nord – per esempio numerosi suicidi – sei mesi dopo si verifica nella primavera del sud.

I ritmi circadiani possono anche incidere enormemente sull'efficacia dei farmaci che assumiamo. Come ha osservato l'immunologo Daniel Davis della Manchester University, 56 su cento dei farmaci più venduti agiscono su parti del corpo sensibili al passare del tempo. «Circa la metà di questi farmaci[15] rimane attiva per un breve lasso di tempo» scrive nel suo libro *The Beautiful Cure*. Se assunti nel momento sbagliato, quindi, possono avere un'efficacia minore o persino nulla.

Pur avendo cominciato a capire solo da poco l'importanza dei ritmi circadiani degli esseri viventi, sappiamo che tutti gli organismi, batteri compresi, hanno orologi interni. «Potrebbe essere» come dice Russell Foster «la firma della vita.»

I nuclei soprachiasmatici non spiegano del tutto il desiderio di dormire. Siamo anche soggetti all'omeostasi, o pressione naturale del sonno – lo stimolo profondo e irresistibile di appisolarci – governata dagli omeostati. L'omeostasi si intensifica quanto più a lungo restiamo svegli, soprattutto per via dell'accumulo di sostanze chimiche nel cervello via via che il giorno scorre, specie dell'adenosina, che è un sottoprodotto dell'ATP (l'adenosina trifosfato), la piccola molecola dall'enorme energia che alimenta le cellule. Più adenosina si accumula, più assonnati ci si sente. La caffeina ne contrasta in parte gli effetti, ecco perché una tazza di caffè ci rinvigorisce. Di norma i due sistemi operano in simultanea, ma di tanto in tanto si discostano come quando attraversiamo più fusi orari e sperimentiamo il jet lag.

La quantità di sonno necessaria è molto personale, ma per quasi tutti rientra tra le sette e le nove ore. Molto dipende da età, stato di salute e attività recenti. Man mano che si invecchia si dorme meno. I neonati possono arrivare a diciannove ore al giorno, i bambini in età prescolare a quattordici, i ragazzini a undici o a dodici, gli adolescenti e i giovani a una decina anche se, come la maggior parte degli adulti, possono non dormire a sufficienza perché fanno le ore piccole e si alzano presto. Il problema è particolarmente acuto negli adolescenti, i cui cicli circadiani possono discostarsi di ben due ore da quelli degli adulti rendendoli animali relativamente nottambuli. Se la mattina un adolescente fatica ad alzarsi non è colpa della pigrizia, ma della biologia. In America la situazione è aggravata da quella che un editoriale del *New York Times* ha definito «una pericolosa tradizione: il fatto che le lezioni nelle scuole superiori iniziano troppo presto». Secondo il *Times*, infatti, l'86 per cento degli studenti comincia la sua giornata prima delle otto e mezzo e il 10 per cento prima delle sette e mezzo, mentre è stato dimostrato che orari di inizio successivi portano a una maggiore frequenza e a risultati migliori, a meno incidenti d'auto e persino a una riduzione di depressione e autolesionismo.[16]

Quasi tutti gli esperti concordano sul fatto che con il trascorrere degli anni dormiamo sempre meno. Secondo la rivista *Baylor University Medical Center Proceedings*, la durata media del sonno notturno nei giorni feriali è scesa dalle otto ore e mezzo di cinquant'anni fa alle sette scarse di oggi. Da un altro studio è emersa una riduzione simile fra i bambini delle elementari. Il costo per l'economia americana è stato stimato a oltre sessanta miliardi di dollari in termini di assenteismo e calo delle prestazioni.

In base a vari studi, tra il 10 e il 20 per cento degli adulti soffre di insonnia, associata a diabete,[17] cancro, ipertensione, ictus, cardiopatia e (com'era prevedibile) depressione. Uno studio danese citato su *Nature* ha scoperto che le donne che fanno il turno di notte[18] presentano un rischio doppio di sviluppare il cancro al seno rispetto a quelle che lavorano di giorno.

«Ora disponiamo anche di dati che mostrano come chi dorme poco abbia livelli di beta-amiloide [una proteina associata all'Alzheimer] più alti di chi dorme il giusto numero di ore» mi ha detto Foster. «Non voglio dire che la privazione di sonno *causi* l'Alzheimer, però potrebbe essere un fattore concomitante che accelera il declino.»

Per tanti la causa principale dell'insonnia è il partner che russa, un problema assai diffuso. Circa la metà di tutti noi russa di tanto in tanto. Il rumore è prodotto dai tessuti molli della faringe quando si è incoscienti e rilassati. Quanto più si è rilassati tanto più si russa, ecco perché chi è ubriaco lo fa con particolare vigore. Il modo migliore per porvi rimedio è perdere peso, dormire sul fianco e non bere alcol prima di andare a letto. L'apnea notturna (dal termine greco che significa «senza fiato») si verifica invece in seguito all'ostruzione delle vie aeree quando si russa, e nel sonno i malcapitati smettono o quasi di respirare. Il problema è più diffuso di quanto si pensi: il 50 per cento circa delle persone che russano[19] ha un certo grado di apnea notturna.

La forma di insonnia più estrema e spaventosa[20] è un disturbo rarissimo noto come «insonnia familiare fatale», descritto per la prima volta in termini medici solo nel 1986. È ereditario (ecco perché familiare) e pare colpisca appena una trentina di famiglie in tutto il mondo. Chi ne soffre non riesce ad addormentarsi e pian piano muore per sfinimento e disfunzione multiorgano. Questa malattia è sempre fatale. L'agente distruttivo è una proteina corrotta chiamata prione (acronimo di *proteinaceus infective only particle*, o particella infettiva solamente proteica). I prioni sono piccole proteine difettose e maligne responsabili della malattia di Creutzfeldt-Jakob, del morbo della mucca pazza (o encefalopatia spongiforme bovina) e di altri orribili disturbi neurologici, tipo la sindrome di Gerstmann-Sträussler-Scheinker, di cui solo pochi hanno sentito parlare perché per fortuna sono malattie rare (ma, senza eccezione, deleterie per la coordinazione e la cognizione). Secondo alcuni esperti, i prioni potrebbero essere coinvolti anche nell'Alzheimer e nel Parkinson.[21] Nell'insonnia familiare fatale attaccano il talamo, l'organo del cervello a forma di noce che controlla le reazioni involontarie quali pressione sanguigna, frequenza cardiaca, rilascio di ormoni e così via. In che modo il malfunzionamento dei prioni interferisca con il sonno non si sa, ma è davvero un brutto modo per andarsene.*

Un altro disturbo del sonno è la narcolessia. In genere viene associata a un'estrema sonnolenza nei momenti sbagliati, però tanti di quelli che ne soffrono hanno problemi a restare sia addormentati sia svegli. Il disturbo è causato dalla mancanza di oressina, una sostanza chimica presente nel cervello in quantità talmente minime da essere stata scoperta solo nel 1998. Le oressine sono neurotrasmettitori che ci tengono svegli. In loro assenza ci si può addormentare di botto nel bel mezzo di una conversazione o di una cena, oppure scivolare in una sorta di dormiveglia più simile all'allucinazione che alla coscienza. Di contro, si può essere sfiniti ma non riuscire a dormire affatto. Il disturbo è davvero sgradevole e non esiste cura, ma per fortuna è piuttosto raro: in Occidente colpisce una persona su 2500, e nel mondo quattro milioni in tutto.[22]

Fra i più comuni disturbi del sonno – il cui nome collettivo è parasonnie – figurano sonnambulismo, risveglio confusionale (quando all'apparenza si è svegli ma molto frastornati), incubi e terrori notturni. Gli ultimi due si distinguono solo per il fatto che i terrori notturni sono più intensi e lasciano più scosso il malcapitato, che però il mattino dopo non ricorda nulla. La

---

* I prioni furono scoperti dal dottor Stanley Prusiner della University of California di San Francisco. Nel 1972, mentre studiava Neurologia, esaminò una sessantenne vittima di un'improvvisa demenza così grave da non riuscire a compiere neppure azioni semplici e comuni tipo infilare la chiave nella serratura. Prusiner si convinse che la causa fosse una proteina infettiva malformata che chiamò prione. La sua teoria, derisa per anni, fu infine confermata e Prusiner vinse il Nobel nel 1997. La morte dei neuroni lascia piccole cavità nel cervello che lo fanno assomigliare a una spugna, da cui il termine spongiforme.

maggior parte delle parasonnie è più diffusa nei bambini che negli adulti e tende a sparire con la pubertà, se non addirittura prima.

Il record della veglia più lunga al mondo risale al dicembre del 1963, quando il diciassettenne di San Diego Randy Gardner riuscì a restare sveglio 264,4 ore (11 giorni e 24 minuti) per un esperimento scolastico di scienze.* I primi giorni furono abbastanza facili, poi Gardner diventò sempre più irritabile e confuso, fino a percepire la sua intera esistenza come una sorta di ricordo allucinato. Al termine dell'esperimento dormì quattordici ore di fila. «Quando mi svegliai ero intontito, ma non più di chiunque altro»[23] ha raccontato durante l'intervista del 2017 alla National Public Radio. Il sonno tornò normale e lui non ebbe particolari effetti collaterali. Anni dopo, però, ha sofferto di una terribile insonnia che, a suo dire, era una sorta di «rivalsa karmica» per l'avventura vissuta in gioventù.

Infine farei un accenno a un misterioso e diffusissimo indicatore di stanchezza, lo sbadiglio. Nessuno sa perché lo facciamo. Si sbadiglia nell'utero materno (dove si ha anche il singhiozzo) e si sbadiglia in coma. Pur essendo onnipresente non se ne conosce lo scopo. Secondo un'ipotesi è collegato al rilascio di anidride carbonica in eccesso, chissà però in che modo. Secondo un'altra teoria apporta aria più fresca alla testa dissipando la sonnolenza, anche se devo ancora conoscere qualcuno che abbia provato un senso di sollievo e vigore dopo uno sbadiglio. E, soprattutto, non esistono studi scientifici a riprova di un nesso tra sbadiglio e livelli di energia. Fra l'altro sbadigliare non è necessariamente un sintomo di stanchezza.[24] Anzi, di solito si

* Stranamente il record non è stato sfidato da molta gente. Nel 2004 dieci persone parteciparono a una gara per la serie televisiva *Shattered* dell'emittente britannica Channel 4. La vincitrice, Clare Southern, restò sveglia 178 ore, tre giorni abbondanti meno di Randy Gardner.

sbadiglia soprattutto nei primi due minuti dopo il risveglio da un sonno ristoratore, quando si è più rilassati che mai.

Forse l'aspetto meno comprensibile dello sbadiglio è il fatto che sia così incredibilmente contagioso. Non solo si sbadiglia quando si vedono altri farlo, ma il solo sentirlo nominare o pensarlo fa sbadigliare. In questo momento ne avrete di certo voglia, e non c'è niente di male.

17
Nelle parti basse

Durante la visita del presidente Coolidge a una fattoria, sua moglie chiese
alla guida quante volte al giorno copulasse il gallo. «Decine di volte»
fu la risposta. «Per favore, lo dica al presidente» replicò lei.
Quando passò accanto ai pollai e gli fu riferito del gallo, il presidente chiese:
«Sempre con la stessa gallina?» «No, presidente, ogni volta con una
diversa.» Lui annuì lentamente e disse: «Lo dica alla signora Coolidge».[1]
London Review of Books, 25 gennaio 1990

I

È abbastanza sorprendente che per così tanto tempo il perché
alcuni nascano maschi e altri femmine sia stato un mistero.
Anche se i cromosomi furono scoperti negli anni Ottanta del-
l'Ottocento dall'impegnatissimo anatomista tedesco dal nome
ridondante di Heinrich Wilhelm Gottfried von Waldeyer-Hartz
(1836-1921),* la loro importanza non venne né compresa né

---

* Per buona parte della sua carriera fu semplicemente Wilhelm Waldeyer. Il nome più enfatico arrivò nel 1916, verso la fine dei suoi giorni,
quando fu insignito del titolo dallo stato tedesco.

valorizzata (li chiamò cromosomi perché al microscopio assorbivano benissimo le tinture chimiche). Ovviamente oggi si sa che le femmine hanno due cromosomi X e i maschi uno X e uno Y, i responsabili della differenza sessuale, ma la scoperta arrivò molto tempo dopo. Alla fine del XIX secolo gli scienziati credevano ancora che, più che dalla chimica, il sesso fosse determinato da fattori esterni quali alimentazione, temperatura dell'aria o addirittura dall'umore della donna nelle fasi iniziali della gravidanza.

Il primo passo verso la soluzione del problema risale al 1891, quando Hermann Henking, giovane zoologo dell'università di Gottinga, nella Germania centrale, notò una cosa strana mentre studiava i testicoli di un genere di vespa chiamata *Pyrrhocoris*. In tutti gli esemplari, infatti, c'era un cromosoma che restava sempre in disparte, e Henking lo chiamò «X» perché era misterioso, non per la forma come quasi sempre si pensa. La scoperta suscitò interesse fra i biologi, ma non ebbe lo stesso effetto su di lui, che poco dopo accettò un lavoro per un ente governativo, passando il resto della vita a studiare lo stock ittico del mare del Nord e, a quanto se ne sa, non guardò mai più i testicoli di un insetto.

La vera svolta arrivò a quattordici anni dalla fortuita scoperta di Henking, sull'altra sponda dell'Atlantico. Mentre effettuava un lavoro simile sull'apparato riproduttivo delle tarme della farina, Nettie Stevens, scienziata del Bryn Mawr College in Pennsylvania, trovò un altro cromosoma che ne se stava in disparte e comprese – ecco l'intuizione cruciale – che svolgeva un ruolo nella determinazione del sesso. Per rispettare l'ordine alfabetico inaugurato da Henking lo chiamò cromosoma Y.

Nettie Stevens merita di essere conosciuta meglio.[2] Nata nel 1861 a Cavendish, nel Vermont (dove, come già detto, tredici anni prima una sbarra di ferro aveva trapassato il cranio di Phineas Gage mentre lavorava alla ferrovia), Stevens crebbe in una famiglia modesta e le ci volle moltissimo tempo per realizzare il sogno di conseguire un'istruzione superiore. Fu insegnante e bibliotecaria per diversi anni e si iscrisse a Stanford nel 1896, a trentacinque anni, e quando ne aveva quarantadue, e purtroppo ancora pochi davanti a sé, finì il dottorato. Diventata ricercatrice proprio al Bryn Mawr, si tuffò in un'attività frenetica: pubblicò 38 articoli e scoprì il cromosoma Y.

Se l'importanza della scoperta fosse stata valorizzata maggiormente, Stevens avrebbe quasi di certo vinto il Nobel. Per molti anni, invece, il merito fu attribuito a Edmund Beecher Wilson, che giunse alla medesima conclusione in maniera autonoma più o meno nello stesso periodo (chi fu davvero il primo è controverso), senza però comprenderne appieno la portata. Stevens avrebbe senza dubbio realizzato molte altre cose, ma fu colpita da un cancro al seno e nel 1912 morì a soli cinquantatré anni, appena undici dopo essere diventata una scienziata.

Nelle illustrazioni i cromosomi X e Y sono sempre ritratti più o meno con la forma delle lettere dei rispettivi nomi, mentre in realtà la maggior parte non è così. Durante la divisione cellulare il cromosoma X assume questa forma per breve tempo, come del resto tutti i cromosomi autosomi (cioè non sessuali), e il cromosoma Y somiglia solo vagamente alla lettera, ma in entrambi i casi è solo una straordinaria coincidenza.[3]

Storicamente non è stato affatto facile studiarli. I cromosomi passano infatti quasi tutta la loro esistenza raggomitolati nel nucleo della cellula, in una massa difficile da individuare. L'unico modo per contarli era procurarsi campioni di cellule viventi nel momento della divisione cellulare, un'impresa davvero assurda. In base a un resoconto, i biologi « aspettavano ai piedi della forca per impossessarsi dei testicoli dei criminali giustiziati subito dopo la morte, prima che i cromosomi si agglutinassero ».[4] Anche così, però, riuscivano a sovrapporsi e a confondersi complicando persino una conta approssimativa. Nel 1921, infine, il citologo della University of Texas Theophilus Painter annunciò di possedere immagini chiare e dichiarò in tono sicuro di aver contato 24 coppie di cromosomi, numero rimasto incontestato[5] per trentacinque anni finché nel 1956, a un esame più approfondito, se ne accertarono solo 23, cosa che sarebbe già stata evidente da anni nelle foto (comprese quelle di almeno un noto manuale) se solo qualcuno si fosse preso la briga di contarle.

Cosa renda alcuni di noi maschi e altri femmine si è compreso addirittura solo nel 1990, quando due team di Londra – uno del National Institute for Medical Research e l'altro dell'Imperial Cancer Research Fund – individuarono sul cromosoma Y la regione che determina il sesso ribattezzata gene SRY. Dopo innumerevoli generazioni, finalmente gli esseri umani sapevano come avevano fatto a concepire maschi e femmine.[6]

Il cromosoma Y è un cosino strano e tracagnotto. Ha solo una settantina di geni, mentre altri ne hanno fino a duemila. Lui, invece, non fa che ridursi da 160 milioni anni. È stato calcolato che all'attuale tasso di deperimento[7] fra 4,6 milioni di anni potrebbe sparire del tutto.* Per fortuna questo non significa che i maschi cesseranno di esistere. I geni che determinano i tratti sessuali passeranno a un altro cromosoma. Fra l'altro, tra 4,6 milioni di anni la nostra capacità di manipolare il processo riproduttivo sarà senza dubbio più sofisticata, quindi è inutile preoccuparsi.

L'aspetto interessante è che il sesso non è necessario. Diversi organismi l'hanno abbandonato. I gechi, le lucertoline verdi dei tropici attaccate ai muri come ventose, fanno a meno dei maschi. Per un uomo è una prospettiva inquietante, ma a ben pensarci il nostro apporto al processo procreativo non è indispensabile. Le

---

* Vale la pena ricordare che secondo altri genetisti l'estinzione potrebbe verificarsi fra appena 125.000 anni o addirittura fra dieci milioni.

femmine di geco producono le uova, che sono cloni della madre, e danno vita a una nuova generazione. Per loro è un ottimo metodo, perché significa che viene ereditato il 100 per cento dei geni. Con il sesso tradizionale, invece, ciascun partner trasmette solo la metà dei propri geni, numero che si assottiglia con ogni nuova generazione. I vostri nipoti avranno solo un quarto dei vostri geni, i bisnipoti solo un ottavo, i bis-bisnipoti appena un sedicesimo e così via, fino a sparire. Chi ambisce all'immortalità genetica sappia che il sesso è un pessimo modo per affermarla. Come ha scritto Siddhartha Mukherjee nel suo libro *Il gene*, gli esseri umani non si riproducono affatto.[8] I gechi lo fanno. Noi ci ricombiniamo.

Anche se diluisce il nostro contributo personale alla posterità, il sesso fa bene alla specie. Mescolando e accoppiando i geni si ottiene varietà, utile alla sicurezza e alla resilienza perché impedisce alle malattie di dilagare in intere popolazioni. Favorisce inoltre l'evoluzione, perché possiamo conservare i geni benefici e sbarazzarci di quelli che ostacolano la salute collettiva. La clonazione riproduce all'infinito la stessa cosa, il sesso genera Einstein e Rembrandt. E ovviamente anche tanti idioti.

Forse non esiste una sfera dell'esistenza umana che abbia generato meno certezze e inibito un dibattito aperto più del sesso. Niente esprime la nostra discrezione riguardo ai genitali meglio del termine pudenda – i genitali esterni, appunto, specie quelli delle donne – che deriva dal latino « vergognarsi ». È pressoché impossibile ottenere dati attendibili su quasi ogni aspetto del sesso concepito come passatempo. Quante persone sono infedeli ai partner?[9] Fra il 20 e il 70 per cento, a seconda degli studi che si consultano.

Un ostacolo tutt'altro che sorprendente è rappresentato dal fatto che se chi risponde ai sondaggi pensa che le risposte non siano verificabili è propenso a calarsi in realtà parallele. In uno studio, ad esempio, il numero di partner sessuali dichiarato è aumentato del 30 per cento quando le donne intervistate credevano di essere collegate a una macchina della verità.[10] Caso strano, in uno studio chiamato Social Organization of Sexuality, effettuato nel 1995 negli Stati Uniti dalla University of Chicago e dal National Opinion Research Center, si poteva rispondere in presenza di un figlio o del partner del momento, che di per sé rende improbabile ottenere risposte del tutto sincere. E in effetti dopo è stato dimostrato come, davanti a terzi, il numero di persone che avevano risposto di aver fatto sesso con più di un partner nell'anno precedente fosse sceso dal 17 al 5 per cento.

Lo studio venne criticato a causa di diverse lacune. Per problemi economici furono intervistate solo 3432 persone[11] invece delle 20.000 previste e, poiché tutte avevano dai diciott'anni in su, non forniva conclusioni su gravidanze in adolescenza, pratiche contraccettive e tanti altri aspetti di importanza cruciale per le politiche sociali. Si concentrava inoltre solo sui nuclei familiari, escludendo chi viveva in istituti universitari, carcerari e militari, e rendendo i risultati discutibili se non del tutto inutili.

Un altro problema degli studi sul sesso – e non esiste modo cortese per dirlo – è che a volte la gente è stupida. In uno studio riferito da David Spiegelhalter di Cambridge nel suo magnifico *Sex by Numbers: The Statistics of Sexual Behaviour*, quando fu chiesto agli intervistati cosa costituisse per loro un rapporto sessuale completo, il 2 per cento degli uomini rispose che la penetrazione non era sufficiente, al che l'autore si è chiesto cosa aspettassero « prima di avere la sensazione di essere arrivati fino in fondo ».[12]

A causa di tali difficoltà, la sfera degli studi sessuali ha una lunga storia di dati statistici ambigui. Nel suo *Sexual Behaviour in the Human Male* del 1948, Alfred Kinsey dell'Indiana University riferì che quasi il 40 per cento degli uomini aveva avuto un'esperienza omosessuale con orgasmo e quasi un quinto dei giovani cresciuti nelle fattorie aveva fatto sesso con il bestiame. Oggi quei dati sono ritenuti assai improbabili. Persino più dubbi sono lo *Hite Report on Female Sexuality* del 1976 e il compagno *Hite Report on Male Sexuality* pubblicato subito dopo. L'autrice Shere Hite usò questionari ed ebbe un tasso di risposta molto basso, non randomizzato e assai selettivo. Malgrado ciò dichiarò con sicurezza che l'84 per cento delle donne era insoddisfatto del partner e il 70 per cento di quelle sposate da oltre cinque anni aveva una relazione extraconiugale. Anche se all'epoca i risultati furono assai criticati, i libri si rivelarono dei best seller (da uno studio americano più scientifico e più recente, il National Health and Social Life Survey, è emerso che il 15 per cento delle donne sposate e il 25 per cento degli uomini sposati a un certo punto è stato infedele).

Per di più quando si parla di sesso le dichiarazioni e i dati statistici spesso citati ma basati sul nulla abbondano. Due esempi imperituri sono: «Gli uomini pensano al sesso ogni sette secondi» e «In media nell'arco di una vita si trascorrono 20.160 minuti a baciarsi» (pari a 336 ore). Secondo studi autentici, invece, gli universitari pensano al sesso diciannove volte al giorno, circa una volta all'ora, più o meno quanto pensano al cibo, mentre le universitarie pensano più spesso al cibo che al sesso, ma in ogni caso non di frequente. Ogni sette secondi si può giusto respirare e battere le palpebre e nessuno sa, in una vita di durata media, quanto tempo sia dedicato a baciarsi né da dove derivi il dato dall'assurda precisione e persistenza di 20.160 minuti.

Si può affermare con un certo grado di sicurezza che in media il tempo dedicato al sesso[13] (almeno in Gran Bretagna) è di nove minuti, anche se l'intero atto che comprende preliminari e rimozione dei vestiti si aggira intorno ai venticinque. Secondo David Spiegelhalter, l'energia consumata durante l'atto sessuale è pari a circa cento calorie per gli uomini e a settanta per le donne. Una meta-analisi ha dimostrato che per gli anziani il rischio di infarto aumenta fino a tre ore dopo aver avuto un rapporto, ma del resto accade lo stesso anche dopo aver spalato la neve, e il sesso è più piacevole.

II

A volte si sente dire che esistono più differenze genetiche fra uomini e donne che non fra esseri umani e scimpanzé. Può darsi. Tutto dipende da come si misurano. In ogni caso, dal punto di vista pratico è un'affermazione insignificante. Uno scimpanzé e un essere umano[14] potranno anche avere fino al 98,8 per cento di geni in comune (a seconda di come vengono misurati), ma non significa che siano diversi solo per l'1,2 per cento. Gli scimpanzé non sanno conversare, preparare la cena né superare in astuzia un bimbo di quattro anni. Il punto, infatti, non è quali geni abbiamo, bensì come si esprimono, come vengono usati.

Detto questo, uomini e donne sono innegabilmente diversi per vari aspetti importanti. Le donne (quelle sane e in forma) hanno circa il 50 per cento in più di grasso degli uomini sani e in forma, il che non solo le rende più morbide, gradevoli e armoniose per i corteggiatori, ma le dota di riserve da impiegare per la produzione del latte in tempi avversi. Le loro ossa si consumano più in fretta, specie dopo la menopausa, causando un numero maggiore di fratture in vecchiaia. Hanno il 50 per cento in più di probabilità di sviluppare Alzheimer (anche perché vivono più a lungo) e un'incidenza maggiore di malattie autoimmuni. Metabolizzano l'alcol in maniera diversa, ubriacandosi più facilmente e soccombendo più in fretta alle patologie associate come la cirrosi.

Diverso è addirittura il modo in cui portano la spesa. Il bacino femminile, che è più largo, richiede infatti un'angolazione dell'avambraccio meno perpendicolare affinché le braccia non urtino di continuo contro le gambe. Ecco perché in genere le donne tengono le sporte con i palmi delle mani rivolti in avanti (permettendo alle braccia di allargarsi di più) mentre gli uomini le tengono con i palmi rivolti all'indietro. Persino l'infarto avviene in maniera piuttosto diversa. Le donne hanno più probabilità di avvertire dolori addominali e nausea, rischiando spesso una diagnosi sbagliata.

Anche gli uomini hanno le loro peculiarità. Hanno più probabilità di avere il Parkinson e sono più inclini al suicidio, pur soffrendo meno di depressione clinica. Sono più soggetti alle infezioni[15] (come i maschi di quasi tutte le specie), a indicare una differenza ormonale o cromosomica non ancora individuata, o forse semplicemente perché conducono una vita più temeraria e rischiosa. Hanno maggiori probabilità di morire in seguito a infezioni e ferite, ma anche in questo caso nessuno sa se sia a causa di limiti ormonali o dell'eccesso d'orgoglio e stupidità che impedisce loro di farsi curare tempestivamente (o a entrambi i fattori).

Si tratta di informazioni assai importanti perché fino a non molto tempo fa spesso le donne erano escluse dai trial clinici, specie per il timore che il ciclo mestruale alterasse i risultati. Nel 2017, al programma della BBC *Inside Science*, Judith Mank dello University College di Londra ha dichiarato: «Era convinzione diffusa che, corporatura del 20 per cento inferiore a parte, le donne fossero quasi uguali agli uomini». Oggi si sa che c'è ben altro. Nel 2007 la rivista *Pain* ha riesaminato tutti i risultati che aveva pubblicato nel decennio precedente scoprendo che quasi l'80 per cento proveniva da studi condotti su soli uomini. Un simile pregiudizio, basato su centinaia di trial clinici, è stato denunciato nel 2009 dalla rivista *Cancer* a proposito degli studi sui tumori. Le conseguenze sono gravi, perché uomini e donne possono rispondere ai farmaci in modi molto diversi, spesso trascurati dai trial. La fenilpropanolamina è stata usata per anni nei farmaci da banco contro raffreddore e tosse, finché non si è scoperto che innalzava sensibilmente il rischio di ictus emorragico nelle donne ma non negli uomini. Anche l'antistaminico Hismanal e l'inibitore della fame Pondimin sono stati ritirati dal commercio dopo che venne dimostrato che erano pericolosi per le donne: il primo era in circolazione da undici anni, il secondo da ventiquattro. Nel 2013 la dose consigliata di Ambien, un noto sonnifero in America, è stata ridotta della metà per le donne dopo la scoperta che un'alta percentuale di consumatrici aveva un calo della prestazione alla guida il mattino dopo. Agli uomini non succedeva.

Dal punto di vista anatomico, le donne hanno un'altra differenza significativa: sono le sacre custodi dei mitocondri umani, le minuscole centrali elettriche delle cellule. Durante il concepimento lo sperma non trasmette nessun mitocondrio, quindi tutte le informazioni mitocondriali si tramandano da una generazione all'altra tramite la sola madre. Tale sistema comporta numerose estinzioni lungo il percorso. Una donna dota tutti i figli dei suoi mitocondri, ma solo le femmine possono a loro volta trasmetterli alle generazioni future. Perciò se una donna ha solo figli maschi o non ha figli – cosa che ovviamente capita spesso – la sua linea mitocondriale muore con lei. I discendenti avranno i mitocondri di altre madri pervenuti per altre vie genetiche. A causa di queste estinzioni circoscritte, il pool mitocondriale umano si riduce un po' con ogni generazione. Nel tempo è diminuito a tal punto che, incredibile ma vero, oggi discendiamo tutti da un'unica antenata mitocondriale, una donna vissuta in Africa circa duecentomila anni fa. Forse ne avrete sentito parlare come di Eva mitocondriale. Per certi versi, è la madre di tutti noi.

Per buona parte della storia documentata le donne, e la loro anatomia, sono rimaste un mistero. Nel suo piacevole e irriverente *Godere*, Mary Roach osserva che «le secrezioni vaginali [erano] l'unico fluido corporeo di cui non si sapesse praticamente nulla»,[16] malgrado l'importanza per il concepimento e per il benessere generale.

Le specificità femminili – in particolare le mestruazioni – erano per la medicina un enigma. La menopausa, un'altra pietra miliare della vita di una donna, non ottenne attenzioni ufficiali fino al 1858, quando il termine fu registrato per la prima volta in inglese nella rivista *Virginia Medical Journal*. Il controllo dell'addome era effettuato di rado, quello vaginale quasi mai e comunque qualsiasi indagine al di sotto del collo di solito prevedeva che il dottore frugasse alla cieca sotto il lenzuolo fissando il soffitto. Molti medici disponevano di un manichino affinché le donne potessero indicare la parte interessata senza doverla mostrare o addirittura nominare. Il principale beneficio apportato dallo stetoscopio, che fu inventato nel 1816 a Parigi da René Laënnec, non fu tanto la migliore trasmissione dei suoni (l'orecchio sul torace era quasi altrettanto efficace) quanto la possibilità di controllare il cuore e altri meccanismi interni delle donne senza toccarle.

Ancora oggi gran parte dell'anatomia femminile non si conosce bene. Si pensi al punto G, che prende il nome dal ginecologo e scienziato tedesco Ernst Gräfenberg,[17] fuggito dalla Germania nazista in America, dove ideò il contraccettivo intrauterino inizialmente chiamato anello di Gräfenberg. Nel 1944, in un articolo pubblicato sul *Western Journal of Surgery*, annunciò di aver individuato un punto erogeno sulla parete della vagina. Di solito la rivista non riceveva grandi attenzioni, ma l'articolo circolò e la nuova zona erogena diventò nota come punto di Gräfenberg, poi abbreviato in punto G. La sua eventuale esistenza, però, è ancora oggetto di accesi dibattiti. Pensate a quanti fondi per la ricerca pioverebbero se venisse avanzata l'ipotesi che gli uomini hanno un punto erogeno ancora poco sfruttato. Nel 2001 l'*American Journal of Obstetrics and Gynecology* ha definito il punto G una «leggenda della ginecologia moderna», ma altri studi hanno dimostrato che la maggioranza delle donne, quantomeno in America, è convinta di averlo.

L'ignoranza maschile in fatto di anatomia femminile è a dir poco sensazionale, specie se si pensa alla smania che hanno di conoscerla sotto altri aspetti. Da un sondaggio condotto su mille uomini, in concomitanza con la campagna Gynaecological Cancer Awareness Month, è emerso che la maggioranza non sapeva definire o individuare con esattezza il grosso delle parti intime femminili, cioè vulva, clitoride, labbra eccetera, e la metà non riconosceva la vagina su un disegno. Quindi forse è opportuno fare un breve ragguaglio.

La vulva è il pacchetto genitale completo: orifizio vaginale, labbra, clitoride e così via. Il monticello carnoso al di sopra della vulva si chiama monte di Venere o monte del pube. In cima alla vulva c'è il clitoride (forse dal termine greco che significa «collinetta», ma ci sono altri candidati), che ha circa ottomila terminazioni nervose – la concentrazione maggiore rispetto a ogni altra parte dell'anatomia femminile – e pare esistere solo per procurare piacere. In tanti, donne comprese, ignorano che la parte visibile del clitoride, detto glande, è solo la punta: il resto si protende all'interno e si estende ai lati della vagina per circa tredici centimetri.

La vagina (dal termine latino che significa «guaina») è il canale che collega la vulva alla cervice e all'utero. La cervice è una valvola a forma di ciambella che si trova fra la vagina e l'utero. In latino significa «collo dell'utero», proprio quello che è. Funge da custode e decide quando lasciar entrare alcune sostanze (lo sperma) e quando lasciarne uscire altre (il sangue durante il ciclo mestruale e i bambini durante il parto). A seconda delle dimensioni, l'organo maschile può arrivare a colpire la cervice durante l'atto sessuale, cosa piacevole per certe donne, sgradevole o dolorosa per altre.

L'utero è l'organo in cui crescono i bambini. In genere pesa una cinquantina di grammi,[18] ma al termine di una gravidanza può arrivare a un chilo. Ai lati dell'utero si trovano le ovaie, dove vengono conservati gli ovuli e dove si producono gli ormoni come l'estrogeno e il testosterone (che è prodotto anche dalle donne, sebbene in quantità minore rispetto agli uomini). Le ovaie sono collegate all'utero tramite le tube di Falloppio (o ovidotti), dal nome dall'anatomista italiano Gabriele Falloppio (a volte scritto anche con una sola p) che le descrisse per primo nel 1561. Gli ovuli vengono solitamente fecondati lì e poi spinti nell'utero.

E adesso sapete, in breve, le parti principali dell'anatomia sessuale della donna.

L'anatomia riproduttiva maschile è assai più lineare. In sostanza è formata da tre elementi esterni – pene, testicoli e scroto – conosciuti, almeno in teoria, da quasi tutti. Per la cronaca, ci tengo a ricordare che i testicoli sono fabbriche per la produzione dello sperma e di alcuni ormoni, lo scroto è la sacca che li ospita e il pene è sia il dispensatore dello sperma (la parte attiva del seme), sia lo sbocco dell'urina. Dietro le quinte, con ruoli di supporto, ci sono anche altre strutture dette organi sessuali accessori, molto meno conosciuti ma altrettanto essenziali. La maggior parte degli uomini, oserei dire, non ha mai sentito parlare dell'epididimo e forse resterà sorpresa nell'apprendere

317

che è lungo dodici metri – quanto un autobus londinese –, nascosto nelle sacche scrotali. L'epididimo è il tubo sottile e ben arrotolato in cui matura lo sperma. Deriva dal termine greco che significa «testicoli» e fu usato per la prima volta in inglese da Ben Jonson nella sua pièce *L'alchimista* del 1610. È probabile che si stesse solo dando delle arie, perché fra il pubblico nessuno aveva idea di cosa volesse dire.

Altri ignoti ma importanti organi sessuali accessori sono: le ghiandole bulbouretrali, che producono un liquido lubrificante, e sono chiamate anche ghiandole di Cowper dal nome del loro scopritore, nel XVII secolo; le vescicole seminali, dove viene prodotto in larga parte il seme; la prostata, di cui tutti hanno sentito parlare, anche se devo ancora incontrare un non addetto ai lavori sotto la cinquantina che sappia a cosa serve. La prostata produce liquido seminale per l'intera età adulta e ansia durante la vecchiaia. Ma di questa seconda caratteristica parleremo in un altro capitolo.

Un mistero ancora irrisolto dell'anatomia riproduttiva maschile è perché i testicoli si trovino all'esterno, dove sono esposti ai traumi. Si suol dire che funzionano meglio all'aria fresca, eppure tanti mammiferi se la cavano a meraviglia con testicoli interni:[19] elefanti, formichieri, balene, bradipi e leoni marini, per citarne solo alcuni. Benché la regolazione della temperatura possa incidere sulla loro efficienza, il corpo umano è perfettamente in grado di risolvere il problema senza che i testicoli siano così esposti al pericolo. In fondo le ovaie sono ben nascoste e al sicuro.

C'è inoltre parecchia incertezza su quali siano le dimensioni da considerare normali in un pene.[20] Negli anni Cinquanta per il Kinsey Institute for Sex Research la lunghezza media del pene eretto era fra i 13 e i 18 centimetri. Nel 1997 un campione di oltre mille uomini la retrocesse addirittura a 11,5-14,6 centimetri. O gli uomini si stanno ritirando oppure c'è molta più variabilità di quanto si ritenesse. La conclusione è che non si sa.

Lo sperma pare aver goduto (se posso usare questo verbo) di studi clinici più accurati, quasi certamente per motivi di fertilità. Gli esperti sembrano concordare[21] sul fatto che la quantità media di seme sprigionato con l'orgasmo è sui 3-3,5 millilitri (un cucchiaino circa) con uno zampillo della lunghezza media di 18-20 centimetri, anche se Desmond Morris sostiene che ne è stato scientificamente documentato uno di quasi un metro (ma non specifica le circostanze).

L'esperimento più interessante relativo allo sperma è senza dubbio quello effettuato da Robert Klark Graham (1906-1997), l'imprenditore californiano che fece fortuna producendo lenti infrangibili per occhiali e poi, nel 1980, fondò il Repository for Germinal Choice, una banca del seme che prometteva di conservare solo lo sperma dei premi Nobel e di altri uomini dall'intelletto fuori dal comune (Graham si incluse umilmente tra i rispettabili selezionati). L'intento era aiutare le donne a sfornare figli geniali con lo sperma migliore che la moderna scienza fosse in grado di offrire. Grazie alla banca nacquero circa duecento bambini, anche se nessuno si è rivelato essere un genio e neppure un provetto ingegnere ottico. La banca chiuse nel 1999, a due anni dalla morte del fondatore, e tutto sommato non se ne sente la mancanza.

18
Il principio: concepimento e nascita

Per iniziare il resoconto della mia vita con l'inizio
stesso della mia esistenza, dirò che sono nato...
CHARLES DICKENS, *David Copperfield*

Difficile farsi un'opinione sullo sperma.* Per certi versi gli
spermatozoi sono gli eroici astronauti della biologia umana,
le sole cellule progettate per uscire dal corpo ed esplorare altri
mondi.

Per altri versi, invece, sono dei veri imbranati. Una volta
sparati nell'utero, sembrano del tutto impreparati a svolgere
l'unico compito affidato loro dall'evoluzione. Sono pessimi nuo-
tatori e hanno un senso dell'orientamento prossimo allo zero.
Senza aiuto, uno spermatozoo impiegherebbe dieci minuti per

* Sperma deriva dal termine greco che significa « seminare » e in inglese è
documentato per la prima volta nei *Racconti di Canterbury* di Chaucer.
All'epoca, e almeno fino ai tempi di Shakespeare, si pronunciava « sparm ».
Il nome scientifico « spermatozoi » risale solo al 1836, quando fu riportato da
una guida anatomica britannica.

attraversare lo spazio pari a quello di una qualunque di queste parole. Ecco perché l'orgasmo maschile è un'impresa così vigorosa. Se per l'uomo è una pura scarica di piacere, in realtà ricorda un po' il lancio di un razzo. Una volta espulsi, non si sa bene se gli spermatozoi vaghino a casaccio finché uno ha fortuna o se siano attirati dall'ovulo in attesa mediante segnali chimici.

In entrambi i casi, falliscono in maniera clamorosa. Le probabilità che la fecondazione vada a buon fine in un solo atto sessuale non programmato sono di appena il 3 per cento circa.[1] E nel mondo occidentale va persino peggio: circa una coppia su sette chiede aiuto per concepire.

Negli ultimi decenni diversi studi hanno riscontrato un grave calo nella conta spermatica. Una meta-analisi pubblicata dalla rivista *Human Reproduction Update*,[2] che prendeva in esame 185 studi nell'arco di quasi quarant'anni, ha concluso che fra il 1973 e il 2011 nei paesi occidentali la conta spermatica è scesa di oltre la metà.

Fra le cause avanzate sono state citate alimentazione, stile di vita, fattori ambientali, frequenza dell'eiaculazione e persino (sul serio) mutande strette, ma nessuno sa la verità. In un articolo del *New York Times* dal titolo « Are Your Sperm in Trouble? » l'autore Nicholas Kristof conclude che forse lo sperma è davvero nei guai e ne imputa la colpa a « una diffusa classe di perturbatori endocrini presenti in plastiche, cosmetici, divani, pesticidi e innumerevoli altri prodotti ».[3] Secondo lui in media lo sperma di un giovane americano è difettoso al 90 per cento. Anche da studi condotti in Danimarca, Lituania, Finlandia, Germania e altre nazioni è emersa una drastica riduzione della conta spermatica.

Per Richard Bribiescas, professore di Antropologia, Ecologia e Biologia evolutiva di Yale, tanti dei dati citati sono dubbi e comunque, persino se fossero corretti, non ci sarebbe motivo di credere che rappresentino il declino della fertilità nel suo complesso. Alimentazione e stile di vita, temperatura corporea al momento del test e frequenza dell'eiaculazione sono fattori che probabilmente incidono sulla conta spermatica e, nello stesso individuo, il totale può variare molto nel tempo. «Sebbene un modesto calo della conta spermatica sia reale, non c'è ragione di ritenere che la fertilità maschile sia compromessa» ha scritto in *Men: Evolutionary and Life History*.

Il problema sta nell'enorme variabilità della produzione spermatica fra gli uomini sani. Il numero di spermatozoi prodotti[4] da un giovane va da un milione a 120 milioni per millilitro, con una media di circa 25 milioni per millilitro. L'eiaculazione media è di circa tre millilitri, quindi un atto sessuale produce abbastanza sperma da ripopolare una nazione di normali dimensioni. Il perché la gamma di potenzialità sia così ampia e vi sia un simile eccesso produttivo, visto che ai fini del concepimento serve un solo spermatozoo, è un quesito a cui la scienza deve ancora rispondere.

Anche le donne sono dotate di un enorme surplus di possibilità riproduttive. È bizzarro che ognuna nasca già con l'intera scorta di ovuli pronta. Gli ovuli infatti si formano nell'utero materno e aspettano anni nelle ovaie prima di essere chiamati in causa. L'ipotesi che le donne nascano con tutti gli ovuli fu avanzata per la prima volta dal grande e impegnato anatomista tedesco Heinrich von Waldeyer-Hartz, eppure persino lui resterebbe stupito se sapesse con quale rapidità e abbondanza si formano. Un feto di venti settimane non pesa più di cento grammi, ma ha già sei milioni di ovuli. Il numero scende a un milione alla nascita e continua a ridursi, più lentamente, nell'arco della vita. Quando entra nell'età fertile, una donna ha più o meno 180.000 ovuli pronti all'azione. Perché ne perda così tanti per strada e si affacci comunque all'età fertile con più ovuli di quanti le serviranno mai sono due dei tanti misteri della vita.

Il punto è che con l'invecchiamento il numero e la qualità degli ovuli diminuiscono, un problema per chi rinvia la maternità agli ultimi anni produttivi come accade nel mondo sviluppato. In sei paesi – Italia, Irlanda, Giappone, Lussemburgo, Singapore e Svizzera – l'età media delle donne al primo figlio supera i trent'anni e in altri sei – Danimarca, Germania, Grecia, Hong Kong, Paesi Bassi e Svezia – è di poco inferiore (gli Stati Uniti sono un'anomalia: l'età media di una donna al primo parto è di 26,4 anni, la più bassa tra i paesi ricchi). Sepolte in queste medie nazionali ci sono differenze addirittura maggiori all'interno dei vari gruppi sociali ed economici. In Gran Bretagna, per esempio, l'età media in cui le donne hanno il primo figlio è di ventotto anni e mezzo, ma per le laureate è di trentacinque. Come ha scritto il padre della pillola contraccettiva Carl Djerassi in un saggio pubblicato dalla *New York Review of Books*, a trentacinque anni la riserva è esaurita al 95 per cento e gli ovuli restanti rischiano di produrre difetti o sorprese, come per esempio i parti multipli.[5] Dopo i trent'anni, infatti, le donne hanno più probabilità di avere gemelli. L'unica certezza della procreazione è che più vecchi sono i partner più si complica il concepimento e aumentano i potenziali problemi, ammesso che ci si riesca.

Un interessante paradosso della riproduzione è che le donne, pur restando incinte in età avanzata, si preparano prima. Il ciclo mestruale, che alla fine del XIX secolo si presentava a quindici anni, oggi compare in media a dodici e mezzo, almeno in Occidente, quasi certamente grazie ai progressi in campo nutrizionale. A risultare inspiegabile è l'ulteriore accelerazione avvenuta di recente. In America dal 1980 l'età della pubertà è scesa di un anno e mezzo. Il 15 per cento circa delle bambine vi si affaccia a sette anni, un motivo di potenziale preoccupazione. Secondo la rivista *Baylor University Medical Center Proceedings*, infatti, le prove indicano che la prolungata esposizione all'estrogeno aumenta sensibilmente il rischio futuro di cancro al seno e all'utero.

Supponiamo, visto che ci piace il lieto fine, che uno spermatozoo resistente o fortunato raggiunga l'ovulo in attesa, il quale è cento volte più grande di lui. Lo spermatozoo non deve neppure faticare per entrare, ma viene anzi accolto come un amico ritrovato, per quanto minuscolo. Superata la barriera esterna, detta zona pellucida, si unisce all'ovulo, che attiva una sorta di campo di forza elettrico intorno a sé per impedire l'ingresso di altri spermatozoi. I due DNA si fondono in una nuova entità chiamata zigote e ha così inizio una nuova vita.

Il successo, però, è tutt'altro che garantito. È probabile che la metà dei concepimenti non vada a buon fine, altrimenti l'incidenza delle malattie congenite non sarebbe del 2 per cento bensì del 12.[6] Circa l'1 per cento degli ovuli fecondati finisce nella tuba di Falloppio o altrove, senza quindi raggiungere l'utero e dando luogo alla cosiddetta gravidanza ectopica (dal termine greco che significa «posto sbagliato»). Se ancora oggi può essere molto pericolosa, un tempo era una condanna a morte.

Quando invece tutto fila liscio, nel giro di una settimana lo zigote ha prodotto una decina di cellule staminali pluripotenti, le principali cellule del corpo nonché uno dei grandi miracoli della biologia. Sono loro a stabilire la natura e l'organizzazione dei miliardi di cellule che trasformano una pallina di possibilità (nota come blastocisti) in un adorabile, piccolo umano funzionante (noto come neonato). La transizione, cioè il momento in cui le cellule cominciano a differenziarsi, si chiama gastrulazione ed è stata spesso definita l'evento più importante della vita.

Il sistema però è imperfetto e capita che un ovulo fecondato si divida a formare gemelli identici (o monozigoti), che sono veri e propri cloni: hanno gli stessi geni e di solito si somigliano molto. Di contro, esistono anche i gemelli fraterni (o dizigoti), quando nella stessa ovulazione due ovuli vengono fecondati da spermatozoi diversi.* In tal caso i piccoli crescono accanto nell'utero e nascono insieme, ma non si assomigliano più di due normali fratelli. Un parto naturale su 100 genera gemelli fraterni, uno su 250 gemelli identici, uno su 6000 tre gemelli e uno su 500.000 quattro gemelli, ma le terapie per la fertilità innalzano molto le probabilità di parti multipli, che oggi sono il doppio in confronto al 1980. Le donne che hanno già avuto gemelli hanno il decuplo delle probabilità di riaverli rispetto a quelle che hanno avuto un figlio solo.

A questo punto c'è una rapida accelerazione. Dopo tre settimane l'embrione che sta crescendo ha un cuore che batte, dopo 102 giorni ha occhi e palpebre che può muovere, dopo 280 giorni è un bambino. Già al secondo mese non è più chiamato embrione («gonfio» in greco e latino), ma feto («fruttuoso» in latino). In tutto occorrono appena 41 cicli di divisione cellulare per passare dal concepimento a un piccolo umano ben formato.

Per buona parte di questo primo periodo è comune soffrire di nausee mattutine che, come riferisce quasi ogni donna incinta, in realtà non si presentano solo di mattina. Ne soffre l'80 per cento circa delle future mamme,[7] specie nei primi tre mesi, anche se per poche sfortunate può durare per l'intera gravidanza. Delle volte si accentua a tal punto da diventare una *hyperemesis gravidarum* (iperemesi gravidica). In tali casi può rendersi necessario il ricovero. In base alla teoria più diffusa che ne spiega le ragioni, la nausea mattutina incoraggerebbe le donne

---

* A volte i medici chiamano i gemelli fraterni biovulari e quelli identici uniovulari.

a mangiare con prudenza nelle prime fasi della gravidanza, sebbene ciò non spieghi perché in genere la nausea cessi dopo alcune settimane, quando sarebbe opportuno continuare a essere caute nelle scelte alimentari, né perché le donne che seguono una dieta sana e misurata abbiano lo stesso la nausea. Se non esistono cure è anche a causa della tragica esperienza degli anni Sessanta con la talidomide, realizzata per combattere la nausea mattutina, che ha scoraggiato del tutto le case farmaceutiche a produrre farmaci per le donne incinte.

Gravidanza e nascita non sono mai state facili. Malgrado fatica e dolore siano ancora presenti, in passato il parto era un'esperienza di gran lunga peggiore. Prima dell'era moderna il livello di cure e competenza era spesso raccapricciante. Per i medici anche solo stabilire se una donna fosse incinta era una sfida. «Un professionista con trent'anni di esperienza alle spalle svescicò l'addome al nono mese convinto di curare una crescita patologica» scrisse un esperto nel 1873. L'unico esame davvero attendibile,[8] commentò secco un medico, è aspettare nove mesi e vedere se spunta un neonato. Agli studenti di medicina inglesi non furono insegnate nozioni di ostetricia fino al 1886.[9]

Le donne che soffrivano di nausea mattutina ed erano così incaute da riferirlo venivano sottoposte a salassi, clisteri o oppiacei. A volte il salasso si usava persino in assenza di sintomi, giusto come precauzione.[10] Erano inoltre incoraggiate ad allentare il corsetto e a rinunciare ai «piaceri coniugali».

Quasi tutto quello che comportava la riproduzione era ritenuto sospetto, a partire dal piacere. Nel noto libro del 1899 dal titolo *Quel che la fanciulla deve sapere*, la dottoressa e riformatrice sociale americana Mary Wood-Allen annunciava alle donne che potevano avere rapporti intimi nell'ambito del matrimonio purché non provassero «neanche un briciolo di desiderio sessuale». Nello stesso periodo i chirurghi idearono una nuova procedura chiamata ovariotomia, cioè la rimozione chirurgica delle ovaie. Per un decennio circa fu l'intervento d'elezione delle donne agiate per sbarazzarsi di dolori mestruali, mal di schiena, vomito, cefalea e persino tosse cronica. Nel 1906 furono circa 150.000 le americane che si sottoposero a ovariotomia.[11] Inutile dire che l'operazione era del tutto vana.

Persino con l'assistenza migliore a disposizione, il lungo processo della creazione di una vita e del parto era straziante e pericoloso. Il dolore era considerato un elemento più o meno necessario grazie all'intimazione biblica «con dolore partorirai figli». La morte della madre, del piccolo o di entrambi non era insolita. «Maternità è sinonimo di eternità» era un detto comune.

Per 250 anni la grande paura fu rappresentata dalla febbre puerperale, più conosciuta come febbre da parto. Al pari di tantissimi altri disturbi sembrava spuntare dal nulla. Fu documentata per la prima volta a Lipsia nel 1652, per poi diffondersi in tutta Europa. Insorgeva all'improvviso dopo un parto riuscito, quando la novella mamma stava bene, e causava alle sventurate febbre, delirio e fin troppo spesso la morte. In alcuni casi il 90 per cento delle donne infettate moriva. Spesso chi era incinta chiedeva con insistenza di non essere portata in ospedale per il parto.

Nel 1847 il dottor Ignaz Semmelweis, che lavorava a Vienna, capì che se i medici si lavavano le mani prima di effettuare l'esame delle parti intime la malattia non compariva. «Dio solo sa quante donne ho consegnato prematuramente alla tomba»[12] scrisse sgomento quando si rese conto che era solo una questione di igiene. Purtroppo nessuno gli diede retta. Semmelweis, che nel migliore dei casi non era il più posato degli individui, perse il lavoro e poi la testa e finì a vagare nelle strade di Vienna parlando da solo. Infine fu rinchiuso in un manicomio dove venne picchiato a morte dai sorveglianti. Bisognerebbe dedicargli strade e ospedali, poveraccio.

Pian piano l'obbligo dell'igiene attecchì, anche se il cammino fu faticoso. In Gran Bretagna il chirurgo Joseph Lister (1827-1912) introdusse in sala operatoria l'acido fenico (o fenolo), un estratto del catrame. Convinto inoltre che occorresse sterilizzare l'aria respirata dalle pazienti,[13] progettò un dispositivo che ne sprigionava una nebbiolina intorno al tavolo operatorio, piuttosto sgradevole specie per chi portava gli occhiali. Il fenolo in realtà era un pessimo antisettico. Se assorbito dalla pelle, sia delle pazienti che dei medici, poteva causare danni ai reni. In ogni caso le pratiche di Lister non si diffusero granché al di fuori delle sale operatorie.

La febbre puerperale, quindi, durò più a lungo del necessario. Negli anni Trenta uccideva quattro donne su dieci nei reparti di maternità di Europa e America. Nel 1932 una donna su 238 moriva durante o a seguito del parto[14] (per capirci, oggi in Gran Bretagna ne muore una su 12.200 e negli Stati Uniti una su 6000). Fu anche per queste ragioni che le donne continuarono a evitare gli ospedali fin quasi ai giorni nostri. Negli anni Trenta in America meno della metà partorì in ospedale, mentre in Gran Bretagna appena un quinto. Oggi in entrambi i paesi siamo al 99 per cento. Fu l'avvento della penicillina,[15] non la migliore igiene, a sconfiggere la febbre puerperale.

Persino oggi, però, il tasso di mortalità materna varia molto nei paesi del mondo sviluppato. Su centomila donne ne muoiono di parto 3,9 in Italia, 4,6 in Svezia, 5,1 in Australia, 5,7 in Irlanda e 6,6 in Canada. Con i suoi 8,2 decessi la Gran Bretagna è la ventitreesima dell'elenco, sotto Ungheria, Polonia e Albania. Piuttosto male, però, si piazzano anche la Danimarca con 9,4 e la Francia con 10. Fra i paesi sviluppati gli Stati Uniti fanno storia a sé, con un tasso di mortalità materna di 16,7 donne su centomila che li condanna al trentanovesimo posto.

Per fortuna oggi partorire è diventato molto più sicuro per le donne. Nel primo decennio del XXI secolo la mortalità materna è aumentata solo in otto paesi. Purtroppo gli Stati Uniti sono fra quelli. Secondo il *New York Times*: «Malgrado l'ingente spesa, gli Stati Uniti hanno uno dei tassi di mortalità infantile e materna più alti fra i paesi industrializzati». In media il costo di un parto nel nostro paese è di circa trentamila dollari per quello naturale, di cinquantamila per il cesareo. Il triplo rispetto ai Paesi Bassi. Eppure le americane[16] hanno il 70 per cento di probabilità in più di morire di parto rispetto alle europee, e il triplo di morire per cause legate alla gravidanza rispetto alle donne di Gran Bretagna, Germania, Giappone e Repubblica Ceca. E i figli non sono da meno. Negli Stati Uniti muore un neonato su 233, in Francia uno su 450 e in Giappone uno su 909. Persino Cuba (uno su 345) e Lituania (uno su 385) hanno risultati migliori.

Fra le cause dei decessi in America vanno annoverate maggiore obesità materna, maggiore ricorso alle terapie per la fertilità (che producono più fallimenti) e maggiore incidenza della misteriosa malattia nota come preeclampsia. Un tempo chiamata tossiemia gravidica, è una complicanza della gravidanza che causa pressione alta nella madre, pericolosa sia per lei sia per il figlio. Succede al 3,4 per cento circa delle donne incinte, quindi non è rara, e si pensa abbia origine da malformazioni strutturali della placenta, anche se la causa è ancora ignota. Se non scongiurata, può progredire nella più grave eclampsia, provocando convulsioni, coma o morte.

Se non sappiamo quanto vorremmo della preeclampsia e della eclampsia è soprattutto perché non sappiamo quanto dovremmo della placenta, che è stata definita «l'organo meno compreso del corpo umano».[17] Per anni la ricerca si è concentrata quasi

solo sul neonato in formazione, mentre la placenta veniva ritenuta giusto un'appendice del processo, utile e necessaria ma non
molto interessante. Solo di recente i ricercatori hanno capito che
non si limita a filtrare le sostanze di rifiuto e a far circolare
l'ossigeno, ma svolge un ruolo attivo nello sviluppo del bambino: impedisce alle tossine di passare dalla madre al feto, uccide i
parassiti e gli agenti patogeni, secerne gli ormoni e fa il possibile
per compensare le carenze materne, se per esempio la donna
fuma, beve o dorme poco. Per certi versi è una sorta di proto-
mamma. Non può fare miracoli se la madre presenta delle pri-
vazioni o si trascura, però una certa differenza la fa.

Ad ogni modo, oggi si sa che il grosso degli aborti spontanei e di altri imprevisti in gravidanza è causato da problemi
della placenta, non del feto, eppure c'è ancora tanto da capire.
La placenta blocca gli agenti patogeni, ma non tutti. Se il noto
virus Zika può oltrepassarla causando terribili malattie congenite, il virus Dengue, che è molto simile, non ci riesce. Nessuno sa perché la placenta fermi uno e non l'altro.

Per fortuna con un'assistenza prenatale intelligente e mirata
si possono migliorare moltissimo gli esiti di ogni sorta di problema. In California la preeclampsia e le altre cause principali di
mortalità materna si prevengono grazie al programma Maternal
Quality Care Collaborative, che ha ridotto la morte di parto da
17 ad appena 7,3 casi su centomila fra il 2006 e il 2013. Purtroppo nello stesso periodo il tasso negli Stati Uniti è salito da
13,3 a 22 decessi su centomila.

Il momento del parto, quando inizia una nuova vita, è un vero
miracolo. Nell'utero i polmoni del feto sono pieni di liquido
amniotico che, con perfetto tempismo, viene drenato nell'istante
della nascita, i polmoni si gonfiano e il sangue dal cuoricino
viene mandato a fare il suo primo giro del corpo. Quello che

fino a un istante prima era stato di fatto un parassita comincia a diventare un'entità indipendente e autosufficiente.

Non sappiamo cosa inneschi la nascita. Un qualche meccanismo conta alla rovescia i 280 giorni della gestazione umana, ma nessuno ha mai capito dove e cosa sia, o come scatti l'allarme. Si sa solo che il corpo materno comincia a produrre le prostaglandine, ormoni di solito coinvolti nella riparazione dei danni ai tessuti che in gravidanza, invece, attivano l'utero dando inizio a una serie di contrazioni sempre più dolorose che spostano il piccolo in posizione per la nascita. Questa fase dura in media dodici ore al primo parto, spesso molto meno ai successivi.

Il problema del parto umano è la cosiddetta «sproporzione cefalo-pelvica». In parole povere, la testa del neonato è troppo grande per passare agevolmente dal canale del parto, come ogni madre può testimoniare. In media il canale è circa due centimetri e mezzo più stretto della testa, il che li rende i centimetri più dolorosi in natura. Per percorrere uno spazio così angusto il neonato deve compiere un'impegnativa rotazione di novanta gradi via via che avanza nel bacino materno. Se c'è mai stato un evento che sfida il concetto di disegno intelligente, quello è il parto. Nessuna donna, per quanto devota, ha mai detto: «Grazie, Signore, per averci riflettuto attentamente».

L'unico straccio di aiuto che ci giunge dalla natura consiste nel fatto che la testa del neonato è comprimibile, perché le ossa craniche non si sono ancora fuse. Le contorsioni sono necessarie da quando il bacino fu sottoposto a vari ritocchi per rendere possibile la postura eretta, che trasformò il parto umano in un'esperienza gravosa e prolungata. Alcuni primati danno alla luce i piccoli in un paio di minuti. Le donne possono solo sognarselo.

I progressi per rendere il parto più sopportabile sono stati scarsissimi. Come ha scritto la rivista *Nature* nel 2016, oggi «le donne in travaglio hanno quasi le stesse alternative analgesiche delle loro bisnonne, e cioè gas esilarante, iniezione di petidina (un oppioide) o anestesia epidurale ».[18] Secondo diversi studi, le donne non hanno una memoria di ferro quando si tratta di ricordare il grado di dolore provato durante il parto, quasi certamente un meccanismo di difesa mentale per prepararle a quelli successivi.

Se dall'utero si esce sterili, o almeno così si crede, nel passaggio lungo il canale del parto si viene ricoperti dal corredo microbico materno. Abbiamo iniziato a comprendere l'importanza e la natura del microbiota vaginale solo da poco. I bambini nati con il parto cesareo ne vengono privati, con conseguenze a volte significative. Vari studi hanno dimostrato che sono sensibilmente più a rischio di diabete di tipo 1, asma, celiachia e addirittura obesità, e hanno un rischio otto volte maggiore di sviluppare allergie.[19] Più in là anche loro acquisiscono gli stessi microbi dei bambini nati con il parto naturale – di solito all'età di un anno il microbiota è uguale per tutti – eppure, chissà perché, la primissima esposizione fa una grande differenza.

Il parto cesareo costa più di quello naturale ed è comprensibile che alcune donne vogliano programmarlo. Oggi un terzo dei parti negli Stati Uniti è cesareo, oltre il 60 per cento più per comodità che per necessità medica.[20] In Brasile quasi il 60 per cento dei parti è cesareo, in Gran Bretagna il 23 per cento e nei Paesi Bassi il 13 per cento. Se si usasse soltanto in caso di necessità, si scenderebbe al 5-10 per cento.

Fra i microbi utili ci sono anche quelli prelevati dalla pelle della madre. Per Martin Blaser, medico e professore alla New York University, la fretta con cui si puliscono i neonati subito dopo la nascita potrebbe privarli di preziosi microorganismi protettivi.[21]

Per di più, circa quattro donne su dieci assumono antibiotici durante il parto, vale a dire che i medici dichiarano guerra ai microbi proprio mentre i neonati li stanno acquisendo. Sebbene non se ne conoscano le conseguenze sulla salute futura dei bambini, è improbabile che siano positive. Già si teme l'estinzione di certi batteri benefici. Il *Bifidobacterium infantis*, un importante microbo del latte materno,[22] è presente nel 90 per cento dei bambini dei paesi in via di sviluppo e solo nel 30 per cento di quelli nati nel mondo sviluppato.

Che si nasca o meno con il parto cesareo, è stato calcolato che una volta raggiunto l'anno si possiedono già circa cento trilioni di microbi.[23] A quel punto, per motivi ancora ignoti, è troppo tardi per annullare la predisposizione a certe malattie.

Una delle caratteristiche più straordinarie dei primi mesi di vita è che il latte materno contiene oltre duecento tipi di zuccheri complessi – gli oligosaccaridi – impossibili da digerire perché a noi umani mancano gli enzimi necessari. Gli oligosaccaridi sono prodotti a esclusivo beneficio dei microbi intestinali dei neonati, come una specie di tangente. Oltre a nutrire i batteri simbiotici, il latte materno è anche pieno di anticorpi. Ci sono delle prove[24] che dimostrano come durante l'allattamento la donna assorba un po' della saliva del figlio tramite i dotti lattiferi, che il sistema immunitario analizza per ritoccare quantità e tipi di anticorpi da fornirgli a seconda delle esigenze. La vita è davvero meravigliosa, non trovate?

Se nel 1962 solo il 20 per cento delle donne americane allattava i figli al seno, nel 1977 lo faceva il 40 per cento, ancora una minoranza. Oggi siamo quasi all'80 per cento, benché si scenda al 49 dopo sei mesi dalla nascita e al 27 dopo un anno. In Gran Bretagna si parte dall'81 per cento per precipitare al 34 dopo sei mesi e a un misero 0,5 dopo un anno, il dato più basso del mondo sviluppato. Nei paesi poveri molte donne sono state a lungo incoraggiate dalla pubblicità a credere che il latte artificiale fosse meglio del loro, per cui hanno cominciato a usarlo. Visto il costo, però, spesso lo allungavano con l'acqua per farlo durare di più e a volte l'unica acqua a disposizione era meno pulita del loro latte, per cui in certi posti si è registrato un aumento della mortalità infantile.

Anche se negli anni il latte artificiale è molto migliorato, non è in grado di riprodurre i benefici immunologici di quello materno. Nell'estate del 2018 l'amministrazione Trump ha suscitato sgomento nel settore della sanità opponendosi alla risoluzione internazionale che incoraggiava l'allattamento al seno e minacciando l'Ecuador, sponsor dell'iniziativa, di sanzioni commerciali se non avesse cambiato posizione. Secondo i più cinici, la decisione potrebbe essere stata influenzata dall'industria del latte artificiale, che vale 70 miliardi di dollari l'anno. Un portavoce dell'Health and Human Service ha invece sostenuto che l'America stava solo «lottando per difendere la libertà delle donne di prendere le decisioni migliori in materia di nutrizione dei figli»[25] e garantire che non venisse negato loro il latte artificiale, cosa che comunque la risoluzione non avrebbe fatto.

Nel 1986 il professor David Barker della Southampton University avanzò la cosiddetta ipotesi di Barker o, per dirla in modo meno sbrigativo, «la teoria dell'origine fetale delle malattie dell'adulto». Per lui, che è un epidemiologo, quanto avviene nell'utero può determinare la salute e il benessere dell'intera vita. «Durante lo sviluppo ogni organo ha un periodo critico, spesso brevissimo» ha detto non molto prima della sua morte, nel 2013. «Succede a organi diversi in momenti diversi. Dopo la nascita mutano solo il fegato, il cervello e il sistema immunitario. Tutto il resto no.»

La maggior parte degli esperti ha esteso tale periodo di decisiva vulnerabilità dal momento del concepimento fino al secondo compleanno, i cosiddetti primi mille giorni. Il che significa che quanto avviene in questo arco di tempo formativo abbastanza breve può influenzare enormemente lo stato di salute dei decenni seguenti.

Un celebre esempio di tale tendenza è emerso da studi effettuati nei Paesi Bassi su alcuni sopravvissuti alla grave carestia dell'inverno del 1944, quando la Germania nazista impedì l'ingresso dei prodotti alimentari nelle zone del paese ancora sotto il suo controllo. Per miracolo, alla nascita il peso dei bambini concepiti durante la carestia rientrava nella norma, forse perché istintivamente le madri avevano dirottato la nutrizione verso i feti. E siccome la carestia finì l'anno dopo, con il crollo della Germania, crebbero mangiando bene come gli altri bambini del mondo. Per la gioia di tutti sembravano essere sfuggiti agli effetti dell'inverno della fame, com'è passato alla storia, e non erano diversi da quelli nati altrove in circostanze meno dure. Poi, però, accadde un fatto inquietante. Arrivati fra i cinquanta e i sessant'anni, i figli della carestia manifestarono un'incidenza doppia di cardiopatia e percentuali più alte di tumori, diabete e varie malattie croniche rispetto ai coetanei nati altrove.

La condanna dei neonati di oggi non è la carenza nutritiva bensì il suo opposto. Non solo nascono in famiglie in cui si mangia di più e ci si muove meno, ma hanno anche una propensione innata e superiore a soccombere alle malattie associate a uno stile di vita scadente.

È stato ipotizzato che i bambini di oggi saranno i primi della storia moderna ad avere una vita più breve e meno sana di quella dei genitori. A quanto pare non ci limitiamo a mangiare fino a ucciderci anzitempo, ma alleviamo figli che ci accompagneranno nella tomba.

19

I nervi e il dolore

La pena – ha un punto di vuoto –
non sa ricordare quando
cominciò – o se un tempo
ci fu, quando non c'era –
EMILY DICKINSON

Il dolore è un fenomeno strano e antipatico. Non esiste niente di più necessario e meno gradito. È uno dei principali assilli e sconcerti dell'umanità, nonché una delle maggiori sfide poste alla medicina.

Certe volte serve a salvarci, come ci viene ricordato quando indietreggiamo dopo aver preso la scossa o proviamo a camminare scalzi sulla sabbia rovente. Siamo così sensibili agli stimoli minacciosi che il nostro corpo è programmato per reagire e ritrarsi da un evento doloroso ancor prima che il cervello lo registri. È indubbio che tutto questo sia un bene. Eppure in diversi casi – secondo una stima, per il 40 per cento delle persone – il dolore non passa mai e non sembra avere alcuno scopo.

336

Il dolore è ricco di paradossi. Se il suo aspetto più evidente è che fa male – in fondo esiste per questo –, a volte trasmette una sensazione meravigliosa: quando i muscoli sono indolenziti dopo una lunga corsa o quando si scivola in una vasca piena d'acqua così calda da essere insopportabile e piacevolissima al tempo stesso. In certi casi è addirittura inspiegabile. Uno dei dolori più forti e impegnativi di tutti pare essere quello dell'arto fantasma, che si manifesta in una parte del corpo persa in seguito a incidente o amputazione. È una vera ironia che un dolore così estremo si possa provare in una parte di noi che non c'è più. A differenza del dolore normale, che in genere si attenua con la guarigione della ferita, quello dell'arto fantasma può durare tutta la vita. Non si sa ancora perché succeda. Secondo una teoria, il cervello interpreta l'assenza di segnali da parte delle fibre nervose dell'arto mancante come una ferita talmente grave da aver ucciso le cellule, e invia un interminabile grido di dolore, come un allarme che non si spegne mai. Quando sanno di dover amputare un arto, spesso i chirurghi ne addormentano i nervi qualche giorno prima per preparare il cervello all'imminente perdita di sensibilità. La pratica si è rivelata utilissima nella riduzione del dolore dell'arto fantasma.

Se questo dolore ha un rivale, di certo è la nevralgia del trigemino, che prende il nome dal principale nervo della faccia e un tempo era noto come *tic douloureux* («spasmo doloroso» in francese). Il disturbo è associato a un dolore acuto e lancinante al viso, «simile a una scossa elettrica», secondo le parole di uno specialista. Spesso la causa è chiara – quando, per esempio, un tumore preme sul trigemino –, ma in certi casi non è affatto così. Alcuni pazienti hanno attacchi periodici, che iniziano e cessano senza alcun preavviso. Possono essere davvero strazianti, ma poi spariscono del tutto per giorni o settimane prima di ripresentarsi. Con il passare del tempo il dolore può spostarsi in altri punti del volto, ma non si sa perché lo faccia né cosa lo renda intermittente.

Come avrete capito, il meccanismo del dolore è ancora in buona parte un mistero. Nel cervello non esiste un centro del dolore né una sede unica che ne raccolga i segnali. Per diventare un ricordo il pensiero deve attraversare l'ippocampo, mentre un dolore può affiorare quasi ovunque nel cervello. Se urtiamo l'alluce, la sensazione viene registrata in alcune regioni cerebrali, se invece lo colpiamo con il martello ne attiviamo altre. Ripetendo l'operazione, l'esito potrebbe essere ancora diverso.[1]

La cosa forse più assurda è che il cervello non ha recettori del dolore, eppure lui è lì, lo sentiamo. «Il dolore emerge solo quando il cervello lo registra»[2] mi spiega Irene Tracey, responsabile del Nuffield Department of Clinical Neuroscience di Oxford, nonché una delle principali autorità mondiali nel campo del dolore. «Può anche essere partito dall'alluce, ma è il cervello a farcelo sentire. Fino a quel momento il dolore non esiste.»

Essendo un evento privato e molto personale, è pressoché impossibile darne una definizione eloquente. L'International Association for the Study of Pain lo riassume come «una spiacevole esperienza sensoriale ed emotiva associata a reale o potenziale danno tissutale o descritta in base a tale danno», cioè qualunque cosa faccia male, potrebbe far male, sembri poter far male in senso letterale e metaforico. Praticamente tutte le brutte esperienze, dalla ferita da arma da fuoco all'angoscia per una relazione finita.

Uno dei modi più noti per misurare il dolore è il questionario McGill, ideato nel 1971 da Ronald Melzack e Warren S. Torgerson della McGill University di Montreal, che fornisce ai soggetti un elenco dettagliato di 78 parole che esprimono gradi diversi di disagio, tipo «lancinante», «pungente», «tediante», «dolente» e così via. Molti termini sono vaghi o troppo simili. Chi è in grado di distinguere fra «crudele» e «feroce» o fra

338

«straziante» e «orribile»? È soprattutto per questo che in genere oggi i ricercatori adottano una più semplice scala da 1 a 10.

Nel complesso l'esperienza del dolore è soggettiva. «Aver avuto tre figli mi ha cambiato la percezione della soglia del dolore» ha confessato Irene Tracey con un sorriso perspicace quando sono andato a trovarla nel suo ufficio del John Radcliffe Hospital. Tracey potrebbe benissimo essere la persona più impegnata di Oxford. Oltre a far fronte all'oneroso lavoro medico e accademico, all'epoca della mia visita, a fine 2018, aveva appena traslocato, era tornata da due viaggi all'estero e stava per diventare preside del Merton College.

La sua vita lavorativa è dedicata a comprendere la percezione del dolore e in che modo alleviarlo. Comprenderlo è la parte più difficile. «Ancora non si sa come il cervello costruisca l'esperienza del dolore» mi spiega. «Però stiamo facendo molti progressi e credo che nei prossimi anni il quadro cambierà in maniera significativa.»

Uno dei vantaggi rispetto alle generazioni precedenti di ricercatori è una potentissima macchina per la tomografia a risonanza magnetica. Nel suo laboratorio, Tracey e gli assistenti tormentano con gentilezza i volontari per il bene della scienza pungendoli con gli spilli o tamponandoli con capsaicina, la sostanza chimica di cui si è parlato nel capitolo 6 a proposito della scala Scoville e del piccante dei peperoncini. Sebbene infliggere dolore a degli innocenti sia una faccenda delicata – il dolore dev'essere avvertito davvero, ma per ovvie ragioni etiche non deve causare danni gravi o duraturi –, grazie a questi esperimenti si può osservare in tempo reale la reazione cerebrale dei soggetti.

Come potrete immaginare, per motivi puramente commerciali tanti desidererebbero poter sbirciare nei cervelli altrui per sapere quando sentono dolore, mentono o magari reagiscono positivamente a un espediente di marketing. Gli avvocati, per esempio, sarebbero felicissimi di disporre di profili che documentino i livelli del dolore da poter presentare in tribunale come prove nei casi di lesioni personali. «Non siamo ancora arrivati a tanto» dice Tracey, forse con una punta di sollievo, «ma progrediamo in fretta nell'apprendimento di come gestire e limitare il dolore, aiutando molte persone.»

L'esperienza del dolore inizia subito sotto la pelle, nelle apposite terminazioni nervose chiamate nocicettori («noci» deriva dal termine latino che significa «male»), che reagiscono a tre diversi stimoli: termico, chimico e meccanico. O almeno è ciò che si ipotizza, benché gli scienziati non abbiano ancora trovato il nocicettore che reagisce al dolore meccanico. Ha senza dubbio dell'incredibile che non si sappia cosa succede sotto la cute quando ci pestiamo un dito con il martello o ci pungiamo con un ago. Si sa giusto che i segnali di ogni tipo di dolore vengono trasmessi al midollo spinale e al cervello da due tipi di fibre, le A-delta a conduzione rapida (rivestite di mielina, quindi più scorrevoli) e le più lente C. Le veloci fibre A-delta provocano il dolore acuto dopo il colpo di martello, mentre le flemmatiche fibre C causano il successivo dolore pulsante. I nocicettori reagiscono solo a sensazioni spiacevoli (o potenzialmente tali). I normali segnali di contatto – la sensazione dei piedi sul terreno, della mano sulla maniglia, della guancia su un cuscino di raso – sono trasmessi da recettori diversi su altre fibre dette A-beta.

I segnali nervosi non sono particolarmente veloci. Se la luce viaggia a trecento milioni di metri al secondo, loro si spostano alla velocità molto meno imponente di 120 metri al secondo, circa 2,5 milioni di volte inferiore. Eppure 120 metri al secondo si avvicinano ai 430 chilometri all'ora, che nella maggior parte dei casi nel corpo umano garantisce istantaneità. Inoltre vengono in nostro aiuto i riflessi, un modo che ha il sistema nervoso centrale per intercettare un segnale e intervenire prima di trasmetterlo al cervello. Ecco perché se si tocca una cosa pericolosa la mano si ritrae ancor prima che il cervello lo sappia. Il midollo spinale, in breve, non è solo un fascio di cavi inerti che inviano messaggi tra corpo e cervello, ma un elemento attivo e decisivo dell'apparato sensoriale.

Diversi nocicettori sono polimodali, cioè vengono innescati da stimoli diversi. È per questo che i cibi piccanti risultano caldi. Dal punto di vista chimico attivano gli stessi nocicettori termici della bocca che reagiscono al calore reale, solo che la lingua non riconosce la differenza. Persino il cervello è un po' spiazzato: se a livello razionale sa che la lingua non è in fiamme, la sensazione è la stessa. La vera assurdità è che, grazie ai nocicettori, troviamo piacevole una pietanza piccante e doloroso un fiammifero acceso sebbene entrambi attivino gli stessi nervi.

Il primo a individuare i nocicettori – lo si può definire a ragione il padre del sistema nervoso centrale – fu Charles Scott Sherrington (1857-1952), uno dei massimi scienziati britannici dell'era moderna, inspiegabilmente dimenticato.[3] La sua vita somiglia a un libro di avventura per ragazzi del XIX secolo. Atleta di talento, giocava a calcio nell'Ipswich Town e si distinse nel canottaggio a Cambridge, ma fu soprattutto un ottimo studente che aveva il massimo dei voti e un giovanotto che faceva colpo su chiunque per la sua umiltà e intelligenza.

Dopo la laurea nel 1885 studiò batteriologia con il grande microbiologo tedesco Robert Koch per poi intraprendere una carriera assai varia e produttiva durante la quale svolse studi autorevoli su tetano, spossatezza da lavoro in fabbrica, difterite, colera, batteriologia ed ematologia. Fu lui a proporre la legge dell'innervazione reciproca, in base a cui quando un muscolo si contrae l'antagonista deve rilassarsi, di fatto spiegando il funzionamento muscolare.

Mentre studiava il cervello Sherrington sviluppò il concetto di «sinapsi», termine da lui coniato, che gli suggerì quello della «propriocezione», un'altra sua idea, ovvero la capacità del corpo di conoscere il proprio orientamento nello spazio (persino a occhi chiusi sappiamo se siamo sdraiati, se abbiamo le braccia tese e così via). Nel 1906 la scoperta della propriocezione produsse a sua volta a quella dei nocicettori, le terminazioni nervose che intercettano il dolore. Il suo testo sul tema, *The Integrative Action of the Nervous System*, è stato paragonato ai *Principia* di Newton e al *De Motu Cordis* di Harvey per la portata rivoluzionaria che ebbe nel suo campo.

Le ammirevoli doti di Sherrington, però, non si fermano qui. A detta di tutti era una persona stupenda: marito devoto, ospite affabile, conversatore piacevole e insegnante amato. Fra i suoi studenti ricordiamo Wilder Penfield, un'autorità nel campo della memoria incontrata nel capitolo 4, Howard Florey, che vinse il Nobel per il contributo allo sviluppo della penicillina, e Harvey Cushing, uno dei massimi neurochirurghi americani. Nel 1924 Sherrington sbalordì persino gli amici più cari sfornando un volume di poesie assai elogiato. Otto anni dopo vinse il Nobel per il suo lavoro sui riflessi. Fu un illustre presidente della Royal Society, un benefattore di musei e biblioteche e un devoto bibliofilo con un'imponente collezione di libri. Nel 1940, a ottantatré anni, scrisse il vendutissimo *Man on His Nature*, ristampato più volte e votato come uno dei cento libri migliori della moderna Gran Bretagna al Festival of Britain del 1951. Scrivendolo inventò l'espressione «il telaio incantato» come metafora della mente. Oggi, invece, è quasi del tutto dimenticato fuori dal suo campo, e persino lì è poco ricordato.

Il sistema nervoso è suddiviso in vari modi, a seconda che se ne esamini la struttura o la funzione. Dal punto di vista anatomico il sistema nervoso centrale ha due componenti, cervello e midollo spinale. I nervi che si irradiano da esso – e raggiungono le altre parti del corpo – costituiscono il sistema nervoso periferico. In base alle funzioni, invece, si divide in sistema nervoso somatico, che controlla le azioni volontarie (come grattarsi la testa), e sistema nervoso autonomo, che controlla tutte le funzioni come i battiti del cuore, a cui non occorre pensare perché avvengono, appunto, in modo automatico. Il sistema nervoso autonomo si divide ulteriormente in sistema simpatico e sistema parasimpatico. Il primo reagisce quando il corpo richiede azioni improvvise, in genere sintetizzate nell'espressione «combatti o fuggi». Il secondo, definito sistema del «riposa e digerisci» o del «mangia e riproduciti», si occupa di vari compiti meno urgenti tipo digestione e smaltimento delle sostanze di rifiuto, produzione di saliva e lacrime nonché eccitazione sessuale (che può anche essere intensa, ma non urgente nel senso del combatti o fuggi).

Una curiosità dei nervi umani è che, se danneggiati, quelli del sistema nervoso periferico possono guarire e ricrescere, mentre quelli più essenziali del cervello e del midollo spinale non possono fare altrettanto. Se ci si taglia un dito i nervi ricrescono, se ci si danneggia il midollo spinale pazienza. Le lesioni del midollo spinale sono frequentissime: negli Stati Uniti sono causa di paralisi in più di un milione di persone. Oltre la metà è causata da incidenti d'auto o ferite da arma da fuoco[4] quindi, come potete immaginare, gli uomini hanno il quadruplo delle probabilità di subirne una rispetto alle donne, specie fra i sedici e i trent'anni, quando sono abbastanza grandi da possedere armi e auto e abbastanza idioti da usarle male.

Proprio come il sistema nervoso, anche il dolore viene classificato in modi diversi[5] che variano per tipo e numero a seconda dell'esperto che si consulta. La categoria più diffusa è quella del dolore nocicettivo, cioè stimolato. Si prova quando si urta un dito del piede o ci si rompe la spalla per una caduta, e a volte è chiamato dolore «buono», nel senso che ci spinge a tenere a riposo la parte interessata affinché possa guarire. Una seconda categoria è quella del dolore infiammatorio, quando i tessuti si gonfiano e si arrossano. Una terza è quella del dolore disfunzionale, che insorge in assenza di stimoli esterni, non causa danni o infiammazioni ai nervi e sembra privo di uno scopo chiaro. Una quarta categoria è quella del dolore neuropatico, quando i nervi sono danneggiati o presentano sensibilità accentuata, a volte in seguito a un trauma, altre volte senza una ragione evidente.

Quando non passa, il dolore da acuto diventa cronico. Vent'anni fa, nel suo libro *Perché proviamo dolore*, l'eminente neuroscienziato britannico Patrick Wall sostenne che, oltre un certo grado e durata, il dolore è quasi del tutto vano. Più o meno ogni manuale da lui consultato conteneva l'illustrazione di una mano nell'atto di ritrarsi da una fiamma o da una superficie rovente a riprova dell'utilità del dolore come riflesso protettivo. «Io lo odio, questo disegno, per la sua banalità» scrisse con una certa enfasi. «Credo che in tutta la vita capiti assai raramente di ritrarsi con successo da uno stimolo minaccioso. Sfortunatamente, invece, siamo destinati a trascorrere giorni e mesi tra dolori che non possono essere spiegati da quello sciocco schema.»

Wall definì il dolore provocato dal cancro «il culmine dell'inutilità». La maggior parte dei tumori non arreca dolore nello stadio iniziale, quando sarebbe utile per allertarci ad agire, e spesso lo manifesta solo quando è ormai troppo tardi. Wall parlava con il cuore, perché stava morendo di cancro alla prostata. Il libro fu pubblicato nel 1999, due anni prima della sua morte. Per la ricerca sul dolore, i due eventi segnarono la fine di un'era.

Irene Tracey studia il dolore da vent'anni – per pura coincidenza, quasi quanto è passato dalla morte di Wall – e ha assistito alla radicale trasformazione del modo in cui viene recepito dal punto di vista medico.

«Patrick Wall viveva in un'epoca in cui si cercava di postulare lo *scopo* del dolore cronico» mi spiega. «Il dolore acuto ne ha uno evidente: comunicarci che qualcosa non va e intervenire.

I contemporanei di Wall volevano che anche il dolore cronico avesse una funzione simile, che esistesse per un motivo. E invece non c'è. È solo un danno al sistema, proprio come il cancro. Oggi svariati tipi di dolore cronico sono ritenuti a tutti gli effetti delle malattie, piuttosto che sintomi, indotte e alimentate da una biologia diversa rispetto a quella del dolore acuto.»

Al cuore del dolore c'è un paradosso che ne rende la cura particolarmente complessa. «Se danneggiate, molte parti del corpo smettono di funzionare, si disattivano» dice Tracey. «Se invece sono i nervi a essere danneggiati fanno il contrario, si attivano, e quando restano attivati si ha dolore cronico.» Nel peggiore dei casi – lei lo spiega così – è come se il volume del dolore venisse alzato al massimo. Capire come abbassarlo si è rivelata una delle principali frustrazioni della medicina.

La maggior parte degli organi interni non causa dolore. Quello che vi ha origine si chiama dolore riferito, perché rimanda a un altro punto del corpo. Il dolore della cardiopatia coronarica, per esempio, si può avvertire nelle braccia e nel collo, a volte nella mascella. Anche il cervello non prova questo tipo di sensazioni, il che ci porta a chiederci da dove provengano le cefalee. La risposta è che quasi tutte sono dovute alle numerose terminazioni nervose del cuoio capelluto, del viso e degli altri elementi esterni della testa. Anche se sembra che abbia origine dalle profondità della testa, una normale cefalea è quasi certamente superficiale. Il dolore dei tumori cerebrali, invece, è causato dalla pressione sulle meningi, il rivestimento protettivo del cervello dotato di nocicettori, ma per fortuna la maggior parte di noi non lo conoscerà mai.

Se pensate che il mal di testa sia un problema universale, sappiate che il 4 per cento delle persone sostiene di non averlo mai avuto. L'International Classification of Headache Disorders ne individua quattordici categorie, fra cui emicrania, cefalea post-traumatica, cefalea da infezione, disturbo dell'omeostasi e così via. Vari esperti, invece, le dividono in due categorie più ampie: primarie, come l'emicrania e la cefalea tensiva, che non hanno una causa diretta e identificabile, e secondarie, che hanno origine da un altro evento scatenante tipo un'infezione o un tumore.

Fra tutte le cefalee, le emicranie (dal francese *demi-craine*, cioè mezza testa)[6] sono le più sconcertanti. Colpiscono il 15 per cento delle persone, con una frequenza tripla nelle donne, e sono praticamente un mistero, oltre che un fenomeno assolutamente personale. Oliver Sacks ne ha descritte un centinaio. Subito prima che ne arrivi una, alcuni si sentono incredibilmente bene. La romanziera George Eliot diceva di sentirsi sempre «pericolosamente bene» poco prima di un'emicrania. Altri invece stanno male per giorni, e alla fine provano istinti suicidi.

Il dolore è assai mutevole. A seconda della situazione il cervello può aumentarlo, attenuarlo o addirittura ignorarlo. In circostanze estreme può non registrarlo affatto. Un caso noto si verificò nella battaglia di Aspern-Essling, durante le Guerre napoleoniche, quando un colonnello austriaco che dirigeva le operazioni a cavallo fu informato di non avere più la gamba destra dal suo aiutante di campo.

«*Donnerwetter*, è vero»[7] replicò flemmatico il colonnello, riprendendo a combattere.

Depressione e preoccupazioni quasi sempre innalzano il grado di percezione del dolore, mentre buoni odori, immagini calmanti, musica piacevole, buon cibo e sesso possono attenuarlo.[8] Secondo uno studio, la presenza di partner comprensivi e amorevoli dimezza il dolore dell'angina.[9] Anche l'aspettativa è importantissima. In un esperimento condotto da Tracey e dal suo team, quando i pazienti sofferenti ricevevano morfina[10] a loro insaputa gli effetti analgesici risultavano inferiori. Per certi versi, quindi, si prova il dolore che ci si aspetta di provare.

Per milioni di persone il dolore è un incubo da cui non c'è scampo. Secondo l'Institute of Medicine della National Academy of Sciences, in ogni momento il 40 per cento circa degli americani adulti – cento milioni di persone – ha dolore cronico.[11] Un quinto ne soffrirà per oltre vent'anni. Nel complesso colpisce più di cancro, cardiopatia e diabete messi insieme e può essere estremamente invalidante.[12] Come scrisse quasi un secolo fa il romanziere francese Alphonse Daudet nel suo classico *La Doulou*, il dolore che lo torturava mentre veniva lentamente devastato dalla sifilide lo rendeva «sordo e cieco agli altri, alla vita, a tutto all'infuori del mio sventurato corpo».[13]

All'epoca la medicina aveva pochissimo da offrire in fatto di sollievo sicuro e duraturo, e ancora oggi non è stata fatta molta strada. Come ha detto nel 2016 a *Nature* Andrew Rice, ricercatore dell'Imperial College di Londra: «I farmaci a nostra disposizione alleviano la metà del dolore in uno su quattro-sette pazienti che curiamo. E parlo dei farmaci migliori».[14] In altri termini, il 75-85 per cento delle persone non trae beneficio neppure dai farmaci migliori e i fortunati ne ricevono poco. Come sostiene Irene Tracey, il sollievo dal dolore è stato un «cimitero farmacologico». I produttori di medicinali, che pure hanno riversato miliardi nella produzione dei farmaci, non sono stati in grado di crearne uno capace di controllare con efficacia il dolore senza dare dipendenza.

Un esito infelice è stata la famigerata crisi degli oppioidi. Come ormai tutti saprete, gli oppioidi sono antidolorifici che agiscono più o meno come l'eroina e derivano dalla stessa fonte che dà assuefazione: gli oppiacei. Sono stati usati a lungo con parsimonia, specie per fornire sollievo a breve termine dopo un intervento chirurgico o nelle terapie dei tumori. Alla fine degli anni Novanta, però, le case farmaceutiche li reclamizzarono come una soluzione a lungo termine per il dolore. Il video promozionale della Purdue Pharma, produttrice dell'ossicodone, ritraeva un palliativista che guardava dritto in camera sostenendo con marcata sincerità che gli oppioidi erano sicurissimi e non davano quasi mai assuefazione. «Noi medici sbagliavamo a pensare che gli oppioidi non si possono assumere per un lungo periodo. Si possono e si dovrebbero usare» aggiungeva.

La verità era un'altra. In America la gente sviluppava in fretta dipendenza e spesso ne moriva. In base a una stima, fra il 1999 e il 2014 250.000 americani sono morti per overdose da oppioidi.[15] L'abuso resta per buona parte un fenomeno tipico degli Stati Uniti che, pur avendo appena il 4 per cento della popolazione mondiale, consumano l'80 per cento degli oppioidi del pianeta. Si pensa che siano circa due milioni ad esserne dipendenti. Altri dieci milioni ne fanno uso. Per l'economia, il costo è stato stimato a oltre cinquecento miliardi di dollari l'anno contando i guadagni persi, le cure mediche e i procedimenti penali. L'uso degli oppioidi è diventato così imponente da aver causato la surreale situazione per cui le case farmaceutiche ora producono farmaci che attenuano gli effetti collaterali dovuti al loro abuso. Dopo aver contribuito a creare milioni di dipendenti, oggi il settore si arricchisce grazie ai farmaci concepiti per rendere meno sgradevole la dipendenza. Finora la crisi sembra ben lontana dall'essere risolta. Ogni anno in America gli oppioidi (legali e illegali) fanno 45.000 vittime, più di quelle degli incidenti d'auto.

L'unico risvolto positivo dell'intera vicenda è il contributo alla donazione degli organi.[16] Secondo il *Washington Post*, se nel 2000 i donatori dipendenti da oppioidi erano meno di 150, oggi sono più di 3500.

In mancanza di una perfezione farmaceutica, Irene Tracey si concentra su quella da lei definita «analgesia gratuita», cioè l'aiuto a gestire il dolore tramite terapie cognitivo-comportamentali e attività fisica. «È stato interessantissimo» dice «constatare l'utilità del neuroimaging per convincere i pazienti a riconoscere che il cervello ha un ruolo enorme nella sopportazione del dolore. Usandolo si può ottenere tanto.»

Uno dei vantaggi della gestione del dolore è che siamo incredibilmente suggestionabili, motivo per cui il celebre effetto placebo funziona. Il concetto esiste da moltissimo tempo. Nel senso medico moderno, cioè di sostanza somministrata per il beneficio psicologico, è stato documentato per la prima volta in un manuale di medicina britannico del 1811, ma la parola esiste in inglese fin dal Medioevo. Per buona parte della sua storia ha avuto il significato di adulatore o sicofante (Chaucer la usa in tal senso nei *Racconti di Canterbury*) e deriva dal latino «compiacere».

Il funzionamento dei placebo, ancora alquanto misterioso, è stato in parte compreso grazie al neuroimaging. In un esperimento, alcune persone a cui era appena stato estratto un dente del giudizio sono state sottoposte a un massaggio al viso con uno strumento a ultrasuoni, e dopo hanno riferito di sentirsi meglio. L'aspetto interessante è che il trattamento ha funzionato anche a strumento spento. Altri studi hanno dimostrato che chi riceveva una compressa colorata e squadrata dichiarava di sentirsi meglio rispetto a quando ne ingeriva una bianca normale. Le pasticche rosse sono considerate ad azione più rapida di quelle bianche. Quelle verdi e blu hanno un effetto calmante. Patrick Wall, sempre nel suo libro sul dolore, racconta che un medico ha ottenuto buoni risultati dopo aver consegnato ai pazienti delle compresse mediante una pinza spiegando loro che erano troppo potenti per essere tenute in mano.[17] L'efficacia si riscontra persino quando si dichiara che si tratta di placebo. Ted Kaptchuk, dell'Harvard Medical School, ha dato delle compresse di zucchero ad alcuni pazienti con la sindrome del colon irritabile rivelando loro cos'erano, eppure il 59 per cento ha riferito un miglioramento dei sintomi.[18]

L'unico problema dei placebo è che se spesso sono efficaci nei casi in cui la mente ha un certo controllo, non lo sono per i disturbi che esulano dalla sfera della coscienza. Non riducono i tumori[19] né liberano dalle placche le arterie ostruite, ma se è per questo non lo fanno neppure gli antidolorifici più aggressivi, e almeno i placebo non hanno mai mandato nessuno sottoterra anzitempo.

20

Quando qualcosa va storto: le malattie

Arrivato alla febbre tifoide lessi i sintomi, scoprii di averla – dovevo
averla da mesi a mia insaputa – e mi chiesi cos'altro avessi; al ballo
di san Vito capii, come previsto, che avevo anche quello, così iniziai
a interessarmi al mio caso e, deciso a esaminarlo a fondo, ricominciai
in ordine alfabetico, mi documentai sulla febbre malarica e appresi
che mi stavo ammalando e che la fase acuta sarebbe sopraggiunta
dopo un paio di settimane. Con mio grande sollievo, scoprii che
del morbo di Bright avevo giusto una forma lieve e che,
fosse stato solo per quello, avrei vissuto ancora diversi anni.

JEROME K. JEROME dopo avere letto un manuale di medicina

I

Nell'autunno del 1948 gli abitanti della cittadina[1] di Akureyri,
sulla costa settentrionale dell'Islanda, cominciarono ad ammalarsi di quella che sulle prime fu presa per poliomielite, ma che
poi si rivelò essere altro. Fra l'ottobre del 1948 e l'aprile del
1949 furono colpite quasi 500 persone su 9600. I sintomi erano
molto vari: dolori muscolari, cefalea, nervosismo, smania, de-

pressione, costipazione, disturbi del sonno, perdita della memoria e un senso generale di stordimento piuttosto grave. Anche se nessuno morì, quasi tutti stettero malissimo, alcuni per mesi. La causa rimase un mistero. Gli esami per individuare eventuali agenti patogeni ebbero esito negativo. Il disturbo era così circoscritto che fu ribattezzato malattia di Akureyri.

Per un annetto non successe nulla, poi l'epidemia ricomparve altrove: a Louisville nel Kentucky, a Seward in Alaska, a Pittsfield e a Williamstown in Massachusetts e a Dalston, una comunità rurale nell'estremo nord dell'Inghilterra. Negli anni Cinquanta furono documentate in tutto dieci epidemie negli Stati Uniti e tre in Europa. Ovunque i sintomi erano simili, ma spesso con caratteristiche locali. In certi posti la gente era insolitamente depressa, assonnata o aveva indolenzimento muscolare. Via via che proliferava, la malattia ricevette altri nomi: sindrome postvirale, poliomielite atipica e, com'è più nota oggi, neuromiastenia epidemica.* Per quale ragione non si diffuse alle comunità vicine e comparve invece molto lontano è solo uno dei suoi tanti aspetti misteriosi.

L'attenzione che la malattia suscitò fu quasi esclusivamente locale, ma nel 1970, dopo anni di quiescenza,[2] ricomparve alla Lackland Air Force Base in Texas e finalmente i medici cominciarono a studiarla in maniera più approfondita, anche se, va detto, senza approdare a granché. Si ammalarono 221 persone, in genere per una settimana circa, alcune addirittura per un anno. A volte si verificava un caso singolo, altre veniva colpito quasi tutto il personale di un reparto. La maggior parte dei malati guarì, alcuni ebbero ricadute settimane o mesi dopo.

---

* Per la somiglianza dei sintomi e la difficoltà della diagnosi, è a volte accomunata alla sindrome da stanchezza cronica (encefalomielite mialgica) pur essendo molto diversa. Mentre la sindrome da stanchezza cronica colpisce singoli individui, la neuromiastenia epidemica colpisce intere popolazioni.

Neanche in quel caso l'epidemia sembrava avere una logica e tutti gli esami per individuare agenti batterici o virali ebbero esito negativo. Poiché furono colpiti anche bambini troppo piccoli per essere influenzabili si escluse l'isteria, che era la spiegazione più diffusa in caso di manifestazioni di massa incomprensibili. L'epidemia durò un paio di mesi, poi sparì (ricadute a parte) e non ricomparve più. Un articolo pubblicato sul *Journal of the American Medical Association* concluse che si era trattato di una « malattia inafferrabile ma essenzialmente organica tra i cui effetti può figurare l'aggravamento di disturbi psicogeni latenti ». Un altro modo per dire: « Non abbiamo idea di cosa sia ».

Come saprete, le malattie infettive sono bizzarre. Alcune svolazzano qua e là come quella di Akureyri, spuntando apparentemente a casaccio per poi sparire e rispuntare altrove. Altre ricordano l'inesorabile avanzata di un esercito conquistatore. Il virus del Nilo occidentale comparve a New York nel 1999[3] e nel giro di quattro anni si era diffuso in tutta l'America. Certi disturbi seminano scompiglio e poi si ritirano in buon ordine, a volte per anni, di tanto in tanto per sempre. Fra il 1485 e il 1551 la Gran Bretagna fu ripetutamente devastata dalla spaventosa malattia del sudore, che uccise migliaia di persone. All'improvviso sparì e non si rimanifestò fino a duecento anni dopo, quando una malattia molto simile apparve in Francia,[4] dove venne chiamata il sudore della Piccardia. Poi anche quella svanì. Non sappiamo dove e come avvenne l'incubazione, perché a un certo punto scomparve. E non sappiamo nemmeno dove potrebbe trovarsi adesso.

Le epidemie sconcertanti, specie quelle di modeste entità, sono più frequenti di quanto si pensi. Ogni anno negli Stati Uniti circa sei persone, soprattutto nel nord del Minnesota, si ammalano di Powassan virus. Alcune presentano sintomi lievi simili a quelli dell'influenza, altre subiscono danni neurologici permanenti. Il 10 per cento circa muore. Per questo virus non esiste cura. Nell'inverno del 2015-16, in Wisconsin, 54 persone di dodici contee diverse contrassero un'infezione batterica poco conosciuta che si chiama Elizabethkingia. Morirono in 15. L'Elizabethkingia è un comune microbo del suolo e di rado infetta gli esseri umani. Il motivo per cui all'improvviso dilagò in un'ampia area dello stato per poi fermarsi è ignoto. La tularemia, una malattia infettiva diffusa dai parassiti, in America uccide circa 150 persone all'anno, ma con un'incomprensibile variabilità. Dal 2006 al 2016 sono morti 232 abitanti dell'Arkansas e uno solo del vicino Alabama, malgrado le numerose affinità di clima, vegetazione e popolazioni di parassiti. E l'elenco continua.

Il caso forse più difficile da spiegare è quello del Bourbon virus,[5] che prende il nome dalla contea del Kansas in cui si è manifestato per la prima volta nel 2014. Nella primavera di quell'anno John Seested, un signore in salute di mezza età di Fort Scott, circa 150 chilometri a sud di Kansas City, stava lavorando nei campi quando si è accorto di essere stato punto da una zecca. Dopo un po' ha cominciato a sentirsi indolenzito e febbricitante, e siccome i sintomi non miglioravano è stato ricoverato in ospedale, dove gli hanno somministrato doxiciclina, un antibiotico indicato per le infezioni da puntura di zecca, che però non ha sortito alcun effetto. Nei due giorni seguenti le sue condizioni sono peggiorate e gli organi hanno ceduto. L'undicesimo giorno è morto.

Il Bourbon virus rappresenta una nuova classe di virus che proviene dal gruppo dei thogotovirus, tipici di alcune zone di Africa, Asia ed Europa orientale, ma quel ceppo era del tutto nuovo. Perché sia apparso all'improvviso nel cuore degli Stati Uniti è un mistero. All'epoca nessun altro è stato colpito a Fort Scott o in Kansas, ma un anno dopo si è ammalato un abitante dell'Oklahoma, a 400 chilometri di distanza, e da allora sono stati documentati almeno altri cinque casi. I Centri per la prevenzione e il controllo delle malattie sono stranamente reticenti sui dati. Dicono giusto che «a giugno del 2018 nel Midwest e negli Stati Uniti meridionali è stato individuato un numero circoscritto di casi di Bourbon virus», un modo alquanto bizzarro di comunicarlo, visto che non c'è limite alle infezioni che una qualunque malattia può causare. L'ultimo caso confermato, mentre sto scrivendo questo libro, è quello di una signora di cinquantotto anni punta da una zecca mentre lavorava al Meramec State Park nel Missouri orientale, morta poco dopo.

Può darsi che tutte queste malattie sfuggenti infettino molte più persone, ma magari in maniera non così grave da essere notate. «Senza test di laboratorio specifici i medici non se ne accorgono»[6] ha detto uno scienziato dei CDC a un reporter della National Public Radio nel 2015 in riferimento all'Heartland virus, un altro agente patogeno misterioso (ne esistono tantissimi). Alla fine del 2018 questo virus aveva infettato una ventina di persone e ne aveva uccise un numero sconosciuto dalla sua prima comparsa vicino St. Joseph, in Missouri, nel 2009. Finora, però, si può solo dire con certezza che queste malattie infettano pochi sfortunati lontani fra loro e privi di qualunque collegamento noto.

A volte, invece, un disturbo che sembra nuovo non lo è affatto. Tale si è rivelato un caso del 1976, quando i delegati di un'organizzazione di veterani, la American Legion, si riunirono al Bellevue-Stratford Hotel di Philadelphia, in Pennsylvania, e contrassero una malattia che gli esperti non riuscivano a identificare. Ben presto molti si ritrovarono in fin di vita. Nel giro di pochi giorni ne morirono 34 e 190 si ammalarono, alcuni gravemente.[7] Per di più un quinto delle vittime non aveva nemmeno messo piede in albergo, ci era giusto passato davanti. Gli epidemiologi dei Centri per la prevenzione e il controllo delle malattie impiegarono due anni per individuare il responsabile, un nuovo batterio di un genere che chiamarono legionella, diffuso dall'impianto dell'aria condizionata. Gli sfortunati passanti erano stati infettati dai tubi di sfiato.

Molto tempo dopo si è capito che la legionella era quasi certamente la responsabile di epidemie altrettanto inspiegabili avvenute a Washington nel 1965 e a Pontiac, in Michigan, tre anni dopo. Fra l'altro sempre al Bellevue-Stratford Hotel, durante la convention dell'Independent Order of Odd Fellows del 1974, si erano verificati dei casi di polmonite circoscritti e meno letali che non avevano suscitato grande clamore perché nessuno era morto. Oggi si sa che la legionella è presente nel suolo e nell'acqua dolce[8] e la legionellosi è più comune di quanto si pensi. Ogni anno l'America registra una decina di epidemie e circa 18.000 ricoveri ospedalieri, ma secondo i CDC sono molti di più.

Lo stesso avvenne con la malattia di Akureyri,[9] che grazie a ulteriori indagini fu individuata in Svizzera nel 1937 e nel 1939 e forse a Los Angeles nel 1934 (scambiata per una lieve forma di poliomielite). Dove fosse prima, ammesso che esistesse già, non è dato saperlo.

Una malattia può o meno diventare epidemica in base a quattro fattori: tasso di letalità, capacità di trovare nuove vittime, livello di virulenza e grado di vulnerabilità ai vaccini.[10] Di solito le malattie più spaventose non soddisfano tutte e quattro le condizioni: i tratti che le rendono spaventose, anzi, ne compromettono spesso la capacità di diffondersi. L'ebola, per esempio, è così temuta che gli abitanti delle zone interessate fuggono sottraendosi all'esposizione. Poiché è velocissima a mettere fuori combattimento, i malati vengono isolati prima di poter contagiare altri. L'ebola è infettiva a livelli quasi grotteschi – una goccia di sangue non più grande di questa «o» può contenere

356

cento milioni di particelle, ciascuna delle quali letale come una granata – ma viene contenuta proprio grazie alla sua incapacità di diffondersi.

Per essere vincente un virus non deve uccidere con troppa facilità, in modo da poter circolare indisturbato.[11] Ecco cosa rende l'influenza una minaccia perenne. Una classica influenza infetta le vittime il giorno prima che compaiano i sintomi e perdura una settimana circa dopo la guarigione, rendendo tutte le persone ammalate dei vettori. La grande influenza spagnola del 1918 causò decine di milioni di morti – alcune stime parlano addirittura di cento milioni – non tanto perché era particolarmente letale, quanto perché era persistente e altamente trasmissibile. Si pensa abbia ucciso solo il 2,5 per cento degli infettati. L'ebola sarebbe più efficace – e alla lunga più pericolosa – se mutasse in una versione più lieve che, invece di seminare il panico nelle comunità, permettesse alle vittime di mescolarsi alla gente ignara.

Ovviamente non è una consolazione. L'ebola fu individuata ufficialmente solo negli anni Settanta e fino a non molto tempo fa tutte le sue epidemie sono state circoscritte e di breve durata, eppure nel 2013 si è diffusa in tre paesi – Guinea, Liberia e Sierra Leone – dove ha infettato 28.000 persone uccidendone 11.000. Sono tantissime. In diverse occasioni, grazie ai viaggi aerei, è finita altrove, anche se per fortuna è stata contenuta. In futuro potremmo non essere sempre così fortunati. L'eccessiva virulenza limita la diffusione delle malattie, ma non garantisce che non succeda.*

È straordinario, anzi, che le tragedie non si verifichino più

---

* A proposito delle malattie, spesso i termini contagiosa e infettiva si usano come fossero sinonimi, però c'è una differenza. Le malattie infettive sono causate da un microbo, le malattie contagiose si trasmettono per contatto.

spesso. In base a una stima riferita da Ed Yong sull'*Atlantic*, i virus di uccelli e mammiferi in grado di saltare la barriera della specie e infettarci potrebbero essere ottocentomila. Un enorme pericolo potenziale.[12]

II

Spesso si dice, solo in parte per scherzo, che l'invenzione peggiore per la salute è stata l'agricoltura. Jared Diamond l'ha definita «una catastrofe da cui non ci siamo mai ripresi».[13]

Invece di migliorare l'alimentazione, la pratica dell'allevamento l'ha impoverita quasi ovunque. Una scelta più limitata di alimenti base ha prodotto un certo numero di carenze, spesso senza che ce ne sia alcuna consapevolezza. Fra l'altro vivere in prossimità degli animali domestici ha fatto sì che le loro malattie diventassero anche le nostre: lebbra, peste, tubercolosi, tifo, difterite, morbillo e influenza ci sono state trasmesse da capre, maiali, mucche e simili. Secondo una stima, il 60 per cento circa delle malattie infettive è zoonotica (cioè di derivazione animale). L'allevamento ha favorito commercio, alfabetismo e civiltà, ma anche millenni di denti marci, ritardi di crescita e peggioramento della salute.

Ci si dimentica quanto fossero devastanti alcune malattie fino a non molto tempo fa. Si pensi alla difterite. Negli anni Venti, prima dell'introduzione del vaccino, in America colpiva oltre 200.000 persone all'anno uccidendone 15.000. I bambini erano i più vulnerabili. In genere si presentava con febbre leggera e mal di gola, spacciandosi per un raffreddore, ma presto si aggravava via via che le cellule morte si accumulavano in gola formando un rivestimento duro (difterite deriva dal termine greco che significa «pelle») che rendeva la respirazione sempre più difficile, per poi diffondersi nel corpo e danneggiare gli organi uno dopo l'altro. La morte sopraggiungeva in fretta. In una sola epidemia, molti persero tutti i figli. Oggi è così rara – appena cinque casi negli Stati Uniti nell'ultimo decennio – che tanti medici faticherebbero a riconoscerla.

La febbre tifoide non era meno spaventosa e causava altrettanta sofferenza. Il grande microbiologo francese Louis Pasteur, che pure conosceva gli agenti patogeni meglio di qualunque suo contemporaneo, perse tre dei cinque figli a causa di questo male. La febbre tifoide e il tifo hanno nomi e sintomi simili, ma sono disturbi diversi. Sono entrambi di origine batterica e provocano forte dolore addominale, apatia e stordimento, ma il tifo è causato da un bacillo del genere rickettsia, mentre la febbre tifoide da un tipo di bacillo del genere salmonella, ed è più grave. Una piccola parte di chi viene infettato dalla febbre tifoide – fra il 2 e il 5 per cento – ne è portatrice. Queste persone sono infettive pur non presentando alcun sintomo, il che le rende pericolosissime, anche se quasi sempre a loro insaputa. La più famosa di tutti fu la misteriosa cuoca e governante Mary Mallon,[14] diventata nota nei primi anni del XX secolo come «Typhoid Mary», Mary tifoide.

Delle sue origini non si sa quasi nulla. All'epoca si pensava provenisse dall'Irlanda, dall'Inghilterra o dall'America. L'unica certezza è che fin da giovane Mary lavorò per diverse famiglie benestanti, specie nella zona di New York, e che ovunque andasse si verificavano sempre due cose: qualcuno si ammalava di febbre tifoide e lei spariva all'improvviso. Nel 1907, dopo una vicenda particolarmente grave, fu stanata ed esaminata, diventando così la prima portatrice asintomatica certificata. La scoperta la rese talmente spaventosa che fu tenuta in custodia cautelare, contro la sua volontà, per tre anni. Fu rilasciata su promessa di non lavorare più in cucina. Purtroppo Mary non era la più attendibile delle persone e riprese quasi subito a fare la cuoca, diffondendo la febbre tifoide in varie abitazioni. Riuscì a evitare la cattura fino al 1915, quando si ammalarono 25 pazienti dello Sloane Hospital for Women di Manhattan, dove lavorava in cucina sotto falso nome. Due morirono. Mary fuggì ma fu catturata di nuovo e passò i successivi ventitré anni agli arresti domiciliari a North Brother Island, nell'East River, fino alla morte che sopraggiunse nel 1938. Fu responsabile di almeno 53 casi di febbre tifoide e di tre decessi accertati, ma forse furono molti di più. La tragedia è che se solo si fosse lavata le mani prima di toccare il cibo avrebbe risparmiato la vita ai malcapitati.

Sebbene oggi la febbre tifoide non preoccupi più quanto in passato, colpisce ancora oltre venti milioni di persone all'anno in tutto il mondo, uccidendone fra le 200.000 e le 600.000, a seconda dei dati che si consultano. L'America conta circa 5750 casi all'anno,[15] due terzi portati da fuori, ma quasi 2000 hanno origine al suo interno.

Per capire cosa può fare una malattia quando raggiunge il massimo della virulenza basta pensare al vaiolo, quasi certamente la patologia più devastante della storia dell'umanità. Infettava quasi tutti quelli che venivano esposti e uccideva il 30 per cento dei malcapitati. Nel solo XX secolo si pensa abbia ucciso cinquecento milioni di persone.[16] La sua sbalorditiva infettività fu ampiamente dimostrata in Germania nel 1970, dopo che un giovane lo contrasse durante un viaggio in Pakistan. Fu messo in quarantena in ospedale, ma un giorno aprì la finestra per fumare una sigaretta e infettò diciassette persone a due piani di distanza.[17]

La debolezza del vaiolo, che ne ha decretato la fine, era la capacità di colpire solo gli esseri umani. Altre malattie infettive – specie l'influenza – possono sparire dalle popolazioni umane e, per così dire, recuperare le forze su uccelli, maiali o altri animali. Il vaiolo non aveva alcun rifugio in cui ritirarsi mentre gli esseri umani lo perseguitavano, confinandolo in zone sempre più circoscritte del pianeta. Nel lontano passato aveva perso la capacità di infettare altri animali per concentrarsi solo su di noi, e ha scelto il nemico sbagliato.

Oggi l'unico modo per contrarlo è procurarselo da soli, e purtroppo è successo. Un pomeriggio d'estate del 1978 Janet Parker, specializzata in fotografia medica, tornò a casa dalla University of Birmingham, dove lavorava, lamentando una violenta cefalea. Poco dopo manifestò sintomi gravi quali febbre, delirio e pustole ovunque. Aveva contratto il vaiolo tramite il condotto dell'aria di un laboratorio del piano inferiore a quello del suo ufficio, dove il virologo Henry Bedson stava studiando uno degli ultimi campioni esistenti al mondo. Poiché lavorava alacremente per finire prima che anche quelli venissero distrutti, senza dubbio peccò di disattenzione. La povera Janet Parker morì due settimane dopo l'esposizione, l'ultima persona del pianeta a essere uccisa dal vaiolo. Dodici anni prima si era persino vaccinata, ma il vaccino contro quel virus non dura a lungo. Quando apprese che il vaiolo era uscito dal laboratorio e aveva ucciso un'innocente, Bedson si suicidò nel capanno del suo giardino, diventando per certi versi lui l'ultima vittima. Il reparto dell'ospedale in cui era stata ricoverata Parker rimase chiuso per cinque anni.

L'8 maggio 1980, a due anni da quella morte orribile, l'OMS annunciò che il vaiolo era stato debellato, la prima e finora unica malattia umana estinta. Ufficialmente ne esistono solo due campioni, uno conservato in un freezer del governo presso i Centri per la prevenzione e il controllo delle malattie di Atlanta, in Georgia, e uno in un istituto di virologia vicino Novosibirsk, in Siberia. Stati Uniti e Russia hanno promesso più volte di distruggerli, ma non l'hanno ancora fatto. Nel 2002 la CIA riteneva che ce ne fossero anche in Francia, Iraq e Corea del Nord. Nessuno sa se o quanti campioni possano sopravvivere per caso.

Nel 2014, mentre passava in rassegna il magazzino di una struttura della Food and Drug Administration di Bethesda, in Maryland,[18] qualcuno ha trovato delle fiale di vaiolo degli anni Cinquanta: sono state distrutte, ma ci ricordano la facilità con cui i campioni possono essere sottovalutati.

Sconfitto il vaiolo, la malattia infettiva più letale del pianeta è la tubercolosi, che ogni anno uccide fra il milione e mezzo e i due milioni di persone. Si tratta di un altro disturbo quasi dimenticato, eppure solo un paio di generazioni fa era devastante. Nel 1978, sulla *New York Review of Books*, Lewis Thomas ricordò quanto le cure fossero inefficienti quando lui studiava medicina, negli anni Trenta. Chiunque poteva contrarla, scrisse, e non c'era nulla che potesse scongiurare l'infezione. Chi ne era colpito non aveva scampo. «L'aspetto più duro della malattia, sia per il paziente sia per la famiglia, era la lentezza con cui uccideva» raccontò Thomas. «L'unico sollievo era il curioso fenomeno della *spes phthisica*, che si manifestava verso la fine, quando il paziente diventava all'improvviso ottimista e fiducioso, persino un po' euforico. Erano i segnali peggiori: la *spes phthisica* significava morte imminente.»

Con il passare del tempo, anzi, la piaga della tubercolosi peggiorò. Fino alla fine del XIX secolo fu chiamata consunzione e ritenuta ereditaria. Quando però nel 1882 il microbiologo Robert Koch scoprì il bacillo responsabile, la comunità medica stabilì al di là di ogni dubbio che si trattava di una malattia infettiva – spaventando non poco parenti e personale sanitario – e la chiamò tubercolosi. Se prima la decisione di mandare i pazienti nei sanatori era finalizzata alla loro incolumità, dopo divenne una sorta di esilio.

Quasi ovunque i malati venivano sottoposti a regimi severi. In certi istituti i medici ne riducevano la capacità polmonare tagliando i nervi per paralizzare il diaframma (procedura nota come frenicofrassi) o iniettando gas nella cavità toracica affinché i polmoni non potessero gonfiarsi del tutto. Al Frimley Sanatorium in Inghilterra gli esperti tentarono la tattica opposta. Armati di piccone, i pazienti erano costretti a sgobbare inutilmente grazie alla convinzione che la fatica rafforzasse i polmoni consumati.[19] Niente giovò, né avrebbe mai potuto farlo. Nella maggior parte degli istituti, però, l'approccio consisteva semplicemente nel tenere i malati quanto più possibile tranquilli per impedire che, dai polmoni, il male si diffondesse ad altre parti del corpo. Non potevano parlare, scrivere lettere o addirittura leggere libri e giornali per paura che il contenuto li agitasse troppo. Nel suo celebre *La peste e io* del 1948, una lettura sempre molto interessante, Betty MacDonald racconta la propria esperienza in un sanatorio dello stato di Washington e ricorda che lei e gli altri pazienti potevano ricevere la visita dei figli solo una volta al mese per dieci minuti e dei coniugi e altri adulti il giovedì e la domenica per due ore.[20] Non si poteva parlare o ridere troppo, ed era vietato cantare. Trascorrevano buona parte delle giornate distesi immobili, senza neppure potersi chinare o allungare per prendere alcunché.

Se per la maggior parte di noi la tubercolosi è una cosa molto lontana, il motivo è che il 95 per cento del milione e mezzo o più di decessi annuali avviene nei paesi a basso o medio reddito. Circa una persona su tre del pianeta ha il batterio, ma solo una minima parte contrae la malattia. Però esiste ancora. Ogni anno in America uccide circa settecento persone. Alcuni quartieri di Londra hanno un tasso di infezione vicino a quelli di Nigeria o Brasile.[21] Altrettanto allarmante è il fatto che i ceppi resistenti ai farmaci siano responsabili del 10 per cento dei nuovi casi. È possibile che un giorno non troppo lontano si dovrà affrontare un'epidemia di tubercolosi che la medicina non sarà in grado di curare.

In circolazione ci sono anche altre temibili malattie del passato non del tutto sconfitte. Che ci crediate o meno, persino la peste bubbonica. Negli Stati Uniti si registrano in media sette casi all'anno e quasi sempre un paio di morti. Esistono inoltre tante malattie da cui gli abitanti del mondo sviluppato si salvano, tipo leishmaniosi, tracoma e framboesia, che in pochi hanno sentito nominare. Queste tre e altre quindici, note come «malattie tropicali neglette», colpiscono oltre un miliardo di persone. Più di 120 milioni, per fare giusto un esempio, soffrono di filariasi linfatica, un'infezione parassitaria deturpante. La cosa particolarmente sciagurata è che la semplice aggiunta di un composto al sale da tavola è in grado di eliminarla ovunque si manifesti. Molte delle altre malattie tropicali neglette sono tremende. Il verme di Guinea cresce fino a un metro di lunghezza nel corpo delle vittime per poi fuggire scavando un foro nella pelle. Persino oggi l'unico rimedio è accelerare il processo di uscita arrotolandolo a un bastoncino non appena spunta.[22]

Dire che molti dei progressi fatti contro queste malattie sono stati sofferti è un eufemismo. Si pensi al contributo del grande parassitologo tedesco Theodor Bilharz (1825-1862), spesso definito il padre della medicina tropicale. Rischiando in prima persona, Bilharz dedicò la sua intera carriera a tentare di comprendere e debellare alcune delle peggiori malattie infettive del mondo. Spinto dal desiderio di capire la terribile schistosomiasi – anche chiamata bilharziosi in suo onore – si coprì lo stomaco di pupe di cercaria, lo bendò e i giorni seguenti prese appunti mentre i vermi gli penetravano nella pelle per invadere il fegato.[23] Sopravvisse a quell'esperienza, ma morì subito dopo di tifo ad appena trentasette anni, mentre tentava di fermare un'epidemia al Cairo. Howard Taylor Ricketts (1871-1910), l'americano che scoprì le rickettsie, andò in Messico a studiare il tifo, ma lo contrasse e morì. Un altro americano, Jesse Lazear (1866-1900) della Johns Hopkins Medical School, andò invece a Cuba nel 1900 per tentare di dimostrare che la febbre gialla veniva diffusa dalle zanzare, la contrasse – forse dopo essersela iniettata di proposito – e morì. Il boemo Stanislaus von Prowazek (1875-1915) girò il mondo per studiare le malattie infettive e scoprì l'agente responsabile del tracoma, prima di soccombere al tifo nel 1915 mentre lavorava su un'epidemia scoppiata in un carcere tedesco. E potrei continuare. La medicina non ha mai prodotto un gruppo di ricercatori più nobili e altruisti dei patologi e parassitologi che, alla fine del XIX e all'inizio del XX secolo, rischiarono e fin troppo spesso persero la vita nel tentativo di sconfiggere le malattie più pericolose al mondo. Meriterebbero un monumento.

III

Se oggi morire di malattie infettive è abbastanza raro, ce ne sono tante altre che ne hanno preso il posto. Rispetto al passato sono due le categorie in evidenza, in parte anche perché ora non veniamo uccisi prima da altro.

Una categoria è rappresentata dalle malattie genetiche. Vent'anni fa se ne conoscevano cinquemila, oggi siamo arrivati a settemila. A cambiare non è stato tanto il loro numero, rimasto costante, quanto la nostra capacità di individuarle. A volte un gene ribelle può causare dei malfunzionamenti come nel caso della malattia di Huntington, nota anche come corea di Huntington dal termine greco che significa «danza», in un riferimento alquanto strano e privo di tatto ai movimenti spasmodici di chi ne soffre. Si tratta di un male terribile che colpisce una persona su diecimila. Di solito i sintomi compaiono dopo i trenta o i quarant'anni e progrediscono ineluttabili fino alla vecchiaia portando a una morte prematura. E solo per una mutazione del gene HTT che produce la proteina huntingtina, una delle più grandi e complesse del corpo umano la cui funzione è ancora ignota.[24]

Molto spesso all'opera ci sono più geni, che di solito agiscono in modi troppo complicati per essere compresi appieno. Quelli responsabili delle malattie infiammatorie croniche intestinali, per esempio, sono più di cento. Almeno quaranta sono stati associati al diabete di tipo 2, senza includere nel calcolo altri fattori determinanti come salute generale e stile di vita.[25]

La maggior parte delle malattie ha un complesso assortimento di fattori scatenanti, per cui spesso è impossibile individuare la causa. Si pensi alla sclerosi multipla, un disturbo del sistema nervoso centrale che provoca paralisi graduale e perdita del controllo motorio, con un esordio che avviene quasi sempre prima dei quarant'anni. L'origine è genetica, ma ha anche un'inspiegabile distribuzione geografica. Ne sono colpiti di più gli abitanti dell'Europa del nord rispetto a quelli dei climi più caldi. Come ha osservato David Bainbridge: «Il motivo per cui il clima temperato induca ad aggredire il proprio midollo spinale non è affatto chiaro. L'effetto però lo è, ed è stato addirittura dimostrato che chi vive al nord può ridurre il rischio trasferendosi a sud prima della pubertà».[26] Per ragioni ancora incomprese le donne ne sono più colpite.

Per fortuna la maggior parte delle malattie genetiche è piuttosto rara, spesso rarissima. Una delle persone più famose che soffrì di un disturbo genetico raro fu l'artista Henri de Toulouse-Lautrec, che si pensa avesse la picnodisostosi. Fino alla pubertà ebbe proporzioni normali, poi le gambe smisero di crescere mentre il tronco continuò fino a raggiungere dimensioni normali. Quando stava in piedi, quindi, sembrava che l'artista fosse inginocchiato. In tutto, i casi documentati di questo disturbo sono appena duecento circa.[27] Le malattie rare sono per definizione quelle che non colpiscono più di una persona su duemila e il paradosso è che, sebbene ciascuna si manifesti in pochi individui, nel loro insieme si manifestano in tantissime persone. Ne esistono settemila tipi, così tante che nel mondo sviluppato un abitante su diciassette ne ha una, il che non le rende poi così rare. Il rovescio della medaglia è che se un disturbo colpisce pochi malcapitati non riceve mai la dovuta attenzione. Per il 90 per cento delle malattie rare non esiste una cura efficace.[28]

L'altra categoria di malattie diventate più comuni nell'era moderna, che rappresentano un rischio di gran lunga maggiore per tanti di noi, è rappresentata da quella che il professor Daniel Lieberman di Harvard chiama «malattie del benessere», cioè causate dal nostro stile di vita indolente e troppo indulgente. Più o meno l'idea si fonda sul fatto che pur nascendo con un corpo da cacciatori-raccoglitori viviamo da pantofolai. Per essere sani dovremmo mangiare e muoverci quanto i nostri progenitori. Il che non significa cibarci di tuberi e cacciare gnu, bensì ridurre al minimo gli alimenti industriali e zuccherini e fare più attività fisica. La mancanza di tali accorgimenti ha prodotto disturbi quali diabete di tipo 2 e malattie cardiovascolari, che uccidono tante persone. Secondo Lieberman, inoltre, la medicina peggiora la situazione intervenendo sui sintomi con una tale efficacia da «perpetrarne involontariamente le cause». Come spiega con agghiacciante franchezza: «Le probabilità di morire per una malattia del benessere sono altissime».[29] Ancora più agghiacciante è la sua convinzione che il 70 per cento delle malattie che ci uccidono si potrebbe prevenire adottando uno stile di vita più consapevole.

Quando ho incontrato Michael Kinch della Washington University di St. Louis gli ho chiesto quale fosse, secondo lui, la malattia più pericolosa in assoluto. «L'influenza» ha risposto senza esitare. «L'influenza è di gran lunga più pericolosa di quanto si pensi. Tanto per cominciare uccide già un numero elevato di persone – dalle trentamila alle quarantamila l'anno negli Stati Uniti – e solo nei cosiddetti 'anni positivi'. Inoltre si

367

evolve molto velocemente, ed è questo che la rende pericolosissima. »

A febbraio di ogni anno l'OMS e i Centri per la prevenzione e il controllo delle malattie si riuniscono per decidere quale sarà il successivo vaccino antinfluenzale, in genere basandosi su quanto accade in Asia orientale. Il problema è che i ceppi sono variabili e imprevedibili. Come saprete, le influenze hanno nomi tipo H5N1 o H3N2. Questo perché ogni virus ha sulla superficie due tipi di proteine, l'emoagglutinina (*haemagglutinin* in inglese, da cui la H) e la neuraminidasi. H5N1 significa che il virus combina la quinta iterazione nota di emoagglutinina con la prima iterazione nota di neuraminidasi e, chissà perché, l'unione è particolarmente malevola. «L'H5N1, più conosciuto come influenza aviaria, uccide tra il 50 e il 90 per cento di chi la contrae» dice Kinch. «Per fortuna non si trasmette con facilità. Finora, in questo secolo, ha ucciso sulle quattrocento persone, meno del 60 per cento di chi è stato infettato. Se dovesse mutare, però, sarebbero dolori. »

Sulla base delle informazioni a loro disposizione, l'OMS e i CDC il 28 febbraio di ogni anno annunciano la decisione e tutti i produttori mondiali di vaccini si mettono al lavoro sullo stesso ceppo. Kinch spiega: «Da febbraio a ottobre fabbricano il nuovo vaccino antinfluenzale nella speranza di essere pronti per la stagione successiva. Quando però spunta un'influenza devastante non c'è alcuna garanzia di aver preso di mira il virus giusto».

Nella stagione influenzale 2017-18, per citare un esempio recente, i vaccini garantivano solo il 36 per cento di probabilità in meno di contrarla.[30] Per l'America è stata quindi una pessima annata, con ben ottantamila decessi. Se scoppiasse un'epidemia davvero catastrofica – in grado di uccidere tanti bambini e giovani – secondo Kinch non saremmo in grado di produrre abbastanza in fretta una quantità di vaccini sufficiente a curare tutti, neppure se il vaccino fosse efficace.

«Il punto è» aggiunge «che oggi non siamo pronti a gestire una grave epidemia più di quanto lo fossimo cent'anni fa, quando l'influenza spagnola uccise decine di milioni di persone. Se non abbiamo ancora vissuto un evento simile non è perché siamo stati particolarmente attenti, è perché abbiamo avuto fortuna.»

21

Quando qualcosa va davvero storto: il cancro

Siamo corpi. I corpi si guastano.

Tom Lubbock, *Until Further Notice, I Am Alive*

I

Il terrore suscitato dal cancro, per molti il male in assoluto più temuto, è piuttosto recente. Nel 1896, quando la neonata *American Journal of Psychology* effettuò un sondaggio sui disturbi che incutevano più paura, quasi nessuno lo nominò. Furono citati difterite, vaiolo e tubercolosi,[1] ma persino il tetano, l'annegamento, il morso di un animale con la rabbia o un terremoto spaventavano i cittadini più del cancro.

Il motivo sta in parte nel fatto che in passato spesso non si viveva abbastanza a lungo perché il cancro colpisse molte persone. Come ha detto un collega a Siddhartha Mukherjee, autore del libro sul cancro *L'imperatore del male*: «La storia antica del cancro è che la storia antica del cancro quasi non esiste».[2] Non che il cancro non ci fosse, ma la gente non lo percepiva come qualcosa di probabile né di temibile. In tal senso ricorda la percezione odierna della polmonite. Pur essendo ancora la nona causa di morte pochi la temono, perché si tende ad associarla agli anziani, alle persone fragili e comunque in procinto di passare a miglior vita. Lo stesso accadde a lungo con il cancro.*

La situazione cambiò nel xx secolo. Fra il 1900 e il 1940 il cancro schizzò dall'ottavo al secondo posto fra le cause di morte (subito dietro la cardiopatia) e da allora gettò una lunga ombra sulla nostra percezione della mortalità. Oggi il 40 per cento di noi a un certo punto scopre di averne uno. Molti di più l'avranno senza saperlo e moriranno di altro. La metà degli uomini oltre i sessant'anni e tre quarti degli over settanta, per esempio, muoiono con il cancro alla prostata senza neanche saperlo.[3] È stata anzi avanzata l'ipotesi che se tutti vivessero a lungo, tutti ne sarebbero affetti.

Nel xx secolo il cancro non solo diventò il grande terrore, ma anche il grande marchio d'infamia. Da uno studio condotto nel 1961 emerse che nove medici americani su dieci non informavano i pazienti malati tali erano la vergogna e l'orrore.[4] E alcune ricerche effettuate in Gran Bretagna nello stesso periodo rilevarono che l'85 per cento circa dei malati di cancro voleva sapere se stesse per morire, ma che tra il 70 e il 90 per cento dei medici si rifiutava di comunicarlo.[5]

Anche se tendiamo a considerarlo un male che si può contrarre al pari di un'infezione batterica, il cancro è una questione esclusivamente interna, una sorta di ribellione del corpo contro se stesso. Nel 2000 un importante articolo uscito sulla rivista *Cell* elencava sei tratti comuni a tutte le cellule cancerose, e cioè:

---

* In origine il termine era usato per qualunque piaga cronica, associandolo al *canker* (ulcera aftosa). Il significato più specifico e moderno risale al xvi secolo. Il termine deriva dal latino «granchio» (ecco perché la costellazione e il segno zodiacale si chiamano cancro) e si dice che il medico greco Ippocrate lo usasse per i tumori perché la forma gli ricordava quella dei granchi.

371

si replicano senza limiti;

crescono senza indicazioni o influenze di agenti esterni come gli ormoni;

innescano l'angiogenesi, ovvero ingannano il corpo inducendolo a irrorarle di sangue;

ignorano qualunque stimolo antiproliferativo;

sfuggono all'apoptosi, ovvero la morte cellulare programmata;

metastatizzano, ovvero si diffondono ad altre parti del corpo.

In sostanza il corpo fa del suo meglio per ucciderci. È un suicidio non autorizzato.

«Ecco perché i tumori non sono contagiosi»[6] spiega il dottor Josef Vormoor, direttore clinico e fondatore del reparto di oncoematologia pediatrica del nuovo Prinses Máxima Centrum di Utrecht, nei Paesi Bassi. «Siamo noi che ci attacchiamo da soli.» Vormoor è un caro amico conosciuto quando dirigeva il Northern Institute for Cancer Research della Newcastle University. È entrato al Prinses Máxima, il centro oncologico per bambini più grande d'Europa, poco dopo la sua apertura, nell'estate del 2018.

Le cellule cancerose sono come quelle normali, tranne per il fatto che proliferano in maniera incontrollata, ed è proprio l'apparente normalità a far sì che a volte il corpo non riesca a stanarle, e quindi a innescare la reazione infiammatoria come farebbe con un agente estraneo. Per questo la maggior parte dei tumori nei primi stadi è indolore e invisibile. Si notano solo quando sono abbastanza grandi da premere sui nervi o formare rigonfiamenti. Mentre alcuni possono crescere per decenni prima di manifestarsi, altri non si palesano mai.

Il cancro è una malattia molto diversa dalle altre. Spesso

attacca in modo irrefrenabile. La sua sconfitta è quasi sempre soferta e spesso va a spese della salute complessiva. Dinanzi al contrattacco il cancro si ritira, si riorganizza e ritorna più potente. Persino quando sembra che sia stato sconfitto può lasciare delle cellule « dormienti » capaci di aspettare anni prima di riattivarsi. E, soprattutto, è egoista. Di norma le cellule umane svolgono il loro compito e poi muoiono su ordine di altre per il bene del corpo. Le cellule tumorali no. Proliferano per il proprio esclusivo interesse.

« Si sono evolute per evitare di essere scoperte » dice Vormoor. « Sanno nascondersi dai farmaci. Sanno sviluppare resistenza. Sanno reclutare altre cellule per farsi aiutare. Sanno andare in letargo e aspettare condizioni migliori. Sanno fare moltissime cose che ci rendono difficile ucciderle. »

Solo da poco si è capito che, prima di metastatizzarsi, i tumori sono in grado di preparare il terreno per l'invasione di organi bersaglio lontani, forse tramite una qualche forma di segnalazione chimica. « Significa » spiega Vormoor « che quando le cellule cancerose passano ad altri organi non si limitano a presentarsi lì sperando che tutto fili liscio, ma hanno già predisposto l'organo bersaglio. Il perché certi tumori prendano di mira certi organi, spesso in punti lontani del corpo, è ancora un mistero. »

Di tanto in tanto vale la pena ricordarci che stiamo parlando di cellule scriteriate, non volutamente malevole. Non complottano per ucciderci, tentano di sopravvivere come tutte le altre. « Il mondo è spietato » dice Vormoor. « Le cellule hanno sviluppato un repertorio di programmi che usano per difendersi dai danni al DNA. Fanno solo quello per cui sono programmate. » O come mi ha spiegato il suo collega Olaf Heidenreich: « È il prezzo evolutivo che ci tocca pagare. Se le nostre cellule non fossero in grado di mutare non avremmo il cancro, ma non potremmo neppure evolverci. Resteremmo sempre uguali. In pratica significa che sebbene a volte l'evoluzione sia crudele con il singolo individuo, la specie ne trae beneficio».

Il cancro non è un'unica malattia, bensì un insieme di oltre duecento con cause e prognosi diverse. L'80 per cento dei tumori, noti come carcinomi, compare nelle cellule epiteliali, che costituiscono la pelle e il rivestimento degli organi. Il cancro al seno, per esempio, non cresce a casaccio, ma in genere ha origine nei dotti lattiferi. È probabile che le cellule epiteliali siano particolarmente vulnerabili al cancro perché si dividono rapidamente e spesso. Nel tessuto connettivo è stato trovato solo l'1 per cento circa dei tumori, noti come sarcomi.

Il cancro è in primo luogo legato all'età. Fra la nascita e i quarant'anni gli uomini hanno una probabilità su 71 di averlo, e le donne una su 51,[7] ma dopo i sessant'anni il dato crolla rispettivamente a una probabilità su tre e a una su quattro. Un ottantenne ne ha mille in più di un adolescente.

Lo stile di vita è un fattore decisivo che determina chi di noi lo avrà. In base a una stima, oltre la metà dei casi è provocata da fattori su cui possiamo intervenire, cioè fumo, consumo eccessivo di alcol e sovralimentazione.[8] L'American Cancer Society ha riscontrato una «significativa correlazione» fra sovrappeso e incidenza di cancro a fegato, seno, esofago, prostata, colon, pancreas, reni, cervice, tiroide e stomaco, in breve quasi ovunque. In che modo il peso alteri l'equilibrio non si sa, però è indubbio che sia così.[9]

Un altro fattore importante è l'ambiente, forse più di quanto si immagini. Il primo a notare un nesso fra ambiente e tumori fu il chirurgo britannico Percivall Pott,[10] che nel 1775 osservò come il cancro dello scroto dilagasse in maniera spropositata tra gli spazzacamini, a tal punto che venne chiamato «cancro degli spazzacamini». L'indagine di Potts, descritta nell'opera intitolata *Chirurgical Observations Relative to the Cataract, the Polypus of the Nose, the Cancer of the Scrotum, Etc.*, era degna di nota non solo perché individuava una causa ambientale, ma anche perché mostrava una certa compassione per i poveri spazzacamini, che in quell'epoca dura e indifferente erano un gruppo emarginato. Fin dalla tenera età, osserva Potts, erano «sovente trattati con grande brutalità, ridotti quasi alla morte per la fame e il freddo; vengono spinti in camini stretti e a volte roventi dove si procurano lividi e ustioni, e rischiano il soffocamento; infine quando approdano alla pubertà sono esposti a una malattia assai sgradevole, dolorosa e fatale». La causa del cancro, questa la scoperta, era l'accumulo di fuliggine nelle pieghe dello scroto. Una bella lavata una volta alla settimana ne impediva l'insorgenza, ma la maggior parte degli spazzacamini non faceva neppure quella e il cancro allo scroto rimase un problema fino alla fine del XIX secolo.

Oggi nessuno sa, perché di fatto è impossibile stabilirlo, fino a che punto i fattori ambientali contribuiscano alla formazione dei tumori. Nel mondo si producono oltre 80.000 sostanze chimiche[11] e, in base a una stima, l'86 per cento non è mai stato testato per verificarne gli effetti sugli esseri umani. Non sappiamo granché neppure delle sostanze chimiche positive o neutre che ci circondano. Come ha detto Pieter Dorrestein della University of California di San Diego a un giornalista della rivista *Chemistry World* nel 2016: «Alla domanda su quali siano le dieci molecole più presenti nell'habitat umano nessuno è in grado di rispondere». Fra quelle che potrebbero nuocerci, solo radon, anidride carbonica, fumo di tabacco e amianto sono state studiate a fondo. Il resto sono perlopiù congetture. Inaliamo tanta formaldeide, usata nei ritardanti di fiamma e nelle colle che tengono insieme i nostri mobili. Produciamo e respiriamo biossido d'azoto in abbondanza, idrocarburi policiclici, composti semiorganici e particolato assortito. Persino la cottura degli alimenti e le candele accese possono sprigionare particolato potenzialmente dannoso. Benché non si sappia fino a che punto le sostanze inquinanti presenti nell'aria e nell'acqua contribuiscano alla formazione dei tumori, è stato stimato che potrebbero equivalere a un 20 per cento.[12]

Anche virus e batteri ne sono responsabili. Nel 2011 l'OMS ha calcolato che il 6 per cento dei tumori nel mondo sviluppato e il 22 per cento nei paesi a basso e medio reddito sono imputabili ai soli virus. In passato era una teoria rivoluzionaria. La scoperta del giovane ricercatore del Rockefeller Institute di New York Peyton Rous, che nel 1911 individuò un virus che causava il cancro ai polli, fu ampiamente ignorata. Dinanzi all'ostilità, e persino alla derisione, Rous si dedicò ad altro,[13] per poi essere ufficialmente riscattato con il Nobel nel 1966, a oltre mezzo secolo di distanza. Oggi si sa che gli agenti patogeni sono responsabili di cancro della cervice (causato dal papillomavirus umano), linfoma di Burkitt, tumori provocati da epatite B e C e da infezioni, più tante altre malattie. Nel complesso gli agenti patogeni potrebbero causare un quarto dei tumori mondiali.[14]

A volte, però, il cancro sembra essere crudelmente casuale. Circa il 10 per cento degli uomini e il 15 per cento delle donne che ne hanno uno ai polmoni non fumano, non si sono esposti a pericoli ambientali noti né presentano altri fattori di rischio.[15] Sembra che siano soltanto molto, molto sfortunati, ma non si sa se a causa del fato o della genetica.*

Un elemento comune a tutti i tumori, comunque, c'è. Le cure sono durissime.

---

* Il lettore attento avrà notato che la somma di queste percentuali ammonta a più del 100 per cento, in parte perché sono stime – in certi casi poco più che ipotesi – e provengono da fonti diverse, in parte perché contate due o tre volte. Il fatale cancro ai polmoni di un minatore in pensione potrebbe, ad esempio, essere attribuito all'ambiente di lavoro, al fatto che ha fumato per quarant'anni o a entrambi i fattori. Spesso la causa di un cancro è una pura congettura.

II

Nel 1810 la scrittrice inglese Fanny Burney, che all'epoca viveva in Francia, sviluppò un tumore al seno all'età di cinquantotto anni. È pressoché impossibile immaginare quanto dovesse essere orribile. Duecento anni fa ogni forma di tumore lo era, ma quello al seno lo era in particolar modo. Quasi tutte le vittime pativano anni di tormento e spesso di indicibile imbarazzo mentre il cancro ne divorava pian piano il seno per sostituirlo con un buco da cui fuoriuscivano liquidi maleodoranti, compromettendo qualsiasi relazione sociale, a volte addirittura con i familiari. L'intervento chirurgico era la sola speranza, ma prima dell'avvento dell'anestesia era doloroso e penoso almeno quanto il tumore stesso, e quasi sempre fatale.

A Burney fu detto che la mastectomia era la sua unica possibilità. Lei raccontò il calvario – « un terrore che va al di là di ogni descrizione » – in una lettera angosciante alla sorella Esther. Un pomeriggio di settembre il chirurgo Antoine Dubois si presentò a casa sua con quattro medici e due studenti. Il letto era stato sistemato al centro della stanza affinché l'équipe potesse avere spazio per lavorare.

« M. Dubois mi ha messo sul materasso e mi ha coperto il viso con un fazzoletto di cambrì » racconta Burney alla sorella. « Però era trasparente, così ho visto che il letto è stato subito circondato da sette uomini più la mia infermiera. Mi sono rifiutata di farmi trattenere, ma quando attraverso la stoffa ho visto lo scintillio dell'acciaio lucente ho chiuso gli occhi. [...] E quando lo spaventoso acciaio mi è stato affondato nel seno e ha tagliato vene, arterie, carne, nervi, nessuna intimazione avrebbe potuto farmi reprimere le grida. Le mie urla sono durate a intermittenza per l'intera incisione, e quasi mi stupisce che non mi risuonino ancora nelle orecchie, tanto è stata straziante l'agonia. [...] Ho sentito lo strumento – che disegnava una curva – tagliare in modo innaturale, per così dire, mentre la carne resisteva con una forza tale da opporre resistenza e stancare la mano dell'operatore, che è stato costretto a passare dalla destra alla sinistra, e poi ho pensato di essere morta. Non ho più provato ad aprire gli occhi.»

Burney credeva che l'intervento fosse finito, ma Dubois scoprì che il seno era ancora attaccato dal tumore e riprese a tagliare. «Oddio! A quel punto ho sentito il coltello armeggiare con l'osso del seno, raschiarlo!» Per alcuni minuti il chirurgo rimosse muscoli e tessuti malati finché non fu certo di aver eliminato quanto poteva. Lei sopportò l'ultima parte dell'intervento in silenzio, «ammutolita dalla tortura».

L'intera operazione durò diciassette minuti e mezzo, che alla povera Fanny Burney dovettero sembrare un'eternità. Però funzionò e lei visse altri ventinove anni.

Anche se l'introduzione degli anestetici a metà del XIX secolo contribuì a eliminare il dolore e l'orrore immediati della chirurgia, con l'ingresso nell'età moderna il trattamento del cancro al seno diventò se possibile persino più brutale. E l'unico responsabile fu William Stewart Halsted (1852-1922), uno degli esponenti più straordinari della storia della chirurgia moderna. Figlio di un ricco imprenditore di New York, Halsted studiò Medicina alla Columbia University e dopo la laurea si distinse subito come chirurgo abile e innovativo. Lo ricorderete dal capitolo 8, dove si è detto che fu uno dei primi a osare l'intervento alla colecisti su sua madre, sul tavolo della cucina di casa nel nord dello stato di New York. Tentò inoltre la prima appendicectomia a New York (il paziente morì) e, con un esito migliore, una delle prime trasfusioni riuscite d'America sulla sorella Minnie, che ebbe una grave emorragia durante il parto. Mentre lei era prossima alla morte, Halsted trasferì un litro di sangue dal proprio braccio al suo e le salvò la vita ben prima che chiunque avesse compreso il concetto di compatibilità dei gruppi sanguigni, ma per fortuna i loro lo erano.

Halsted fu il primo professore di Chirurgia della nuova Johns Hopkins Medical School di Baltimora dopo la fondazione nel 1893. Lì formò una generazione di eminenti chirurghi e contribuì al progresso delle tecniche. Fra le tante innovazioni, inventò il guanto chirurgico. Diventò famoso per instillare negli studenti l'esigenza di standard severissimi in fatto di cura e igiene, un approccio così autorevole che ben presto divenne noto come la «tecnica halstediana». Per tutti era il padre della chirurgia americana.

A rendere i suoi successi ancora più straordinari è che per buona parte della carriera fu un tossicodipendente. Nell'indagare i metodi per alleviare il dolore sperimentò la cocaina e ben presto ne fu irrimediabilmente assuefatto. Via via che la dipendenza prendeva il sopravvento, diventò più riservato nei modi – per i colleghi era solo più assorto e riflessivo – e maniacale per iscritto. Ecco l'incipit di un articolo che scrisse nel 1885, appena quattro anni dopo aver operato la madre: «Pur non essendo insensibile a quella che fra tante possibilità possa spiegare al meglio, né tanto meno lungi dal comprendere, perché i chirurghi, e per giunta tanti, senza un briciolo di vergogna, abbiano potuto manifestare un interesse così esiguo in quello che, come anestetico locale, era stato ipotizzato, se non proprio giudicato, dai più essere fuor di dubbio, specie per loro, intrigante, non ritengo che tale circostanza né alcun obbligo [...]» e continua così, per diverse righe, senza mai sfiorare un barlume di coerenza.

Per allontanarlo dalle tentazioni e provare a interrompere la routine venne mandato in crociera ai Caraibi, ma fu sorpreso a frugare nell'armadietto dei medicinali della nave. A quel punto lo affidarono a un istituto di Rhode Island, dove purtroppo i medici cercarono di disintossicarlo dalla cocaina con la morfina, rendendolo dipendente da entrambe. Tranne un paio di superiori, all'oscuro del fatto che senza droga non arrivava a fine giornata, tutti ne erano al corrente. In base ad alcune prove, è probabile che la moglie avesse lo stesso problema.[16]

Nel 1894, durante una conferenza nel Maryland e al culmine della dipendenza, Halsted presentò la sua idea più rivoluzionaria, la mastectomia totale.[17] Era convinto a torto che il cancro al seno si diffondesse irradiandosi verso l'esterno, come una macchia di vino che si allarga sulla tovaglia, e che l'unico rimedio efficace fosse recidere non solo il tumore, ma quanto più tessuto circostante possibile. La mastectomia totale non era un intervento chirurgico bensì uno scavo. Prevedeva la rimozione dell'intero seno, dei muscoli toracici, dei linfonodi e a volte delle costole, qualunque cosa si potesse estrarre senza causare morte immediata. L'asportazione era talmente estesa che l'unico modo per richiudere la ferita era prelevare un ampio innesto cutaneo dalla coscia, infliggendo alla povera paziente martoriata altro dolore e deturpazione.

Eppure i risultati furono buoni. Circa un terzo delle pazienti di Halsted sopravvisse per almeno tre anni, un dato che sbalordì gli oncologi. Molte altre guadagnarono qualche mese di vita decente, senza il tanfo e la trasudazione imbarazzanti che prima le costringevano a un'esistenza da recluse.

Non tutti, però, erano convinti che l'approccio fosse quello giusto. In Gran Bretagna il chirurgo Stephen Paget (1855-1926) esaminò 735 casi di cancro al seno e scoprì che, invece di diffondersi come una macchia, il tumore affiorava lontano. Spesso migrava nel fegato, e per giunta in punti precisi dell'organo. Sebbene i suoi risultati fossero corretti e incontestabili, nessuno prestò loro attenzione per un secolo, durante il quale decine di migliaia di donne furono sfigurate ben più del necessario.

*

380

Nel frattempo, altrove nel mondo della medicina i ricercatori stavano sviluppando altre terapie contro il cancro che in genere si rivelarono altrettanto impegnative per i pazienti e, a volte, per chi li aveva in cura. Uno dei principali motivi di esultanza dell'inizio del XX secolo fu il radio, scoperto da Marie e Pierre Curie in Francia nel 1898. Si capì quasi subito che si accumulava nelle ossa di chi ne era esposto, ma questo aspetto era ritenuto positivo perché si credeva che le radiazioni fossero benefiche. A molti farmaci furono quindi aggiunti prodotti radioattivi in abbondanza, in certi casi con esiti devastanti. Il noto antidolorifico da banco Radithor conteneva radio diluito. L'industriale di Pittsburgh Eben M. Byers, che lo usava come tonico, ne bevve una boccetta al giorno per tre anni finché non si accorse che le ossa della testa si stavano pian piano ammorbidendo e sciogliendo come un gessetto sotto la pioggia. Prima di una morte lenta e spaventosa perse buona parte della mascella e alcuni pezzi di cranio.[18]

Per altri il radio rappresentava un rischio professionale. Nel 1920 in America vennero venduti quattro milioni di orologi al radio e per verniciare i quadranti furono assunte duemila donne.[19] Era un lavoro certosino e il modo più semplice per mantenere il pennello ben appuntito era passarselo con delicatezza fra le labbra. Come racconta Timothy J. Jorgensen nel suo magnifico *Strange Glow: The Story of Radiation*, in seguito fu calcolato che in media ogni donna ingoiava circa un cucchiaino di sostanza radioattiva alla settimana. Nell'aria c'era talmente tanta polvere di radio che alcune operaie si accorsero di brillare al buio. Com'è prevedibile, alcune si ammalarono e morirono, altre svilupparono strane vulnerabilità: a una ragazza si spezzò spontaneamente una gamba sulla pista da ballo.

Uno dei primi a interessarsi alla radioterapia fu Emil H. Grubbe (1875-1960), che studiava allo Hahnemann College of Medicine di Chicago. Nel 1896, appena un mese dopo che

Wilhelm Röntgen annunciò la scoperta dei raggi X, Grubbe decise di provarli sui malati di cancro pur non essendo qualificato. I primi pazienti morirono subito – erano comunque prossimi alla morte, quindi forse sarebbe stato impossibile salvarli persino con le cure odierne, e i dosaggi erano improvvisati –, però il giovane studente perseverò, e accumulando esperienza ebbe più successo. Purtroppo non capì l'esigenza di limitare le proprie esposizioni e negli anni Venti cominciò a sviluppare tumori ovunque, specie sul viso. Gli interventi per rimuoverli lo sfigurarono in modo grottesco. La professione ne risentì e i pazienti lo abbandonarono. «Nel 1951» scrive Timothy J. Jorgensen «era così deturpato dalle numerose operazioni che il padrone di casa gli chiese di lasciare l'appartamento perché il suo aspetto grottesco spaventava gli altri inquilini.»[20]

Per fortuna a volte i risultati furono migliori. Nel 1937 Gunda Lawrence, insegnante e ottima padrona di casa del South Dakota, rischiava la morte per un cancro all'addome. I medici della Mayo Clinic del Minnesota non le davano più di tre mesi di vita. La signora Lawrence, però, aveva due figli straordinari e devoti: John, un medico di talento, ed Ernest, uno dei fisici più brillanti del XX secolo. Ernest dirigeva il nuovo Radiation Laboratory della University of California di Berkeley e aveva appena inventato il ciclotrone, un acceleratore di particelle che generava enormi quantità di radioattività come effetto collaterale dell'energizzazione dei protoni. I fratelli disponevano perciò della macchina radiogena più potente del paese, capace di generare un milione di volt di energia. Senza avere alcuna certezza di quali sarebbero state le conseguenze – nessuno aveva mai provato niente di lontanamente simile su un essere umano – puntarono un fascio di deutoni sulla pancia della madre. L'esperienza fu straziante, così dolorosa e angosciante che la povera signora Lawrence implorò i figli di lasciarla morire. «Mi sono sentito molto crudele a insistere» ricordò in seguito John. Per fortuna i trattamenti indussero la remissione del cancro e la signora Lawrence visse altri ventidue anni.[21] E, soprattutto, era nata la radioterapia per la cura dei tumori.

Infine, e con un certo ritardo, i ricercatori del Radiation Laboratory di Berkeley cominciarono a preoccuparsi dei pericoli delle radiazioni quando, dopo alcuni esperimenti, fu trovato accanto alla macchina il cadavere di un topo. Ernest Lawrence intuì che le ingenti quantità di radioattività generate danneggiavano i tessuti umani. Furono quindi installate delle barriere protettive e mentre la macchina era in funzione gli operatori si ritiravano in un'altra stanza. In seguito si scoprì che il topo era morto per asfissia, e non per le radiazioni,[22] ma per fortuna fu deciso di adottare comunque delle misure di sicurezza.

La chemioterapia, la terza forma di trattamento del cancro dopo l'intervento chirurgico e la radioterapia, ebbe origine in maniera altrettanto improbabile. Sebbene le armi chimiche fossero state bandite dal trattato internazionale dopo la Prima guerra mondiale, diversi paesi continuarono a produrle, anche solo come precauzione nel caso in cui altri lo stessero facendo. Gli Stati Uniti erano fra i trasgressori. La produzione fu tenuta segreta per ovvie ragioni, ma nel 1943 la SS *John Harvey*, una nave da rifornimento della marina americana che trasportava anche bombe all'iprite (o gas mostarda), fu bombardata dai tedeschi nel porto di Bari e saltò in aria, sprigionando una nube di gas su un'ampia zona e uccidendo un numero imprecisato di persone. Consapevole che, per quanto fortuito, l'incidente poteva rivelarsi un ottimo test dell'efficacia del gas come agente letale, la marina mandò il tenente colonnello Stewart Francis Alexander, esperto di chimica, a studiarne gli effetti sull'equipaggio della nave e di quelle vicine. Per la fortuna dei posteri Alexander era un ricercatore astuto e diligente e notò un dettaglio che sarebbe benissimo potuto sfuggirgli, ovvero che l'iprite rallentava sensibilmente la creazione dei globuli bianchi in chi ne era esposto. Da lì si comprese che un derivato dell'iprite potesse essere utile nella cura di alcuni tumori. E così nacque la chemioterapia.[23]

«L'aspetto straordinario» mi ha detto un oncologo «è che usiamo ancora l'iprite. Ovviamente è raffinato, ma non è poi così diverso da quello che avevano gli eserciti durante la Prima guerra mondiale.»

III

A chi desiderasse conoscere i più recenti progressi delle terapie contro il cancro consiglio di visitare il nuovo Prinses Máxima Centrum di Utrecht. Il più grande centro d'Europa per la cura dei bambini malati di cancro è nato dalla fusione dei reparti di oncologia pediatrica di sette ospedali universitari dei Paesi Bassi per riunire sotto lo stesso tetto tutte le terapie e i gruppi di ricerca del paese. È un posto luminoso, ricco di risorse e sorprendentemente vitale. Mentre Josef Vormoor mi portava in giro, di tanto in tanto dovevamo schivare i bambini – tutti calvi e con il tubicino per respirare nelle narici – che ci sfrecciavano intorno su go-kart a pedali. «Qui comandano loro» si è scusato Josef, felice.

In realtà il cancro è raro fra i bambini. Dei quattordici milioni di casi l'anno diagnosticati in tutto il mondo, solo il 2 per cento circa riguarda chi ha meno di diciannove anni. La causa principale dei tumori dell'infanzia, responsabile dell'80 per cento dei casi, è la leucemia linfoblastica acuta, che cinquant'anni fa era una condanna a morte. I farmaci potevano produrre remissione per un po', ma presto si ripresentava. Il tasso di sopravvivenza di cinque anni era inferiore allo 0,1 per cento, mentre oggi è di circa il 90 per cento.

La svolta avvenne nel 1968, quando Donald Pinkel del St.

Jude Children's Research Hospital di Memphis, Tennessee, sperimentò un nuovo approccio.[24] Secondo Pinkel i dosaggi moderati di farmaci, la prassi standard dell'epoca, permettevano ad alcune cellule leucemiche di sfuggire per poi ricomparire dopo la fine della terapia. Ecco perché le remissioni erano sempre temporanee. Così le bombardò con l'intera gamma di farmaci disponibili, spesso combinati e ai dosaggi massimi, e aggiunse sedute di radiazioni. Il regime era severo e durava fino a due anni, però funzionava. Il tasso di sopravvivenza migliorò in maniera significativa.

« Seguiamo ancora l'approccio dei pionieri » mi spiega Josef. « Da allora l'abbiamo giusto messo a punto. Disponiamo di strumenti migliori per affrontare gli effetti collaterali della chemioterapia e combattere le infezioni, ma in sostanza facciamo quello che faceva Pinkel. »

Se è pesante per qualsiasi corpo umano, figurarsi per quelli giovani ancora in formazione. Un numero significativo di decessi, infatti, non è causato dal cancro ma dalle cure.[25] « I danni collaterali sono ingenti » mi dice Josef. « Le cure colpiscono sia le cellule cancerose sia tante cellule sane. » Benché la manifestazione più evidente sia la perdita dei capelli, causata dai danni alle cellule dei follicoli piliferi, il problema più grave e a lungo termine è spesso a carico del cuore e di altri organi. Le bambine sottoposte a chemioterapia hanno più probabilità di entrare prematuramente in menopausa e di soffrire di insufficienza ovarica. La fertilità può essere compromessa in entrambi i sessi. Molto dipende dal tipo di tumore e di terapia.

I risultati sono comunque positivi, sia per i bambini sia per gli adulti. Nel mondo sviluppato il tasso di mortalità per cancro a polmoni, colon, prostata, linfoma di Hodgkin, tumore ai testicoli e al seno è sceso drasticamente – fra il 25 e il 90 per cento – in venticinque anni. Nell'ultimo trentennio solo negli Stati Uniti sono morti 2,4 milioni di malati in meno.[26]

Il sogno di tanti ricercatori è intercettare piccoli cambiamenti nella chimica del sangue o dell'urina, o magari della saliva, capaci di rivelare la comparsa di un cancro sul nascere, quando sarebbe più facile intervenire. «Il problema» dice Josef «è che anche se a volte riusciamo a individuarlo presto, non sappiamo se è maligno o benigno. Siamo molto più concentrati sulla cura in presenza di un cancro già formato che sulla prevenzione.» Secondo una stima, non più del 2 o 3 per cento dei fondi mondiali per la ricerca sul cancro è destinato alla prevenzione.[27]

«Non hai idea di quanti progressi siano stati fatti in una sola generazione» ha aggiunto Josef verso la fine del giro. «Sapere che la maggior parte di questi bambini verrà curata e tornerà alla propria vita è una soddisfazione immensa. Però sarebbe ancora più bello se non dovessero mai venire qui, no? Il nostro sogno è questo.»

22
La medicina buona e la medicina cattiva

> Dottore: Perché avete operato Jones?
> Chirurgo: Per sfilargli un bel malloppo.
> Dottore: No, volevo sapere cosa aveva.
> Chirurgo: Aveva un bel malloppo da sfilare.
>
> Striscia satirica di *Punch*, 1886

Vorrei dedicare un po' di spazio ad Albert Schatz, perché se c'è un uomo che merita un po' di gratitudine e attenzione quello è lui. Schatz, che ha vissuto dal 1920 al 2005, proveniva da una famiglia contadina povera del Connecticut. Studiò Biologia del suolo alla Rutgers University del New Jersey non tanto perché nutrisse una passione per il terreno, quanto perché essendo ebreo era soggetto alle quote di ammissione alle università e non poté frequentarne una migliore. Qualunque cosa avesse imparato sulla fertilità del suolo, pensò, almeno sarebbe stata utile nella fattoria di famiglia.[1]

Quell'ingiustizia salvò tante vite umane, perché nel 1943, quando era ancora studente, Schatz intuì che i microbi del terreno potevano fornire un antibiotico alternativo alla nuova penicillina che, malgrado il valore, non era efficace contro i batteri del tipo Gram-negativo, fra cui quello responsabile della tubercolosi. Testò con pazienza centinaia e centinaia di campioni e in poco meno di un anno ideò la streptomicina, il primo farmaco in grado di sconfiggere i batteri Gram-negativi. Fu una delle svolte più importanti del XX secolo nel campo della microbiologia.*

Selman Waksman, il suo supervisore, comprese subito le potenzialità della scoperta, assunse il controllo dei trial clinici del farmaco e gli fece firmare un accordo in virtù del quale cedeva alla Rutgers il diritto al brevetto. Subito dopo, Schatz scoprì che Waksman si era preso tutto il merito della scoperta e gli impediva di essere invitato agli incontri e alle conferenze dove lui invece avrebbe dovuto essere elogiato e riconosciuto. In seguito scoprì anche che Waksman non aveva rinunciato al suo diritto al brevetto, intascandosi una bella fetta di profitti che di lì a poco diventarono milioni di dollari all'anno.

Non riuscendo a farsi risarcire, Schatz denunciò Waksman e la Rutgers e vinse la causa, ottenendo una parte dei diritti di sfruttamento e il merito parziale della scoperta. Il procedimento legale però gli compromise la carriera, perché all'epoca nel mondo accademico trascinare in tribunale un superiore era considerato assai scortese. Per molti anni, quindi, l'unico lavoro che riuscì a trovare fu nella facoltà di Agraria di una piccola università in Pennsylvania. I suoi articoli vennero più volte rifiutati dalle principali riviste, e quando scrisse il vero resoconto della

---

* Il «Gram» dei batteri Gram-negativi e Gram-positivi non ha nulla a che fare con pesi e misure. Prende infatti il nome dal batteriologo danese Hans Christian Gram (1853-1938), che nel 1884 escogitò una tecnica per distinguere i due tipi principali di batteri grazie alla tonalità assunta una volta sottoposti a colorazione sul vetrino del microscopio. La differenza fra i due tipi riguarda lo spessore delle pareti cellulari e la facilità o meno con cui vengono penetrati dagli anticorpi.

scoperta della streptomicina l'unica che accettò di pubblicarlo fu la *Pakistan Dental Review*.

Nel 1952, in uno dei supremi atti di ingiustizia della scienza moderna, Waksman vinse il Nobel per la Fisiologia o la Medicina, mentre Schatz nulla.[2] Waksman continuò ad attribuirsi il merito della scoperta per il resto dei suoi giorni e non fece alcuna menzione di Schatz, né in occasione del discorso di accettazione del Nobel, né nell'autobiografia del 1958, in cui si limitò a citare l'aiuto di uno specializzando. Quando morì, nel 1973, fu definito in tanti necrologi «il padre degli antibiotici», cosa che di certo non era.

Vent'anni dopo la morte di Waksman, l'American Society for Microbiology azzardò un tardivo gesto riparatore invitando Schatz a tenere un discorso in occasione del cinquantesimo anniversario della scoperta della streptomicina. Riconoscendo il suo contributo, e forse senza pensarci su troppo, gli conferì la sua massima onorificenza: la medaglia Selman A. Waksman. Delle volte la vita è proprio ingiusta.

La morale della vicenda, a voler essere ottimisti, è che la medicina progredisce comunque. Grazie a migliaia e migliaia di eroi misconosciuti come Albert Schatz, il nostro arsenale contro gli attacchi della natura diventa sempre più forte di generazione in generazione. Una realtà che si riflette nel sensibile allungamento della vita in tutto il pianeta.

In base a un calcolo, infatti, nel solo XX secolo i miglioramenti sono stati pari a quelli dei precedenti ottomila anni.[3] La durata di vita media di un uomo americano è passata dai quarantasei anni del 1900 ai settantaquattro della fine del secolo. Alle donne è andata persino meglio: da quarantotto a ottant'anni. Altrove l'allungamento della vita è stato a dir poco incredibile. Una donna nata oggi a Singapore può arrivare a 87,6 anni, oltre il doppio di quanto potesse aspettarsi la sua bisnonna. Secondo una stima, sull'intero pianeta l'aspettativa di vita per gli uomini è passata dai 48,1 anni del 1950 (a quando risalgono i documenti ufficiali) ai 70,5 di oggi, e per le donne dai 52,9 ai 75,6. In più di venti paesi si superano gli ottant'anni. In cima alla classifica c'è Hong Kong con 84,3, seguita dal Giappone con 83,8 e dall'Italia con 83,5. Anche la Gran Bretagna se la cava bene con i suoi 81,6 anni, mentre gli Stati Uniti, per motivi di cui parleremo fra poco, hanno la mediocre aspettativa di vita di 78,6. Nel complesso, però, il miglioramento è globale e la maggior parte dei paesi, persino quelli in via di sviluppo, ha registrato un aumento del 40-60 per cento della durata della vita in appena un paio di generazioni.

Fra l'altro non si muore più come in passato. Ecco due elenchi relativi alle principali cause di morte nel 1900 e oggi (i numeri indicano i decessi su centomila persone).

1900	Oggi
Polmonite e influenza, 202,2	Cardiopatia, 192,9
Tubercolosi, 194,4	Cancro, 185,9
Diarrea, 142,7	Malattie respiratorie, 44,6
Cardiopatia, 137,4	Ictus, 41,8
Ictus, 106,9	Incidente, 38,2
Malattia renale cronica, 88,6	Alzheimer, 27,0
Incidente, 72,3	Diabete, 22,3
Cancro, 64,0	Malattia renale cronica, 16,3
Vecchiaia, 50,2	Polmonite e influenza, 16,2
Difterite, 40,3	Suicidio, 12,2

La differenza più rimarchevole fra le due epoche è che quasi la metà dei decessi del 1900 era causata da malattie infettive, rispetto al misero 3 per cento di oggi. Tubercolosi e difterite sono sparite dalla top ten, rimpiazzate da cancro e diabete. Gli incidenti sono saliti dal settimo al quinto posto non tanto perché siamo diventati più maldestri, ma perché altre cause sono state eliminate dai primi posti. Allo stesso modo nel 1900 la cardiopatia uccideva ogni anno 137,4 persone su centomila, mentre oggi ne uccide 192,9, un aumento del 40 per cento. Anche in questo caso però il motivo è che un tempo c'erano altre cose che ci uccidevano prima. Lo stesso vale per il cancro.

Va detto che i dati sull'aspettativa di vita presentano qualche intoppo. Tutti gli elenchi sono per certi versi arbitrari, specie riguardo agli anziani che possono avere più disturbi debilitanti, ciascuno dei quali in grado di ucciderli o di contribuire, insieme agli altri, al decesso. Nel 1993 gli epidemiologi americani William Foege e Michael McGinnis, in un famoso articolo pubblicato dal *Journal of the American Medical Association*, scrissero che le principali cause di morte riportate dalle tabelle – infarto, diabete, cancro e così via – erano molto spesso esito di altre patologie e che le vere cause erano fattori come fumo, alimentazione scadente, consumo di droga e altri comportamenti trascurati nei certificati di morte.

Un altro problema è che in passato i decessi erano spesso annotati con diciture ambigue e fantasiose. Quando lo scrittore e viaggiatore George Borrow morì in Inghilterra nel 1881, per citare un esempio, la causa di morte fu «deterioramento della natura». Chi può dire di cosa morì? Altri decessi erano attribuiti a «febbri nervose», «ristagno dei liquidi», «mal di denti» e «spavento» fra le varie cause di natura incerta. Descrizioni così vaghe rendono pressoché impossibili raffronti attendibili fra le cause di morte odierne e quelle del passato. Persino nei due elenchi riportati sopra non c'è modo di sapere quale corrispondenza esista fra quella che era considerata vecchiaia nel 1900 e l'Alzheimer di oggi.

Vale inoltre la pena ricordare che i dati storici erano sempre distorti dai decessi infantili. Quando si legge che nel 1900 l'aspettativa di vita per gli uomini americani era di quarantasei anni, non significa che la maggior parte degli uomini arrivava a quell'età e stramazzava. L'aspettativa di vita era breve perché la mortalità infantile era altissima e abbassava la media per tutti. Superata l'infanzia, le probabilità di vivere a lungo non erano così scarse. Se la morte prematura era diffusa, arrivare alla vecchiaia non era affatto motivo di stupore. Come sostiene la studiosa americana Marilyn Zuk: «L'invenzione recente non è tanto la vecchiaia, quanto la sua diffusione». Il progresso più incoraggiante dei tempi recenti, però, è l'incredibile riduzione del tasso di mortalità fra i giovanissimi. Nel 1950 morivano 216 bambini su mille prima dei cinque anni, quasi un quarto, mentre oggi sono solo 38,9 su mille, un quinto rispetto a settant'anni fa.

Malgrado tutte le incertezze, non c'è dubbio che all'inizio del XX secolo il mondo sviluppato cominciò a godere delle prospettive assai più floride di vivere più a lungo e più in salute. Come ha commentato il fisiologo di Harvard Lawrence Henderson: «Fra il 1900 e il 1912 un paziente a caso con una malattia a caso, che consultava un medico scelto a caso, per la prima volta nella storia aveva più del 50 per cento di probabilità di trarre giovamento dalla visita».[4] Storici e accademici concordavano, più o meno unanimemente, che la svolta decisiva della medicina si verificò all'inizio del XX secolo e continuò a migliorare negli anni seguenti.

Per spiegare un simile progresso sono state avanzate una serie di ipotesi. L'avvento della penicillina e di altri antibiotici come la streptomicina di Albert Schatz ebbero un evidente e significativo impatto sulle malattie infettive, ma nel corso del secolo arrivarono sul mercato altri farmaci. Nel 1950 la metà delle medicine disponibili con ricetta era stata inventata o scoperta solo nel decennio precedente. Un altro enorme aiuto si può attribuire ai vaccini. Nel 1921 in America ci furono circa duecentomila casi di difterite, mentre all'inizio degli anni Ottanta, grazie ai vaccini, il numero scese a tre. Più o meno nello stesso periodo i casi di pertosse e morbillo scesero da 1,1 milioni ad appena 1500 all'anno. Prima dei vaccini ventimila americani all'anno avevano la poliomelite, negli anni Ottanta solo sette. Secondo il premio Nobel britannico Max Perutz, nel XX secolo i vaccini potrebbero aver salvato più vite umane degli antibiotici.

L'unica cosa di cui nessuno dubitava era che quasi tutto il merito dei grandi progressi spettava alla medicina. All'inizio degli anni Sessanta, però, l'epidemiologo britannico Thomas McKeown (1912-1988) ricontrollò i registri e scoprì alcune bizzarre anomalie.[5] I decessi causati da numerosi disturbi – specie tubercolosi, pertosse, morbillo e scarlattina – avevano cominciato a diminuire ben prima dell'introduzione delle cure. Le morti per tubercolosi in Gran Bretagna scesero da 4000 su un milione nel 1828 a 1200 nel 1900, e ad appena 800 nel 1925, un calo dell'80 per cento in un solo secolo. La medicina non c'entrava. I bambini morti di scarlattina passarono da 23 su diecimila nel 1865 a una sola morte su diecimila nel 1935, anche in questo caso senza vaccini o altri interventi medici efficaci. Secondo McKeown, la medicina poteva incidere sul 20 per cento scarso dei progressi. Il resto era imputabile ai miglioramenti sanitari e alimentari, allo stile di vita più sano e persino all'avvento della ferrovia, che facilitò la distribuzione del cibo e portò carne e verdura più fresche agli abitanti delle città.

La teoria di McKeown suscitò non poche critiche.[6] I detrattori sostenevano che era stato assai selettivo nella scelta delle malattie proposte a sostegno della sua tesi e che aveva ignorato o minimizzato il ruolo delle migliori cure mediche in troppi luoghi. Per Max Perutz, uno dei suoi critici, gli standard igienici del XIX secolo, tutt'altro che progrediti, venivano di continuo compromessi dalle orde che accorrevano nelle città da poco industrializzate e vivevano nello squallore. La qualità dell'acqua potabile di New York, per esempio, peggiorò in modo così progressivo e pericoloso che nel 1900 gli abitanti di Manhattan dovevano bollirla prima di berla. La città inaugurò il primo impianto di filtraggio solo alla vigilia della Prima guerra mondiale, e lo stesso accadde in quasi tutte le principali città americane via via che la crescita superava la capacità o la volontà delle municipalità di fornire acqua sicura e fognature efficienti.

Comunque si decida di ripartire il merito dell'allungamento dell'aspettativa di vita, la conclusione è che oggi siamo quasi tutti più capaci di resistere ai contagi e alle sofferenze di cui spesso erano vittime i nostri bisnonni e che, quando servono, possiamo fare appello a cure mediche più efficaci. In breve, non ce la siamo mai cavata meglio di così.

O, almeno, non ce la siamo mai cavata meglio di così se siamo sufficientemente benestanti. Ad allarmarci e a preoccuparci oggi dovrebbe essere l'iniqua distribuzione dei benefici conseguiti nel secolo scorso. Nel complesso l'aspettativa di vita in Gran Bretagna si è allungata ma, come scrive John Lanchester in un saggio pubblicato dalla *London Review of Books* nel 2017, quella dei maschi dell'East End di Glasgow[7] è di appena cinquantaquattro anni, nove in meno di un indiano. Un trentenne nero di Harlem, New York, ha molte più probabilità di morire rispetto a un trentenne bengalese, e non, come si potrebbe pensare, per colpa della droga o della criminalità, ma di ictus, cardiopatia, cancro o diabete.

Salite su un autobus o una metropolitana di quasi ogni grande città del mondo occidentale, e dopo un breve tragitto vedrete con i vostri occhi certe disparità. A Parigi bastano quattro fermate sulla linea B della metropolitana, da Port-Royal a La Plaine-Stade de France, e vi ritroverete fra persone che hanno l'82 per cento di probabilità in più di morire prima rispetto a quelle che vivono qualche fermata più in là. A Londra l'aspettativa di vita diminuisce di un anno ogni due fermate della metro da Westminster verso est, sulla District Line. A St. Louis, in Missouri, basta guidare per una ventina di minuti dalla prospera Clayton al quartiere centrale di Jeff-Vander-Lou e l'aspettativa di vita scende di un anno per ogni minuto di viaggio, poco più di due anni ogni chilometro e mezzo.

A proposito dell'aspettativa di vita mondiale si possono dire con certezza due cose. La prima è che essere ricchi aiuta molto. Un individuo di mezza età, molto agiato e di un qualunque paese ad alto reddito avrà ottime probabilità di avvicinarsi ai novant'anni. Un individuo simile ma povero – stessa attività fisica, stesse ore di sonno, simile dieta sana ma meno soldi in banca – può aspettarsi di morire dieci o quindici anni prima. Per uno stile di vita analogo è un'enorme differenza, e nessuno sa bene come spiegarlo.

La seconda è che essere americani non è il massimo. Rispetto al resto del mondo industrializzato, negli Stati Uniti non è utile neppure essere ricchi. Un americano fra i quarantacinque e i cinquantaquattro anni ha più del doppio delle probabilità di morire per una qualunque causa rispetto a un coetaneo svedese. Pensateci. Un americano di mezza età ha più del doppio di probabilità di morire anzitempo rispetto a chiunque passeggi per una via di Uppsala, Stoccolma o Linköping. E lo stesso succede se il paragone avviene con altre nazionalità. Per ogni 400 americani di mezza età che muoiono ogni anno,[8] in Australia ne muoiono 220, in Gran Bretagna 230, in Germania 290 e in Francia 300.

Queste carenze insorgono alla nascita e persistono per tutta la vita. Negli Stati Uniti le probabilità di morire da piccoli sono del 70 per cento in più rispetto al resto del mondo ricco. Nel mondo ricco, anzi, l'America si piazza ultima o quasi[9] per ogni indicatore di benessere sanitario: malattie croniche, depressione, abuso di droga, omicidi, gravidanze in adolescenza, diffusione di HIV. Persino chi soffre di fibrosi cistica[10] in Canada vive in media dieci anni di più. L'aspetto forse più sorprendente è che questo non vale solo per i cittadini indigenti, ma anche per gli americani ricchi, bianchi e laureati rispetto agli omologhi socioeconomici degli altri paesi.

Ed è un tantino inaspettato se si pensa che l'America spende per la salute più di tutti, due volte e mezzo in più a persona rispetto alla media delle altre nazioni sviluppate. Un quinto dei soldi guadagnati dagli americani[11] – 10.209 dollari all'anno per ogni cittadino, 3,2 trilioni di dollari in totale – è destinato alla sanità, che è la sesta industria del paese con un sesto dell'occupazione. Se fosse ancora più in alto nell'elenco delle priorità nazionali, indosserebbero tutti camice bianco e divisa.

Eppure, malgrado la spesa ingente e l'indubbia qualità delle strutture ospedaliere e della sanità in generale, gli Stati Uniti sono solo al trentunesimo posto nella classifica globale dell'aspettativa di vita, dietro Cipro, Costa Rica e Cile, poco prima di Cuba e Albania.

Come spiegare un simile paradosso? Be', tanto per cominciare, ed è il dato più ineluttabile, gli americani hanno lo stile di vita meno sano di quasi ogni altro abitante del pianeta, a tutti i livelli della società. Come ha scritto Allan S. Detsky sul *New Yorker*: «Neppure gli americani ricchi sono esenti da uno stile di vita fatto di porzioni smisurate, mancanza di attività fisica e stress».[12] In media, per esempio, un olandese o uno svedese assumono il 20 per cento di calorie in meno di un americano. Se a prima vista non sembra moltissimo, in un anno ammontano a 250.000 calorie. Si ottiene lo stesso risultato con due cheese-cake intere alla settimana.

Inoltre la vita in America è molto più pericolosa, specie per i giovani. Un adolescente ha il doppio delle probabilità di morire in un incidente d'auto rispetto a un coetaneo di un paese equiparabile, e rischia 82 volte di più di essere ucciso da un'arma da fuoco.[13] Gli americani bevono e guidano più spesso di quasi chiunque altro, e sono restii a usare la cintura di sicurezza solo quanto gli italiani. Quasi ogni paese avanzato impone il casco a motociclisti e passeggeri. Il 60 per cento degli stati americani no. In tre stati non esiste l'obbligo, a nessuna età, mentre in altri sedici c'è solo per chi ha vent'anni o meno. Una volta raggiunta la maggiore età, quei cittadini possono sentire il vento, e fin troppo spesso l'asfalto, sui capelli. Un motociclista dotato di casco ha il 70 per cento di probabilità in meno di subire una lesione cerebrale e quasi il 40 per cento in meno di morire in un incidente.[14] Visti tutti questi fattori, ogni anno gli Stati Uniti registrano ben 11 decessi su centomila rispetto ai 3,1 della Gran Bretagna, ai 3,4 della Svezia e ai 4,3 del Giappone.

L'America, però, si distingue soprattutto per i costi smisurati della sanità. Un sondaggio del *New York Times* ha scoperto che in media negli Stati Uniti un angiogramma costa 914 dollari e in Canada 35.[15] L'insulina costa quasi sei volte di più che in Europa. In media l'intervento di protesi all'anca costa 40.364 dollari, circa sei volte di più che in Spagna, mentre una risonanza magnetica costa 1121 dollari, il quadruplo rispetto ai Paesi Bassi. Il sistema è notoriamente inefficiente e costoso. In America ci sono circa ottocentomila medici attivi, ma per gestire la parte amministrativa serve un numero doppio di dipendenti. L'inevitabile conclusione è che una spesa maggiore non produce per forza una medicina migliore, solo costi più elevati.

D'altro canto c'è anche chi spende troppo poco, e la Gran Bretagna sembra decisa a detenere il primato fra i paesi ad alto reddito. Si piazza al trentacinquesimo posto dei 37 paesi ricchi per numero di macchine per la TAC a persona, al trentunesimo posto su 36 per numero di apparecchi per la risonanza magnetica e al trentacinquesimo posto su 41 per il numero dei posti letto ospedalieri per densità di popolazione. All'inizio del 2019 il *British Medical Journal* ha riferito che i tagli alla sanità e all'assistenza sociale fra il 2010 e il 2017 hanno prodotto 120.000 morti premature, un dato davvero sconcertante.

Il criterio diffuso per valutare la qualità della sanità è la sopravvivenza a cinque anni dai tumori, dove si evidenziano grandi disparità.[16] Tale tasso di sopravvivenza per il cancro al colon è del 71,8 per cento in Corea del Sud e del 70,6 per cento in Australia, ma appena del 60 per cento in Gran Bretagna (con il 64,9 per cento gli Stati Uniti non se la cavano molto meglio). Per il tumore della cervice il Giappone è il primo paese al 71,4 per cento, seguito da Danimarca al 69,1 per cento, Stati Uniti al 67 per cento e Gran Bretagna al 63,8 per cento, verso il fondo della classifica. Per il tumore al seno gli Stati Uniti si piazzano al primo posto nel mondo con il 90,2 per cento delle pazienti ancora vive dopo cinque anni, seguiti dall'Australia con l'89,1 per cento e, con un certo distacco, dalla Gran Bretagna con l'85,6 per cento. Vale la pena ricordare che i dati di sopravvivenza complessivi possono nascondere numerose e preoccupanti disparità etniche. Per il tumore della cervice, per esempio, le americane bianche hanno un tasso di sopravvivenza di cinque anni del 69 per cento, che le colloca quasi in cima alla classifica mondiale, mentre le americane di colore solo del 55 per cento, quasi in fondo (*tutte* le donne di colore, sia ricche sia povere).

Se Australia, Nuova Zelanda, paesi nordici e le nazioni più ricche dell'Estremo Oriente hanno ottimi risultati, come pure altri stati europei, in America la situazione è eterogenea, mentre in Gran Bretagna è pessima e dovrebbe essere motivo di preoccupazione nazionale.

In medicina comunque nulla è semplice, e a complicare ulteriormente i risultati quasi ovunque è l'eccesso di cure.

Se per buona parte della storia lo scopo è stato curare i malati, ora i medici investono sempre più energia nel tentativo di scongiurare i problemi prima ancora che insorgano tramite i programmi di screening, modificando quindi del tutto la dinamica dell'assistenza sanitaria. Nel settore circola una vecchia freddura adatta a questa situazione:

D. Qual è la definizione di persona sana?
R. Una persona che non è ancora stata visitata.

Alla base della moderna sanità c'è il concetto che la prudenza e gli esami non sono mai troppi. È senz'altro meglio, questo il ragionamento, controllare e affrontare o eliminare un potenziale problema, per quanto remoto, prima che abbia modo di peggiorare. L'inconveniente di tale approccio è l'esistenza dei cosiddetti falsi positivi. Si pensi allo screening per il tumore al seno. Gli studi dimostrano che fra il 20 e il 30 per cento delle donne dichiarate sane dopo la mammografia aveva un tumore. Allo stesso modo, e in senso inverso, spesso lo screening stana un cancro che non dovrebbe suscitare preoccupazione ma sfocia in un intervento superfluo. Gli oncologi ricorrono al cosiddetto «tempo di soggiorno», cioè l'intervallo fra il momento in cui il cancro viene individuato e quello in cui diventerebbe comunque manifesto. Molti tumori hanno tempi di soggiorno lunghi e progrediscono così lentamente che quasi sempre chi li ha muore di altro prima che colpiscano. Da uno studio condotto in Gran Bretagna è emerso che una donna su tre riceve cure che magari la mutilano e forse ne accorciano la vita senza un motivo valido. Le mammografie sono tutt'altro che chiare. Leggerle con accuratezza è complesso, molto più di quanto si rendano conto tanti professionisti. Come osserva Timothy J. Jorgensen, quando è stato chiesto a 160 ginecologi di valutare se una cinquantenne con mammografia positiva avesse il cancro al seno, il 60 per cento ha risposto che le probabilità erano otto o nove su dieci. «In realtà è di appena una su dieci» scrive Jorgensen.[17] Stranamente i radiologi non se la cavano molto meglio.

L'infelice conclusione è che lo screening per il tumore al seno non salva tante vite. Ogni mille donne esaminate quattro muoiono comunque (o perché il tumore non è stato individuato o perché troppo aggressivo per un intervento efficace). Ogni mille donne non esaminate ne muoiono cinque. Quindi lo screening ne salva solo una su mille.

Gli uomini si trovano nella stessa situazione per il cancro alla prostata. La prostata è una piccola ghiandola, non più grande di una noce e del peso di trenta grammi scarsi, coinvolta soprattutto nella produzione e nella distribuzione del liquido seminale. È nascosta – in modo quasi inaccessibile – accanto alla vescica, intorno all'uretra. Tra i tumori, il cancro alla prostata è la seconda causa di morte fra gli uomini (dopo quello ai polmoni) e diventa più comune dopo i cinquant'anni. Il problema è che l'esame per individuarlo, chiamato test del PSA, non è affidabile. Misura i livelli della sostanza chimica detta antigene prostatico specifico presenti nel sangue, e un valore alto indica la possibilità di tumore, ma giusto la possibilità. L'unico modo per confermarne l'esistenza è la biopsia, che si effettua inserendo un lungo ago nella prostata attraverso il retto e prelevando diversi campioni di tessuto, procedura a cui nessuno si sottopone con entusiasmo. Poiché l'ago si inserisce a caso occorre un po' di fortuna perché stani il tumore. Se lo trova, con la tecnologia di cui disponiamo non c'è modo di sapere se è aggressivo o benigno. Sulla base di informazioni così vaghe, quindi, bisogna decidere se rimuovere la prostata – un intervento difficile con conseguenze spesso avvilenti – o se ricorrere a radioterapia. Dopo il trattamento, una percentuale fra il 20 e il 70 per cento degli uomini diventa impotente o incontinente, e uno su cinque ha complicanze dovute alla biopsia.

Il test è « appena più efficace del lancio della moneta » scrive il professor Richard J. Ablin della University of Arizona, e lui sì che se ne intende. Nel 1970, infatti, scoprì l'antigene prostatico specifico. Nel commentare il fatto che gli americani spendono almeno tre miliardi di dollari l'anno per l'esame della prostata, ha aggiunto: «Non mi sarei mai sognato che la mia scoperta di quarant'anni fa avrebbe provocato un disastro così redditizio».

Una meta-analisi di sei studi clinici controllati randomizzati che coinvolgevano 382.000 uomini ha scoperto che per ogni mille testati per il cancro alla prostata ne veniva salvato circa uno, un'ottima notizia per lui, non altrettanto per tutti quelli che potrebbero passare il resto della vita incontinenti o impotenti, visto che la maggior parte si sottopone a trattamenti scrupolosi ma potenzialmente inutili.

Non significa che gli uomini debbano evitare il test del PSA e le donne la mammografia. Malgrado i numerosi difetti, infatti, sono i migliori strumenti di screening a nostra disposizione e senza dubbio salvano vite umane, però forse sarebbe opportuno avere più consapevolezza dei limiti. Come accade per ogni problema medico serio, chi è preoccupato dovrebbe consultare un dottore di fiducia.

Le scoperte casuali fatte durante le indagini di routine sono talmente frequenti che i dottori hanno dato loro un nome: incidentalomi. La National Academy of Medicine degli Stati Uniti ha calcolato che 765 miliardi di dollari l'anno – un quarto della spesa sanitaria – vengono sprecati in azioni preventive inutili. Uno studio simile condotto nello stato di Washington ha riscontrato uno spreco persino più elevato, quasi del 50 per cento, e ha concluso che l'85 per cento dei test di laboratorio preoperatori è superfluo.

Spesso il problema dell'eccesso di cure è esacerbato dal timore di procedimenti legali e, va detto, dal desiderio di alcuni medici di arricchirsi. Secondo lo scrittore e medico Jerome Groopman, la maggior parte dei dottori statunitensi è «meno interessata a curare e più attenta a non farsi denunciare e a massimizzare i guadagni». O come ha detto un altro in modo più faceto: «L'eccesso di cure di uno è il guadagno di un altro».[18]

A tal proposito, il settore farmaceutico ha una bella fetta di responsabilità. Le aziende offrono spesso generose ricompense ai medici per promuovere i loro farmaci. Marcia Angell dell'Harvard Medical School ha scritto sulla *New York Review of Books* che «in un modo o nell'altro, la maggior parte dei dottori accetta denaro o regali dalle case farmaceutiche».[19] Alcune li pagano per partecipare a convegni in alberghi di lusso in cui fanno poco più che giocare a golf e spassarsela. Certe li pagano per comparire in articoli scritti da altri o li ricompensano per «ricerche» che non hanno mai svolto. Nel complesso, calcola Angell, ogni anno le case farmaceutiche americane spendono «decine di miliardi» di dollari in pagamenti diretti o indiretti ai medici.

Siamo arrivati al punto decisamente bizzarro di produrre farmaci che assolvono la funzione per cui sono concepiti senza però apportare benefici. Un esempio è l'atenololo, un betabloccante che abbassa la pressione del sangue, ampiamente prescritto fin dal 1976. Uno studio del 2004 condotto su 24.000 pazienti ha scoperto che in effetti il farmaco riduceva la pressione, ma non il numero di infarti o decessi rispetto all'assenza di terapia. Chi assumeva l'atenololo moriva quanto gli altri, però: «nel momento del decesso aveva una pressione migliore»,[20] come è stato osservato.

Le case farmaceutiche non si sono sempre comportate in modo etico. Nel 2007 la Purdue Pharma ha pagato seicento milioni di dollari di multe e penali per aver immesso nel mercato l'oppioide OxyContin (ossicodone) in modo fraudolento, e la Merck ha pagato 950 milioni per non aver rivelato i problemi causati dall'antinfiammatorio Vioxx, che venne ritirato dal commercio, ma non prima di aver provocato forse 140.000 infarti evitabili. La GlaxoSmithKline detiene il primato: tre miliardi di dollari di penali per una valanga di infrazioni. Ma per citare di nuovo Marcia Angell: «Le multe fanno parte del business» e non intaccano affatto gli ingenti profitti realizzati dalle aziende sleali prima di essere trascinate in tribunale.

Persino nei casi migliori e più diligenti, la creazione dei farmaci è un'impresa per definizione aleatoria. Quasi ovunque la legge impone ai ricercatori di testare i farmaci sugli animali prima di provarli sugli esseri umani, ma non sempre gli animali sono surrogati attendibili, perché hanno metabolismi diversi, reagiscono agli stimoli in maniera diversa e contraggono malattie diverse. Come osservò anni fa un ricercatore che studiava la tubercolosi: «I topi non tossiscono». Per quanto frustrante, il concetto è stato ben illustrato dai test dei farmaci per combattere l'Alzheimer. Siccome questo disturbo non li colpisce, i topi devono essere geneticamente alterati affinché nel cervello si accumuli la proteina beta-amiloide associata all'Alzheimer negli umani. Quando i topi modificati sono stati curati con una classe di farmaci detta BACE inibitori, l'accumulo di beta-amiloide si è dissolto per l'entusiasmo dei ricercatori. Quando sono stati testati sugli esseri umani, invece, hanno aggravato la demenza.[21] Alla fine del 2018 tre case farmaceutiche hanno annunciato di voler abbandonare le ricerche sui BACE inibitori.

Un'altra pecca dei trial clinici è che i soggetti testati sono quasi sempre esclusi se hanno altre patologie o sono sotto altre terapie che potrebbero alterare i risultati. Si cerca, in sostanza, di eliminare le cosiddette variabili confondenti. Il problema è che la vita è piena di tali variabili, anche se i test dei farmaci non le prevedono, quindi tante delle possibili conseguenze non vengono testate. È raro, per esempio, sapere cosa succede quando si prendono più farmaci insieme. Secondo uno studio, il 6,5 per cento dei ricoveri in Gran Bretagna è causato dagli effetti collaterali dei farmaci assunti in concomitanza con altri.

Tutte le medicine hanno un misto di benefici e rischi, ma spesso questi ultimi non sono approfonditi. Un'aspirina a basso dosaggio al giorno, così si dice, può contribuire a prevenire l'infarto. È vero, ma fino a un certo punto. Da uno studio condotto su persone che l'avevano presa ogni giorno per cinque anni è emerso che una su 1667 si era risparmiata un problema cardiovascolare, una su 2002 un infarto non fatale e una su 3000 un ictus non fatale, mentre una su 3333 aveva avuto una grave emorragia gastrointestinale che altrimenti si sarebbe evitata. Con un'aspirina al giorno, quindi, ci sono le stesse probabilità sia di sviluppare una grave emorragia interna sia di evitare un infarto o un ictus, ma in entrambi i casi il rischio è comunque minimo.[22]

Nell'estate del 2018 la situazione si è ulteriormente confusa quando Peter Rothwell, professore di Neurologia clinica di Oxford, ha scoperto insieme ai colleghi che in realtà l'aspirina a basso dosaggio è del tutto inefficace riguardo alla riduzione del rischio cardiaco o di cancro in chi pesa 70 chili o più, ma presenta comunque il rischio di grave emorragia interna.[23] Poiché circa l'80 per cento degli uomini e il 50 per cento delle donne supera quel peso, a quanto pare dall'aspirina quotidiana molti non ricavano alcun beneficio pur conservando il rischio. Per Rothwell chi pesa più di 70 chili dovrebbe raddoppiare la dose, magari assumendo la compressa due volte al giorno invece di una, eppure anche questa è solo un'ipotesi.

Nonostante gli enormi e indiscussi benefici, che non è mia intenzione minimizzare, la medicina moderna è imperfetta spesso in modi che ancora non comprendiamo appieno. Nel 2013 un team internazionale di ricercatori ha esaminato alcune prassi mediche diffuse scoprendone 146 in cui «lo standard in uso o non produceva benefici o era meno efficace di quello che aveva rimpiazzato». Da uno studio simile effettuato in Australia è emerso che 156 prassi diffuse «potrebbero essere nocive o inefficaci».

La verità è che la medicina non può fare tutto da sola, e del resto non deve. Sui risultati possono incidere in maniera significativa altri fattori anche sorprendenti. Si pensi per esempio alla gentilezza. Da uno studio sui diabetici condotto nel 2016 in Nuova Zelanda, è emerso che le complicanze gravi erano del 40 per cento inferiori nei pazienti seguiti da medici considerati compassionevoli. Come hanno detto, è «equiparabile ai benefici osservati in presenza della terapia diabetica più intensiva».

In breve, doti comuni quali l'empatia e il buonsenso possono essere importanti quanto le attrezzature più sofisticate. Almeno in tal senso, forse, Thomas McKeown aveva ragione.

23
Il capolinea

Fai attività fisica regolare. Mangia con moderazione. Muori comunque.

ANONIMO

I

Nel 2011 c'è stata un'interessante svolta nella storia umana. Per la prima volta nel mondo si moriva più a causa di disturbi non trasmissibili, come insufficienza cardiaca, ictus e diabete, che di tutte le malattie infettive messe insieme.[1] Viviamo cioè in un'epoca in cui spesso a ucciderci è lo stile di vita. Di fatto siamo noi a scegliere come morire, pur facendolo senza rifletterci troppo né esserne consapevoli.

Circa un quinto di tutte le morti è improvviso, come nel caso di infarto o incidente stradale, e un altro quinto è veloce e sopraggiunge dopo una breve malattia. Eppure la stragrande maggioranza, pari al 60 per cento circa, è il risultato di un declino protratto. Se oggi la durata della vita si è allungata, si è allungata anche quella della morte. «Quasi un terzo degli americani che muoiono dopo i sessantacinque anni passa parte degli ultimi tre mesi di vita nel reparto di terapia intensiva. » È l'avvilente notizia diffusa dall'*Economist* nel 2017.[2]

Non c'è dubbio che si viva più a lungo di sempre. Se oggi un settantenne americano ha solo il 2 per cento di probabilità di morire nel prossimo anno, nel 1940 la stessa possibilità ce l'avevano a cinquantasei anni.[3] Il 90 per cento degli abitanti del mondo sviluppato di solito arriva al sessantacinquesimo compleanno in buona salute.

Ora, però, la tendenza si è invertita. In base a una stima, se domani trovassimo la cura per tutti i tumori aggiungeremmo appena 3,2 anni all'aspettativa di vita complessiva.[4] Con l'eliminazione di ogni forma di cardiopatia ne avremmo solo 5,5 in più. Il motivo è che chi muore di questi mali è già vecchio e se non sono cancro o cardiopatia a ucciderlo sarà altro. E ciò è particolarmente evidente nel caso dell'Alzheimer.[5] Secondo il biologo Leonard Hayflick, se lo debellassimo guadagneremmo appena 19 giorni.

Lo straordinario allungamento della vita ha però un prezzo. Come osserva Daniel Lieberman: «Per ogni anno di vita in più conquistato dal 1990, siamo in salute solo dieci mesi».[6] Quasi la metà dei cinquantenni o ultracinquantenni soffre già di un male cronico o ha un'invalidità. Siamo diventati più bravi ad allungarci la vita, ma non altrettanto a migliorarne la qualità. Alla società gli anziani costano un occhio della testa. Negli Stati Uniti sono poco più di un decimo della popolazione, eppure occupano la metà dei posti letto ospedalieri e consumano un terzo dei farmaci.[7] Per i centri per la prevenzione e il controllo delle malattie, le sole cadute costano 31 miliardi di dollari all'anno.

Il tempo che passiamo in pensione è aumentato sensibilmente, ma non altrettanto il lavoro che ci permette di finanziarlo. Se in media chi è nato prima del 1945 può aspettarsi di godere di appena otto anni di pensione prima di sparire per sempre, chi è nato nel 1971 può aspettarsene una ventina e chi è nato nel 1998, secondo l'attuale tendenza, circa trentacinque: in ogni caso bisogna lavorare quarant'anni. Il grosso dei paesi non ha neppure cominciato ad affrontare i costi di lungo termine dovuti a questi abitanti malati e improduttivi che, semplicemente, continuano a vivere. Per cui aspettiamoci molti problemi sia a livello personale sia sociale.

Sentirsi rallentati, perdere vigore e capacità di recupero, provare l'ineluttabile e costante riduzione dell'abilità di ristabilirsi – in breve, invecchiare – è un fenomeno universale tipico di tutte le specie ed è intrinseco, ha cioè origine all'interno dell'organismo. A un certo punto il corpo decide di invecchiare e morire. Il processo si può rallentare un po' con uno stile di vita attento e virtuoso, ma non si può evitare per sempre. In altri termini, stiamo morendo tutti. Alcuni più in fretta di altri.

Non abbiamo idea del perché si invecchi; anzi, di idee ne abbiamo molte, solo che non sappiamo se e quali siano corrette. Quasi trent'anni fa il biogerontologo russo Zhores Medvedev contò circa trecento teorie scientifiche serie che lo spiegavano, e da allora il numero non si è ridotto.[8] Come hanno scritto il professor José Viña e i suoi colleghi della Universitat de València in una sintesi del pensiero attuale, le teorie rientrano tutte in tre grandi categorie: quella della mutazione genetica (i geni funzionano male e ci uccidono), quella del logoramento (il corpo si consuma) e quella dell'accumulo di sostanze di rifiuto (le cellule sono ostruite da sottoprodotti tossici). È anche possibile che i tre fattori operino insieme o che due siano gli effetti collaterali del terzo. Oppure è tutt'altro. Nessuno lo sa.

Nel 1961 Leonard Hayflick, all'epoca giovane ricercatore del Wistar Institute di Philadelphia, fece una scoperta che quasi tutti gli addetti ai lavori trovarono impossibile da accettare.

Hayflick scoprì che le cellule staminali umane ottenute attraverso coltura – cioè create in laboratorio e non cresciute in un corpo vivente – possono dividersi solo una cinquantina di volte prima di perdere misteriosamente la capacità di continuare.[9] In sostanza sembrano programmate per morire di vecchiaia. Il fenomeno divenne noto come il limite di Hayflick e fu un momento cruciale per la biologia, perché era la prima volta che si dimostrava come l'invecchiamento fosse un processo interno alle cellule. Hayflick scoprì inoltre che quelle ottenute mediante coltura si potevano congelare e conservare a tempo indeterminato, ma una volta scongelate il declino riprendeva da dove si era interrotto. Era evidente che qualcosa al loro interno fungeva da contatore per tenere traccia del numero di divisioni. L'idea che le cellule possiedano una forma di memoria e siano in grado di contare alla rovescia fino all'annientamento era così rivoluzionaria che fu rifiutata quasi all'unanimità.

I risultati di Hayflick languirono per circa un decennio, poi un team di ricercatori della University of California di San Francisco scoprì che ci sono delle porzioni di DNA alla fine di ogni cromosoma, dette telomeri, che svolgono proprio il ruolo di contatori. A ogni divisione cellulare i telomeri si accorciano fino a raggiungere una lunghezza prestabilita (che varia molto da un tipo di cellula all'altro) e a quel punto la cellula muore o diventa inattiva. Grazie a questa scoperta il limite di Hayflick divenne all'improvviso credibile e fu acclamato come il segreto dell'invecchiamento. Fermando l'accorciamento dei telomeri si sarebbe potuto arrestare l'invecchiamento cellulare. I gerontologi di ogni dove si esaltarono.

Purtroppo, però, anni e anni di ricerche hanno dimostrato che l'accorciamento del telomero è responsabile solo di una piccola parte del processo. Dopo i sessant'anni il rischio di morte raddoppia ogni otto anni. Uno studio effettuato dai genetisti della University of Utah ha riscontrato che la lunghezza dei telomeri spiega appena il 4 per cento di rischio in più.[10] Come ha detto la gerontologa Judith Campisi a *Stat* nel 2017: «Se l'invecchiamento fosse dovuto solo ai telomeri, l'avremmo risolto tanto tempo fa».[11]

L'invecchiamento coinvolge ben più dei telomeri e gli stessi sono coinvolti in ben più dell'invecchiamento. La loro chimica è regolata dalla telomerasi, l'enzima che spegne le cellule quando raggiungono il numero prestabilito di divisioni. Alle cancerose invece non intima di smettere di dividersi, lasciando che proliferino a oltranza. Per combattere il cancro si dovrebbe perciò trovare il modo di prendere di mira la telomerasi. Insomma, è chiaro che i telomeri sono importanti per comprendere sia l'invecchiamento sia il cancro, ma purtroppo entrambi i fenomeni sono ancora oscuri.

Altri due elementi ricorrenti nei dibattiti sull'invecchiamento, benché improduttivi, sono i «radicali liberi» e gli «antiossidanti». I radicali liberi sono ciuffetti di rifiuti cellulari che si accumulano nel corpo durante il metabolismo e sono un sottoprodotto dell'ossigeno che respiriamo. Come ha detto un tossicologo: «L'invecchiamento è il prezzo biochimico che paghiamo per la respirazione». Gli antiossidanti sono molecole che neutralizzano i radicali liberi: da questo presupposto la tesi secondo cui assumendone molti sotto forma di integratori si possano contrastare gli effetti dell'invecchiamento. Purtroppo non esistono prove scientifiche che la corroborino.

Quasi nessuno avrebbe sentito parlare di radicali liberi e antiossidanti[12] se, nel 1945, il chimico californiano Denham Harman non avesse letto un articolo pubblicato dalla rivista *Ladies' Home Journal* della moglie e teorizzato che sono entrambi al cuore dell'invecchiamento umano. La sua teoria era poco più di un'intuizione e le ricerche successive la smentirono, eppure attecchì comunque e sembra resistere. Oggi la vendita dei

410

soli integratori antiossidanti vale ben oltre due miliardi di dollari l'anno.

«È un vero e proprio racket»[13] ha detto David Gems dello University College di Londra a *Nature* nel 2015. «L'idea dell'ossidazione e dell'invecchiamento resiste solo perché viene perpetrata da chi ne ricava enormi profitti.»

«Secondo alcuni studi, gli integratori antiossidanti possono addirittura essere nocivi» ha riportato il *New York Times*. Nel 2013 la principale rivista di settore, *Antioxidants and Redox Signaling*, ha scritto che «l'integrazione fornita dagli antiossidanti non riduce l'incidenza di tanti disturbi associati all'età e, in certi casi, aumenta il rischio di morte».[14]

Negli Stati Uniti si aggiunge il fatto, piuttosto singolare, che la Food and Drug Administration non esercita alcuna vigilanza sugli integratori. Purché i prodotti non contengano farmaci soggetti a prescrizione e non uccidano o danneggino gravemente, le aziende possono vendere di fatto ciò che vogliono senza «nessuna garanzia di purezza o efficacia, senza linee guida ufficiali sul dosaggio e spesso senza avvertenze sugli effetti collaterali che potrebbero insorgere se i prodotti sono assunti insieme a farmaci approvati», come si legge in un articolo pubblicato da *Scientific American*. I prodotti *potrebbero* essere benefici, solo che non occorre dimostrarlo.

Anche se Denham Harman non ebbe alcun rapporto con l'industria degli integratori né fu il portavoce delle teorie sugli antiossidanti, assunse per tutta la vita le vitamine C ed E in dosi massicce e mangiò grandi quantità di frutta e verdura ricche di antiossidanti. Va detto che non gli fecero affatto male. Arrivò a ben novantotto anni.

L'invecchiamento ha conseguenze inesorabili per tutti, persino per chi gode di ottima salute. La vescica diventa meno elastica e non trattiene più bene, motivo per cui una delle sventure dell'invecchiamento è essere sempre alla ricerca del bagno. Anche la pelle perde elasticità e diventa più secca e dura. I vasi sanguigni si rompono con maggiore facilità causando lividi. Il sistema immunitario non individua gli invasori con la stessa affidabilità di prima. In genere le cellule pigmentali si riducono, ma quelle che restano a volte si allargano producendo le note macchie, o lentiggini solari senili. Lo strato di grasso associato alla pelle si assottiglia, rendendo più difficile per gli anziani trattenere il calore.

Un aspetto più serio è che la quantità di sangue pompata con ogni battito cardiaco si riduce pian piano. Se non si muore per qualcos'altro, prima o poi il cuore cede. Questa è una certezza. La riduzione del pompaggio apporta meno sangue agli organi. Dopo i quarant'anni il volume di sangue che arriva ai reni diminuisce in media dell'1 per cento all'anno.[15]

Alle donne il processo di invecchiamento viene annunciato con chiarezza dall'arrivo della menopausa. Quando cessano di essere riproduttive le femmine di quasi tutte le specie muoiono, ma non (e per fortuna) le umane, che passano circa un terzo della vita nella fase di post-menopausa. Siamo gli unici primati, e fra i pochissimi animali, ad averla. Il Florey Institute for Neuroscience and Mental Health di Melbourne studia la menopausa sulle pecore per la semplice ragione che sono fra le rare creature di terra che, a quanto si sappia, la hanno. Si conoscono almeno anche due specie di balena.[16] Perché alcuni animali abbiano la menopausa è una domanda ancora senza risposta.

L'aspetto negativo è che la menopausa può essere un calvario. Circa tre quarti delle donne hanno le note vampate (un improvviso calore, di solito nel petto o più su, indotto per motivi ignoti dai cambiamenti ormonali). La menopausa è associata al calo della produzione di estrogeni, eppure non esiste ancora un test in grado di confermarlo in maniera definitiva. Gli indicatori migliori dell'ingresso in menopausa (la perimenopausa) sono irregolarità del ciclo mestruale e probabilità di provare la «sensazione che qualcosa non vada», come ha scritto Rose George per *Mosaic*, la pubblicazione del Wellcome Trust.

La menopausa è misteriosa quanto l'invecchiamento. Le due teorie principali avanzate sono «l'ipotesi della madre» e «l'ipotesi della nonna».[17] In base alla prima, poiché la procreazione è pericolosa e sfiancante, a maggior ragione in età avanzata, la menopausa potrebbe essere una strategia difensiva. In assenza del logorio e della distrazione di ulteriori parti, la donna può concentrarsi sulla propria salute mentre porta a termine l'allevamento dei figli che si affacciano agli anni più produttivi. Il che ci porta alla seconda ipotesi, quella della nonna, in base a cui le donne smettono di riprodursi quando raggiungono la mezza età per aiutare i figli a crescere i *loro* figli.

Per inciso, la menopausa non è innescata dall'esaurimento degli ovuli.[18] Le donne continuano ad averli. Non molti, certo, ma più che a sufficienza per restare fertili. Non è perciò il consumo della riserva di ovuli a dare avvio al processo (come persino alcuni medici sembrano credere). Non si sa quale sia il fattore scatenante.

II

Uno studio condotto nel 2016 dall'Albert Einstein College of Medicine di New York ha concluso che, per quanto l'assistenza sanitaria possa progredire, è improbabile che in molti superino i centoquindici anni.[19] Il biogerontologo (uno studioso dei processi che stanno alla base dell'invecchiamento) della University of Washington Matt Kaeberlein, invece, ritiene probabile che i giovani di oggi vivranno fino al doppio di quanto avviene ora e per il dottor Aubrey de Grey, direttore scientifico della SENS

Research Foundation di Mountain View, California, alcune persone oggi in vita arriveranno a mille anni. Secondo Richard Cawthon, genetista della University of Utah, un simile arco di tempo è possibile, quantomeno in teoria.

Si starà a vedere. Al momento solo uno su diecimila arriva a cento anni.[20] Non si sa granché di quelli che li superano, anche perché non sono tanti. Il Gerontology Research Group della University of California di Los Angeles segue come meglio può i supercentenari del mondo, cioè chi arriva a centodieci anni.[21] Siccome però i registri di gran parte del pianeta lasciano a desiderare e siccome molti, per varie ragioni, si dichiarano più vecchi di quanto non siano, i ricercatori sono prudenti ad accogliere i candidati in questo circolo esclusivo. In genere sui loro registri ci sono settanta supercentenari confermati, ma forse sono solo la metà del dato reale.

Le probabilità di arrivare al centodecimo compleanno sono di una su sette milioni e le donne ne hanno dieci volte più degli uomini. Hanno sempre vissuto più a lungo, un dato interessante ma anche un po' inaspettato visto che gli uomini non muoiono di parto e che, per buona parte della storia, non si sono mai esposti altrettanto da vicino al contagio curando i malati. Eppure in ogni periodo storico e in ogni società mai studiata, le donne in media hanno sempre vissuto diversi anni più degli uomini. Ed è ancora così, malgrado l'assistenza sanitaria sia più o meno uguale.

A quanto se ne sa, la persona che ha vissuto più a lungo in assoluto è Jeanne Louise Calment di Arles, in Provenza, morta nel 1997 alla veneranda età di centoventidue anni e centosessantaquattro giorni. E non ha solo raggiunto i centoventidue anni, ma anche i centosedici, i centodiciassette, i centodiciotto, i centodiciannove, i centoventi e i centoventuno. Calment condusse una vita agiata: suo padre era un ricco costruttore di navi e suo marito un imprenditore benestante. Non lavorò mai, sopravvisse al marito di oltre mezzo secolo e all'unica figlia di sessantatré anni. Fumò per tutta la vita – a centodiciassette anni, subito prima di smettere, fumava ancora due sigarette al giorno – e mangiava un chilo di cioccolato alla settimana. Nonostante ciò fu attiva fino alla fine e godette di ottima salute. In vecchiaia il suo delizioso vanto, che ripeteva con orgoglio, era: «In vita mia ho avuto solo una ruga, ed è quella su cui sono seduta».

Calment fu inoltre la beneficiaria di uno degli accordi più mal calcolati di sempre. Nel 1965, quando si ritrovò in difficoltà economiche, accettò di vendere la nuda proprietà della casa a un avvocato in cambio di 2500 franchi al mese. Poiché lei aveva novant'anni, all'avvocato sembrò un ottimo affare e invece fu lui a morire prima, a trent'anni dalla firma del contratto e dopo aver corrisposto a Calment oltre 900.000 franchi per un appartamento che non riuscì mai a occupare.

L'uomo più vecchio di sempre, invece, è stato il giapponese Jirōemon Kimura, morto nel 2013 a centosedici anni e cinquantaquattro giorni, dopo una vita tranquilla passata a lavorare in un ufficio governativo a cui seguì una lunghissima pensione in un paesino vicino Kyoto. Kimura si attenne a uno stile di vita sano, come del resto milioni di giapponesi. Non si sa cosa gli abbia permesso di vivere più a lungo di tutti noi, però sembra che i geni famigliari abbiano un ruolo importante. Come mi ha detto Daniel Lieberman, arrivare a ottant'anni è in buona parte la conseguenza di uno stile di vita sano, dopo è quasi interamente merito dei geni. O come sostiene Bernard Starr, professore della City University di New York: «Il modo migliore per assicurarsi la longevità è scegliersi i genitori».

Mentre scrivo, nel mondo ci sono tre persone di centoquindici anni (due in Giappone, una in Italia) e tre di centoquattordici (due in Francia, una in Giappone).

Alcuni vivono più a lungo di quanto dovrebbero, in base a qualunque criterio noto. Come scrive Jo Marchant nel suo libro

Cura te stesso, gli abitanti del Costa Rica hanno solo un quinto della ricchezza personale degli americani e una sanità più scadente, ma vivono più a lungo.[22] Fra l'altro quelli di una regione povera come la penisola di Nicoya sono i più longevi di tutti, malgrado soffrano di obesità e ipertensione. E hanno anche telomeri più lunghi. La teoria è che traggono beneficio da legami sociali e rapporti famigliari stretti. È stato inoltre scoperto che, se vivono da soli o non vedono un bambino almeno una volta alla settimana, il vantaggio della lunghezza del telomero svanisce. È straordinario come i rapporti affettivi alterino fisicamente il DNA. Da uno studio americano del 2010, invece, è emerso che non avere queste relazioni raddoppia il rischio di morte per una qualunque causa.

III

Nel novembre del 1901, in un ospedale psichiatrico di Francoforte, la signora Auguste Deter si presentò dal patologo e psichiatra Alois Alzheimer (1864-1915) lamentando una perdita della memoria persistente e in costante peggioramento. Sentiva che la sua personalità scivolava via come sabbia in una clessidra. « Mi sono persa » spiegò sconsolata.

Alzheimer, un bavarese burbero ma gentile con i pince-nez e l'immancabile sigaro all'angolo della bocca, rimase affascinato e frustrato dalla propria incapacità di rallentare il deterioramento della povera signora. Non era un buon periodo neppure per lui. La moglie Cäcilia, con cui era sposato da appena sette anni, era morta qualche mese prima lasciandolo con tre figli da crescere, per cui quando Frau Deter entrò nella sua vita dovette affrontare al tempo stesso il suo più grande dolore e la sua più grande impotenza clinica. Nelle settimane seguenti la confusione e l'agitazione della signora aumentarono e nulla di quanto Alzheimer provò a fare le procurò il benché minimo sollievo.

L'anno dopo si trasferì a Monaco per ricoprire una nuova carica, ma continuò a seguire il declino di Frau Deter da lontano, e quando infine nel 1906 lei morì, Alzheimer si fece mandare il cervello per l'autopsia e scoprì che era pieno di grappoli di cellule distrutte. Riferì i risultati in una conferenza e in un articolo, e da quel momento il suo nome venne sempre associato al disturbo, anche se fu un collega a battezzarlo Alzheimer nel 1910. I campioni di tessuto prelevati da Frau Deter, stranamente sopravvissuti, sono stati ristudiati usando le tecniche moderne: a quanto pare aveva una mutazione genetica diversa da quelle osservate in altri pazienti con l'Alzheimer, quindi forse il disturbo di cui soffriva era la leucodistrofia metacromatica, comunque una malattia genetica.[23] Alzheimer non visse abbastanza a lungo da capire appieno l'importanza dei suoi risultati. Morì per le complicanze di un grave raffreddore nel 1915 a soli cinquantuno anni.

Oggi si sa che l'Alzheimer ha origine dall'accumulo di un frammento della proteina beta-amiloide nel cervello. Non si sa con certezza a cosa servano queste proteine quando funzionano in maniera corretta, ma si ipotizza che siano coinvolte nella formazione dei ricordi. In ogni caso di solito vengono eliminate dopo l'uso, quando non sono più necessarie. Nei pazienti con l'Alzheimer, invece, si accumulano in depositi detti placche e impediscono al cervello di funzionare come dovrebbe.

A malattia avanzata i pazienti accumulano anche piccole fibre intricate di proteina tau, note come ammassi neurofibrillari. Non è chiaro neppure come le proteine tau si rapportino alle beta-amiloidi e come entrambe siano in relazione con l'Alzheimer, però chi soffre di questo disturbo subisce una perdita della memoria costante e irreversibile. Nel suo normale decorso l'Alzheimer distrugge prima i ricordi a breve termine, poi passa a tutti gli altri o quasi, causando confusione, irascibilità, perdita delle inibizioni e infine perdita delle funzioni corporee, comprese respirazione e deglutizione. Si dice che alla fine «ci si dimentica, a livello muscolare, come si espira». Si potrebbe quindi affermare che chi ha l'Alzheimer muore due volte: prima con la mente e poi con il corpo.

Tutto questo si sa da un secolo, il resto è molto vago. Il dato sconcertante è che è possibile avere la demenza senza che ci sia alcun accumulo di proteine beta-amiloidi e tau, ed è altrettanto possibile avere accumuli di entrambe senza che ci sia demenza. Da uno studio è emerso che il 30 per cento circa degli anziani ha sostanziali accumuli di beta-amiloidi ma nessun accenno di deterioramento cognitivo.[24]

Forse le placche e gli ammassi neurofibrillari non sono la causa del disturbo, ma giusto la sua «firma», i segni che lascia. In breve, nessuno sa se le proteine beta-amiloidi e tau ci siano perché il paziente ne produce troppe o perché non riesce a smaltirle in maniera adeguata. In assenza di accordo, i ricercatori si dividono in due: quelli che ritengono responsabile la proteina beta-amiloide (chiamati ironicamente battisti) e quelli che ritengono responsabile la proteina tau (chiamati tauisti). Certo è che le placche e gli ammassi neurofibrillari si accumulano lentamente, quando i segnali della demenza non sono ancora manifesti, quindi per curare l'Alzheimer occorre individuarne gli accumuli prima che causino danni. A oggi manca la tecnologia per farlo, anzi, non siamo neppure in grado di diagnosticare l'Alzheimer con certezza assoluta. L'unico strumento sicuro è l'autopsia, dopo la morte del paziente.

Il mistero principale però è perché ad alcuni venga e ad altri no. All'Alzheimer sono stati associati diversi geni, ma nessuno è stato direttamente accusato di esserne la causa. L'invecchiamento aumenta la predisposizione, eppure la stessa cosa vale per quasi ogni disturbo. Quanto più si è istruiti, tanto meno si rischia l'Alzheimer, anche se una mente attiva e curiosa, a prescindere dalle ore di lezione accumulate in gioventù, quasi certamente riuscirà a tenerlo a bada. La demenza, in ogni sua forma, è assai più rara in chi segue una dieta sana, fa una moderata attività fisica, mantiene il giusto peso, non fuma affatto e non beve troppo. Uno stile di vita virtuoso non elimina il rischio di Alzheimer, ma lo riduce del 60 per cento.[25]

L'Alzheimer è responsabile del 60-70 per cento dei casi di demenza e si pensa colpisca cinquanta milioni di persone in tutto il mondo, ma è solo uno dei circa cento tipi di demenza, spesso difficili da distinguere. Quella a corpi di Lewy, per esempio, è molto simile all'Alzheimer perché comporta l'alterazione delle proteine neuronali (prende il nome dal dottor Friedrich H. Lewy, che lavorò con Alois Alzheimer in Germania). La demenza frontotemporale insorge per via di un danno ai lobi frontale e temporale del cervello, spesso in seguito a ictus. Per i parenti è spesso assai penosa perché chi ne soffre perde le inibizioni e la capacità di controllare gli impulsi rischiando di causare imbarazzo, per esempio svestendosi in pubblico, mangiando gli avanzi degli estranei, rubando al supermercato e così via. La sindrome di Korsakov, che prende il nome dal ricercatore russo del XIX secolo Sergej Korsakov, è invece una demenza spesso dovuta ad alcolismo cronico.

Nel complesso un terzo di chi ha più di sessantacinque anni muore con una qualche forma di demenza. Il costo sociale è ingente, eppure quasi ovunque la ricerca è stranamente sottofinanziata. In Gran Bretagna la demenza costa al National Health Service 26 miliardi di sterline all'anno, ma la ricerca ne riceve appena 90 milioni all'anno, contro i 160 milioni investiti per la cardiopatia e i 500 investiti per il cancro.[26]

Poche malattie si sono rivelate più resistenti alle terapie dell'Alzheimer. È la terza causa di morte fra gli anziani, superata solo da cardiopatia e cancro, e non disponiamo di alcun rimedio

419

efficace. Nei trial clinici i farmaci per l'Alzheimer hanno un tasso di insuccesso del 99,6 per cento, uno dei più alti di tutta la farmacologia.[27] Alla fine degli anni Novanta molti ricercatori dichiararono che la cura era imminente, ma l'annuncio si rivelò prematuro. Un promettente farmaco fu ritirato dopo che quattro persone coinvolte nei trial svilupparono encefalite, un'infiammazione del cervello. Come già detto nel capitolo 22, in parte il problema è che i trial per l'Alzheimer devono essere effettuati sui topi di laboratorio, che non ne soffrono per natura. Siccome le placche nel cervello vanno indotte, le cavie reagiscono ai farmaci in maniera diversa da noi. Molte case farmaceutiche si sono arrese. Nel 2018 la Pfizer ha interrotto la ricerca su Alzheimer e Parkinson tagliando trecento posti di lavoro in due strutture del New England. È quantomai avvilente pensare che, se si presentasse oggi da un medico, la povera Auguste Deter non avrebbe più fortuna di quella che ebbe con Alois Alzheimer quasi centoventi anni fa.

IV

Succede a tutti. Ogni giorno nel mondo muoiono 160.000 persone.[28] Sono circa sessanta milioni all'anno, più o meno pari allo sterminio delle popolazioni di Svezia, Norvegia, Belgio, Austria e Australia messe insieme, anno dopo anno. Eppure sono solo 0,7 decessi su cento persone, quindi ogni dato anno muore meno di una persona su cento. Rispetto ad altri animali siamo piuttosto bravi a sopravvivere.

L'invecchiamento è la via più sicura verso la morte. Nel mondo occidentale il 75 per cento di chi muore di cancro, il 90 per cento di polmonite, il 90 per cento di influenza e l'80 per cento di una qualunque altra causa ha più di sessantacinque anni. È interessante come negli Stati Uniti nessuno muoia di vecchiaia dal 1951, o almeno non ufficialmente, perché quell'anno la «vecchiaia» come causa di decesso fu bandita dai certificati di morte. In Gran Bretagna è ancora consentita, sebbene non sia molto usata.

Per tanti di noi la morte è l'evento più spaventoso che si possa immaginare. Dinanzi alla fine imminente dovuta a un cancro (poi avvenuta nel 2016), Jenny Diski ha raccontato in una serie di commoventi articoli pubblicati dalla *London Review of Books* il «terrore angosciante» di sapere che presto sarebbe successo, «gli artigli affilati come rasoi che affondano nell'organo in cui tutto ciò che temo viene a scorticarmi, a rosicchiarmi e a vivere in me». Eppure, entro certi limiti, possediamo un meccanismo di difesa. In base a uno studio del 2014, pubblicato dal *Journal of Palliative Medicine*, fra il 50 e il 60 per cento dei malati terminali di cancro riferisce di fare sogni vividi ma molto confortanti sulla morte. Un altro studio ha riscontrato l'aumento di sostanze chimiche nel cervello al momento del decesso, fatto che potrebbe spiegare gli intensi racconti di chi sopravvive a un'esperienza di premorte.[29]

Negli ultimi due giorni di vita molti perdono ogni desiderio di mangiare e bere.[30] Alcuni anche la parola. Quando le capacità di tossire e deglutire sono compromesse, spesso si produce un suono stridulo noto come rantolo di morte. Anche se il rumore risulta angoscioso, pare non lo sia per chi lo emette. Un altro tipo di respirazione difficoltosa, detta «agonica», può invece esserlo. Il respiro agonico, o insufficienza respiratoria dovuta a insufficienza cardiaca, può durare da pochi secondi a quaranta minuti abbondanti ed essere estremamente penoso per il moribondo e per i cari al suo capezzale.[31] Un agente bloccante neuromuscolare sarebbe in grado di fermarlo, ma di solito i medici non lo somministrano perché accelera la morte ed è quindi ritenuto contrario all'etica o addirittura illegale, malgrado la fine sia comunque dietro l'angolo.

A quanto pare siamo molto sensibili alla morte e spesso facciamo di tutto pur di rimandare l'inevitabile. Quasi ovunque l'eccesso di cure nei moribondi è di routine. In America un malato terminale di cancro su otto è sottoposto a chemioterapia fino alle ultime due settimane di vita, quando ormai non serve più a niente. Tre diversi studi hanno dimostrato che chi, nelle ultime settimane, riceve cure palliative invece della chemioterapia vive più a lungo e soffre molto meno.[32]

Prevedere la morte, persino quella di chi è in fin di vita, non è facile. Come ha scritto il dottor Steven Hatch della University of Massachusetts Medical School: «In base a uno studio, persino fra malati terminali la cui sopravvivenza media è di appena un mese le previsioni di una settimana di sopravvivenza dei medici erano giuste solo nel 25 per cento dei casi, e in un altro 25 per cento sbagliavano di oltre quattro settimane!»[33]

La morte diventa evidente molto in fretta. Quasi subito il sangue comincia a sparire dai capillari in superficie, conferendo alla pelle il classico pallore spettrale. «Un uomo dopo la morte pare svuotato della sua essenza e, in effetti, lo è: è piatto, privo di tono, non più sostenuto dal soffio vitale che i greci chiamavano *pnéuma*»[34] ha scritto Sherwin B. Nuland in *Come moriamo*. In genere la morte è immediatamente riconoscibile, persino per chi non è abituato a vedere cadaveri.

Il deterioramento dei tessuti comincia quasi subito, ecco perché l'espianto degli organi per il trapianto è così urgente. Il sangue si raccoglie nella parte inferiore del corpo, come impone la forza di gravità, rendendo la pelle violacea per il cosiddetto *livor mortis*. Le cellule interne si deteriorano e gli enzimi fuoriescono dando il via al processo di distruzione detto autolisi (digestione di se stessi). Alcuni organi funzionano più a lungo di altri.[35] Il fegato continua a scomporre l'alcol anche dopo la morte, sebbene non abbia più bisogno di farlo. Anche le cellule muoiono con tempi diversi. Quelle cerebrali sono le più veloci, impiegano non più di tre o quattro minuti, mentre quelle muscolari e cutanee possono durare ore, persino un giorno intero. L'irrigidimento muscolare, noto come *rigor mortis* (letteralmente «rigidità della morte»), inizia in un arco di tempo compreso fra i trenta minuti e le quattro ore, e parte dai muscoli facciali per poi procedere verso le estremità. Il *rigor mortis* dura circa una giornata.

Un cadavere è ancora vivo, solo che non è più la *nostra* vita ma quella dei batteri che ci lasciamo dietro, più altri che accorrono al momento della morte. Mentre divorano il corpo, i batteri intestinali producono vari gas fra cui metano, ammoniaca, acido solfidrico e anidride solforosa, come pure i composti cadaverina e putrescina, dai nomi eloquenti. L'odore di un cadavere in decomposizione diventa insopportabile nel giro di due o tre giorni, molto prima nei climi caldi. E poi si attenua pian piano finché non resta più carne, quindi niente che lo sprigioni. Ovviamente il processo può essere alterato se il corpo finisce in un ghiacciaio o nella torba, dove i batteri non sono in grado di sopravvivere né proliferare, o se è conservato in un ambiente molto asciutto, dove si mummifica. Per inciso, è una falsa credenza, nonché una cosa impossibile dal punto fisiologico, che dopo la morte capelli e unghie continuino a crescere. Dopo la morte non cresce nulla.

Per chi sceglie di essere sepolto, si stima che la decomposizione in una bara sigillata duri fra i cinque e i quarant'anni, e solo per chi non si fa imbalsamare.[36] In media si va a far visita ai defunti per una quindicina di anni, quindi la maggior parte di noi impiega molto più tempo a sparire dal pianeta che dai ricordi degli altri.[37] Un secolo fa si faceva cremare solo una persona su cento, mentre oggi scelgono la cremazione tre quarti dei britannici e il 40 per cento degli americani.[38] Quando ci si fa cremare, le ceneri pesano poco più di due chili.

E finisce così. Però è stato bello finché è durato, no?

Note sulle fonti

Questa sezione è pensata per chi desiderasse verificare o approfondire una o più informazioni. Nel caso di quelle risapute o di facile reperimento – per esempio le funzioni del fegato – non ho citato le fonti. Sono quindi elencate solo quelle riferite ad affermazioni precise, discutibili o per altri versi degne di nota.

1. Come costruire un essere umano

[1] Le informazioni sui costi per costruire un facsimile di Benedict Cumberbatch sono state fornite da Karen Ogilvie della Royal Society of Chemistry di Londra.

[2] Emsley, *Nature's Building Blocks*, p. 4.

[3] *Ibidem*, pp. 379-80.

[4] *Scientific American*, luglio 2015, p. 31.

[5] «Hunting the Elements», *Nova*, 4 aprile 2012.

[6] McNeill, *Face*, p. 27.

[7] West, *Scale*, p. 152.

[8] Pollack, *Signs of Life*, p. 19.

[9] *Ibidem*.

[10] Ball, *Stories of the Invisible*, p. 48.

[11] Challoner, *Cell*, p. 38.

[12] *Nature*, 26 giugno 2014, p. 463.

[13] Arney, *Herding Hemingway's Cats*, p. 184.

[14] *New Scientist*, 15 settembre 2012, pp. 30-33.

[15] Mukherjee, *Gene*, p. 322; Ben-Barak, *Invisible Kingdom*, p. 174.

[16] *Nature*, 24 marzo 2011, p. S2.

[17] Samuel Cheshier, neurochirurgo e professore di Stanford, citato in *Naked Scientist*, podcast, 21 marzo 2017.

[18] «An Estimation of the Number of Cells in the Human Body», *Annals of Human Biology*, novembre-dicembre 2013.

19 *New Yorker*, 7 aprile 2014, pp. 38-39.
20 Hafer, *Not-So-Intelligent Designer*, p. 132.

2. *L'esterno: la pelle, i capelli e i peli*

1 Intervista a Jablonski, State College, Pennsylvania, 29 febbraio 2016.
2 Andrews, *Life That Lives on Man*, p. 31.
3 *Ibidem*, p. 166.
4 *Oxford English Dictionary*.
5 Ackerman, *Natural History of the Senses*, p. 83.
6 Linden, *Touch*, p. 46.
7 «The Magic of Touch», *The Uncommon Senses*, BBC Radio 4, 27 marzo 2017.
8 Linden, *op. cit.*, p. 73.
9 Intervista a Jablonski.
10 Challoner, *op. cit.*, p. 170.
11 Intervista a Jablonski.
12 Jablonski, *Living Color*, p. 14.
13 Jablonski, *Skin*, p. 17.
14 Smith, *Body*, p. 410.
15 Jablonski, *Skin*, p. 90.
16 *Journal of Pharmacology and Pharmacotherapeutics*, aprile-giugno 2012; *New Scientist*, 9 agosto 2014, pp. 34-37.
17 Comunicato stampa dello University College di Londra, «Natural Selection Has Altered the Appearance of Europeans over the Past 5000 Years», 11 marzo 2014.
18 Jablonski, *Living Color*, p. 24.
19 Jablonski, *Skin*, p. 91.
20 «Rapid Evolution of a Skin-Lightening Allele in Southern African KhoeSan», *Proceedings of the National Academy of Sciences*, 26 dicembre 2018.
21 «First Modern Britons Had 'Dark to Black' Skin», *Guardian*, 7 febbraio 2018.
22 *New Scientist*, 3 marzo 2018, p. 12.
23 Jablonski, *Skin*, p. 19.
24 Linden, *op. cit.*, p. 216.
25 «The Naked Truth», *Scientific American*, febbraio 2010.
26 Ashcroft, *Life at the Extremes*, p. 157.
27 *Baylor University Medical Center Proceedings*, luglio 2012, p. 305.
28 «Why Are Humans So Hairy?», *New Scientist*, 17 ottobre 2017.
29 Intervista a Jablonski.

[30] «Do Human Pheromones Actually Exist?», *Science News*, 7 marzo 2017.

[31] Bainbridge, *Teenagers*, pp. 44-45.

[32] *The Curious Cases of Rutherford and Fry*, BBC Radio 4, 22 agosto 2016.

[33] Cole, *Suspect Identities*, p. 49.

[34] Smith, *op. cit.*, p. 409.

[35] Linden, *op. cit.*, p. 37.

[36] «Why Do We Get Prune Fingers?», Smithsonian.com, 6 agosto 2015.

[37] «Adermatoglyphia: The Genetic Disorder of People Born Without Fingerprints», *Smithsonian*, 14 gennaio 2014.

[38] Daniel E. Lieberman, «Human Locomotion and Heat Loss: An Evolutionary Perspective», *Comprehensive Physiology* 5, n. 1 (gennaio 2015).

[39] Jablonski, *Living Color*, p. 26.

[40] Stark, *Last Breath*, pp. 283-85.

[41] Ashcroft, *Life at the Extremes*, p. 139.

[42] *Ibidem*, p. 122.

[43] Tallis, *Kingdom of Infinite Space*, p. 23.

[44] Bainbridge, *Teenagers*, p. 48.

[45] Andrews, *op. cit.*, p. 11.

[46] Gawande, *Better*, pp. 14-15; «What Is the Right Way to Wash Your Hands?», *Atlantic*, 23 gennaio 2017.

[47] National Geographic News, 14 novembre 2012.

[48] Blaser, *Missing Microbes*, p. 200.

[49] David Shultz, «What the Mites on Your Face Say About Where You Came From», *Science*, 14 dicembre 2015, www.sciencemag.org.

[50] Linden, *op. cit.*, p. 185.

[51] *Ibidem*, pp. 187-89.

[52] Andrews, *op. cit.*, pp. 38-39.

[53] *Baylor University Medical Center Proceedings*, luglio 2012, p. 305.

[54] Andrews, *op. cit.*, p. 42.

3. Il nostro lato microbico

[1] Ben-Barak, *op. cit.*, p. 58.

[2] Intervista al professor Christopher Gardner di Stanford, Palo Alto, 29 gennaio 2018.

[3] *Baylor University Medical Center Proceedings*, luglio 2014; West, *op. cit.*, p. 1.

[4] Crawford, *Invisible Enemy*, p. 14.

[5] Lane, *Power, Sex, Suicide*, p. 114.

[6] Maddox, *What Remains to Be Discovered*, p. 170.

[7] Crawford, *Invisible Enemy*, p. 13.

[8] «Learning About Who We Are», *Nature*, 14 giugno 2012; «Molecular-Phylogenetic Characterization of Microbial Community Imbalances in Human Inflammatory Bowel Diseases», *Proceedings of the National Academy of Sciences*, 15 agosto 2007.

[9] Blaser, *op. cit.*, p. 25; Ben-Barak, *op. cit.*, p. 13.

[10] *Nature*, 8 giugno 2016.

[11] «The Inside Story», *Nature*, 28 maggio 2008.

[12] Crawford, *Invisible Enemy*, pp. 15-16; Pasternak, *Molecules Within Us*, p. 143.

[13] «The Microbes Within», *Nature*, 25 febbraio 2015.

[14] «They Reproduce, but They Don't Eat, Breathe, or Excrete», *London Review of Books*, 9 marzo 2001.

[15] Ben-Barak, *op. cit.*, p. 4.

[16] Roossinck, *Virus*, p. 13.

[17] *Economist*, 24 giugno 2017, p. 76.

[18] Zimmer, *Planet of Viruses*, pp. 42-44.

[19] Crawford, *Deadly Companions*, p. 13.

[20] «Cold Comfort», *New Yorker*, 11 marzo 2002, p. 42.

[21] «Unraveling the Key to a Cold Virus's Effectiveness», *New York Times*, 8 gennaio 2015.

[22] «Cold Comfort», *cit.*, p. 45.

[23] *Baylor University Medical Center Proceedings*, gennaio 2017, p. 127.

[24] «Germs Thrive at Work, Too», *Wall Street Journal*, 30 settembre 2014.

[25] *Nature*, 25 giugno 2015, p. 400.

[26] *Scientific American*, dicembre 2013, p. 47.

[27] «Giant Viruses», *American Scientist*, luglio-agosto 2011; Zimmer, *Planet of Viruses*, pp. 89-91; «The Discovery and Characterization of Mimivirus, the Largest Known Virus and Putative Pneumonia Agent», *Emerging Infections*, 21 maggio 2007; «Ironmonger Who Found a Unique Colony», *Daily Telegraph*, 15 ottobre 2004; *Bradford Telegraph and Argus*, 15 ottobre 2014; «Out on a Limb», *Nature*, 4 agosto 2011.

[28] Le Fanu, *Rise and Fall of Modern Medicine*, p. 179.

[29] *Journal of Antimicrobial Chemotherapy* 71 (2016).

[30] Lax, *Mould in Dr Florey's Coat*, pp. 77-79.

[31] *Oxford Dictionary of National Biography*, alla voce «Chain, Sir Ernst Boris».

[32] Le Fanu, *Rise and Fall of Modern Medicine*, pp. 3-12; *Economist*, 21 maggio 2016, p. 19.

[33] «Penicillin Comes to Peoria», *Historynet*, 2 giugno 2014.

[34] Blaser, *op. cit.*, p. 60; « The Real Story Behind Penicillin », sito web *PBS NewsHour*, 27 settembre 2013.

[35] *Oxford Dictionary of National Biography*, alla voce « Florey, Howard Walter ».

[36] *Oxford Dictionary of National Biography*, alla voce « Chain, Sir Ernst Boris ».

[37] *New Yorker*, 22 ottobre 2012, p. 36.

[38] Intervista a Michael Kinch, Washington University di St. Louis, 18 aprile 2018.

[39] « Superbug: An Epidemic Begins », *Harvard Magazine*, maggio-giugno 2014.

[40] Blaser, *op. cit.*, p. 85; *Baylor University Medical Center Proceedings*, luglio 2012, p. 306.

[41] Blaser, *op. cit.*, p. 84.

[42] *Baylor University Medical Center Proceedings*, luglio 2012, p. 306.

[43] Bakalar, *Where the Germs Are*, pp. 5-6.

[44] « Don't Pick Your Nose », *London Review of Books*, luglio 2004.

[45] « World Super Germ Born in Guildford », *Daily Telegraph*, 26 agosto 2001; « Squashing Superbugs », *Scientific American*, luglio 2009.

[46] « A Dearth in Innovation for Key Drugs », *New York Times*, 22 luglio 2014.

[47] *Nature*, 25 luglio 2013, p. 394.

[48] Intervista a Kinch; « Resistance Is Futile », *Atlantic*, 15 ottobre 2011.

[49] « Antibiotic Resistance Is Worrisome, but Not Hopeless », *New York Times*, 8 marzo 2016.

[50] BBC *Inside Science*, BBC Radio 4, 9 giugno 2016; *Chemistry World*, marzo 2018, p. 51.

[51] *New Scientist*, 14 dicembre 2013, p. 36.

[52] « Reengineering Life », *Discovery*, BBC Radio 4, 8 maggio 2017.

4. Il cervello

[1] « Thanks for the Memory », *New York Review of Books*, 5 ottobre 2006; Lieberman, *Evolution of the Human Head*, p. 211.

[2] « Solving the Brain », *Nature Neuroscience*, 17 luglio 2013.

[3] Allen, *Lives of the Brain*, p. 188.

[4] Bribiescas, *Men*, p. 42.

[5] Winston, *Human Mind*, p. 210.

[6] « Myths That Will Not Die », *Nature*, 17 dicembre 2015.

[7] Eagleman, *Incognito*, p. 2.

[8] Ashcroft, *Spark of Life*, p. 227; Allen, *op. cit.*, p. 19.

[9] « How Your Brain Recognizes All Those Faces », Smithsonian.com, 6 giugno 2017.

[10] Allen, *op. cit.*, p. 14; Zeman, *Consciousness*, p. 57; Ashcroft, *Spark of Life*, pp. 228-29.

[11] « A Tiny Part of the Brain Appears to Orchestrate the Whole Body's Aging », *Stat*, 26 luglio 2017.

[12] O'Sullivan, *Brainstorm*, p. 91.

[13] « What Are Dreams? », *Nova*, PBS, 24 novembre 2009.

[14] « Attention », *New Yorker*, 1° ottobre 2014.

[15] *Nature*, 20 aprile 2017, p. 296.

[16] Le Fanu, *Why Us?*, p. 199.

[17] *Guardian*, 4 dicembre 2003, p. 8.

[18] *New Scientist*, 14 maggio 2011, p. 39.

[19] Bainbridge, *Beyond the Zonules of Zinn*, p. 287.

[20] Lieberman, *Evolution of the Human Head*, p. 183.

[21] Le Fanu, *Why Us?*, p. 213; Winston, *op. cit.*, p. 82.

[22] *The Why Factor*, BBC World Service, 6 settembre 2013.

[23] *Nature*, 7 aprile 2011, p. 33.

[24] Draaisma, *Forgetting*, pp. 163-70; « Memory », *National Geographic*, novembre 2007.

[25] « The Man Who Couldn't Remember », *Nova*, PBS, 1° giugno 2009; « How Memory Speaks », *New York Review of Books*, 22 maggio 2014; *New Scientist*, 28 novembre 2015, p. 36.

[26] *Nature Neuroscience*, febbraio 2010, p. 139.

[27] *Neurosurgery*, gennaio 2011, pp. 6-11.

[28] Ashcroft, *Spark of Life*, p. 229.

[29] *Scientific American*, agosto 2011, p. 35.

[30] « Get Knitting », *London Review of Books*, 18 agosto 2005.

[31] *New Yorker*, 31 agosto 2015, p. 85.

[32] « Human Brains Make New Nerve Cells », *Science News*, 5 aprile 2018; trascrizione di *All Things Considered*, National Public Radio, 17 marzo 2018.

[33] Le Fanu, *Why Us?*, p. 192.

[34] « The Mystery of Consciousness », *New York Review of Books*, 2 novembre 1995.

[35] Dittrich, *Patient H.M.*, p. 79.

[36] « Unkind Cuts », *New York Review of Books*, 24 aprile 1986.

[37] « The Lobotomy Files: One Doctor's Legacy », *Wall Street Journal*, 12 dicembre 2013.

[38] El-Hai, *Lobotomist*, p. 209.

[39] *Ibidem*, p. 171.

[40] *Ibidem*, pp. 173-74.

[41] Sanghavi, *Map of the Child*, p. 107; Bainbridge, *Beyond the Zonules of Zinn*, pp. 233-35.

[42] Lieberman, *Evolution of the Human Head*, p. 217.

[43] *Literary Review*, agosto 2016, p. 36.

[44] *British Medical Journal* 315 (1997).

[45] «Can the Brain Explain Your Mind?», *New York Review of Books*, 24 marzo 2011.

[46] «Urge», *New York Review of Books*, 24 settembre 2015.

[47] Sternberg, *NeuroLogic*, p. 133.

[48] Owen, *Into the Grey Zone*, p. 4.

[49] «The Mind Reader», *Nature Neuroscience*, 13 giugno 2014.

[50] Lieberman, *Evolution of the Human Head*, p. 556; «If Modern Humans Are So Smart, Why Are Our Brains Shrinking?», *Discover*, 20 gennaio 2011.

5. La testa

[1] Larson, *Severed*, p. 13.

[2] *Ibidem*, p. 246.

[3] *Australian Indigenous Law Review*, n. 92 (2007); *New Literatures Review*, University of Melbourne, ottobre 2004.

[4] *Anthropological Review*, ottobre 1868, pp. 386-94.

[5] Blakelaw e Jennett, *Oxford Companion to the Body*, p. 249; *Oxford Dictionary of National Biography*.

[6] Gould, *Mismeasure of Man*, p. 138.

[7] Le Fanu, *Why Us?*, p. 180; «The Inferiority Complex», *New York Review of Books*, 22 ottobre 1981.

[8] McNeill, *op. cit.*, p. 180; Perrett, *In Your Face*, p. 21; «A Conversation with Paul Ekman», *New York Times*, 5 agosto 2003.

[9] McNeill, *op. cit.*, p. 4.

[10] *Ibidem*, p. 26.

[11] *New Yorker*, 12 gennaio 2015, p. 35.

[12] «Conversation with Paul Ekman», *cit.*

[13] «Scientists Have an Intriguing New Theory About Our Eyebrows and Foreheads», *Vox*, 9 aprile 2018.

[14] Perrett, *op. cit.*, p. 18.

[15] Lieberman, *Evolution of the Human Head*, p. 312.

[16] *The Uncommon Senses*, BBC Radio 4, 20 marzo 2017.

[17] «Blue Sky Sprites», *Naked Scientists*, podcast, 17 maggio 2016; «Evolution of the Human Eye», *Scientific American*, luglio 2011, p. 53.

[18] «Meet the Culprits Behind Bright Lights and Strange Floaters in Your Vision», Smithsonian.com, 24 dicembre 2014.

[19] McNeill, *op. cit.*, p. 24.

[20] Davies, *Life Unfolding*, p. 231.

[21] Lutz, *Crying*, pp. 67-68.

[22] *Ibidem*, p. 69.

[23] Lieberman, *Evolution of the Human Head*, p. 388.

[24] «Outcasts of the Islands», *New York Review of Books*, 6 marzo 1997.

[25] *National Geographic*, febbraio 2016, p. 56.

[26] *New Scientist*, 14 maggio 2011, p. 356; Eagleman, *Brain*, p. 60.

[27] Blakelaw e Jennett, *op. cit.*, p. 82; Roberts, *Incredible Unlikeliness of Being*, p. 114; Eagleman, *Incognito*, p. 32.

[28] Shubin, *Your Inner Fish*, pp. 160-62.

[29] Goldsmith, *Discord*, pp. 6-7.

[30] *Ibidem*, p. 161.

[31] Bathurst, *Sound*, pp. 28-29.

[32] *Ibidem*, p. 124.

[33] Bainbridge, *Beyond the Zonules of Zinn*, p. 110.

[34] Francis, *Adventures in Human Being*, p. 63.

[35] «World Without Scent», *Atlantic*, 12 settembre 2015.

[36] Intervista a Gary Beauchamp, Monell Chemical Senses Center, Philadelphia, 2016.

[37] Al-Khalili e McFadden, *Life on the Edge*, pp. 158-59.

[38] Shepherd, *Neurogastronomy*, pp. 34-37.

[39] Gilbert, *What the Nose Knows*, p. 45.

[40] Brooks, *At the Edge of Uncertainty*, p. 149.

[41] «Secret of Liquorice Smell Unravelled», *Chemistry World*, gennaio 2017.

[42] Holmes, *Flavor*, p. 49.

[43] *Science*, 21 marzo 2014.

[44] «Sniffing Out Answers: A Conversation with Markus Meister», comunicato stampa del Caltech, 8 luglio 2015 (www.caltech.edu/about/news/sniffing-out-answers-conversation-markus-meister-47229).

[45] Sito web della Monell, «Olfaction Primer: How Smell Works».

[46] «Mechanisms of Scent-Tracking in Humans», *Nature*, 4 gennaio 2007.

[47] Holmes, *op. cit.*, p. 63.

[48] Gilbert, *op. cit.*, p. 63.

[49] Platoni, *We Have the Technology*, p. 39.

[50] Blodgett, *Remembering Smell*, p. 19.

6. Sottocoperta: la bocca e la gola

[1] «Profiles», *New Yorker*, 9 settembre 1953; Vaughan, *Isambard Kingdom Brunel*, pp. 196-97.

[2] Birkhead, *Most Perfect Thing*, p. 150.

[3] Collis, *Living with a Stranger*, p. 20.

[4] Lieberman, *Evolution of the Human Head*, p. 297.

[5] «The Choke Artist», *New Republic*, 23 aprile 2007; necrologio del *New York Times*, 23 aprile 2007.

[6] Cappello, *Swallow*, pp. 4-6; *New York Times*, 11 gennaio 2011.

[7] *Annals of Thoracic Surgery* 57 (1994), pp. 502-5.

[8] «Gut Health May Begin in the Mouth», *Harvard Magazine*, 20 ottobre 2017.

[9] Tallis, *op. cit.*, p. 25.

[10] «Natural Painkiller Found in Human Spit», *Nature*, 13 novembre 2006.

[11] Enders, *Gut*, p. 22.

[12] *Scientific American*, maggio 2013, p. 20.

[13] *Ibidem*.

[14] Comunicato stampa della Clemson University, «A True Food Myth Buster», 13 dicembre 2011.

[15] Ungar, *Evolution's Bite*, p. 5.

[16] Lieberman, *Evolution of the Human Head*, p. 226.

[17] *New Scientist*, 16 marzo 2013, p. 45.

[18] *Nature*, 21 giugno 2012, p. S2.

[19] Roach, *Gulp*, p. 46.

[20] *New Scientist*, 8 agosto 2015, pp. 40-41.

[21] Ashcroft, *Life at the Extremes*, p. 54; «Last Supper?», *Guardian*, 5 agosto 2016.

[22] «I Wanted to Die. It Was So Grim», *Daily Telegraph*, 2 agosto 2011.

[23] «A Matter of Taste?», *Chemistry World*, febbraio 2017; Holmes, *op. cit.*, p. 83; «Fire-Eaters», *New Yorker*, 4 novembre 2013.

[24] Holmes, *op. cit.*, p. 85.

[25] *Baylor University Medical Center Proceedings*, gennaio 2016, p. 47.

[26] *New Scientist*, 8 agosto 2015, pp. 40-41.

[27] Mouritsen e Styrbæk, *Umami*, p. 28.

[28] Holmes, *op. cit.*, p. 21.

[29] BMC *Neuroscience*, 18 settembre 2007.

[30] *Scientific American*, gennaio 2013, p. 69.

[31] Lieberman, *Evolution of the Human Head*, p. 315.

[32] *Ibidem*, p. 284.

[33] «The Paralysis of Stuttering», *New York Review of Books*, 26 aprile 2012.

7. Il cuore e il sangue

[1] Citato in «In the Hands of Any Fool», *London Review of Books*, 3 luglio 1997.

[2] Peto, *Heart*, p. 30.

[3] Nuland, *How We Die*, p. 22.

[4] Morris, *Bodywatching*, p. 11.

[5] Blakelaw e Jennett, *op. cit.*, pp. 88-89.

[6] *The Curious Cases of Rutherford and Fry*, BBC Radio 4, 13 settembre 2016.

[7] Amidon e Amidon, *Sublime Engine*, p. 116; *Oxford Dictionary of National Biography*, alla voce «Hales, Stephen».

[8] «Why So Many of Us Die of Heart Disease», *Atlantic*, 6 marzo 2018.

[9] «New Blood Pressure Guidelines Put Half of US Adults in Unhealthy Range», *Science News*, 13 novembre 2017.

[10] Amidon e Amidon, *op. cit.*, p. 227.

[11] Health, United States, 2016, pubblicazione del Department of Health and Social Security n. 2017-1232, maggio 2017.

[12] Wolpert, *You're Looking Very Well*, p. 18; «Don't Try This at Home», *London Review of Books*, 29 agosto 2013.

[13] *Baylor University Medical Center Proceedings*, aprile 2017, p. 240.

[14] Brooks, *op. cit.*, pp. 104-5.

[15] Amidon e Amidon, *op. cit.*, pp. 191-92.

[16] «When Genetic Autopsies Go Awry», *Atlantic*, 11 ottobre 2016.

[17] Pearson, *Life Project*, pp. 101-3.

[18] *Ibidem*; framinghamheartstudy.org.

[19] Nourse, *Body*, p. 85.

[20] Le Fanu, *Rise and Fall of Modern Medicine*, p. 95; National Academy of Sciences, memorie di Harris B. Schumacher Jr., Washington, 1982.

[21] Ashcroft, *Spark of Life*, pp. 152-53.

[22] Necrologio del *New York Times*, 21 agosto 2000; «Interview: Dr. Steven E. Nissen», *Take One Step*, PBS, agosto 2006, www.pbs.org.

[23] *Baylor University Medical Center Proceedings*, ottobre 2017, p. 476.

[24] *Ibidem*, p. 247.

[25] Le Fanu, *Rise and Fall of Modern Medicine*, p. 102.

[26] Amidon e Amidon, *op. cit.*, pp. 198-99.

[27] *Economist*, 28 aprile 2018, p. 56.

[28] Kinch, *Prescription for Change*, p. 112.

[29] Welch, *Less Medicine, More Health*, pp. 34-36.

[30] *Ibidem*, p. 38.

[31] Collis, *op. cit.*, p. 28.

[32] Pasternak, *op. cit.*, p. 58.

[33] Hill, *Blood*, pp. 14-15.

[34] *Economist*, 12 maggio 2018, p. 12.

[35] Annals of Medicine, *New Yorker*, 31 gennaio 1970.

[36] Blakelaw e Jennett, *op. cit.*, p. 85.

[37] Miller, *The Body in Question*, pp. 121-22.

[38] *Nature*, 28 settembre 2017, p. S13.

[39] Zimmer, *Soul Made Flesh*, p. 74.

[40] Wootton, *Bad Medicine*, pp. 95-98.

[41] «An Account of the Experiment of Transfusion, Practised upon a Man in London», *Proceedings of the Royal Society of London*, 9 dicembre 1667.

[42] Zimmer, *Soul Made Flesh*, p. 152.

[43] «Politics of Yellow Fever in Alexander Hamilton's America», US National Library of Medicine, senza data (www.nlm.nih.gov/exhibition/politicsofyellowfever/collection-transcript14.html).

[44] «An Autopsy of Dr. Osler», *New York Review of Books*, 25 maggio 2000.

[45] Nourse, *op. cit.*, p. 184.

[46] Sanghavi, *op. cit.*, p. 64.

[47] Intervista al dottor Allan Doctor, Oxford, 18 settembre 2018.

[48] «The Quest for One of Science's Holy Grails: Artificial Blood», *Stat*, 27 febbraio 2017; «Red Blood Cell Substitutes», *Chemistry World*, 16 febbraio 2018.

[49] «Save Blood, Save Lives», *Nature*, 2 aprile 2015.

8. Il dipartimento di chimica

[1] Bliss, *Discovery of Insulin*, p. 37.

[2] *Ibidem*, pp. 12-13.

[3] «The Pissing Evile», *London Review of Books*, 1° dicembre 1983.

[4] «Cause and Effect», *Nature*, 17 maggio 2012.

[5] *Nature*, 26 maggio 2016, p. 460.

[6] «The Edmonton Protocol», *New Yorker*, 10 febbraio 2003.

[7] Intervista al dottor John Wass, Oxford, 21 marzo e 17 settembre 2018.

[8] Sengoopta, *Most Secret Quintessence of Life*, p. 4.

[9] *Journal of Clinical Endocrinology and Metabolism*, 1° dicembre 2006, pp. 4849-53; «The Medical Ordeals of JFK», *Atlantic*, dicembre 2002.

[10] *Nature*, 25 giugno 2015, pp. 410-12.
[11] *Biographical Memoirs of Fellows of the Royal Society*, Londra, novembre 1998; necrologio del *New York Times*, 19 gennaio 1995.
[12] Bribiescas, *op. cit.*, p. 202.
[13] *New Scientist*, 16 maggio 2015, p. 32.
[14] *Nature*, 23 novembre 2017, p. S85; *Annals of Internal Medicine*, 6 novembre 2018.
[15] Pasternak, *op. cit.*, p. 60.
[16] Nuland, *op. cit.*, p. 55.
[17] *Nature*, 9 novembre 2017, p. S40.
[18] Tomalin, *Samuel Pepys*, pp. 60-65.
[19] « Samuel Pepys and His Stones », *Annals of the Royal College of Surgeons* 59 (1977).

9. Nella sala anatomica: lo scheletro

[1] Intervista al dottor Ben Ollivere, Nottingham, 23-24 giugno 2017.
[2] « Yale Students and Dental Professor Took Selfie with Severed Heads », *Guardian*, 5 febbraio 2018.
[3] Wootton, *op. cit.*, p. 74.
[4] Larson, *op. cit.*, p. 217.
[5] Wootton, *op. cit.*, p. 91.
[6] *Baylor University Medical Center Proceedings*, ottobre 2009, pp. 342-45.
[7] « Do Our Bones Influence Our Minds? », *New Yorker*, 1° novembre 2013.
[8] Collis, *op. cit.*, p. 56.
[9] Bollettino della NASA, « Muscle Atrophy ».
[10] *Oxford Dictionary of National Biography*, alla voce « Bell, Sir Charles ».
[11] Roberts, *op. cit.*, pp. 333-35.
[12] Francis, *op. cit.*, pp. 126-27.
[13] « Gait Analysis: Principles and Applications », *American Academy of Orthopaedic Surgeons*, ottobre 1995.
[14] Taylor, *Body by Darwin*, p. 85.
[15] Medawar, *Uniqueness of the Individual*, p. 109.
[16] Wall, *Pain*, pp. 100-1.
[17] « The Coming Revolution in Knee Repair », *Scientific American*, marzo 2015.
[18] Le Fanu, *Rise and Fall of Modern Medicine*, pp. 104-8.
[19] Wolpert, *You're Looking Very Well*, p. 21.

10. *In moto: la postura eretta e l'esercizio fisico*

[1] «Perimortem Fractures in Lucy Suggest Mortality from Fall Out of Tall Tree», *Nature*, 22 settembre 2016.

[2] Lieberman, *Story of the Human Body*, p. 42.

[3] «The Evolution of Marathon Running», *Sports Medicine* 37, n. 4-5 (2007); «Elastic Energy Storage in the Shoulder and the Evolution of High-Speed Throwing in Homo», *Nature*, 27 giugno 2013.

[4] Necrologio in ricordo di Jeremy Morris, *New York Times*, 7 novembre 2009.

[5] *New Yorker*, 20 maggio 2013, p. 46.

[6] *Scientific American*, agosto 2013, p. 71; «Is Exercise Really Medicine? An Evolutionary Perspective», *Current Sports Medicine Reports*, luglio-agosto 2015.

[7] «Watch Your Step», *Guardian*, 3 settembre 2018.

[8] «Is Exercise Really Medicine?», *op. cit.*

[9] Lieberman, *Story of the Human Body*, pp. 217-18.

[10] *Economist*, 5 gennaio 2019, p. 50.

[11] «Is Exercise Really Medicine?», *op. cit.*

[12] Intervista a Lieberman.

[13] «Eating Disorder», *Economist*, 19 giugno 2012.

[14] «The Fat Advantage», *Nature*, 15 settembre 2016.

[15] *Baylor University Medical Center Proceedings*, gennaio 2016.

[16] «Interest in Ketogenic Diet Grows for Weight Loss and Type 2 Diabetes», *Journal of the American Medical Association*, 16 gennaio 2018.

[17] Zuk, *Paleofantasy*, p. 5.

[18] *Economist*, 31 marzo 2018, p. 30.

[19] *Economist*, 6 gennaio 2018, p. 20.

[20] «The Bear's Best Friend», *New York Review of Books*, 12 maggio 2016.

[21] «Exercise in Futility», *Atlantic*, aprile 2016.

[22] Lieberman, *Story of the Human Body*, p. 217.

[23] «Are You Sitting Comfortably? Well, Don't», *New Scientist*, 26 giugno 2013.

[24] «Our Amazingly Plastic Brains», *Wall Street Journal*, 6 febbraio 2015; «The Futility of the Workout-Sit Cycle», *Atlantic*, 16 agosto 2016.

[25] «Killer Chairs: How Desk Jobs Ruin Your Health», *Scientific American*, novembre 2014.

[26] *New Scientist*, 25 agosto 2012, p. 41.

[27] «The Big Fat Truth», *Nature*, 23 maggio 2013.

11. L'equilibrio

[1] Blumberg, *Body Heat*, pp. 35-38.
[2] West, *op. cit.*, p. 197.
[3] Lane, *Power, Sex, Suicide*, p. 179.
[4] Blumberg, *op. cit.*, p. 206.
[5] Royal Society, «Experiments and Observations in an Heated Room by Charles Blagden, 1774».
[6] Ashcroft, *Life at the Extremes*, pp. 133-34; Blumberg, *op. cit.*, pp. 146-47.
[7] Davis, *Beautiful Cure*, p. 113.
[8] «Myth: We Lose Most Heat from Our Heads», *Naked Scientists*, podcast, 24 ottobre 2016.
[9] *Obituary Notices of Fellows of the Royal Society* 5, n. 15 (febbraio 1947), pp. 407-23; *American National Biography*, alla voce «Cannon, Walter Bradford».
[10] «'Voodoo' Death», *American Anthropologist*, aprile-giugno 1942.
[11] West, *op. cit.*, p. 100.
[12] Lane, *Vital Question*, p. 63.
[13] *Biographical Memoirs*, Royal Society, Londra.
[14] *Biochemistry and Biology Molecular Education* 32, n. 1 (2004), pp. 62-66.
[15] «Size and Shape», *Natural History*, gennaio 1974.
[16] «The Indestructible Alkemade», sito web del RAF Museum, 24 dicembre 2014.
[17] *Edmonton Sun*, 28 agosto 2014.
[18] Per i dettagli si veda il sito web noheatstroke.org.
[19] Ashcroft, *Life at the Extremes*, p. 8.
[20] *Ibidem*, p. 26.
[21] *Ibidem*, p. 341.
[22] *Ibidem*, p. 19.
[23] Annas e Grodin, *Nazi Doctors and the Nuremberg Code*, pp. 25-26.
[24] Williams e Wallace, *Unit 731*, p. 42.
[25] «Blood and Money», *New York Review of Books*, 4 febbraio 1999.
[26] Lax, *Toxin*, p. 123.
[27] Williams e Wallace, *op. cit.*

12. Il sistema immunitario

[1] «Ambitious Human Cell Atlas Aims to Catalog Every Type of Cell in the Body», National Public Radio, 13 agosto 2018.

² «Department of Defense», *New York Review of Books*, 8 ottobre 1987.
³ Davis, *Beautiful Cure*, p. 149.
⁴ Intervista al professor Daniel Davis, University of Manchester, 30 novembre 2018.
⁵ Bainbridge, *Visitor Within*, p. 185.
⁶ Davis, *Compatibility Gene*, p. 38.
⁷ *Lancet*, 8 ottobre 2011, p. 1290.
⁸ «Inflamed», *New Yorker*, 30 novembre 2015.
⁹ Intervista a Kinch.
¹⁰ «High on Science», *New York Review of Books*, 16 agosto 1990.
¹¹ Medawar, *op. cit.*, p. 132.
¹² Le Fanu, *Rise and Fall of Modern Medicine*, pp. 121-23; «A Transplant Makes History», *Harvard Gazette*, 22 settembre 2011.
¹³ «The Disturbing Reason Behind the Spike in Organ Donations», *Washington Post*, 17 aprile 2018.
¹⁴ *Baylor University Medical Center Proceedings*, aprile 2014.
¹⁵ «Genetically Engineering Pigs to Grow Organs for People», *Atlantic*, 10 agosto 2017.
¹⁶ Davis, *Beautiful Cure*, p. 149.
¹⁷ Blaser, *op. cit.*, p. 177.
¹⁸ Lieberman, *Story of the Human Body*, p. 178.
¹⁹ Bainbridge, *X in Sex*, p. 157; Martin, *Sickening Mind*, p. 72.
²⁰ *Oxford English Dictionary*.
²¹ «Skin: Into the Breach», *Nature*, 23 novembre 2011.
²² Pasternak, *op. cit.*, p. 174.
²³ «Feed Your Kids Peanuts, Early and Often, New Guidelines Urge», *New York Times*, 5 gennaio 2017.
²⁴ «Lifestyle: When Allergies Go West», *Nature*, 24 novembre 2011; Yong, *I Contain Multitudes*, p. 122; «Eat Dirt?», *Natural History*, senza data.

13. Un bel respiro: i polmoni e la respirazione

¹ *Chemistry World*, febbraio 2018, p. 66.
² *Scientific American*, febbraio 2016, p. 32.
³ «Where Sneezes Go», *Nature*, 2 giugno 2016; «Why Do We Sneeze?», *Smithsonian*, 29 dicembre 2015.
⁴ «Breathe Deep», *Scientific American*, agosto 2012.
⁵ West, *op. cit.*, p. 152.
⁶ Carter, *Marcel Proust*, p. 72.

[7] *Ibidem*, p. 224.

[8] Jackson, *Asthma*, p. 159.

[9] «Lifestyle: When Allergies Go West», *Nature*, 24 novembre 2011.

[10] Intervista al professor Neil Pearce, London School of Hygiene and Tropical Medicine, 28 novembre 2018.

[11] «Asthma: Breathing New Life into Research», *Nature*, 24 novembre 2011.

[12] «Lifestyle: When Allergies Go West»; «Asthma and the Westernization 'Package'», *International Journal of Epidemiology* 31 (2002), pp. 1098-102.

[13] «Lifestyle: When Allergies Go West», *Nature*, 24 novembre 2011.

[14] «Getting Away with Murder», *New York Review of Books*, 19 luglio 2007.

[15] Wootton, *op. cit.*, p. 263.

[16] «Getting Away with Murder», *op. cit.*

[17] A Reporter at Large, *New Yorker*, 30 novembre 1963.

[18] Smith, *op. cit.*, p. 329.

[19] «Cancer: Malignant Maneuvers», *New York Review of Books*, 6 marzo 2008.

[20] «Get the Placentas», *London Review of Books*, 2 giugno 2016.

[21] *Sioux City Journal*, 4 gennaio 2015.

14. *Food, Glorious Food*

[1] *Baylor University Medical Center Proceedings*, gennaio 2017, p. 134.

[2] *American National Biography*, alla voce «Atwater, Wilbur Olin»; sito web dell'Agricultural Research Service, United States Department of Agriculture; sito web della Wesleyan University.

[3] McGee, *On Food and Cooking*, p. 534.

[4] «Everything You Know About Calories Is Wrong», *Scientific American*, settembre 2013.

[5] Intervista al professor Daniel Lieberman, Londra, 22 ottobre 2018.

[6] Gratzer, *Terrors of the Table*, p. 170.

[7] «Nutrition: Vitamins on Trial», *Nature*, 25 giugno 2014.

[8] «How Did We Get Hooked on Vitamins?», *The Inquiry*, BBC World Service, 31 dicembre 2018.

[9] «The Dark Side of Linus Pauling's Legacy», quackwatch.org, 14 settembre 2014.

[10] Smith, *op. cit.*, p. 429.

[11] Challoner, *op. cit.*, p. 38.

[12] McGee, *op. cit.*, p. 534.

[13] *Ibidem*, p. 803.

[14] *New Scientist*, 11 giugno 2016, p. 32.

[15] Lieberman, *Story of the Human Body*, p. 255.

[16] *New Scientist*, 2 agosto 2014, p. 35.

[17] Necrologio in ricordo di Kummerow, *New York Times*, 1° giugno 2017.

[18] *More or Less*, BBC Radio 4, 6 gennaio 2017.

[19] Roach, *Grunt*, p. 133.

[20] «Can You Drink Too Much Water?», *New York Times*, 19 giugno 2015; «Strange but True: Drinking Too Much Water Can Kill», *Scientific American*, 21 giugno 2007.

[21] Zimmer, *Microcosm*, p. 56.

[22] *Nature*, 2 febbraio 2012, p. 27.

[23] *New Scientist*, 18 luglio 2009, p. 32.

[24] Necrologio in ricordo di Keys, *Washington Post*, 2 novembre 2004; necrologio in ricordo di Keys, *New York Times*, 23 novembre 2004; *Journal of Health and Human Behavior*, inverno 1963, pp. 291-93; *American Journal of Clinical Nutrition*, marzo 2010.

[25] «They Starved So That Others Be Better Fed: Remembering Ancel Keys and the Minnesota Experiment», *Journal of Nutrition* 135, n. 6, giugno 2005.

[26] «What Not to Eat», *New York Times*, 2 gennaio 2017; «How Much Harm Can Sugar Do?», *New Yorker*, 8 settembre 2015.

[27] Lieberman, *Story of the Human Body*, p. 265; «Best Before?», *New Scientist*, 17 ottobre 2015.

[28] *Baylor University Medical Center Proceedings*, aprile 2011, p. 158.

[29] «Clearing Up the Confusion About Salt», *New York Times*, 20 novembre 2017.

[30] *Chemistry World*, settembre 2016, p. 50.

[31] *International Journal of Epidemiology*, 17 febbraio 2016.

[32] Intervista al professor Christopher Gardner, Palo Alto, California, 29 gennaio 2018.

[33] *Nature*, 2 febbraio 2012, p. 27.

[34] *National Geographic*, febbraio 2007, p. 49.

15. L'intestino

[1] Vogel, *Life's Devices*, p. 42.

[2] Blakelaw e Jennett, *op. cit.*, p. 19.

[3] «Fiber Is Good for You. Now Scientists May Know Why», *New York Times*, 1° gennaio 2018.

[4] Enders, *op. cit.*, p. 83.

[5] «A Bug in the System», *New Yorker*, 2 febbraio 2015, p. 30.

[6] *Food Safety News*, 27 dicembre 2017.

[7] «A Bug in the System», *op. cit.*, p. 30.

[8] «What to Blame for Your Stomach Bug? Not Always the Last Thing You Ate», *New York Times*, 29 giugno 2017.

[9] «Men and Books», *Canadian Medical Association Journal*, giugno 1959.

[10] «The Global Incidence of Appendicitis: A Systematic Review of Population-Based Studies», *Annals of Surgery*, agosto 2017.

[11] Blakelaw e Jennett, *op. cit.*, p. 43.

[12] Necrologio del *New York Times*, 20 aprile 2005.

[13] «Killing Cures», *New York Review of Books*, 11 agosto 2005.

[14] Money, *Amoeba in the Room*, p. 144.

[15] *Nature*, 21 agosto 2014, p. 247.

[16] Zimmer, *Microcosm*, p. 20; Lane, *Power, Sex, Suicide*, p. 119.

[17] *Clinical Infectious Diseases*, 15 ottobre 2007, pp. 1025-29.

[18] Roach, *Gulp*, p. 253.

[19] «Fatal Colonic Explosion During Colonoscopic Polypectomy», *Gastroenterology* 77, n. 6 (1979).

16. Il sonno

[1] «Sleep Deprivation in the Rat», *Sleep* 12, n. 1 (1989).

[2] *Nature*, 23 maggio 2013, p. S7.

[3] *Scientific American*, ottobre 2015, p. 42.

[4] *New Scientist*, 2 febbraio 2013, pp. 38-39.

[5] «The Stubborn Scientist Who Unraveled a Mystery of the Night», *Smithsonian*, settembre 2003; «Rapid Eye Movement Sleep: Regulation and Function», *Journal of Clinical Sleep Medicine*, 15 giugno 2013.

[6] Martin, *Counting Sheep*, p. 98.

[7] *Ibidem*, pp. 133-39; «Cerebral Hygiene», *London Review of Books*, 29 giugno 2017.

[8] Martin, *Counting Sheep*, p. 104.

[9] *Ibidem*, pp. 39-40.

[10] Burnett, *Idiot Brain*, p. 25; Sternberg, *op. cit.*, pp. 13-14.

[11] Davis, *Beautiful Cure*, p. 133.

[12] Intervista al professor Russell Foster, Brasenose College, Oxford, 17 ottobre 2018.

[13] Bainbridge, *Beyond the Zonules of Zinn*, p. 200.

[14] Shubin, *Universe Within*, pp. 55-67.

[15] Davis, *Beautiful Cure*, p. 37.

[16] «Let Teenagers Sleep In», *New York Times*, 20 settembre 2018.

[17] «In Search of Forty Winks», *New Yorker*, 8-15 febbraio 2016.

[18] «Of Owls, Larks, and Alarm Clocks», *Nature*, 11 marzo 2009.

[19] «Snoring: What to Do When a Punch in the Shoulder Fails», *New York Times*, 11 dicembre 2010.

[20] Zeman, *op. cit.*, pp. 46-47; «The Family That Couldn't Sleep», *New York Times*, 2 settembre 2006.

[21] *Nature*, 10 aprile 2014, p. 181.

[22] «The Wild Frontiers of Slumber», *Nature*, 1° marzo 2018; Zeman, *op. cit.*, pp. 106-9.

[23] *Morning Edition*, National Public Radio, 27 dicembre 2017.

[24] Martin, *Counting Sheep*, p. 140.

17. Nelle parti basse

[1] Ovviamente è una storia inventata.

[2] «Nettie M. Stevens and the Discovery of Sex Determination by Chromosomes», *Isis*, giugno 1978; *American National Biography*.

[3] Bainbridge, *X in Sex*, p. 66.

[4] «The Chromosome Number in Humans: A Brief History», *Nature Reviews Genetics*, 1° agosto 2006.

[5] Ridley, *Genome*, pp. 23-24.

[6] «Vive la Difference», *New York Review of Books*, 12 maggio 2005.

[7] «Sorry, Guys: Your Y Chromosome May Be Doomed», *Smithsonian*, 19 gennaio 2018.

[8] Mukherjee, *Gene*, p. 357.

[9] «Infidels», *New Yorker*, 18-25 dicembre 2017.

[10] Spiegelhalter, *Sex by Numbers*, p. 35.

[11] *American Journal of Public Health*, luglio 1996, pp. 1037-40; «What, How Often, and with Whom?», *London Review of Books*, 3 agosto 1995.

[12] Spiegelhalter, *op. cit.*, p. 2.

[13] *Ibidem*, pp. 218-20.

[14] «Bonobos Join Chimps as Closest Human Relatives», *Science News*, 13 giugno 2012.

[15] Bribiescas, *op. cit.*, pp. 174-76.

[16] Roach, *Bonk*, p. 12.

[17] *American Journal of Obstetrics and Gynecology*, agosto 2001, p. 359.

[18] Cassidy, *Birth*, p. 80.

[19] Bainbridge, *Teenagers*, pp. 254-55.

[20] «Skin Deep», *New York Review of Books*, 7 ottobre 1999.

[21] Morris, *op. cit.*, p. 216; Spiegelhalter, *op. cit.*, pp. 216-17.

18. Il principio: concepimento e nascita

[1] «Not from Venus, Not from Mars», *New York Times*, 25-26 febbraio 2017, edizione internazionale.

[2] «Yes, Sperm Counts Have Been Steadily Declining», Smithsonian.com, 26 luglio 2017.

[3] «Are Your Sperm in Trouble?», *New York Times*, 11 marzo 2017.

[4] Lents, *Human Errors*, p. 100.

[5] «The Divorce of Coitus from Reproduction», *New York Review of Books*, 25 settembre 2014.

[6] Roberts, *op. cit.*, p. 344.

[7] «What Causes Morning Sickness?», *New York Times*, 3 agosto 2018.

[8] Oakley, *Captured Womb*, p. 17.

[9] Epstein, *Get Me Out*, p. 38.

[10] Oakley, *op. cit.*, p. 22.

[11] Sengoopta, *op. cit.*, pp. 16-18.

[12] Cassidy, *op. cit.*, p. 60.

[13] «The Gruesome, Bloody World of Victorian Surgery», *Atlantic*, 22 ottobre 2017.

[14] Oakley, *op. cit.*, p. 62.

[15] Cassidy, *op. cit.*, p. 61.

[16] *Economist*, 18 luglio 2015, p. 41.

[17] *Scientific American*, ottobre 2017, p. 38.

[18] *Nature*, 14 luglio 2016, p. S6.

[19] «The Cesarean-Industrial Complex», *Atlantic*, settembre 2014.

[20] «Stemming the Global Caesarean Section Epidemic», *Lancet*, 13 ottobre 2018.

[21] Blaser, *op. cit.*, p. 95.

[22] Yong, *op. cit.*, p. 130.

[23] *New Yorker*, 22 ottobre 2012, p. 33.

[24] Ben-Barak, *Why Aren't We Dead Yet?*, p. 68.

[25] «Opposition to Breast-Feeding Resolution by U.S. Stuns World Health Officials», *New York Times*, 8 luglio 2018.

19. I nervi e il dolore

[1] «Show Me Where It Hurts», *Nature*, 14 luglio 2016.

[2] Intervista alla professoressa Irene Tracey, John Radcliffe Hospital, Oxford, 18 settembre 2018.

[3] *Oxford Dictionary of National Biography*, alla voce «Sherrington, Sir Charles Scott»; *Nature Neuroscience*, giugno 2010, pp. 429-30.

[4] Annals of Medicine, *New Yorker*, 25 gennaio 2016.

[5] «A Name for Their Pain», *Nature*, 14 luglio 2016; Foreman, *Nation in Pain*, pp. 22-24.

[6] «Headache», *American Journal of Medicine*, gennaio 2018; «Why Migraines Strike», *Scientific American*, agosto 2008; «A General Feeling of Disorder», *New York Review of Books*, 23 aprile 2015.

[7] Dormandy, *Worst of Evils*, p. 483.

[8] *Nature Neuroscience*, aprile 2008, p. 314.

[9] Wolf, *Body Quantum*, p. vii.

[10] *Nature Neuroscience*, aprile 2008, p. 314.

[11] Foreman, *op. cit.*, p. 3.

[12] «The Neuroscience of Pain», *New Yorker*, 2 luglio 2018.

[13] Daudet, *In the Land of Pain*, p. 15.

[14] «Name for Their Pain», *op. cit.*

[15] *Chemistry World*, luglio 2017, p. 28; *Economist*, 28 ottobre 2017, p. 41; «Opioid Nation», *New York Review of Books*, 6 dicembre 2018.

[16] «The Disturbing Reasons Behind the Spike in Organ Donations», *Washington Post*, 17 aprile 2018.

[17] «Feel the Burn», *London Review of Books*, 30 settembre 1999.

[18] «Honest Fakery», *Nature*, 14 luglio 2016.

[19] Marchant, *Cure*, p. 22.

20. *Quando qualcosa va storto: le malattie*

[1] «The Post-viral Syndrome: A Review», *Journal of the Royal College of General Practitioners*, maggio 1987; «A Disease Epidemic in Iceland Simulating Poliomyelitis», *American Journal of Epidemiology* 2 (1950); «Early Outbreaks of 'Epidemic Neuromyasthenia'», *Postgraduate Medical Journal*, novembre 1978; «Annals of Medicine», *New Yorker*, 27 novembre 1965.

[2] «Epidemic Neuromyasthenia: A Syndrome or a Disease?», *Journal of the American Medical Association*, 13 marzo 1972.

[3] Crawford, *Deadly Companions*, p. 18.

[4] «Two Spots and a Bubo», *London Review of Books*, 21 aprile, 2005.

[5] Centri per la prevenzione e il controllo delle malattie, *Emerging Infectious Diseases Journal*, maggio 2015; «Researchers Reveal That Killer 'Bourbon Virus' Is of the Rare Thogotovirus Genus», *Science Times*, 22 febbraio 2015; «Mysterious Virus That Killed a Farmer in Kansas Is Identified», *New York Times*, 23 dicembre 2014.

[6] «Deadly Heartland Virus Is Much More Common Than Scientists Thought», National Public Radio, 16 settembre 2015.

[7] «In Philadelphia 30 Years Ago, an Eruption of Illness and Fear», *New York Times*, 1° agosto 2006.

[8] «Coping with Legionella», *Public Health*, 14 novembre 2000.

[9] «Early Outbreaks of 'Epidemic Neuromyasthenia'».

[10] *New Scientist*, 9 maggio 2015, pp. 30-33.

[11] «Ebola Wars», *New Yorker*, 27 ottobre 2014.

[12] «The Next Plague Is Coming. Is America Ready?», *Atlantic*, luglio-agosto 2018.

[13] «Stone Soup», *New Yorker*, 28 luglio 2014.

[14] Grove, *Tapeworms, Lice, and Prions*, pp. 334-35; *New Yorker*, 26 gennaio 1935; *American National Biography*, alla voce «Mallon, Mary».

[15] Dati dei Centri per la prevenzione e il controllo delle malattie.

[16] «The Awful Diseases on the Way», *New York Review of Books*, 9 giugno 2016.

[17] «Bugs Without Borders», *New York Review of Books*, 16 gennaio 2003.

[18] Centri per la prevenzione e il controllo delle malattie, «Media Statement on Newly Discovered Smallpox Specimens», 8 luglio 2014.

[19] «Phrenic Crush», *London Review of Books*, ottobre 2003.

[20] MacDonald, *Plague and I*, p. 45.

[21] «Killer of the Poor Now Threatens the Wealthy», *Financial Times*, 24 marzo 2014.

[22] *Economist*, 22 aprile 2017, p. 54.

[23] Kaplan, *What's Eating You?*, p. ix.

[24] Mukherjee, *Gene*, pp. 280-86.

[25] *Nature*, 17 maggio 2012, p. S10.

[26] Bainbridge, *Beyond the Zonules of Zinn*, pp. 77-78.

[27] Davies, *op. cit.*, p. 197.

[28] MIT *Technology Review*, novembre-dicembre 2018, p. 44.

[29] Lieberman, *Story of the Human Body*, p. 351.

[30] «The Ghost of Influenza Past and the Hunt for a Universal Vaccine», *Nature*, 8 agosto 2018.

21. Quando qualcosa va davvero storto: il cancro

[1] Bourke, *Fear*, pp. 298-99.

[2] Mukherjee, *Emperor of All Maladies*, pp. 44-45.

[3] Welch, *op. cit.*, p. 71.

[4] «What to Tell Cancer Patients», *Journal of the American Medical Association* 175, n. 13 (1961).

[5] Smith, *op. cit.*, p. 330.

[6] Intervista al dottor Josef Vormoor, Prinses Máxima Centrum, Utrecht, Paesi Bassi, 18-19 gennaio 2019.

[7] Herold, *Stem Cell Wars*, p. 10.

[8] *Nature*, 24 marzo 2011, p. S16.

[9] «The Fat Advantage», *Nature*, 15 settembre 2016; «The Link Between Cancer and Obesity», *Lancet*, 14 ottobre 2017.

[10] *British Journal of Industrial Medicine*, gennaio 1957, pp. 68-70; «Percivall Pott, Chimney Sweeps, and Cancer», *Education in Chemistry*, 11 marzo 2006.

[11] «Toxicology for the 21st Century», *Nature*, 8 luglio 2009.

[12] «Cancer Prevention», *Nature*, 24 marzo 2011, pp. S22-S23.

[13] Armstrong, *p53: The Gene That Cracked the Cancer Code*, pp. 27-29.

[14] «The Awful Diseases on the Way», *New York Review of Books*, 9 giugno 2016.

[15] Timmermann, *History of Lung Cancer*, pp. 6-7.

[16] *Baylor University Medical Center Proceedings*, gennaio 2012.

[17] *American National Biography*, alla voce «Halsted, William Stewart»; «A Very Wide and Deep Dissection», *New York Review of Books*, 20 settembre 2001; Beckhard e Crane, *Cancer, Cocaine, and Courage*, pp. 111-12.

[18] Jorgensen, *Strange Glow*, p. 94.

[19] *Ibidem*, pp. 87-88.

[20] *Ibidem*, p. 123.

[21] Goodman, McElligott e Marks, *Useful Bodies*, pp. 81-82.

[22] *American National Biography*, alla voce «Lawrence, John Hundale».

[23] Armstrong, *op. cit.*, pp. 253-54; *Nature*, 12 gennaio 2017, p. 154.

[24] «Childhood Leukemia Was Practically Untreatable Until Don Pinkel and St. Jude Hospital Found a Cure», *Smithsonian*, luglio 2016.

[25] *Nature*, 30 marzo 2017, pp. 608-9.

[26] «We're Making Real Progress Against Cancer. But You May Not Know It if You're Poor», *Vox*, 2 febbraio 2018.

[27] *Nature*, 24 marzo 2011, p. S4.

22. La medicina buona e la medicina cattiva

[1] «The White Plague», *New York Review of Books*, 26 maggio 1994.

[2] *Literary Review*, ottobre 2012, pp. 47-48; *Guardian*, 2 novembre 2002.

[3] *Economist*, 29 aprile 2017, p. 53.

[4] *Nature*, 24 marzo 2011, p. 446.

[5] Wootton, *op. cit.*, pp. 270-71.

[6] *American Journal of Public Health*, maggio 2002, pp. 725-29; «White Plague», *op. cit.*; Le Fanu, *Rise and Fall of Modern Medicine*, pp. 314-15.

[7] « Between Victoria and Vauxhall », *London Review of Books*, 1° giugno 2017.

[8] *Economist*, 25 marzo 2017, p. 76.

[9] « Why America Is Losing the Health Race », *New Yorker*, 11 giugno 2014.

[10] « Stunning Gap: Canadians with Cystic Fibrosis Outlive Americans by a Decade », *Stat*, 13 marzo 2017.

[11] « The US Spends More on Health Care than Any Other Country », *Washington Post*, 27 dicembre 2016.

[12] « Why America Is Losing the Health Race », *op. cit.*

[13] « American Kids Are 70% More Likely to Die Before Adulthood than Kids in Other Rich Countries », *Vox*, 8 gennaio 2018.

[14] Dati dell'Insurance Institute for Highway Safety.

[15] « The $2.7 Trillion Medical Bill », *New York Times*, 1° giugno 2013.

[16] « Health Spending », dati dell'Organizzazione per la cooperazione e lo sviluppo economico, data.oecd.org.

[17] Jorgensen, *op. cit.*, p. 298.

[18] « The State of the Nation's Health », *Dartmouth Medicine*, primavera 2007.

[19] « Drug Companies and Doctors: A Story of Corruption », *New York Review of Books*, 15 gennaio 2009.

[20] « When Evidence Says No but Doctors Say Yes », *Atlantic*, 22 febbraio 2017.

[21] « Frustrated Alzheimer's Researchers Seek Better Lab Mice », *Nature*, 21 novembre 2018.

[22] « Aspirin to Prevent a First Heart Attack or Stroke », NNT, gennaio 8, 2015, www.thennt.com.

[23] Comunicato stampa del National Institute for Health Research, 16 luglio 2018.

23. Il capolinea

[1] *Nature*, 2 febbraio 2012, p. 27.

[2] *Economist*, 29 aprile 2017, p. 11.

[3] « Special Report on Aging », *Economist*, 8 luglio 2017.

[4] *Economist*, 13 agosto 2016, p. 14.

[5] Intervista a Hayflick, *Nautilus*, 24 novembre 2016.

[6] Lieberman, *Story of the Human Body*, p. 242.

[7] Davis, *Beautiful Cure*, p. 139.

[8] « Rethinking Modern Theories of Ageing and Their Classification », *Anthropological Review* 80, n. 3 (2017).

⁹ «The Disparity Between Human Cell Senescence In Vitro and Lifelong Replication In Vivo», *Nature Biotechnology*, 1° luglio 2002.

¹⁰ Rapporto dello University of Utah Genetic Science Learning Center, «Are Telomeres the Key to Aging and Cancer?»

¹¹ «You May Have More Control over Aging than You Think...», *Stat*, 3 gennaio 2017.

¹² Necrologio in ricordo di Harman, *New York Times*, 28 novembre 2014.

¹³ «Myths That Will Not Die», *Nature*, 17 dicembre 2015; «No Truth to the Fountain of Youth», *Scientific American*, 29 dicembre 2008.

¹⁴ «The Free Radical Theory of Aging Revisited», *Antioxidants and Redox Signaling* 19, n. 8 (2013).

¹⁵ Nuland, *op. cit.*, p. 53.

¹⁶ *Naked Scientists*, podcast, 7 febbraio 2017.

¹⁷ Bainbridge, *Middle Age*, pp. 208-11.

¹⁸ *Ibidem*, p. 199.

¹⁹ *Scientific American*, settembre 2016, p. 58.

²⁰ «The Patient Talks Back», *New York Review of Books*, 23 ottobre 2008.

²¹ «Keeping Track of the Oldest People in the World», *Smithsonian*, 8 luglio 2014.

²² Marchant, *op. cit.*, pp. 206-11.

²³ *Literary Review*, agosto 2016, p. 35.

²⁴ «Tau Protein – Not Amyloid – May Be Key Driver of Alzheimer's Symptoms», *Science*, 11 maggio 2016.

²⁵ «Our Amazingly Plastic Brains», *Wall Street Journal*, 6 febbraio 2015.

²⁶ *Inside Science*, BBC Radio 4, 1° dicembre 2016.

²⁷ *Chemistry World*, agosto 2014, p. 8.

²⁸ Dati statistici dell'Organizzazione mondiale della sanità.

²⁹ *Journal of Palliative Medicine* 17, n. 3 (2014).

³⁰ «What It Feels Like to Die», *Atlantic*, 9 settembre 2016.

³¹ «The Agony of Agonal Respiration: Is the Last Gasp Necessary?», *Journal of Medical Ethics*, giugno 2002.

³² *Economist*, 29 aprile 2017, p. 55.

³³ Hatch, *Snowball in a Blizzard*, p. 7.

³⁴ Nuland, *op. cit.*, p. 122.

³⁵ «Rotting Reactions», *Chemistry World*, settembre 2016.

³⁶ «What's Your Dust Worth?», *London Review of Books*, 14 aprile 2011.

³⁷ *Literary Review*, maggio 2013, p. 43.

³⁸ «What's Your Dust Worth?», *op. cit.*

Bibliografia

ACKERMAN, DIANE, *A Natural History of the Senses*, Chapmans, London, 1990.

ALCABES, PHILIP, *Dread: How Fear and Fantasy Have Fueled Epidemics from the Black Death to Avian Flu*, Public Affairs, New York, 2009.

AL-KHALILI, JIM, e JOHNJOE MCFADDEN, *Life on the Edge: The Coming Age of Quantum Biology*, Bantam Press, London, 2014.

ALLEN, JOHN S., *The Lives of the Brain: Human Evolution and the Organ of Mind*, Belknap Press, Cambridge, Mass., 2009.

AMIDON, STEPHEN e THOMAS AMIDON, *The Sublime Engine: A Biography of the Human Heart*, Rodale, New York, 2011.

ANDREWS, MICHAEL, *The Life That Lives on Man*, Faber and Faber, London, 1976.

ANNAS, GEORGE J. e MICHAEL A. GRODIN, *The Nazi Doctors and the Nuremberg Code: Human Rights in Human Experimentation*, Oxford University Press, Oxford, 1992.

ARIKHA, NOGA, *Passions and Tempers: A History of the Humours*, Ecco, London, 2007.

ARMSTRONG, SUE, *p53: The Gene That Cracked the Cancer Code*, Bloomsbury Sigma, London, 2014.

ARNEY, KAT, *Herding Hemingway's Cats: Understanding How Our Genes Work*, Bloomsbury Sigma, London, 2016.

ASHCROFT, FRANCES, *Life at the Extremes: The Science of Survival*, HarperCollins, London, 2000 [*Oltre ogni limite*, trad. it di Francesco Francis, Mondadori, Milano, 2001].

— *The Spark of Life: Electricity in the Human Body*, Allen Lane, London, 2012.

ASHWELL, KEN, *The Brain Book: Development, Function, Disorder, Health*, Firefly Books, Buffalo, NY, 2012.

BAINBRIDGE, DAVID, *A Visitor Within: The Science of Pregnancy*, Weidenfeld & Nicolson, London, 2000.

451

— *The X in Sex: How the X Chromosome Controls Our Lives*, Harvard University Press, Cambridge, Mass., 2003.

— *Beyond the Zonules of Zinn: A Fantastic Journey Through Your Brain*, Harvard University Press, Cambridge, Mass., 2008.

— *Teenagers: A Natural History*, Portobello Books, London, 2009.

— *Middle Age: A Natural History*, Portobello Books, London, 2012.

BAKALAR, NICHOLAS, *Where the Germs Are: A Scientific Safari*, John Wiley & Sons, New York, 2003.

BALL, PHILIP, *Bright Earth: The Invention of Colour*, Viking, London, 2001.

— *Stories of the Invisible: A Guided Tour of Molecules*, Oxford University Press, Oxford, 2001.

— *H_2O: A Biography of Water*, Phoenix Books, London, 1999.

BARNETT, RICHARD (a cura di MIKE JAY), *Medical London: City of Diseases, City of Cures*, Strange Attractor Press, London, 2008.

BATHURST, BELLA, *Sound: Stories of Hearing Lost and Found*, Profile Books/Wellcome, London, 2017.

BECKHARD, ARTHUR J., e WILLIAM D. CRANE, *Cancer, Cocaine and Courage: The Story of Dr William Halsted*, Messner, New York, 1960.

BEN-BARAK, IDAN, *The Invisible Kingdom: From the Tips of Our Fingers to the Tops of Our Trash – Inside the Curious World of Microbes*, Basic Books, New York, 2009.

— *Why Aren't We Dead Yet?: The Survivor's Guide to the Immune System*, Scribe, Melbourne, 2014.

BENTLEY, PETER J., *The Undercover Scientist: Investigating the Mishaps of Everyday Life*, Random House, London, 2008.

BERENBAUM, MAY R., *Bugs in the System: Insects and Their Impact on Human Affairs*, Helix Books, Reading, Mass., 1995.

BIRKHEAD, TIM, *The Most Perfect Thing: Inside (and Outside) a Bird's Egg*, Bloomsbury, London, 2016.

BLACK, CONRAD, *Franklin Delano Roosevelt: Champion of Freedom*, Weidenfeld & Nicolson, London, 2003.

BLAKELAW, COLIN, e SHEILA JENNETT (a cura di), *The Oxford Companion to the Body*, Oxford University Press, Oxford, 2001.

BLASER, MARTIN, *Missing Microbes: How Killing Bacteria Creates Modern Plagues*, Oneworld, London, 2014.

BLISS, MICHAEL, *The Discovery of Insulin*, Paul Harris Publishing, Edinburgh, 1983.

BLODGETT, BONNIE, *Remembering Smell: A Memoir of Losing – and Discovering – the Primal Sense*, Houghton Mifflin Harcourt, Boston, 2010.

BLUMBERG, MARK S., *Body Heat: Temperature and Life on Earth*, Harvard University Press, Cambridge, Mass., 2002.

BONDESON, JAN, *The Two-Headed Boy, and Other Medical Marvels*, Cornell University Press, Ithaca, 2000.

BOUND ALBERTI, FAY, *Matters of the Heart: History, Medicine, and Emotion*, Oxford University Press, Oxford, 2010.

BOURKE, JOANNA, *Fear: A Cultural History*, Virago, London, 2005.

BRESLAW, ELAINE G., *Lotions, Potions, Pills, and Magic: Health Care in Early America*, New York University Press, New York, 2012.

BRIBIESCAS, RICHARD G., *Men: Evolutionary and Life History*, Harvard University Press, Cambridge, Mass., 2006.

BROOKS, MICHAEL, *At the Edge of Uncertainty: 11 Discoveries Taking Science by Surprise*, Profile Books, London, 2014.

BURNETT, DEAN, *The Idiot Brain: A Neuroscientist Explains What Your Head Is Really Up To*, Guardian Faber, London, 2016.

CAMPENBOT, ROBERT B., *Animal Electricity: How We Learned That the Body and Brain Are Electric Machines*, Harvard University Press, Cambridge, Mass., 2016.

CAPPELLO, MARY, *Swallow. Foreign Bodies, Their Ingestion, Inspiration, and the Curious Doctor Who Extracted Them*, New Press, New York, 2011.

CARPENTER, KENNETH J., *The History of Scurvy and Vitamin C*, Cambridge University Press, Cambridge, 1986.

CARROLL, SEAN B., *The Serengeti Rules: The Quest to Discover How Life Works and Why It Matters*, Princeton University Press, Princeton, N.J., 2016.

CARTER, WILLIAM C., *Marcel Proust: A Life*, Yale University Press, New Haven, 2000.

CASSIDY, TINA, *Birth: A History*, Chatto & Windus, London, 2007.

CHALLONER, JACK, *The Cell: A Visual Tour of the Building Block of Life*, Ivy Press, Lewes, 2015.

COBB, MATTHEW, *The Egg & Sperm Race: The Seventeenth-Century Scientists Who Unravelled the Secrets of Sex, Life and Growth*, Free Press, London, 2006.

COLE, SIMON, *Suspect Identities: A History of Fingerprinting and Criminal Identification*, Harvard University Press, Cambridge, Mass., 2001.

COLLIS, JOHN STEWART, *Living with a Stranger: A Discourse on the Human Body*, Macdonald & Jane's, London, 1978.

CRAWFORD, DOROTHY H., *The Invisible Enemy: A Natural History of Viruses*, Oxford University Press, Oxford, 2000.

— *Deadly Companions: How Microbes Shaped Our History*, Oxford University Press, Oxford, 2007.

CRAWFORD, DOROTHY H., ALAN RICKINSON e INGÓLFUR JOHANNESSEN, *Cancer Virus: The Story of Epstein-Barr Virus*, Oxford University Press, Oxford, 2014.

CRICK, FRANCIS, *What Mad Pursuit: A Personal View of Scientific Discovery*, Weidenfeld & Nicolson, London, 1989.

CUNNINGHAM, ANDREW, *The Anatomist Anatomis'd: An Experimental Discipline in Enlightenment Europe*, Ashgate, London, 2010.

DARWIN, CHARLES, *The Expression of the Emotions in Man and Animals*, John Murray, London, 1872 [*L'espressione delle emozioni nell'uomo e negli animali*, trad. it. di Fiamma Bianchi Bandinelli Baranelli e Isabella C. Blum, Bollati Boringhieri, Torino, 2012].

DAUDET, ALPHONSE, *In the Land of Pain*, Jonathan Cape, London, 2002.

DAVIES, JAMIE A., *Life Unfolding: How the Human Body Creates Itself*, Oxford University Press, Oxford, 2014.

DAVIS, DANIEL M., *The Compatibility Gene*, Allen Lane, London, 2013 [*Il gene della compatibilità*, trad. it di Allegra Panini, Bollati Boringhieri, Torino, 2016].

— *The Beautiful Cure: Harnessing Your Body's Natural Defences*, Bodley Head, London, 2018.

DEHAENE, STANISLAS, *Consciousness and the Brain: Deciphering How the Brain Codes Our Thoughts*, Viking, London, 2014.

DITTRICH, LUKE, *Patient H.M.: A Story of Memory, Madness, and Family Secrets*, Chatto & Windus, London, 2016.

DORMANDY, THOMAS, *The Worst of Evils: The Fight Against Pain*, Yale University Press, New Haven, 2006.

DRAAISMA, DOUWE, *Forgetting: Myths, Perils and Compensations*, Yale University Press, New Haven, 2015.

DUNN, ROB, *The Wild Life of Our Bodies: Predators, Parasites, and Partners That Shape Who We Are Today*, HarperCollins, New York, 2011.

EAGLEMAN, DAVID, *Incognito: The Secret Lives of the Brain*, Pantheon Books, New York, 2011.

— *The Brain: The Story of You*, Canongate, Edinburgh, 2016 [*Il tuo cervello, la tua storia*, trad. it. di Paolo A. Dossena, Corbaccio, Milano, 2006].

EL-HAI, JACK, *The Lobotomist: A Maverick Medical Genius and His Tragic Quest to Rid the World of Mental Illness*, Wiley & Sons, New York, 2005.

EMSLEY, JOHN, *Nature's Building Blocks: An A-Z Guide to the Elements*, Oxford University Press, Oxford, 2001.

ENDERS, GIULIA, *Gut: The Inside Story of Our Body's Most Under-Rated Organ*, Scribe, London, 2015.

EPSTEIN, RANDI HUTTER, *Get Me Out: A History of Childbirth from the Garden of Eden to the Sperm Bank*, W.W. Norton, New York, 2010.

FENN, ELIZABETH A., *Pox Americana: The Great Smallpox Epidemic of 1775-82*, Sutton Publishing, Stroud, Gloucestershire, 2004.

FINGER, STANLEY, *Doctor Franklin's Medicine*, University of Pennsylvania Press, Philadelphia, 2006.

FOREMAN, JUDY, *A Nation in Pain: Healing Our Biggest Health Problem*, Oxford University Press, New York, 2014.

FRANCIS, GAVIN, *Adventures in Human Being*, Profile Books/Wellcome, London, 2015.

FROMAN, ROBERT, *The Many Human Senses*, G. Bell and Sons, London, 1969.

GARRETT, LAURIE, *The Coming Plague: Newly Emerging Diseases in a World Out of Balance*, Farrar, Straus and Giroux, New York, 1994.

GAWANDE, ATUL, *Better: A Surgeon's Notes on Performance*, Profile Books, London, 2007.

GAZZANIGA, MICHAEL S., *Human: The Science Behind What Makes Us Unique*, Ecco, New York, 2008.

GIGERENZER, GERD, *Risk Savvy: How to Make Good Decisions*, Allen Lane, London, 2014.

GILBERT, AVERY, *What the Nose Knows: The Science of Scent in Everyday Life*, Crown Publishers, New York, 2008.

GLYNN, IAN e JENIFER, *The Life and Death of Smallpox*, Profile Books, London, 2004.

GOLDSMITH, MIKE, *Discord: The History of Noise*, Oxford University Press, Oxford, 2012.

GOODMAN, JORDAN, ANTHONY MCELLIGOTT e LARA MARKS (a cura di), *Useful Bodies: Humans in the Service of Medical Science in the Twentieth Century*, Johns Hopkins University Press, Baltimore, 2003.

GOULD, STEPHEN JAY, *The Mismeasure of Man*, W.W. Norton, New York, 1981 [*Intelligenza e pregiudizio*, trad. it. di Alberto Zani, il Saggiatore, Milano, 2006].

GRANT, COLIN, *A Smell of Burning: The Story of Epilepsy*, Jonathan Cape, London, 2016.

GRATZER, WALTER, *Terrors of the Table: The Curious History of Nutrition*, Oxford University Press, Oxford, 2005.

GREENFIELD, SUSAN, *The Human Brain: A Guided Tour*, Weidenfeld & Nicolson, London, 1997.

GROVE, DAVID I., *Tapeworms, Lice, and Prions: A Compendium of Unpleasant Infections*, Oxford University Press, Oxford, 2014.

HAFER, ABBY, *The Not-So-Intelligent Designer: Why Evolution Explains the Human Body and Intelligent Design Does Not*, Cascade Books, Eugene, Oregon, 2015.

HATCH, STEVEN, *Snowball in a Blizzard: The Tricky Problem of Uncertainty in Medicine*, Atlantic Books, London, 2016.

HEALY, DAVID, *Pharmageddon*, University of California Press, Berkeley, 2012.

HELLER, JOSEPH, e SPEED VOGEL, *No Laughing Matter*, Jonathan Cape, London, 1986.

HERBERT, JOE, *Testosterone: Sex, Power, and the Will to Win*, Oxford University Press, Oxford, 2015.

HEROLD, EVE, *Stem Cell Wars: Inside Stories from the Frontlines*, Palgrave Macmillan, London, 2006.

HILL, LAWRENCE, *Blood: A Biography of the Stuff of Life*, Oneworld, London, 2013.

HILLMAN, DAVID e ULRIKA MAUDE, *The Cambridge Companion to the Body in Literature*, Cambridge University Press, Cambridge, 2015.

HOLMES, BOB, *Flavor: The Science of Our Most Neglected Sense*, W.W. Norton, New York, 2017.

HOMEI, AYA e MICHAEL WORBOYS, *Fungal Disease in Britain and the United States 1850-2000: Mycoses and Modernity*, Palgrave Macmillan, Basingstoke, 2013.

INGS, SIMON, *The Eye: A Natural History*, Bloomsbury, London, 2007.

JABLONSKI, NINA, *Skin: A Natural History*, University of California Press, Berkeley, 2006.

— *Living Color: The Biological and Social Meaning of Skin Color*, University of California Press, Berkeley, 2012.

JACKSON, MARK, *Asthma: The Biography*, Oxford University Press, Oxford, 2009.

JONES, JAMES H., *Bad Blood: The Tuskegee Syphilis Experiment*, Collier Macmillan, London, 1981.

JONES, STEVE, *The Language of the Genes: Biology, History and the Evolutionary Future*, Flamingo, London, 1994.

— *No Need for Geniuses: Revolutionary Science in the Age of the Guillotine*, Little, Brown, London, 2016.

JORGENSEN, TIMOTHY J., *Strange Glow: The Story of Radiation*, Princeton University Press, Princeton, N.J., 2016.

KAPLAN, EUGENE H., *What's Eating You?: People and Parasites*, Princeton University Press, Princeton, N.J., 2010.

KINCH, MICHAEL, *A Prescription for Change: The Looming Crisis in Drug Development*, University of North Carolina Press, Chapel Hill, 2016.

— *Between Hope and Fear: A History of Vaccines and Human Immunity*, Pegasus Books, New York, 2018.

— *The End of the Beginning: Cancer, Immunity, and the Future of a Cure*, Pegasus Books, New York, 2019.

LANE, NICK, *Power, Sex, Suicide: Mitochondria and the Meaning of Life*, Oxford University Press, Oxford, 2005.

— *Life Ascending: The Ten Great Inventions of Evolution*, Profile Books, London, 2009.

— *The Vital Question: Why Is Life the Way It Is?*, Profile Books, London, 2015.

LARSON, FRANCES, *Severed: A History of Heads Lost and Heads Found*, Granta, London, 2014 [*Teste mozze*, trad. it. di Luca Fusari, Utet, Torino, 2016].

LAX, ALISTAIR J., *Toxin: The Cunning of Bacterial Poisons*, Oxford University Press, Oxford, 2005.

LAX, ERIC, *The Mould in Dr Florey's Coat: The Remarkable True Story of the Penicillin Miracle*, Little, Brown, London, 2004.

LEAVITT, JUDITH WALZER, *Typhoid Mary: Captive to the Public's Health*, Beacon Press, Boston, 1995.

LE FANU, JAMES, *The Rise and Fall of Modern Medicine*, Abacus, London, 1999.

— *Why Us?: How Science Rediscovered the Mystery of Ourselves*, Harper Press, London, 2009.

LENTS, NATHAN H., *Human Errors: A Panorama of Our Glitches from Pointless Bones to Broken Genes*, Houghton Mifflin Harcourt, Boston, 2018.

LIEBERMAN, DANIEL E., *The Evolution of the Human Head*, Belknap Press, Cambridge, Mass., 2011.

— *The Story of the Human Body: Evolution, Health, and Disease*, Pantheon Books, New York, 2013 [*La storia del corpo umano*, trad. it. di Eva Filoramo, Codice Edizioni, Torino, 2014].

LINDEN, DAVID J., *Touch: The Science of Hand, Heart, and Mind*, Viking, London, 2015.

LUTZ, TOM, *Crying: The Natural and Cultural History of Tears*, W.W. Norton, New York, 1999.

MACDONALD, BETTY, *The Plague and I*, Hammond, Hammond & Co., London, 1948 [*La peste e io. Tutti possono sopravvivere a tutto*, trad. it. di Valentina Ricci, Astoria, Milano, 2017].

MACINNIS, PETER, *The Killer Beans of Calabar and Other Stories*, Allen & Unwin, Sydney, 2004.

MACPHERSON, GORDON, *Black's Medical Dictionary*, 39ª ed., A&C. Black, London, 1999.

MADDOX, JOHN, *What Remains to Be Discovered: Mapping the Secrets of the Universe, the Origins of Life, and the Future of the Human Race*, Macmillan, London, 1998.

MARCHANT, JO, *Cure: A Journey into the Science of Mind Over Body*, Canongate, Edinburgh, 2016 [*Cura te stesso*, trad. it. di Laura Tasso, Mondadori, Milano, 2017].

MARTIN, PAUL, *The Sickening Mind: Brain, Behaviour, Immunity and Disease*, HarperCollins, London, 1997.

— *Counting Sheep: The Science and Pleasures of Sleep and Dreams*, HarperCollins, London, 2002.

McGEE, HAROLD, *On Food and Cooking: The Science and Lore of the Kitchen*, Unwin Hyman, London, 1986.

McNEILL, DANIEL, *The Face*, Hamish Hamilton, London, 1999 [*La faccia*, trad. it. di Luisa Agnese Dalla Fontana, Mondadori, Milano, 2000].

MEDAWAR, JEAN, *A Very Decided Preference: Life with Peter Medawar*, Oxford University Press, Oxford, 1990.

MEDAWAR, P.B., *The Uniqueness of the Individual*, Dover Publications, New York, 1981.

MILLER, JONATHAN, *The Body in Question*, Jonathan Cape, London, 1978.

MONEY, NICHOLAS P., *The Amoeba in the Room: Lives of the Microbes*, Oxford University Press, Oxford, 2014.

MONTAGU, ASHLEY, *The Elephant Man: A Study in Human Dignity*, Allison & Busby, London, 1972.

MORRIS, DESMOND, *Bodywatching: A Field Guide to the Human Species*, Jonathan Cape, London, 1985.

MORRIS, THOMAS, *The Matter of the Heart: A History of the Heart in Eleven Operations*, Bodley Head, London, 2017.

MOURITSEN, OLE G., Klavs Styrbæk, et al., *Umami: Unlocking the Secrets of the Fifth Taste*, Columbia University Press, New York, 2014.

MUKHERJEE, SIDDHARTHA, *The Emperor of All Maladies: A Biography of*

Cancer, Fourth Estate, London, 2011 [*L'imperatore del male*, trad. it. di Roberto Serrai, Mondadori, Milano, 2013].

— *The Gene: An Intimate History*, Bodley Head, London, 2016 [*Il gene*, trad. it. di Laura Serra e Roberto Serrai, Mondadori, Milano, 2016].

NEWMAN, LUCILE F. (a cura di), *Hunger in History: Food Shortage, Poverty and Deprivation*, Basil Blackwell, Oxford, 1999.

NOURSE, ALAN E., *The Body*, Time-Life International, Amsterdam, 1965.

NULAND, SHERWIN B., *How We Die*, Chatto & Windus, London, 1994 [*Come moriamo*, trad. it. di A.F. Tissoni, Mondadori, Milano, 1995].

OAKLEY, ANN, *The Captured Womb: A History of the Medical Care of Pregnant Women*, Blackwell, Oxford, 1984.

O'HARE, MICK (a cura di), *Does Anything Eat Wasps? And 101 Other Questions*, Profile Books, London, 2005.

O'MALLEY, CHARLES D. e J.B. DE C.M. SAUNDERS, *Leonardo da Vinci on the Human Body: The Anatomical, Physiological, and Embryological Drawings of Leonardo da Vinci*, Henry Schuman, New York, 1952.

O'SULLIVAN, SUZANNE, *Brainstorm: Detective Stories from the World of Neurology*, Chatto & Windus, London, 2018.

OWEN, ADRIAN, *Into the Grey Zone: A Neuroscientist Explores the Border Between Life and Death*, Guardian Faber, London, 2017 [*Nella zona grigia*, trad. it. di C. Lazzari, Mondadori, Milano, 2019].

PASTERNAK, CHARLES A., *The Molecules Within Us: Our Body in Health and Disease*, Plenum, New York, 2001.

PEARSON, HELEN, *The Life Project: The Extraordinary Story of Our Ordinary Lives*, Allen Lane, London, 2016.

PERRETT, DAVID, *In Your Face: The New Science of Human Attraction*, Palgrave Macmillan, London, 2010.

PERUTZ, MAX, *I Wish I'd Made You Angry Earlier: Essays on Science, Scientists, and Humanity*, Cold Spring Harbor Laboratory Press, Cold Spring Harbor, 1998.

PETO, JAMES (a cura di), *The Heart*, Yale University Press, New Haven, 2007.

PLATONI, KARA, *We Have the Technology: How Biohackers, Foodies, Physicians, and Scientists Are Transforming Human Perception One Sense at a Time*, Basic Books, New York, 2015.

POLLACK, ROBERT, *Signs of Life: The Language and Meanings of DNA*, Viking, London, 1994.

POSTGATE, JOHN, *The Outer Reaches of Life*, Cambridge University Press, Cambridge, 1991.

PRESCOTT, JOHN, *Taste Matters: Why We Like the Foods We Do*, Reaktion Books, London, 2012.

RICHARDSON, SARAH, *Sex Itself: The Search for Male and Female in the Human Genome*, University of Chicago Press, Chicago, 2013.

RIDLEY, MATT, *Genome: The Autobiography of a Species in 23 Chapters*, Fourth Estate, London, 1999.

RINZLER, CAROL ANN, *Leonardo's Foot: How 10 Toes, 52 Bones, and 66 Muscles Shaped the Human World*, Bellevue Literary Press, New York, 2013.

ROACH, MARY, *Bonk: The Curious Coupling of Sex and Violence*, W.W. Norton, New York, 2008 [*Godere. Orgasmo: il curioso accoppiamento tra scienza e sesso*, trad. it. di Giuliana Lupi, Einaudi, Torino, 2008].

— *Gulp: Adventures on the Alimentary Canal*, W.W. Norton, New York, 2013.

— *Grunt: The Curious Science of Humans at War*, W.W. Norton, New York, 2016.

ROBERTS, ALICE, *The Incredible Unlikeliness of Being: Evolution and the Making of Us*, Heron Books, London, 2014.

ROBERTS, CALLUM, *The Ocean of Life*, Allen Lane, London, 2012.

ROBERTS, CHARLOTTE e KEITH MANCHESTER, *The Archaeology of Disease*, 3ª ed., History Press, Stroud, Gloucestershire, 2010.

ROOSSINCK, MARILYN J., *Virus: An Illustrated Guide to 101 Incredible Microbes*, Ivy Press, Brighton, 2016.

ROUECHÉ, BERTON (a cura di), *Curiosities of Medicine: An Assembly of Medical Diversions 1552-1962*, Victor Gollancz, London, 1963.

RUTHERFORD, ADAM, *Creation: The Origin of Life*, Viking, London, 2013.

— *A Brief History of Everyone Who Ever Lived: The Stories in Our Genes*, Weidenfeld & Nicolson, London, 2016.

SANGHAVI, DARSHAK, *A Map of the Child: A Pediatrician's Tour of the Body*, Henry Holt, New York, 2003.

SCERRI, ERIC, *A Tale of Seven Elements*, Oxford University Press, Oxford, 2013.

SELINUS, OLLE, et al. (a cura di), *Essentials of Medical Geology: Impacts of the Natural Environment on Public Health*, Elsevier, Amsterdam, 2005.

SENGOOPTA, CHANDAK, *The Most Secret Quintessence of Life: Sex, Glands, and Hormones, 1850-1950*, University of Chicago Press, Chicago, 2006.

SHEPHERD, GORDON M., *Neurogastronomy: How the Brain Creates Flavor and Why It Matters*, Columbia University Press, New York, 2012.

SHORTER, EDWARD, *Bedside Manners: The Troubled History of Doctors and Patients*, Viking, London, 1986.

SHUBIN, NEIL, *Your Inner Fish: A Journey into the 3.5 Billion-Year History of the Human Body*, Allen Lane, London, 2008.

— *The Universe Within: A Scientific Adventure*, Allen Lane, London, 2013.

SINNATAMBY, CHUMMY S., *Last's Anatomy: Regional and Applied*, Elsevier, London, 2006.

SKLOOT, REBECCA, *The Immortal Life of Henrietta Lacks*, Macmillan, London, 2010.

SMITH, ANTHONY, *The Body*, George Allen & Unwin, London, 1968.

SPENCE, CHARLES, *Gastrophysics: The New Science of Eating*, Viking, London, 2017.

SPIEGELHALTER, DAVID, *Sex by Numbers: The Statistics of Sexual Behaviour*, Profile/Wellcome, London, 2015.

STARK, PETER, *Last Breath: Cautionary Tales from the Limits of Human Endurance*, Ballantine Books, New York, 2001.

STARR, DOUGLAS, *Blood: An Epic History of Medicine and Commerce*, Little, Brown, London, 1999.

STERNBERG, ELIEZER J., *NeuroLogic: The Brain's Hidden Rationale Behind Our Irrational Behavior*, Pantheon Books, New York, 2015.

STOSSEL, SCOTT, *My Age of Anxiety: Fear, Hope, Dread and the Search for Peace of Mind*, William Heinemann, London, 2014.

TALLIS, RAYMOND, *The Kingdom of Infinite Space: A Fantastical Journey Around Your Head*, Atlantic Books, London, 2008.

TAYLOR, JEREMY, *Body by Darwin: How Evolution Shapes Our Health and Transforms Medicine*, University of Chicago Press, Chicago, 2015.

THWAITES, J.G., *Modern Medical Discoveries*, Routledge & Kegan Paul, London, 1958.

TIMMERMANN, CARSTEN, *A History of Lung Cancer: The Recalcitrant Disease*, Palgrave/Macmillan, London, 2014.

TOMALIN, CLAIRE, *Samuel Pepys: The Unequalled Self*, Viking, London, 2002.

TRUMBLE, ANGUS, *The Finger: A Handbook*, Yale University Press, London, 2010.

TUCKER, HOLLY, *Blood Work: A Tale of Medicine and Murder in the Scientific Revolution*, W.W. Norton, New York, 2011.

UNGAR, PETER S., *Evolution's Bite: A Story of Teeth, Diet, and Human Origins*, Princeton University Press, Princeton, N.J., 2017.

VAUGHAN, ADRIAN, Isambard Kingdom Brunel: Engineering Knight-Errant, John Murray, London, 1991.

461

VOGEL, STEVEN, *Life's Devices: The Physical World of Animals and Plants*, Princeton University Press, Princeton, N.J., 1988.

WALL, PATRICK, *Pain: The Science of Suffering*, Weidenfeld & Nicolson, London, 1999 [*Perché proviamo dolore*, trad. it. di Roberto Marini, Einaudi, Torino, 1999].

WELCH, GILBERT H., *Less Medicine, More Health: Seven Assumptions That Drive Too Much Medical Care*, Beacon Press, Boston, 2015.

WEST, GEOFFREY, *Scale: The Universal Laws of Life and Death in Organisms, Cities and Companies*, Weidenfeld & Nicolson, London, 2017.

WEXLER, ALICE, *The Woman Who Walked into the Sea: Huntington's and the Making of a Genetic Disease*, Yale University Press, New Haven, 2008.

WILLIAMS, PETER e DAVID WALLACE, *Unit 731: The Japanese Army's Secret of Secrets*, Hodder & Stoughton, London, 1989.

WINSTON, ROBERT, *The Human Mind: And How to Make the Most of It*, Bantam Press, London, 2003.

WOLF, FRED ALAN, *The Body Quantum: The New Physics of Body, Mind, and Health*, Macmillan, New York, 1986.

WOLPERT, LEWIS, *You're Looking Very Well: The Surprising Nature of Getting Old*, Faber and Faber, London, 2011.

WOOTTON, DAVID, *Bad Medicine: Doctors Doing Harm Since Hippocrates*, Oxford University Press, Oxford, 2006.

WRANGHAM, RICHARD, *Catching Fire: How Cooking Made Us Human*, Profile Books, London, 2009.

YONG, ED, *I Contain Multitudes: The Microbes Within Us and a Grander View of Life*, Bodley Head, London, 2016.

ZEMAN, ADAM, *Consciousness: A User's Guide*, Yale University Press, New Haven, 2002.

— *A Portrait of the Brain*, Yale University Press, New Haven, 2008.

ZIMMER, CARL, *A Planet of Viruses*, University of Chicago Press, Chicago, 2011.

— *Microcosm: E. coli and the New Science of Life*, Pantheon Books, New York, 2008.

— *Soul Made Flesh: The Discovery of the Brain – and How It Changed the World*, William Heinemann, London, 2004.

ZUK, MARLENE, *Riddled with Life: Friendly Worms, Ladybug Sex, and the Parasites That Make Us Who We Are*, Harvest/Harcourt, Orlando, 2007.

— *Paleofantasy: What Evolution Really Tells Us About Sex, Diet, and How We Live*, W.W. Norton, New York, 2013.

Ringraziamenti

Non credo di essere mai stato in debito con così tante persone, per le consulenze e i consigli elargiti con estrema generosità, come nel caso di questo libro. Desidero ringraziare in particolar modo due persone: mio figlio, il dottor David Bryson, ricercatore di ortopedia pediatrica dell'Alder Hey Children's Hospital di Liverpool, e il mio caro amico Ben Ollivere, professore associato di chirurgia d'urgenza della University of Nottingham e primario di chirurgia del Queen's Medical Centre di Nottingham.

Sono inoltre molto riconoscente nei confronti di quanti elenco qui di seguito.

In Inghilterra: Katie Rollins, Margy Pratten e Siobhan Loughna della Nottingham University e del Queen's Medical Centre di Nottingham; John Wass, Irene Tracey e Russell Foster di Oxford; Neil Pearce della London School of Hygiene and Tropical Medicine; Magnus Bordewich della facoltà di Informatica della Durham University; Karen Ogilvie e Edwin Silvester della Royal Society of Chemistry di Londra; Daniel M. Davis, professore di immunologia e direttore di ricerca del Manchester Collaborative Centre for Inflammation Research della Manchester University, e i suoi colleghi Jonathan Worboys, Poppy Simmonds, Pippa Kennedy e Karoliina Tuomela; Rod Skinner, professore della Newcastle University; Charles Tomson, primario di nefrologia dell'NHS Foundation Trust dei Newcastle upon Tyne Hospitals; il dottor Mark Gompels del North Bristol NHS Trust. Un ringraziamento speciale al mio caro amico Joshua Ollivere.

Negli Stati Uniti: Daniel Lieberman di Harvard; Nina Jablonski della Penn State University; Leslie J. Stein e Gary Beauchamp del Monell Chemical Senses Center di Philadelphia; Allan Doctor e Michael Kinch della Washington University di St. Louis; Matthew Porteus e Christopher Gardner di Stanford; Patrick Losinski e il suo cortese staff della Columbus Metropolitan Library di Columbus, Ohio.

Nei Paesi Bassi: Josef e Britta Vormoor, Hans Clevers, Olaf Heidenreich e Anne Rios del Prinses Máxima Centrum di oncologia pediatrica di Utrecht. E un ringraziamento speciale anche a Johanna e a Benedikt Vormoor.

Ringrazio inoltre Gerry Howard, Dame Gail Rebuck, Susanna Wadeson, Larry Finlay, Amy Black e Kristin Cochrane della Penguin Random House, il geniale artista Neil Gower, Camilla Ferrier e i suoi colleghi della Marsh Agency di Londra, e i miei figli Felicity, Catherine e Sam per il solerte aiuto. Infine, come sempre, un immenso grazie alla mia amata, santa moglie Cynthia.

Indice analitico

coli, 19, 35-36; peli ascellari, 28; peli facciali, 27; peli pubici, 28; pelle glabra, 26-27; pelle pelosa, 26-27; perdita dei peli corporei, 27-28; ricci, 28; scalpo, 28
capsaicina, 120-21, 339
carboidrati, 115, 171, 257, 262, 263-64
carbonio, 8-9, 263, 265
carcinomi, 374
Carter, Henry Vandyke, 186
Cartesio, 297
cartilagine, 182, 190, 194-95
cavità pleurica, 114, 241
Cawthon, Richard, 414
cellule, 12-13; ematiche, 152, 174, 188; invecchiamento, 374; cancro, 14, 372-73, 385; cellule staminali ottenute tramite coltura, 408-9; cellule staminali pluripotenti, 324; cervello, 39, 61, 409; cromosomi, 305; cutanee, 423; energia delle, 214; epitelio, 283; gastrulazione, 324; grassi, 174; immunitarie, 224-25; intestinali, 286; melanociti, 23; mitocondri, 40, 314; nervose, 64; numero delle, 15, 31-32; oculari, 296; ossa, 167; polmoni, 242; recettore del gusto, 118; sperma, 314-15; si vedano anche globuli rossi, globuli bianchi
cellule epiteliali, 374
cellule staminali, 224, 324, 409
cerume, 224
cervello: amigdala, 63; cellule della glia, 75; cellule nervose (neuroni), 61-62, 64, 69, 74-76, 81; centro del linguaggio, 89-90; cervelletto, 63; chirurgia, 72, 77-78; compensazione per la perdita di massa, 76; corteccia cerebrale, 73, 94; corteccia olfattiva, 105; danni, 77, 80; dimensioni, 61, 83; disturbi neurologici, 82-83; efficienza, 61; elaborazione delle informazioni, 64; emisferi, 62; encefalo, 62; epilessia, 72, 77, 81; gangli della base, 64;

ictus, 81; input visivo, 66; ipotalamo, 63, 64, 105, 141, 163, 211, 214, 296; ippocampo, 63, 65, 72, 105, 338; lobi, 62-63; lobo frontale, 63, 77, 78, 89; lobo occipitale, 63; lobo parietale, 63; lobo temporale, 63; materia bianca, 74; materia grigia, 74-75; morte cerebrale, 140-41; sistema limbico, 64-65; struttura, 65-66; sviluppo, 74-75; talamo, 64, 302; tronco encefalico, 63; tumori, 35; uso dell'energia, 60-1
cervice, 316-17
Chain, Ernst, 51, 53
Chang, Tony, 227n
Charnley, John, 195
Cheddar Man, 26
chemioterapia, 383, 384-85, 422
ciclosporina, 140, 232
ciglia (degli occhi), 93
cistifellea, 174-75
citochine, 224, 229
Claverie, Jean-Michel, 48
Clevers, Hans, 172, 286
clitoride, 316
Coga, Arthur, 148
colera, 49, 152, 341
colesterolo, 134, 264-65, 270, 276
colina, 259
Collip, J. B., 160
collo, 111, 183, 345
colon: attività batterica, 278, 279n; cancro, 286, 374, 385, 398; lunghezza, 283; transito del cibo, 278; si vedano anche grande intestino, intestino crasso
Common Cold Unit, 44
consumo di carne, 255, 262, 275, 279, 393
Cook, capitano James, 119, 211
Cooper, Sir Astley, 196
Corday, Charlotte, 86
corea di Huntington, 365
corpuscoli di Meissner, 20
corpuscoli di Pacini, 20
corpuscoli di Ruffini, 20

469

endocrinologia, 162-64, 166-67
endorfine, 120, 164
enzimi: antimicrobici, 5; autolisi, 422; chimica dei telomeri, 409-10, 416; digestivi, 38, 159, 173; produzione, 9, 140; ruolo, 13, 115
epatite B, 376
epatite C, 154, 173, 376
epididimo, 317-18
epiglottide, 111
epilessia, 72, 77, 81-82, 165
equilibrio, 63, 93, 102, 125, 198, 209
Escherich, Theodor, 287
espressioni facciali, 90-91
estrogeno, 164, 170, 317, 324
Euler, Ulf von, 214
Evans, Nicholas, 119
Everest, monte, 220
evoluzione: allergie, 234; amminoacidi, 262; colore della pelle, 21-23; distribuzione delle ossa, 166; impronte digitali, 29; linguaggio, 125-26; mutazioni, 13, 363; naso e seni paranasali, 93; orecchie, 99-100; postura eretta, 194; sonno, 292; sperma, 322; tessuti cardiaci danneggiati, 133; umana, 13

Fabrici, Geronimo (o Hieronymus Fabricius), 226n
Falloppio, Gabriele, 184, 317
fame: carestia in tempo di guerra, 335; obesità e, 244; regolazione, 64, 158; Starvation Experiment, 268
Faulds, Henry, 30
Favaloro, René, 139
febbre della Valle, 46
febbre gialla, 150, 221, 280, 364
febbre puerperale, 327-28
febbre tifoide, 135, 359-60
febbri, 212
feci, 106, 145, 255, 285-87
Federico il Grande, 149
fegato: asimmetrico, 176; azione sugli zuccheri, 264, 271; bilharziosi, 364; cancro, 374, 380; comportamento dopo la morte, 422; consumo di calorie, 207; danni causati dagli acidi grassi trans, 265; disturbi, 172; effetti del selenio, 9-10; grasso, 172; orologio biologico, 296; rapporto con la cistifellea, 174-5; rigenerazione, 172; ruolo, 171; teorie storiche, 146, 172
feromoni, 28, 170
ferro, 156, 260, 272,
fertilità, 188, 319, 322, 325, 329, 385
feto, 322, 325, 330
fibre nella dieta, 264, 271, 274, 278
filariasi linfatica, 364
Fishback, Hamilton, 153
Fisher, Deborah, 281
flato, 285, 287-88
Fleming, Alexander, 50-53, 56, 115
Florey, Howard, 51, 53, 342
Foege, William, 391
Forssmann, Werner, 136-37
fosforo, 8-9
Foster, Russell, 295-96, 298-300
framboesia, 364
Framingham Heart Study, 135
Francia: alimentazione e cardiopatia, 269; aspettativa di vita, 395, 415; impronte digitali, 29-30; mortalità infantile, 328-29; mortalità materna, 328; obesità, 206; sudore della Piccardia, 353
Frank, Loren, 290
Freeman, Walter Jackson, 78-80
frenologia, 86
Frey, H. P., 140
Friedman, Jeffrey, 167
frutta: componente alimentare, 256; fibre della, 264; individuazione del grado di maturità, 97; moderna, 271-72
fumo, 136, 244, 248-50, 374-75, 391
funghi, 41, 45-47, 119, 286
Funk, Casimir, 258-9
fuoco di Sant'Antonio, 43

Gage, Phineas, 76-77, 282n, 306
Galeno, 146-47
Galton, Francis, 30

Gardner, Christopher, 38, 274
Gardner, Randy, 303
gas mostarda, 383
Gawande, Atul, 33
gechi, 308-9
gemelli, 323, 325
Gems, David, 411
genoma, 13-14
George, Rose, 413
Germania: aspettativa di vita, 395; caso di vaiolo, 360-62; conta spermatica, 322; esperimenti nazisti in tempo di guerra, 217, 221; età della donna al primo parto, 323; farmaci antibatterici, 5; mortalità associata alla gravidanza, 306; politiche naziste, 137, 221-2, 335; ricerca sul cervello, 89; tasso di mortalità nella mezza età, 395
ghiandola pineale, 297
ghiandola pituitaria, 163
ghiandole bulbouretrali, 318
ghiandole endocrine, 163, 166-67, 297
ghiandole salivari, 115
ghiandole sudoripare, 19, 31-32, 199, 219
Giappone: abitudini alimentari ed effetti sulla salute, 269; aspettativa di vita, 390, 415; decessi per incidenti stradali, 397; esperimenti in tempo di guerra, 222; età delle donne al primo parto, 323; impronte digitali, 30; incidenza dell'asma, 244; mortalità associata a gravidanza, 329; mortalità infantile, 329; pescatrici di perle, 242; pesce palla (fugu), 119; tasso di sopravvivenza al cancro, 398; umami, 122
Gibbon, John H., 137-38
ginocchia: azioni, 187; camminare eretti, 16; dimensioni, 198; effetti dell'obesità, 195; problemi, 194, 196, 201; sostituzioni, 194
Glick, Bruce, 227n
globuli bianchi (leucociti): effetti del gas mostarda, 383; infiammazione, 228; numeri, 144; ruolo della mil-

za, 174; terapia CAR-T, 237; tipi, 226; vista, 84
globuli rossi: contenitori dell'emoglobina, 40, 144, 156; dimensioni, 94, 144; effetti dell'altitudine, 220; funzione, 11, 144, 155, 156; livelli di ferro, 260; numeri, 11, 143-5; smaltimento, 11, 144, 171, 286; trasfusioni, 156
glucagone, 173
glutammato monosodico (MSG), 123
Goldfarb, Stanley, 266
Goldsmith, Mike, 100
Gould, Stephen Jay, 89, 230
Gräfenberg, Ernst, 315
Graham, Evarts Ambrose, 248-49
Graham, Robert Klark, 319
Gram, Hans Christian, 388n
Gran Bretagna: allattamento, 333; asma, 244; aspettativa di vita, 390; cause di morte, 112, 371, 390; costi della demenza, 419; decessi per incidenti stradali, 397; epilessia, 81; età delle donne al primo parto, 323; mortalità infantile, 244; mortalità materna, 328-29; morti per cancro, 371; parti cesarei, 333; sanità, 397-98; studio sull'infarto, 202; studio sul sale, 273; tassi di sopravvivenza al cancro, 398-99; trapianti di organi, 233
grande intestino, 283, *si vedano anche* intestino crasso, colon
Grant, Colin, 82
grassi: acidi grassi trans, 265-66, 276; alimentari e cardiopatia, 267-68; attività fisica, 207; del cervello, 60; della dieta umana, 257, 261, 263-65; digestione, 173-74; effetti dell'invecchiamento, 410; IMC, 205; immagazzinaggio, 204, 264; produzione ormonale, 167; recettori del gusto per i, 118; riserva energetica dei neonati, 60; riserve femminili, 312; saturi, 265, 270, 276
gravidanza: aborti spontanei, 330;

competenza medica, 325-6; ectopica, 324; fumo in, 250; in adolescenza, 395; nausea mattutina, 325-6; peso dell'utero, 317; preeclampsia, 329-30; produzione di melanina, 24; riserve di energia, 168; ruolo della placenta, 329; tassi di mortalità, 329; teorie storiche sulla determinazione del sesso, 306

Gray, Henry, 186
Green, Joseph Henry, 129
grelina, 16, 169
Grodin, Michael A., 222
Groopman, Jerome, 401
Grubbe, Emil H., 381-82
Gulliver, George, 145
gusto: cibo piccante, 121-22, 339, 341; cottura, 256; individuazione, 105-6; perdita del, 91; recettori, 118-20, 122; ruolo dei suoni, 124; ruolo del cervello, 124; ruolo della vista, 124; ruolo dell'olfatto, 123; sale, 273

Haier, Richard, 61
Haldane, J. B. S., 166, 216
Hales, Stephen, 132
Halsted, William, 175, 378-80
Hamblin, James, 207
Harman, Denham, 410-11
Harvey, William, 146-47, 184, 342
Hatch, Steven, 422
Haugen, Robert, 112
Hayflick, Leonard, 407-9
Heartland virus, 355
Heimlich, Henry Judah, 112-13
Henderson, Lawrence, 392
Henking, Hermann, 306
Henle, Jakob, 191n
Herculano-Houzel, Suzana, 61
Herrick, Richard and Ronald, 231-32
Hesse, Fanny, 49n
Hill, Austin Bradford, 249
Hite, Shere, 311
Hitler, Adolf, 51, 170
hmong (popolo), 135
Hodgkin, Thomas, 166

Hollyer, Thomas, 178
Hong Kong, aspettativa di vita, 390
Hopkins, Sir Frederick, 259
Hunter, John, 185
Hunter, William, 150
Hunt, Mary, 52

ictus: causa di morte, 390; consumo di aspirina, 404; demenza, 419; fattori di rischio, 116, 150, 171, 245, 271, 283; linguaggio, 89; perdita di neuroni, 75; prurito, 35; sistema immunitario, 229; tasso annuale negli Stati Uniti, 142; trial sul sangue artificiale, 156
idrogeno, 8, 263, 265, 287
Ikeda, Kikunae, 122
IMC (indice di massa corporea), 205
corpi, donati per la dissezione, 184-85
immunosoppressione, 232-33
immunoterapia, 237
impronte digitali, 29-31
infanzia: allergie, 235-36; asma, 243; cause di morte, 246; cellule del cervello, 75-75; tasso di mortalità, 328, 385, 392; tumori, 384-85
infarto: causa di morte, 391; cause, 179, 276; comparsa, 134-35, 179; consumo di sale, 273; cure, 134; differenze dei sintomi fra uomini e donne, 134; fatale, 134, 206; incidenza negli Stati Uniti, 133; legame con l'infiammazione, 229; notturno, 132; rischio di, 15, 110n, 133, 150, 273, 281; ruolo dell'attività fisica, 179-80, 183; soffocamento scambiato per, 112; trial sul sangue artificiale, 156
infezioni da Enterobatteri resistenti ai carbapenemi, 57
infezioni da Staphylococcus aureus resistente alla meticillina, 56
infiammazione, 228-29, 246, 420
influenza: causa di morte, 324, 334, 357, 368, 390; clima freddo, 240; nuovi virus, 225; perdita dell'olfat-

to, 106; rifugio nelle popolazioni animali, 360; salto della barriera della specie, 358; sopravvivenza del virus, 45; spagnola, 357; trasmissione del virus, 357; vaccini, 356-57

influenza spagnola, 357, 369

insonnia, 300-1, 303

insulina, 159-62, 169, 173, 397

intestino crasso: chirurgia, 285-86; durata del transito intestinale, 277-78; lunghezza, 283; malattia, 279; sindrome del colon irritabile, 349; tumore, 286; *si vedano anche* colon, grande intestino

intestino tenue, 278, 282-83, 285-86

invecchiamento, 29, 35, 65, 75, 94, 102, 176, 260, 298, 323, 409-13, 418, 420

ipertensione, 9, 132, 276, 290, 300, 416

ipotalamo: aspetto, 64; ghiandola endocrina, 163; nuclei soprachiasmatici, 296; ruolo, 64, 105, 141, 211; sistema limbico, 64

Ippocrate, 371n

Irlanda, 323, 328, 359

Ishii, Shiro, 222-23

Italia: abitudini alimentari ed effetti sulla salute, 269; aspettativa di vita, 415, 379; età della donna al primo parto, 323; mortalità materna, 328

Jablonski, Nina, 19, 21-26, 28, 31

Jackson, Chevalier Quixote, 113-14,

Jensen, Frances E., 74

Jones, Steve, 209, 211

Jonson, Ben, 318

Jorgensen, Timothy J., 381-82, 399

Kaeberlein, Matt, 413

Kale, Rajendra, 81

Kanizsa, Gaetano, 68

Kaptchuk, Ted, 349

Karsenty, Gerard, 188

Kennedy, John F., 166

Kennedy, Rosemary, 79

Keys, Ancel, 267-69

khoisan (popolo), 26

Kimura, Jiroemon, 415

Kinch, Michael, 54-55, 57-58, 141, 224, 367-68

Kinsey, Alfred, 310

Koch, Robert, 49, 49n, 280, 341, 362

Korsakov, Sergej, 419

Kristof, Nicholas, 321

Kummerow, Fred A., 265

lacrime, 51, 96-97, 224, 343

Laënnec, René, 315

Laguesse, Edouard, 159

Lambert, Raymond, 220

Lanchester, John, 394

lanciare, 198, 201

Landsteiner, Karl, 151

Lane, Nick, 216

Lane, Sir William Arbuthnot, 285

Langerhans, Paul, 159

laringe, 111, 114, 126, 199, 251

Larson, Frances, 86

Larsson, Arne, 138

Lawrence, Ernest, 383

Lawrence, Gunda, 382

Lawrence, John, 382

Lazear, Jesse, 364

Le Fanu, James, 67, 76

legamenti, 10, 99, 125-26, 189, 191

legamento nucale, 199

legge della superficie, 209, 216

legionella, 356

leishmaniosi, 364

Leonardo da Vinci, 184

leptina, 167-68

letargo, 290

leucemia, 384

Levine, James, 207

Lewy, Friedrich H., 419

Lieberman, Daniel: su camminare e correre, 200; sugli acidi grassi trans, 265; sul collo, 111; sul consumo delle calorie, 206; sulla frutta moderna, 271; sulla preparazione degli alimenti, 257; sulla ricerca alimentare, 265; sulla salute in vec-

474

po umano, 8; grassi, 263; inspirare ed espirare, 239; privazione (ipossia), 134, 221; processo dell'invecchiamento, 410; ruolo della placenta, 330; ruolo dell'emoglobina, 144; trattenere il fiato, 241-42

ossitocina, 164, 169

osteocalcina, 188

Osterberg, Swede, 255

ovaie, 163, 170, 317-18, 322, 327

ovariotomia, 327

ovuli, 110, 317, 322-25, 413

Owen, Adrian, 83

Paget, Stephen, 380

Painter, Theophilus, 308

pancreas: cancro, 374; dimensioni e forma, 173; funzioni, 159, 173; ghiandola endocrina, 163; ormoni, 167; orologio biologico, 296; produzione d'insulina, 118, 159, 173

parasonnie, 302-3

Parker, Janet, 361

Parkinson, 64, 301, 313, 420

parto: contrazioni uterine, 169; dimensioni del canale del parto, 331; dolore, 326-27, 332; età della madre, 323; fasi, 306; febbre puerperale, 327-28; menopausa, 412-13; microbi, 332-33; morte di, 202, 330; taglio cesareo, 332-33; *si veda anche* gravidanza

Pasternak, Charles A., 235

Pasteur, Louis, 359

Pauling, Linus, 261

Pearce, Neil, 244-47

pelle: acari, 34; cancro, 24; cellule, 19, 376, 385; colore, 21-26; derma, 19-20; dimensioni, 18-19; epidermide, 19, 21; follicoli piliferi, 19, 27, 35-36; ghiandole sebacee, 20; ghiandole sudoripare, 19, 31-32, 199, 219; impronte digitali, 29-30; innesti, 221; invecchiamento, 412; microbi, 33-34; peli, 26-28; prurito, 34-35; recettori, 20-21; strato sottocutaneo, 19

pene, 20, 154, 317-18

Penfield, Wilder, 71-72, 342

penicillina: discorso di Fleming al ritiro del Nobel, 37, 52-53 batteri Gram-negativi, 388; impatto sulle malattie infettive, 392; problemi di resistenza, 53, 56; produzione negli Stati Uniti, 53; scoperta, 50-53; sviluppo e primo impiego, 49, 328; vittoria sulla febbre puerperale, 328

pensione, 407, 415

peperoncini, 120-21, 339

Pepys, Samuel, 158, 178-79

Perutz, Max, 230, 393

pescatrici, 242

pesce palla (fugu), 119

peste, 358, 364

Petri, Julius Richard, 49n

Pettenkofer, Max von, 49

piastrine, 144-6

picnodisostosi, 366

piedi, 27, 33, 187-88, 193, 199

Pinkel, Donald, 384-85

placche, 417-18, 420

placenta, 329-30

plasma, 144, 214

Platts-Mills, Thomas, 247

pollici, 182, 191

polmoni: apporto sanguigno, 130, 147, 153, 155-56; asma, 242, 245-46; azoto, 37; cancro, 15, 248-50, 363, 376, 385; capienza, 241; collasso, 241; del feto, 330; dimensioni, 11, 240; movimento, 76; ormoni, 167; peso, 238; problemi, 242; pulizie, 239; recettori del gusto, 118; tubercolosi, 363; virus, 43

polmonite, 46-47, 56, 141, 371, 390, 420

polso, 182, 189, 192

Pope, Alexander, 132

postura eretta: adattamento del collo, 111, 198; camminare, 197-200, 202, 206-7, 336; logorio della cartilagine, 194-95; modifiche della struttura del bacino, 331; modifi-

che facciali, 91; motivi della, 197; problemi alle anche, 195; problemi a schiena e ginocchia, 16, 194; problemi spinali, 199; struttura del piede, 193
potassio, 9, 261
Pott, Percivall, 374
Pratten, Margaret «Margy», 183, 189
preeclampsia, 329-30
pressione sanguigna: abbassamento, 121, 402; alta, 132-34, 329; effetti del sale, 273; effetti del sonno, 290; preeclampsia, 329; ruolo dei reni, 176; ruolo del cortisolo, 167; ruolo dell'ossido di azoto, 155; ruolo del potassio, 261; ruolo del talamo, 301; vampate di rabbia, 24; variazioni durante il giorno, 131-32, 297
prigionieri, esperimenti sui, 221-22
prioni, 301, 302n
Proctor, Lita, 43
progesterone, 170
propriocezione, 93, 342
prostaglandine, 224, 331
prostata, 318, 400-1
proteine: alimentazione umana, 257, 262; ammassi neurofibrillari, 417-18; amminoacidi, 262-63; anticorpi, 224; antigeni, 152; beta-amiloide, 403, 417-18; carenza, 262-63; ceppi influenzali, 363; coagulazione sanguigna, 144; codici genetici delle, 12-13; collagene, 188; del cervello, 59; del corpo, 12, 262; delle cellule, 12; demenza, 403-4; emoglobina, 144; enzimi, 115; huntingtina, 365; insulina, 162; lipoproteine, 264; ormoni, 163; prioni, 301, 302n; ruolo del fegato, 171; sistema immunitario, 228; trasferimento con il bacio, 40
protisti, 41, 45-47
Proust, Marcel, 242-43
Prout, William, 257
Prowazek, Stanislaus von, 365
prurito, 34-35

Prusiner, Stanley, 302n
pubertà, 168, 244, 303, 323, 366, 375
punto G, 315-16
Purkinje, Jan, 30
Purves, Sir Thomas Fortune, 101

radicali liberi, 410
radio, 381
radioterapia, 381, 383, 400
raffreddori, 44-45
raggi X, 382
recettori degli odori, 104
Rechtschaffen, Allan, 291
Rector, Dean, 284-85
reni: anse dei nefroni, 92n; apporto sanguigno, 131, 412; calcoli, 177-78, 178n; causa di morte per malattia, 177, 390; consumo di calorie, 207; danni, 328; dimensioni, 175; equilibrio dei liquidi, 177, 266; funzione, 177; intervento, 176-77; malattia, 177, 390; nome, 176; ormoni, 167; processo d'invecchiamento, 176, 412; trapianti, 120, 231-32
respirazione: agonica, 421; ansimare, 22; apnea notturna, 301; attività, 238-39; controllo, 241; effetti dell'Alzheimer, 418; forma del naso, 93; invecchiamento, 410; ruolo del tronco encefalico, 63; singhiozzo, 251-52; sostanze inquinanti, 376; trattenere il fiato, 241-42
Rice, Andrew, 347
Richards, Dickinson, 137
Ricketts, Howard Taylor, 364
ritmi circadiani, 296, 298-99
RNA, 12, 144
Roach, Mary, 288, 315
Robinson, George, 87
Rollins, Katie, 278
Röntgen, Wilhelm, 382
Roosevelt, Franklin Delano, 135
Rothwell, Peter, 404
Rous, Peyton, 376
Rowbotham, Timothy, 47
Royal Society, 132, 148, 211, 342

479

cellule cancerose, 15; effetti del sonno, 290; globuli bianchi, 144-45, 174, 226, 229, 237; indebolito, 56; infiammazioni, 228-29; invecchiamento, 412; linfociti, 226-27; linfociti B, 224, 226-27; linfociti T, 224, 227-28, 237; malattie autoimmuni, 225, 234, 312; milza, 173-74; reazioni allergiche, 229, 234; ruolo, 226-27; terapia CAR-T, 237; terapia dei checkpoint immunitari, 237; tonsille e adenoidi, 110; trapianti, 231; vitamina D, 24

sistema nervoso: autonomo, 214, 343; centrale, 75, 340-41, 342, 366; parasimpatico, 343; simpatico, 343; somatico, 342

Smith, Theobald, 280

soffocamento, 109, 112-13, 375

sogni, 65, 291, 293, 295, 421

sonnambulismo, 302

sonno: apnea, 301; cicli, 292; disturbi, 302, 352, sogni, 65, 291, 293, 295, 421; fase REM, 292-93; insonnia, 300-1, 303; narcolessia, 302; privazione, 289, 300; quantità di, 291, 299; ruolo, 290-91; russare, 87, 128, 272; sbadigliare, 303; sensazione di cadere, 294

sopracciglia, 92

sorriso, 91-92

sperma, spermatozoi, 314, 317-22, 324-25

Spiegelhalter, David, 310, 312

spina dorsale, 63, 187, 194, 199

Stampfer, Meir, 260

Stark, Peter, 31

Starling, E. H., 165

starnutire, 41, 240

Starr, Bernard, 415

Stati Uniti: abuso degli oppioidi, 348; allattamento, 334; appendicite, 284; aspettativa di vita, 390; Bourbon virus, 354; cause di morte, 390; consumo di calorie, 253; conta spermatica, 321; costi sanitari, 397, 408; cure preventive, 142; decessi per incidenti stradali, 348; difterite, 358; disturbi del sonno, 352; eccesso di cure, 142; epilessia, 82; età della donna al primo parto, 323; evoluzione della chemioterapia, 383-84; febbre tifoide, 359; fegato grasso, 172; Food and Drug Administration (Agenzia per i farmaci e i medicinali), 34, 154, 266, 279, 362, 411; fumo, 250; grassi alimentari e cardiopatia, 141; incidenza dell'asma, 332; integratori, 411; lesioni al midollo spinale, 343; lobotomie, 78; malattia di Akureyri, 352; malattia renale cronica, 176; malattie cardiovascolari, 133; malattie di origine alimentare, 279; mortalità infantile, 329; mortalità infantile, 329; mortalità materna, 328-29; morte per cancro, 398; morte per monossido di carbonio, 145; obesità e problemi di peso, 205; parti cesarei, 332; peste bubbonica, 364; Powassan virus, 353; produzione della penicillina, 52; sostituzioni articolari, 194; tasso di sopravvivenza al cancro, 398; trapianti di organi, 232; uso degli antibiotici, 52-53; vendita di plasma, 144

stato vegetativo, 82-83

steatoepatite non alcolica, 172

Stent, Charles Thomas, 142n

steroidi, 162, 170, 246

Stevens, Nettie, 282n, 306-7

Stewart, Payne, 221

St. Martin, Alexis, 281-82

stomaco: acido cloridrico, 240, 278, 282; brontolio, 213; cancro, 287, 341; eliminazione dei microbi, 278; oggetti estranei nello, 111; ormoni, 167-68; ruolo nella digestione, 278; studio dello stomaco di St. Martin, 281-82; transito del cibo, 111-12

Strachan, David, 236

Strange, Jennifer, 266

streptomicina, 249n, 388-89, 392
Styrbæk, Klavs, 123
sudorazione, 31, 211, 266
Svezia: aspettativa di vita, 396; consumo di calorie, 396; decessi per incidenti stradali, 397; età della donna al primo parto, 323; mortalità materna, 328; regolamentazione dell'uso degli antibiotici, 55

taglio cesareo, 332
talamo, 64, 301
tatto: elaborazione cerebrale degli input sensoriali, 21, 63; memoria del, 69; reazioni del sistema nervoso, 340; sensibilità tattile, 21; senso, 18, 13; trasferimento dei germi, 45, 117
Taylor, Jeremy, 193
telomeri, 409-10, 416
temperatura corporea, 137, 143, 210-12, 290, 322
tendini, 10, 180-82, 187, 189-90
Tenzing Norgay, 220
Terman, Lewis, 267
testa: ciglia, 92-93; coscienza dopo la decapitazione, 85-86; craniometria, 86-87; espressioni facciali, 89-90; mento, 93; naso, 93; olfatto, 103-107; sopracciglia, 92; udito, 99-103; vista, 94-99
testicoli, 118, 163, 165, 170, 317-18
testosterone, 164-65, 170-71, 297, 317
Tewksbury, Joshua, 120
Candida albicans, 46
Cryptococcus gattii, 46
E. coli, 38, 228, 262n, 279, 287
Rickettsia, 359
Staphylococcus aureus, 56, 281
Thomas, Lewis, 362
tifo, 221, 351, 358-59, 364-65
timo, 163, 224, 227
tiroide, 163, 168, 234
tiroidite di Hashimoto, 234
tonsille, 110
topi di laboratorio, 51, 249, 286, 403, 420

Torgerson, Warren A., 338
Toulouse-Lautrec, Henri de, 366
Tracey, Irene, 338-40, 344-48
tracoma, 364-65
trapianti, 139-40, 221, 231-34, 422
tratto gastrointestinale, 39, 277
tromba di Eustachio, 102-3
Trump, Donald, 334
tube di Falloppio, 184, 317
tubercolosi: causa di morte, 362-3, 370, 390, 358; ceppi resistenti ai farmaci, 363; cure, 329-30, 388; infezioni di derivazione animale, 280, 358; microorganismi che causano, 280; paura della, 370
tumore ai testicoli, 385
tumore della cervice, 398
tumori: biopsie alla prostata, 400; cervello, 35, 77, 346; dolore, 337, 346; ricerca sul cancro ai polmoni, 249-50; seno, 377, 398-99, 400; viso, 382
Typhoid Mary (Mary tifoide), 359

udito, 99-101
ugola, 110, 127
umami, 122-3
umori, quattro, 173
Unità 731, 222-3
uomini: anatomia sessuale, 317-18; aspettativa di vita, 389-90, 407; balbuzie, 126-27; calvizie, 35; cancro alla prostata, 371, 400; consumo di zuccheri negli Stati Uniti, 271; conta spermatica, 321-22; dose quotidiana consigliata di vitamina A, 260; durata del transito intestinale, 277; emicranie, 345; estrogeno, 164; fratture, 196; fumo, 249-50; ignoranza dell'anatomia femminile, 316; infarto, 132-33, 313; lesioni al midollo spinale, 343.44; Parkinson, 313; pressione del sangue, 132-33; rischi dell'aspirina, 404; rischio di cancro, 371, 374; sensibilità tattile, 21; sondaggi sul sesso, 309-11; sonno REM, 294;

482

sovrappeso e obesi, 204-5; stile di vita sedentario, 207; suicidi, 313; testicoli, 163, 170; testosterone, 164, 268, 286; trial clinici, 313; vulnerabilità alle infezioni, 313-14

urina, 105, 145, 170, 176-77, 211, 317, 386

utero, 316-17, 320, 322, 324-5, 330-32, 334

vaccini, 228, 356, 368, 392-93

vagina, 315-16; microbiota, 332; recettori del dolore, 122; secrezioni, 315

vaiolo, 186, 360-62, 370

Valsalva, Antonio Maria, 103

vasi sanguigni: angioplastica, 142; capacità di dilatarsi e contrarsi, 137; depositi, 237; infiammazioni, 228; invecchiamento, 412; lunghezza, 11, 143; nel derma, 19; nell'occhio, 94; pressione, 131; scottature, 24; vie riconfigurate, 199

vecchiaia, 196, 312, 318, 365, 390-92, 421

verdura: alimentazione negli Stati Uniti, 272; avvento della ferrovia, 393; carenze nutrizionali, 271; fibre della, 264; grassi e oli, 265; malattie di origine alimentare, 279, 281; teorie alimentari, 255, 264, 376; vegetali commestibili, 257

Vesalio, Andrea, 184

vescica, urinaria, 176-78, 400, 411

vescicole seminali, 318

villi, 254, 283

Viña, José, 408

virus: batteriofagi, 57; Bourbon, 354; causa di cancro, 376; del Nilo occidentale, 353; Dengue, 330; descrizione, 41-42; ebola, 356-57; effetti della temperatura sul tasso di replicazione, 212; giganti, 48; Heartland, 355; inerte, 43; influenza, 357, 368; mutazioni, 357; nome, 41; non patogeni, 42; numeri nel corpo umano sano, 43; numeri

nell'acqua marina, 43; Powassan, 353; raffreddore comune, 41, 44-45; retrovirus, 233; salto della barriera della specie, 358; teoria dello sviluppo dell'asma, 247; trasferimento mediante il tatto, 44; Zika, 330

vista, 94-99

vitamina A, 260-61, 272

vitamina B, 258

vitamina C, 16, 261

vitamina D, 23-35, 176, 259

vitamina E, 261

vitamine: concetto di, 255, 258-59, 260; definizione, 259; integratori, 260-61, 410; rischi dell'assunzione, 261; ruolo del fegato, 171; ruolo del grande intestino, 257; scoperta e denominazione, 259

Vormoor, Josef, 372-73, 384

Vulović, Vesna, 218

vulva, 316

Wadlow, Robert, 163

Wagner, Rudolf, 20

Waksman, Selman, 388-89

Waldeyer-Hartz, Heinrich Wilhelm Gottfried von, 110, 305, 322

Wall, Patrick, 344-45, 349

Washburn, Arthur L., 213

Washington, George, 148-49

Washkansky, Louis, 139-40

Wass, John, 162-63, 166, 168

Willett, Walter, 208

Willner, Dana, 43

Wilson, Edmund Beecher, 307

Wood-Allen, Mary, 326

Wootton, David, 148

Worboys, Jonathan, 229

Wrangham, Richard, 256

Wright, James Homer, 146

Wynder, Ernst, 248-49

Yong, Ed, 358

Zacharski, Leo, 260

zigote, 324

INDICE

Finito di stampare nel mese di aprile 2020
per conto di Mondadori Retail S.p.A. per Mondolibri, Milano
presso ELCOGRAF S.p.A
Stabilimento di Cles (TN)

Stampato in Italia - Printed in Italy